3. H

HEYNE

DAS BUCH

1895: Politischer Aufruhr erschüttert ganz Europa. Inspektor Thomas Pitt will einen wichtigen Informanten treffen, doch dieser wird im letzten Moment ermordet. Pitt verfolgt gemeinsam mit einem Kollegen den mutmaßlichen Täter. Als dieser über den Kanal flieht, observiert Pitt ihn in Frankreich weiter.

Kaum ist er aus London fort, wird sein Vorgesetzter Narraway wegen angeblicher Veruntreuung von Geldern von seinem Amt suspendiert. Um die dahintersteckende Intrige aufzudecken und sich zu rehabilitieren, bricht er nach Irland auf. Pitts Ehefrau Charlotte begleitet ihn, da sie weiß, dass die Karriere ihres Mannes von Narraway abhängt. Die Recherchen in Dublin sind mühselig und gefährlich. Und auch Pitt wird immer tiefer in seinen Fall in Frankreich verstrickt. Zu spät merken die beiden, dass es ihre wahren Gegner genau darauf angelegt haben, sie aus England fortzulocken. Denn dort planen sie einen fürchterlichen Coup, der das ganze Empire erschüttern soll.

»Anne Perry konfrontiert uns mit moralischen und politischen Fragen, die unseren modernen nur allzu nahe kommen.«

Los Angeles Times

DIE AUTORIN

Anne Perry, 1938 in London geboren und in Neuseeland aufgewachsen, lebt und schreibt in Schottland. Ihre historischen Kriminalromane zeichnen ein lebendiges Bild des spätviktorianischen London. Weltweit haben sich die Bücher von Anne Perry bereits über zehn Millionen Mal verkauft. Zuletzt bei Heyne erschienen: *Die Tote von Buckingham Palace*.

ANNE PERRY

Der Verräter von Westminster

Ein Thomas-Pitt-Roman

Aus dem Englischen
von K. Schatzhauser

WILHELM HEYNE VERLAG
MÜNCHEN

Die Originalausgabe
BETRAYAL AT LISSON GROVE
erschien 2010 bei Headline Publishing Group, London

Verlagsgruppe Random House FSC-DEU-0100
Das für dieses Buch verwendete
FSC®-zertifizierte Papier *Holmen Book Cream*
liefert Holmen Paper, Hallstavik, Schweden.

Vollständige deutsche Erstausgabe 04/2011
Copyright © 2010 by Anne Perry
Copyright © 2011 der deutschen Ausgabe
by Wilhelm Heyne Verlag, München,
in der Verlagsgruppe Random House GmbH
Printed in Germany 2011
Umschlaggestaltung: © Hauptmann & Kompanie Werbeagentur, Zürich,
unter Verwendung eines Fotos
von © Fine Art Photographic/GettyImages
Satz: C. Schaber Datentechnik, Wels
Druck und Bindung: GGP Media GmbH, Pößneck

ISBN: 978-3-453-43553-7

www.heyne.de

Für Ken Sherman

im Gedenken an Jahre der Freundschaft

KAPITEL 1

»Da ist er!«, rief Gower, so laut er konnte, um den Verkehrslärm zu übertönen. Gerade noch rechtzeitig wandte Pitt den Kopf und sah, wie ein Mann blitzschnell zwischen einer Droschke und den dicht dahinter folgenden Pferden eines Brauereifuhrwerks verschwand. Als Gower ihm folgte, hätten ihn die schweren Tiere um ein Haar zu Fall gebracht und niedergetrampelt.

Geschickt einer Kutsche ausweichend, rannte auch Pitt auf die Straße, musste aber sogleich stehen bleiben, um eine weitere Droschke vorüberzulassen. Als er endlich die andere Straßenseite erreicht hatte, war von dem Mann, den sie verfolgten, nichts zu sehen. Von Gower, der inzwischen zwanzig Schritt Vorsprung hatte, erspähte Pitt nur noch die wehende blonde Mähne. Indem er sich rasch zwischen Müßiggängern, Geschäftsleuten in Nadelstreifen und Hausfrauen, die ihre Einkäufe erledigten, seinen Weg bahnte, gelang es ihm, den Abstand zu Gower bis auf etwa zwölf Schritte zu verringern, und er erhaschte nach einer Weile auch einen flüchtigen Blick auf den Mann, dem sie auf den Fersen waren, sah dessen leuchtend roten Schopf und das grüne Jackett. Gleich darauf war der Flüchtende seinen Blicken wieder entzogen. Gower verschwand um eine Ecke, wobei er kurz die rechte Hand hob, um die Richtung anzuzeigen.

Pitt folgte dem Hinweis sogleich, brauchte aber einige Sekunden, bis sich seine Augen an das Dämmerlicht in der in tiefem Schatten liegenden langen, schmalen Gasse gewöhnt hatten. Dunkle Streifen liefen über die schmutzigen, nassen Ziegelmauern links und rechts; allem Anschein nach waren Dachrinnen und Fallrohre der Häuser schadhaft.

Lastträger schleppten schwere Säcke und Stoffballen. Fässer, von denen man nicht wusste, was sie enthielten, wurden über das Pflaster gerollt. Überall in den Hauseingängen kauerten Menschen.

Nach wie vor war es Pitt nicht gelungen, Gower einzuholen, der sich seinen Weg mühelos zwischen sämtlichen Hindernissen hindurch zu bahnen schien. Im letzten Augenblick wich Pitt einer fülligen Streichholzverkäuferin aus und bemühte sich, zu seinem Untergebenen aufzuschließen. Zwar war Gower mindestens zehn Jahre jünger als er, kaum älter als dreißig, und war solche Verfolgungsjagden eher gewohnt, doch auf die Spur gekommen waren sie West, dem Mann, den sie jetzt verfolgten, dank der Erfahrung, die Pitt in der Londoner Polizei gesammelt hatte, bevor er in den Sicherheitsdienst übergewechselt war.

Weiter vorn machte die Gasse einen scharfen Knick.

Rasch entschuldigte sich Pitt bei einer alten Frau, die er beim Umrunden der Ecke angestoßen hatte, und schlug dann sofort wieder das scharfe Tempo an. Jetzt konnte er Wests roten Schopf etwa vierzig Schritt vor sich sehen. Ganz offensichtlich strebte der Mann der breiten Hauptstraße entgegen. Sie mussten ihn unbedingt einholen, bevor er dort in der Menschenmenge untertauchen konnte.

Gower war jetzt dicht hinter West und streckte schon eine Hand nach ihm aus. Doch genau in dem Augenblick schlug dieser einen Haken. Gower geriet ins Straucheln, prallte gegen eine Mauer, krümmte sich vor Schmerz und blieb, um Atem ringend, stehen.

Pitt beschleunigte das Tempo noch einmal und holte West in dem Augenblick ein, als dieser in die Hauptstraße einbog, sich dort rücksichtslos seinen Weg durch eine Menschengruppe bahnte und verschwand.

Pitt folgte ihm. Schon an der nächsten Kreuzung sah er den Mann wieder vor sich. Er musste ihn um jeden Preis fassen und achtete jetzt seinerseits auch nicht mehr darauf, ob er jemanden anstieß oder beiseiteschob. West wusste Dinge, die von entscheidender Bedeutung sein konnten. Auf dem ganzen europäischen Kontinent nahm die politische Unruhe rasch zu und äußerte sich immer heftiger. Allenthalben gab es Versuche, im Namen angeblicher Reformen Regierungen zu stürzen und anarchische Zustände zu etablieren, die nach Ansicht ihrer Befürworter eine Art Gleichheit aller vor dem Gesetz gewährleisteten. Manche dieser Neuerer begnügten sich mit Brandreden, während andere zu Dynamit oder Schusswaffen griffen.

Der englische Sicherheitsdienst hatte erfahren, dass ein Anschlag geplant war, doch waren ihm weder die führenden Köpfe bekannt noch – weit gravierender –, wer dabei als Opfer ausersehen war. Diese Angaben sollte West machen, um den Preis seines eigenen Lebens, falls sein Verrat bekannt wurde.

Wo nur zum Teufel steckte Gower? Pitt sah sich im Gewimmel um, um festzustellen, ob er ihn in dem Meer aus Köpfen, steifen Hüten, Mützen und Hauben sah. Er konnte es sich nicht leisten, länger zu warten. Ob Gower sich noch in der Gasse befand, in der er gegen die Mauer geprallt war, womöglich verletzt? Pitt konnte sich das nicht recht vorstellen.

Vor sich erkannte er jetzt erneut West, der eine Lücke im Verkehr nutzte, um auf die andere Straßenseite zu gelangen. Drei Droschken folgten einander in so geringem Abstand, dass es aussichtslos war, sich zwischen ihnen hindurchschlängeln zu wollen. Vor Ungeduld kochend, stand Pitt am Straßenrand. Unmöglich, sich jetzt in den Verkehr zu wagen, zumal ihm auch noch ein vierspänniges Fuhrwerk entgegenkam – er würde mit Sicherheit überfahren.

Gleich darauf näherte sich ein Pferdeomnibus, unmittelbar gefolgt von zwei schwer beladenen Fuhrwerken. In der Gegenrichtung blockierten weitere Fuhrwerke und ein Bierkutscher mit seinem Gespann die Straße. In der Zwischenzeit hatte Pitt West vollständig aus den Augen verloren, während sich Gower in Luft aufgelöst zu haben schien.

Kaum entstand eine winzige Lücke im Verkehr, als Pitt im Laufschritt quer über die Straße stürmte, wobei er sich geschickt zwischen den verschiedenen Fahrzeugen hindurchwand, ohne sich um den Zorn der Kutscher zu kümmern, den er damit auf sich zog. Nur um ein Haar verfehlte ihn die scharfe Schnur einer Peitsche. Jemand brüllte ihn an, doch er achtete nicht darauf. Auf der anderen Straßenseite erkannte er einen kurzen Augenblick lang den leuchtenden Schopf Wests, der gerade um eine Ecke in eine weitere schmale Gasse bog.

Pitt stürmte ihm nach, konnte aber nichts von ihm entdecken, als er die Gasse erreichte.

»Haben Sie einen Mann mit roten Haaren gesehen?«, erkundigte er sich bei einem Mann, der belegte Brote verkaufte. »In welche Richtung ist er gegangen?«

»Woll'n Se eins?«, fragte ihn der Mann mit weit geöffneten Augen. »Die sin' sehr gut, heute Morg'n frisch gemacht. Nur zwei Pennies.«

Mit einem Griff in die Tasche förderte Pitt ein Taschenmesser, ein Taschentuch und einige Geldstücke zutage. Er gab dem Mann eine Drei-Penny-Münze und lehnte das belegte Brot höflich ab. Auch wenn es frisch sein mochte, war er jetzt nicht in der Stimmung, etwas zu essen.

»Wohin?«, fragte er grimmig.

»Da rüber!« Der Mann wies in die dunkle Gasse.

Pitt begann erneut zu rennen. Dabei musste er sorgfältig darauf achten, nicht über den sich überall häufenden Unrat zu stolpern. Eine Ratte rannte zwischen seinen Füßen hindurch, und beinahe wäre er über einen Betrunkenen gestolpert, dessen Beine aus einem Hauseingang ragten. Jemand schlug mit der Faust nach ihm, er wich rasch aus, verlor einen Augenblick lang das Gleichgewicht, sah aber West immer noch vor sich.

Jetzt war der Mann wieder verschwunden, ohne dass Pitt hätte sagen können, wohin. Er versuchte es mit mehreren Nebensträßchen, die Sackgassen waren, sowie mit Höfen, aus denen es ebenfalls nicht weiterging – vergebens. Nach Minuten, die ihm endlos vorkamen, sah er Gowers vertraute Gestalt aus einer Seitenstraße kommen.

Mit den Worten »Hier entlang! Rasch!« fasste Gower ihn so fest am Arm, dass er unwillkürlich keuchte.

Gemeinsam eilten sie weiter, Pitt an den dunklen Mauern entlang über den schadhaften Gehsteig, Gower in der Gosse, so dass seine Stiefel bei jedem Schritt das schmutzige Wasser nur so hochspritzen ließen. Als sie eine Ecke umrundeten, sahen sie, wie am Eingang zu einer Ziegelei ein Mann vor etwas, was am Boden lag, hockte und sich vorbeugte.

Mit einem Wutschrei stürmte Gower voran, wobei er Pitt in die Quere kam und mit ihm zusammen zu Boden ging. Pitt war rechtzeitig wieder auf den Beinen, um zu sehen, wie sich der Hockende zu ihnen umdrehte, sich rasch aufrichtete und davonlief, als gehe es um sein Leben.

»Großer Gott!«, stieß Gower hervor, der inzwischen wieder auf den Beinen war. »Ihm nach! Ich kenn den Burschen.«

Pitt sah auf den Boden und erkannte das grüne Jackett und das leuchtend rote Haar Wests. Das Blut, das ihm vom Hals über die Brust lief, begann schon eine dunkle Lache auf den Steinen zu bilden. Er konnte unmöglich noch am Leben sein.

Gower jagte bereits dem anderen nach. Pitt folgte ihm und holte ihn diesmal mit seinen langen Beinen ein, bevor er die Straße erreicht hatte. »Wer ist das?«, stieß er atemlos hervor.

»Wrexham!«, gab Gower zurück. »Den haben wir schon seit Wochen im Auge.«

Das war Pitt bekannt, doch er hatte den Mann nie zuvor gesehen, kannte nur den Namen. Aber jetzt war keine Zeit für nähere Erklärungen. Eine Lücke im Verkehr nutzend, eilten er und Gower über die Straße Wrexham nach. Zum Glück war der wegen seiner Größe nicht so ohne weiteres zu übersehen, zumal er trotz des warmen Wetters einen langen hellen Schal trug, der bei jeder Bewegung hinter ihm her flatterte. Flüchtig kam Pitt der Gedanke, dass er ihm womöglich als Waffe diente – es dürfte nicht schwerfallen, jemanden damit zu erwürgen.

Jetzt befanden sie sich auf einem belebten Gehweg, und Wrexham verlangsamte den Schritt. Er schien beinahe gemütlich dahinzuschlendern. War er womöglich so überheblich, dass er glaubte, sie so schnell abgeschüttelt zu haben? Ihm musste bewusst sein, dass sie ihn gesehen hatten, denn bei Gowers Ausruf war er herumgefahren und dann eilig davongelaufen. Vielleicht verließ er sich nun darauf, dass ihn sein betont unauffälliges Dahinschlendern gleichsam unsichtbar machte.

Sie schritten jetzt kräftig in Richtung Stepney und Limehouse nach Osten aus. Wenn sie die Hauptstraße erst einmal hinter sich hatten, würde die Zahl der Passanten deutlich abnehmen.

»Seien Sie vorsichtig, wenn er in eine Gasse einbiegt«, mahnte Pitt. Sie gingen jetzt nebeneinander her wie zwei Geschäftsleute, die sich über etwas unterhielten. »Der Kerl dürfte ein Messer haben. Sonderbar, dass er sich so selbstsicher gibt. Er muss doch wissen, dass wir ihm folgen.«

Gower warf seinem Vorgesetzten einen raschen Blick zu und fragte mit weit geöffneten Augen: »Meinen Sie, der will versuchen, uns um die Ecke zu bringen?«

»Immerhin ist ihm klar, dass wir praktisch gesehen haben, wie er West die Gurgel durchgeschnitten hat«, gab Pitt zurück, darauf bedacht, seine Schritte an Gowers anzupassen. »Mit Sicherheit weiß er, dass der Galgen auf ihn wartet, wenn wir ihn fassen.«

»Ich vermute, dass er einfach abtauchen und sich verstecken will, sobald er den Eindruck hat, dass wir in unserer Aufmerksamkeit nachlassen«, gab Gower zurück. »Wir sollten uns besser dicht hinter ihm halten. Der verschwindet bestimmt sofort, sobald wir ihn auch nur einen Moment aus den Augen verlieren.«

Pitt nickte zustimmend, und sie verringerten den Abstand zu Wrexham, der nach wie vor scheinbar völlig unbekümmert vor ihnen dahinschlenderte, ohne sich auch nur ein einziges Mal umzusehen.

War es möglich, dass jemand einem anderen die Kehle durchschneiden und wenige Augenblicke darauf mit harmloser Miene inmitten einer Menschenmenge spazieren gehen konnte, ohne sich etwas anmerken zu lassen? Diese Vorstellung ließ Pitt einen Schauer über den Rücken laufen. Was mochte im Kopf eines solchen Menschen vorgehen? An der selbstverständlichen Art, mit der Wrexham dahinflanierte, wies nichts auf Furcht hin und erst recht nichts darauf, dass sich der Mann des brutalen Mordes bewusst war, von dem das Blut noch an seinen Kleidern kleben musste.

Wrexham bewegte sich geschmeidig in der Menschenmenge voran, und zweimal verloren sie ihn aus den Augen.

»Da hinten!«, stieß Gower beim ersten Mal hervor und wies mit der rechten Hand in die Richtung. »Ich gehe nach links.« Dabei sah er nicht vor sich und hätte beinahe einen Fensterputzer umgerannt, der mit seiner Leiter und einem Eimer voll Wasser unterwegs war.

Pitt nahm die andere Richtung. Im Dämmerlicht der Gasse, das ihn überraschte, musste er einen Augenblick lang die Augen schließen. Dann sah er an ihrem Ende eine Bewegung und stürmte hin, doch es war nur ein Bettler, der aus einem Hauseingang geschlurft kam. Leise fluchend rannte Pitt zur Straße zurück und kam gerade rechtzeitig, um zu sehen, dass Gower verzweifelt Ausschau nach ihm hielt.

»Da drüben!«, rief er aus und rannte los. Pitt folgte ihm.

Beim zweiten Mal war es Wrexham gelungen, die Straße unmittelbar vor einem Brauereifuhrwerk zu überqueren, und als Pitt und Gower schließlich eine Möglichkeit fanden, ihm zu folgen, war nichts mehr von ihm zu sehen. Es kostete sie über zehn Minuten, sich ihm wieder so weit zu nähern, dass sie normale Schritte machen konnten und es nicht aussah, als verfolgten sie ihn. In der Gegend waren jetzt deutlich weniger Menschen unterwegs, und zwei Männer im Laufschritt hätten sofort Aufsehen erregt, und dann wäre es Wrexham mühelos möglich gewesen, ihnen davonzulaufen, denn der Abstand zwischen ihnen belief sich sicherlich auf fünfzig Schritt.

Mittlerweile hatten sie die Commercial Road East in Stepney erreicht. Wenn Wrexham die Richtung nicht wechselte, würden sie bald in Limehouse sein, in der West India Road gleich am Ufer der Themse. In jener abgelegenen Gegend würde es ihn nicht die geringste Mühe kosten, im Gewirr von Ladekränen, Warenballen, Lagerhäusern, Hafenarbeitern und Schauerleuten unterzutauchen. Sofern er zu einem der Anleger ging, konnte er sich zwischen den vor Anker liegenden Schiffen und Kähnen aller Art unsichtbar machen, bevor Pitt und Gower ihrerseits eins der Fährboote besteigen und ihm folgen konnten.

Als hätte er sie gesehen, beschleunigte Wrexham plötzlich den Schritt, dass sein Schal flog.

Pitt empfand eine gewisse Unruhe. Seine Muskeln schmerzten, und seine Füße brannten trotz seines erstklassigen Schuhwerks. Das war der einzige Luxus an Kleidung, den er sich gönnte, ansonsten war mit ihm rein äußerlich nicht viel Staat zu machen. Nicht einmal vorzüglich geschnittene Jacketts saßen bei ihm richtig, weil er sich stets die Taschen mit allerlei Kleinigkeiten vollstopfte, von denen er annahm, dass er sie irgendwann einmal vielleicht brauchen könnte – Bindfaden, Siegelwachs und dergleichen. Seine Krawatten verrutschten ständig, vielleicht, weil er sie zu locker band. Doch bei seinen Schuhen achtete er nicht nur stets auf erste Qualität, sie waren auch jederzeit bestens gepflegt. Zwar arbeitete er hauptsächlich mit dem Kopf in dem Bemühen, Zusammenhänge zu erkennen, wo andere nichts sahen, doch war ihm bewusst, wie wichtig die Füße für einen Polizeibeamten waren. Manche Gewohnheiten wurde man eben nie los. Bis man ihn aus der Londoner Polizei hinausgedrängt hatte, woraufhin ihm Victor Narraway eine Anstellung beim Sicherheitsdienst angeboten hatte, war er so manche Meile zu Fuß gegangen, so dass er wusste, wie wichtig körperliche Ausdauer und erstklassiges Schuhwerk waren.

Mit einem Mal rannte Wrexham über die schmale Straße und verschwand in der Gun Lane.

»Sicher will er zum Bahnhof von Limehouse!«, rief Gower und wich im letzten Augenblick einem Langholz-Fuhrwerk aus, während er ihm nachstürmte.

Pitt war dicht hinter ihm. Dieser Bahnhof an der Linie nach Blackwall lag weniger als hundert Meter entfernt. Von dort aus konnte der Mann einen Zug in mindestens drei verschiedene Richtungen nehmen und damit in der Riesenstadt London untertauchen, womit er unauffindbar sein würde.

Doch er lief mit laut hallenden Schritten durch die Gun Lane am Bahnhof vorüber, bog links in die Three Colts Street ein und wandte sich dann in Richtung Ropemaker's Field.

Pitt war so sehr außer Atem, dass er Gower nichts hätte zurufen können. Wozu auch – ohnehin war Wrexham nur noch höchstens fünfzehn Schritt vor ihm. Da sich die drei rasch laufenden Männer näherten, stoben die wenigen Menschen auf dem Gehsteig auseinander. Ganz wie von Pitt befürchtet, strebte Wrexham der Themse zu.

Am Ende von Ropemaker's Field ging es nach rechts in die Narrow Street. Von dort waren es nur wenige Schritte bis zum Ufer. Vom Wasser wehte eine kräftige Brise herüber, die nach Salz und Schlamm roch. Es herrschte Ebbe. Ein halbes Dutzend Möwen kreisten träge über einigen Lastkähnen.

Wrexham war immer noch vor ihnen. Allmählich wurden seine Bewegungen langsamer, seine Kräfte schienen nachzulassen. Er lief am Eingang zum Limehouse Cut vorüber, ganz offensichtlich waren die Kidney Stairs sein Ziel, an deren Fuß unter Umständen ein Fährboot abfahrbereit lag. Falls nicht, würde er das sehen, bevor er hinablief, und einfach zu einer der beiden nächsten steinernen Treppen rennen, die zum Fluss hinabführten, bevor sich die Straße wieder in Richtung Broad Street von ihm entfernte. Außer diesen dreien gab es noch weitere Treppen an den Shadwell Docks. An jeder von ihnen konnte er seine Verfolger ohne weiteres abschütteln, falls es ihm gelang, in ein abfahrbereites Boot zu springen.

Gower wies auf den Fluss. »Zur Treppe!«, rief er und rang im nächsten Augenblick nach Luft. Er machte eine weit ausholende Armbewegung, dann lief er weiter, einige Schritte vor Pitt.

Pitt sah einen Fährmann, der sein Boot dem Ufer entgegenruderte. Er würde die Treppe kurz nach Wrexhams Eintreffen dort erreichen. Damit wäre es Pitt und Gower möglich, ihn in die Enge zu treiben. Vielleicht konnten sie den Fährmann dazu bringen, dass er sie zum Pool of London ruderte. Pitt sehnte sich nach einer Gelegenheit, sich wenigstens einige Minuten hinzusetzen und auszuruhen.

Wrexham erreichte die Treppe und eilte sie hinab, wobei er verschwand, als sei er in ein Loch gefallen. Siegesgewissheit erfüllte Pitt. Das Fährboot war noch knapp zwanzig Meter von der Treppe entfernt. Gower stieß einen Triumphschrei aus und riss jubelnd eine Hand hoch.

Als sie das obere Ende der Treppe erreichten, sahen sie, wie sich ein Fährboot aus dem Schatten der Ufermauer löste. Wrexham saß im Heck. Sie waren einander so nahe, dass sie das höhnische Lächeln auf seinen Zügen sehen konnten, als er sich halb zu ihnen umwandte. Dann drehte er sich wieder dem Fährmann zu und wies ans andere Ufer.

Pitt stürmte die Treppe so eilig hinab, dass er auf den nassen Steinen ausglitt und das Gleichgewicht nur mit Mühe halten konnte. Er winkte dem anderen Fährboot zu, das sie hatten näher kommen sehen. »Hierher! Schnell!«, rief er.

Auch Gower rief. Seine Stimme klang verzweifelt.

Der Fährmann beschleunigte das Tempo und legte sich mit voller Kraft in die Riemen, so dass er schon nach wenigen Sekunden anlegen konnte.

»Steigen Sie ein«, sagte er munter. »Wohin?«

»Hinter dem Boot da her!«, keuchte Gower, der fast an seinem eigenen Atem erstickte, und wies auf das andere Boot. »Sie bekommen zwei Shilling zusätzlich, wenn Sie es einholen, bevor der Mann da drin einen Fuß auf die Treppe am Horseferry-Anleger setzen kann.«

Pitt sprang hinter ihm ins Boot und setzte sich sofort hin, damit der Fährmann losrudern konnte. »Er will nicht zum Horseferry-Anleger«, sagte er, »sondern quer über den Fluss. Sehen Sie nur!«

»Etwa zum Lavender Dock?«, fragte Gower mit finsterer Miene und setzte sich neben Pitt. »Was zum Kuckuck kann er da wollen?«

»Das ist der kürzeste Weg ans andere Ufer«, gab Pitt zur Antwort. »Von da läuft er zur Rotherhithe Street und weiter.«

»Wohin?«

»Wahrscheinlich zum nächsten Bahnhof. Oder er mischt sich unter die Leute, dann ist er uns ebenfalls entkommen.«

Der Fährmann legte sich ins Zeug und verringerte allmählich den Abstand zu dem Boot vor ihnen.

Sobald sie die vor Anker liegenden Schiffe hinter sich gelassen hatten, war der Weg vor ihnen trotz regen Verkehrs frei von größeren Hindernissen. Erst etwa fünfzig Meter weiter flussabwärts näherte sich ein Schleppzug, der gegen den Ebbstrom ankämpfte. Der Wind wurde kälter. Unwillkürlich kauerte sich Pitt zusammen und schlug den Kragen hoch. Es kam ihm vor, als seien Stunden vergangen, seit er und Gower auf dem Hof der Ziegelei gesehen hatten, wie sich Wrexham über Wests blutbedeckte Leiche beugte, doch vermutlich war es kaum mehr als eineinhalb Stunden her. Durch Wests Tod waren sie um ihre Informationen über die Hintergründe des Anschlags, die diesem bekannt gewesen waren, gekommen.

Pitt dachte daran, wie er bei seiner letzten Besprechung mit Narraway in dessen Büro gesessen hatte. Im Licht der strahlend durch das Fenster auf die Stapel von Büchern und Papieren fallenden Sonne war zu sehen gewesen, dass sich Narraways nahezu schwarzes Haar stellenweise allmählich grau färbte. Mit großem Ernst hatte er erläutert, wie bedrohlich die Lage sei, und auf das allenthalben zu spürende Bestreben hingewiesen, Europas Imperialismus zu reformieren, erforderlichenfalls mit Gewalt. Dabei gehe es längst nicht mehr nur um einen Sprengstoffanschlag hier und da oder gelegentlichen Mord, nein, man munkele von Plänen, die eine oder andere Regierung zu stürzen und dazu ganze Armeen von Menschen auf die Beine zu stellen, die bereit waren, das eigene Leben wie auch das anderer zu opfern. Das Ziel all dieser Bestrebungen sei eine gänzlich neue Weltordnung.

»Es besteht gar kein Zweifel, dass sich so manches ändern muss«, hatte Narraway nicht ohne Bitterkeit hinzugefügt. »Nur ein Dummkopf würde bestreiten, dass es Ungerechtigkeiten auf der Welt gibt. Aber was diese Leute planen, läuft auf Anarchie hinaus. Gott allein weiß, wie weit diese Seuche schon um sich gegriffen hat. Unbestreitbar hat sie Frankreich, Deutschland und Italien erreicht, und wie man hört, zeigen sich inzwischen auch hier bei uns in England erste Hinweise darauf. Halb Europa hat 1848 verrücktgespielt, doch war alles schon ein paar Jahre später vorbei. Man hat die Barrikaden niedergerissen, die Reformen rückgängig gemacht, und schon bald saßen die früheren Tyrannen wieder so fest im Sattel wie zuvor, und es ging weiter, als sei nie etwas geschehen.«

Pitt hatte in den nahezu schwarzen Augen seines Vorgesetzten eine so tiefe Trauer erkannt, wie er sie bei diesem Mann nie für möglich gehalten hätte. Verblüfft hatte er begriffen, dass Narraway das Scheitern dieser Träume bedauerte, womöglich noch mehr als den Tod der von Leidenschaft und Idealismus angetriebenen Männer und Frauen, die im guten Glauben ihr Leben geopfert hatten, um sie zu verwirklichen.

Dann jedoch hatte Narraway den Kopf geschüttelt, als wolle er sich selbst zur Ordnung rufen. »Aber heute haben wir es mit ganz anderen Leuten zu tun, Pitt. Sicher werden sie auf die Dauer Erfolg haben, allerdings nicht, wenn sie auf Gewalt setzen. So gehen wir hier in England nicht vor. Bei uns ergeben sich Veränderungen mit der Zeit, Schritt für Schritt. Wir werden dahin gelangen, aber nicht mit Feuer und Schwert.«

Der Wind ließ nach, das Wasser glättete sich.

Es war nicht mehr weit bis zum Südufer der Themse. Sie mussten eine Entscheidung treffen. Gower sah ihn erwartungsvoll an.

Das Boot, in dem Wrexham saß, hatte beinahe das Lavender Dock erreicht.

»Bestimmt will der irgendwo hin«, sagte Gower mit Nachdruck. »Sollen wir ihn uns jetzt packen, Sir – oder abwarten und zusehen, wohin er uns führt? Wenn wir jetzt zuschlagen, erfahren wir voraussichtlich nicht, wer hinter der Sache steckt. Der redet bestimmt nicht – wozu sollte er? Wir waren praktisch Zeugen, wie er West umgebracht hat, und ihm ist klar, dass er dafür hängen wird.« Er wartete mit gerunzelten Brauen.

»Glauben Sie, dass es uns gelingt, ihn nicht aus den Augen zu verlieren?«, fragte Pitt.

»Unbedingt«, sagte Gower, ohne zu zögern.

»Schön.« Pitt hatte seine Entscheidung getroffen. »Dann halten wir uns erst einmal zurück. Wenn es nötig ist, trennen wir uns, um ihm auf den Fersen zu bleiben.«

Sie ließen ihr Boot warten, bis Wrexham die schmale Treppe zum Ufer emporgestiegen und beinahe verschwunden war. Dann folgten sie ihm, wobei sie darauf achteten, sich in einer gewissen Entfernung zu halten. Manchmal gingen sie gemeinsam, öfter aber ließen sie so viel Abstand zwischen sich, dass ein Außenstehender sie für einander Unbekannte gehalten hätte, die zufällig in dieselbe Richtung gingen, ohne etwas miteinander zu tun zu haben.

Wrexham schien inzwischen so sehr mit sich selbst beschäftigt zu sein, dass er sich kein einziges Mal umsah. Vielleicht nahm er an, dass es ihm gelungen war, seine Verfolger abzuschütteln. Angesichts des dichten Verkehrs auf der Themse war ihm wohl nicht aufgefallen, dass gleich nach seinem Boot ein weiteres den Fluss überquert hatte. Sie konnten von Glück sagen, dass sie ihn nicht aus den Augen verloren hatten.

Am Bahnhof drängten sich mindestens zwei Dutzend Menschen vor dem Fahrkartenschalter.

»Sollten wir nicht vorsichtshalber Karten für die ganze Strecke lösen, Sir?«, sagte Gower. »Es wäre nicht gut, wenn wir unterwegs einem Schaffner auffielen, weil wir nicht bezahlt haben.«

Pitt sah ihn zurechtweisend an, unterdrückte aber die scharfe Bemerkung, die ihm auf der Zunge lag.

»'tschuldigung«, murmelte Gower und lächelte verlegen.

Auf dem Bahnsteig hielten sie sich dicht in der Nähe einer Gruppe Wartender. Keiner der beiden sprach, als wenn sie nichts miteinander zu tun hätten. Dabei schien diese Vorsichtsmaßnahme unnötig zu sein, denn Wrexham sah kaum zu ihnen oder einem der anderen Wartenden hin.

Der erste Zug fuhr in Richtung Norden, und die meisten der Menschen auf dem Bahnsteig stiegen ein. Pitt wünschte, dass er eine Zeitung hätte, um sich dahinter zu verstecken. Er hätte vorher daran denken sollen.

»Ich glaube, da kommt der nächste Zug«, sagte Gower im Flüsterton, den Kopf in die Richtung gewandt, aus der er kommen musste. Seine Haare standen gerade ab, wo er sich mit den Fingern hindurchgefahren war. »Vermutlich fährt der nach Southampton. Unter Umständen müssen wir umsteigen …« Was er danach sagte, ging im Lärm der Lokomotive unter, die, dichte Dampfwolken ausstoßend, einfuhr. Die Türen der Waggons öffneten sich, und zahlreiche Fahrgäste stiegen aus.

Pitt bemühte sich, Wrexham nicht aus den Augen zu verlieren. Er wartete mit dem Einsteigen bis zum letzten Augenblick für den Fall, dass dieser den Zug wieder verließ, um die Verfolger abzuschütteln. Er und Gower stiegen in den Waggon hinter ihm.

»Wir ahnen nicht, wohin er will«, sagte Gower mit finsterer Miene. »Am besten geht einer von uns unterwegs an jedem

Bahnhof auf den Bahnsteig, um zu sehen, ob er nicht im letzten Augenblick den Zug verlässt und wir das Nachsehen haben.«

»Guter Gedanke«, stimmte ihm Pitt zu.

»Glauben Sie, dass West wirklich etwas für uns hatte?«, fuhr Gower fort. »Wrexham könnte ihn ja aus irgendeinem anderen Grund umgebracht haben. Vielleicht hatten sie Streit? Diese revolutionären Typen sind ziemlich hitzig. Verrat innerhalb der Gruppe? Streit um die Führung?« Mit seinen blauen Augen sah er so angespannt zu Pitt hin, als wolle er dessen Gedanken lesen.

»Da bin ich ganz sicher«, gab dieser gelassen zurück. Ihm als dem deutlich Ranghöheren oblag es, die Entscheidungen zu treffen. Gower hatte kein Recht, ihm da hineinzureden. Angesichts der Situation, in der sie sich befanden, vermochte ihn dieser Gedanke nicht so recht zu trösten. Unwillkürlich musste er daran denken, wie sicher sich Narraway gewesen war, dass ein Unternehmen geplant war, im Vergleich zu dem die Bombenanschläge der jüngsten Zeit, zu denen es hier und da gekommen war, harmlos erscheinen würden. Dabei waren die durchaus spektakulär gewesen. So hatte ein französischer Anarchist im Februar des Vorjahres, 1894, das Königliche Observatorium in Greenwich mit einer Höllenmaschine in die Luft zu jagen versucht, was ihm zum Glück misslungen war. Im Juni hatte ein italienischer Anarchist namens Santo Caserio den französischen Präsidenten Carnot erstochen und war im August dafür hingerichtet worden. Unmittelbar vor Weihnachten hatte man den französischen Artilleriehauptmann Alfred Dreyfus wegen angeblichen Hochverrats vor Gericht gestellt und ihn wenige Wochen darauf zu lebenslänglicher Verbannung auf die Teufelsinsel verurteilt. Allerdings stellte sich im Laufe der Zeit heraus, dass es sich dabei um einen auf Vorurteile und Hetze gegründeten Skandal gehandelt hatte. Überall lagen Zorn und Ungewissheit in der Luft.

Wrexham zu folgen war zweifellos riskant, doch wenn sie ihn festnahmen und dadurch nicht mehr herausfänden, wäre das eine Art Niederlage.

»Wir bleiben dran«, gab Pitt zurück. »Haben Sie genug Geld, um noch einmal eine Fahrkarte zu lösen, falls wir uns trennen müssen, damit wir ihn ganz bestimmt nicht aus den Augen verlieren?«

Gower zählte seinen Barbestand. »Sofern er nicht bis Schottland fährt, reicht es, Sir. Hoffentlich will er da nicht hin.« Er verzog das Gesicht zu einem kläglichen Lächeln. »Wissen Sie, dass die da im Februar minus 45 Grad hatten – die niedrigste Temperatur, die man je auf den Britischen Inseln gemessen hat? Wenn der Bursche da eine Bombe zünden würde, um ein wärmendes Feuer in Gang zu setzen, könnte man ihm das kaum übel nehmen.«

»Das war im Februar«, gab Pitt zu bedenken. »Inzwischen haben wir April. Hier kommt gerade ein Bahnhof. Ich steige rasch aus und halte Ausschau. Beim nächsten Mal sind Sie an der Reihe.«

»Ja, Sir.«

Pitt öffnete die Tür. Kaum hatte er einen Fuß auf den Boden gesetzt, als er Wrexham aussteigen und auf die andere Seite des Bahnsteigs rennen sah, wo ein Zug nach Southampton abfahrbereit stand. Pitt wandte sich um, um Gower ein Zeichen zu machen, doch der stand bereits neben ihm. Gemeinsam gingen sie ebenfalls hinüber, wobei sie sich bemühten, auf keinen Fall den Eindruck zu erwecken, als sei es ihnen eilig. Sie setzten sich einander gegenüber, um sicher zu sein, dass einer von ihnen Wrexham sehen würde, falls er rasch wieder ausstieg, um nach London zurückzufahren.

Doch der Mann schien nicht im Traum an die Möglichkeit zu denken, dass man ihm folgte. Er wirkte völlig unbefangen. Seinem Gesichtsausdruck nach hätte man annehmen können, er habe einen ganz normalen Tag hinter sich. Pitt musste sich bewusst daran erinnern, dass Wrexham erst vor wenigen Stunden im East End einem Mann vor einer verlassenen Ziegelei die Kehle durchgeschnitten und in aller Ruhe mit angesehen hatte, wie er verblutete.

»Ein unfassbar kaltblütiger Schweinehund!«, stieß er mit plötzlichem Zorn hervor.

Ein Mann in Nadelstreifen, der ihm gegenübersaß, ließ seine Zeitung sinken und sah ihn angewidert an, dann raschelte er betont mit dem Blatt und setzte seine Lektüre fort.

Gower lächelte. »Das kann man wohl sagen«, gab er ruhig zurück. »Wir müssen äußerst wachsam sein.«

Bei jedem Halt des Zuges vergewisserten sie sich, dass Wrexham nicht ausstieg, bis sie schließlich Southampton erreichten. Er schien nach wie vor nicht im Geringsten mit der Möglichkeit zu rechnen, dass man ihm folgte.

Verwirrt sah Gower zu Pitt hin. »Was kann der nur hier wollen?«, fragte er. Sie eilten den Bahnsteig entlang, um ihn nicht aus den Augen zu verlieren, und folgten ihm nach der Sperre bis auf die Straße.

Die Antwort ließ nicht lange auf sich warten. Er bestieg einen Pferdeomnibus zum Hafen, und Pitt und Gower mussten rennen, um noch im letzten Augenblick auf die Plattform springen zu können. Dabei wäre Pitt fast mit Wrexham zusammengestoßen, der dort stehen geblieben war. Rasch wandte er den Kopf beiseite, als habe er soeben einen Bekannten entdeckt. Betont vermied er es, zu Gower hinüberzusehen. Sie mussten vorsichtiger sein, auch wenn keiner von ihnen für sich genommen besonders auffällig war. Gower war ziemlich hochgewachsen, schlank und trug sein hellblondes Haar recht lang. Das und sein vergleichsweise knochiges Gesicht würde sich einem aufmerksamen Beobachter einprägen. Pitt war größer als er, etwas schlaksig, und seine dunklen Haare sahen immer ungekämmt aus. Aus einem der Schneidezähne war ein Stück herausgebrochen, was man aber nur sah, wenn er lächelte. Was den Menschen in Erinnerung blieb, war der durchdringende Blick seiner sehr hellen grauen Augen.

Jemand musste sich in Gedanken schon sehr mit anderen Dingen beschäftigen, um nicht zu merken, dass die beiden Männer erst in London und jetzt auch in Southampton zusammen gewesen waren. Da dieser Gedanke Pitt beunruhigte, ging er in das Innere des Omnibusses, um möglichst weit von Gower entfernt zu sein, und tat so, als betrachte er interessiert das Leben und Treiben auf den Straßen, durch die sie kamen.

Wie er mehr oder weniger vermutet hatte, fuhr Wrexham bis zum Hafen. Ohne ein Wort zu Gower zu sagen, folgte ihm Pitt mit großem Abstand. Er hatte Gower nur einen kurzen Blick zugeworfen und verließ sich darauf, dass sich dieser, so gut es ging, außer Sichtweite hielt.

Wrexham löste eine Fahrkarte für die Überfahrt nach Saint Malo an der französischen Küste. Pitt tat es ihm gleich, wobei er inständig hoffte, dass auch Gower genug Geld für die Kanalfähre hatte. Schlimmer aber als die Aussicht, Wrexham in Frankreich auf sich allein gestellt verfolgen zu müssen, war die Sorge, ihn ganz und gar aus den Augen zu verlieren.

Er ging an Bord der kleinen Dampffähre *Laura*. Dort blieb er an der Reling stehen, ohne die Laufplanke aus den Augen zu lassen. Einerseits wollte er sehen, ob auch Gower an Bord kam, vor allem aber sicher sein, dass Wrexham nicht wieder an Land ging. Falls ihm die Anwesenheit seiner Verfolger aufgefallen war, würde es ihm ein Leichtes sein, kurz vor dem Ablegen von Bord zu gehen und mit dem nächsten Zug nach London zurückzukehren, während Pitt und Gower gleichsam auf der Fähre gefangen waren.

An die Reling gelehnt, genoss Pitt den kräftigen salzigen Wind, der ihm über das Gesicht strich. Als er Schritte hinter sich hörte, fuhr er herum und ärgerte sich sofort über seine unbedachte Reaktion.

Gower stand einen Meter von ihm entfernt und fragte lächelnd: »Haben Sie etwa befürchtet, ich wollte Sie über Bord stoßen?«

Pitt schluckte seinen aufkeimenden Zorn herunter. »So nah am Ufer eigentlich nicht«, gab er zurück. »Wenn wir in der Mitte des Kanals sind, werde ich mich mehr vorsehen.«

Gower lachte. »Klingt vernünftig, Sir. Wenn wir ihm weiter folgen, bekommen wir sicher eine klare Vorstellung davon, mit wem er drüben auf dem Kontinent Kontakt hat. Vielleicht erfahren wir sogar, was die Leute im Schilde führen.«

Auch wenn Pitt das bezweifelte, blieb ihnen einstweilen nichts anderes übrig, als abzuwarten. »Möglich. Aber man darf uns auf keinen Fall zusammen sehen. Wir haben großes Glück gehabt, dass er uns bisher nicht erkannt hat. Wahrscheinlich wären wir ihm längst aufgefallen, wenn er nicht so unglaublich hochnäsig wäre.«

Mit einem Schlag war Gower vollkommen ernst und sagte mit finsterem Gesicht: »Vermutlich ist für ihn, was auch immer er beabsichtigt, so wichtig, dass er an nichts anderes denken kann. Er hat wohl angenommen, dass er uns in Ropemaker's Field abgeschüttelt hat. Immerhin waren wir im Zug in einem anderen Waggon als er.«

»Schon. Aber er muss uns gesehen haben, als wir ihn verfolgt haben. Immerhin ist er gerannt«, gab Pitt zu bedenken. »Wenn doch zumindest einer von uns beiden eine Jacke zum Wechseln da hätte. Aber wenn wir sie auszögen, würden wir jetzt im April auf dem Wasser noch mehr auffallen.« Er sah nachdenklich zu Gower hin. Ihre Kleidergröße war annähernd gleich. Wenn sie ihre Jacken tauschten, würde das ihr Aussehen zumindest ein wenig verändern.

Als hätte dieser Pitts Gedanken gelesen, zog er sich die Jacke aus, hielt sie ihm hin und nahm die Pitts entgegen. Als Pitt sie anzog, merkte er, dass Gowers Jacke ein wenig spannte, während diesem die seine ein wenig lose um die Schultern hing.

Mit schiefem Lächeln räumte Gower Pitts Taschen aus und gab ihm sein Notizbuch, Taschentuch, Bleistift, Kleingeld, die Brieftasche sowie allerlei Krimskrams.

Pitt hielt es mit Gowers Habseligkeiten ebenso.

Spöttisch salutierend, sagte Gower: »Wir sehen uns in Saint Malo«, machte auf dem Absatz kehrt und ging, ohne einen Blick zurück, mit leicht schwankenden Schritten davon. Nach einer Weile blieb er stehen, drehte sich noch einmal um und sagte lächelnd: »Ich an Ihrer Stelle würde mich von der Reling fernhalten, Sir.«

Pitt hob grüßend die Hand und sah weiter aufmerksam zur Laufplanke hin.

So kurz nach der Tagundnachtgleiche wurde es noch ziemlich früh dunkel. Kaum hatte die Fähre bei Sonnenuntergang abgelegt, fühlte sich der Wind auf dem Wasser empfindlich kalt an. Es hatte keinen Sinn, sich den Kopf darüber zu zerbrechen, wo Wrexham sein mochte, oder ihn gar überwachen zu wollen. Falls er sich auf der Fähre mit jemandem traf, würden sie es erst merken, wenn sie ihn ganz aus der Nähe sahen, und selbst dann konnte es sich ohne weiteres um ein beiläufiges Gespräch zwischen Zufallsbekannten handeln. Es dürfte am besten sein, sich eine Sitzgelegenheit zu suchen und ein wenig zu schlafen. Immerhin hatten sie einen langen und anstrengenden Tag hinter sich.

Während Pitt langsam eindämmerte, kam ihm voll Bedauern zu Bewusstsein, dass er nicht einmal die Möglichkeit gehabt hatte, seine Frau Charlotte zu informieren, so dass diese nicht wusste, dass er an jenem und möglicherweise auch am nächsten Abend nicht nach Hause kommen würde. Er hatte nicht die geringste Vorstellung davon, wie sich die Sache weiter entwickeln würde. Nach dem Kauf der Fahrkarten für die Bahn und die Fähre blieb ihm nicht mehr viel Geld – es mochte gerade für eine oder zwei Übernachtungen reichen. Auch hatte er nichts bei sich, was man für eine längere Abwesenheit brauchte, weder Zahnbürste, Rasierzeug noch Wäsche zum Wechseln. Sein Plan für den Tag war gewesen, West zu treffen, von ihm zu erfahren, was dieser zu sagen hatte, und diese Angaben unverzüglich Narraway im Hauptquartier des Sicherheitsdienstes in Lisson Grove zu berichten.

Nun würde er ihn von Saint Malo aus in einem Telegramm um Geld bitten und ihm zumindest so viel mitteilen müssen, dass er die Situation in etwa einschätzen konnte. Zweifellos hatte man die Leiche des armen West inzwischen gefunden, aber vermutlich würde die Polizei keinen Grund sehen, dem Sicherheitsdienst davon Mitteilung zu machen. Andererseits war Pitt überzeugt, dass Narraway im Laufe der Zeit von selbst hinter die Zusammenhänge kommen würde, denn er schien überall Zuträger zu haben. Ob er auch daran denken würde, Charlotte zu informieren?

Jetzt bedauerte Pitt, dass er nicht dafür gesorgt hatte, sie rechtzeitig in Kenntnis zu setzen. Zumindest hätte er von Southampton aus anrufen können. Dazu hätte er allerdings die Fähre noch einmal verlassen müssen, was mit der Gefahr verbunden gewesen wäre, Wrexhams Fährte zu verlieren.

Er wagte nicht, sich offen auf dem Schiff zu zeigen. Er fragte sich, wer auf Gower warten und sich Sorgen um ihn machen würde. Ihm kam der überraschende Gedanke, dass er nicht einmal wusste, ob der Mann verheiratet war oder noch bei seinen Eltern lebte.

Bevor er endgültig einschlief, versuchte er sich mit dem Gedanken zu beruhigen, dass er im Dienst auch schon früher ganze Nächte nicht nach Hause gekommen war, so dass sich Charlotte zwar Sorgen machen, aber auf keinen Fall in Panik geraten würde.

Mit einem Mal fuhr er hoch und setzte sich aufrecht hin, weil ihm das Bild vor Augen getreten war, wie West mit zur Seite hängendem Kopf dagelegen hatte, während das Blut auf die Steine des Ziegeleihofs gelaufen war, so dass sein Geruch die Luft erfüllte.

»Entschuldigung«, sagte der Steward mechanisch, während er dem Mann neben Pitt ein Glas Bier gab. »Darf ich Ihnen etwas bringen? Ein belegtes Brot?«

Pitt, der seit zwölf Stunden nichts gegessen hatte, überfiel mit einem Mal das Bewusstsein entsetzlichen Hungers. Kein Wunder, dass er nicht schlafen konnte.

»Ja, gern, danke«, sagte er. »Bringen Sie mir doch bitte zwei und dazu ein Glas Apfelwein.«

»Gern. Mit Roastbeef, Sir? Wäre Ihnen das recht?«

»Ja, das wäre mir recht. Um wie viel Uhr legen wir in Saint Malo an?«

»Gegen fünf, Sir. Aber die Passagiere dürfen bis sieben Uhr an Bord bleiben.«

»Vielen Dank.« Innerlich stöhnte Pitt auf. Das bedeutete, dass er und Gower schon ab fünf Uhr wach sein und die Augen offenhalten mussten, damit Wrexham ihnen nicht entkam. Immerhin bestand die Möglichkeit, dass er sich entschloss, die Fähre gleich nach der Ankunft zu verlassen, um den nächsten Zug nach Paris zu nehmen. Wenn ihm das gelang, wäre das eine Katastrophe, und um sie zu verhindern, würden sie die ganze Nacht nicht richtig schlafen können, um keinesfalls den Zeitpunkt der Ankunft zu verpassen. Da Pitt auf eine längere Abwesenheit von zu Hause nicht eingestellt gewesen war, hatte er selbstverständlich auch keinen Wecker bei sich.

»Bringen Sie mir besser gleich zwei Gläser Apfelwein«, sagte er mit schiefem Lächeln. Ob Gower dasselbe bestellen würde? Er hatte keine Vorstellung davon, wo sich sein Mitarbeiter befand, und wollte auch niemandes Aufmerksamkeit auf sich lenken, indem er sich nach ihm umsah. Vielleicht später. Wrexham konnte mit Sicherheit so tief und so lange schlafen, wie er wollte. Einen Menschen wie ihn quälten bestimmt keine durch ein schlechtes Gewissen verursachten Alpträume.

Pitt schlief mit Unterbrechungen. Voll Unruhe sah er Gower über das Deck auf sich zukommen, als sich die Fähre langsam in den Hafen von Saint Malo schob. Zwar war es noch dunkel, doch dank des sternklaren Himmels konnte man den Umriss der mittelalterlichen Befestigungsanlagen erkennen. Die Mauer war sicher mindestens fünfzehn, wenn nicht achtzehn Meter hoch, und in Abständen erhoben sich hier und da gewaltige Türme, die einst wohl Bogenschützen verteidigt hatten. Vielleicht hatten auch Männer in Rüstungen von dem einen oder anderen dieser Türme Kessel voll siedendem Öl über jeden ausgegossen, der den tapferen oder törichten Versuch unternommen hatte, die Mauern mit Hilfe von Sturmleitern zu erklimmen. Pitt kam sich vor wie bei einer Zeitreise in die Vergangenheit.

Der Anblick hatte ihn so in seinen Bann geschlagen, dass ihn erst Gowers Stimme in die Wirklichkeit zurückholte.

»Sie sind doch wach?«, fragte er.

»Ich weiß es selbst nicht genau«, gab Pitt zurück. »Das Ganze kommt mir wie ein Traum vor.«

»Haben Sie geschlafen?«

»Ein bisschen. Und Sie?«

Gower zuckte die Achseln. »Nicht viel. Ich hatte zu große Sorge, dass er uns entkommen könnte. Glauben Sie, dass er versucht, den ersten Zug nach Paris zu nehmen?«

Das war eine durchaus berechtigte Frage. Die Weltstadt Paris war eine Brutstätte von Lehren der verschiedensten Art, von teils absurden und teils verwirklichbaren Träumen. Eine ideale Begegnungsstätte für Menschen, deren Ziel es war, die Welt zu verändern. Paris war Schauplatz der beiden großen Revolutionen der letzten hundert Jahre gewesen: Bei der ersten hatte dort die Guillotine entsetzlich gewütet, es waren aber auch Träume verwirklicht worden, die die Welt verändert hatten. Ihm kamen die Namen Marat, Danton, Robespierre und Charlotte Corday in Erinnerung. Die zweite, die des Jahres 1848, war blutig niedergeschlagen worden und hatte so gut wie keine Spuren hinterlassen.

»Wahrscheinlich«, gab Pitt zurück. »Aber er könnte unterwegs an jedem beliebigen Bahnhof aussteigen.« Ihm kam der Gedanke, dass es äußerst schwierig sein dürfte, jemandem in Paris auf den Fersen zu bleiben. Sollten sie den Mann vielleicht doch festnehmen, solange noch Gelegenheit dazu war? Im Eifer der Verfolgung hatten sie es am Vortag für klug gehalten zu sehen, wohin er sich wandte und, wichtiger noch, wen er treffen würde. Jetzt, durchgefroren, müde, hungrig und mit steifen Gliedern, sah Pitt das als weit weniger vernünftig an. Wahrscheinlich war es sogar sinnlos.

»Es dürfte das Beste sein, ihn festzunehmen und mit zurück zu nehmen«, sagte er.

»Dann müssen wir das aber noch hier auf der Fähre tun. Auf französischem Boden sind wir dazu nicht berechtigt. Vermutlich würde sich der Kapitän ohnehin fragen, warum wir das nicht gleich in Southampton getan haben«, gab Gower zu bedenken. Seine Stimme klang eindringlich, sein Gesicht war ernst. »Ich spreche ziemlich gut Französisch, Sir. Und ich habe noch genug Geld. Wir könnten Mister Narraway ein Telegramm schicken, dass er uns in Paris jemanden zur Unterstützung beigeben soll. Dann wären wir nicht mehr nur zu zweit.

Vielleicht ist die französische Polizei ja sogar dankbar für die Gelegenheit, ihm auf der Fährte zu bleiben.«

Pitt wandte sich ihm zu, konnte sein Gesicht aber im schwachen Licht kaum erkennen. »Falls er sich sofort nach Paris aufmacht, bleibt uns keine Zeit, ein Telegramm zu schicken«, gab er zu bedenken. »Wir müssen ihm beide folgen. Mir ist ohnehin rätselhaft, wieso er uns nicht längst bemerkt hat.« Dieser Gedanke hatte ihm bereits die ganze Nacht keine Ruhe gelassen. Gower und er waren nicht nur ziemlich groß, in Saint Malo würden sie als Engländer auch unter all den Franzosen hervorstechen – durch ihre Sprache wie auch durch den Schnitt ihrer Kleidung. Es schien ihm unmöglich, dass sie Wrexham im hellen Licht des Tages nicht sogleich auffallen würden.

»Ich denke, wir sollten ihn festnehmen«, sagte er. Jetzt bedauerte er, das nicht schon am Vortag getan zu haben. »Angesichts dessen, dass ihm der Strang sicher ist, findet er sich ja vielleicht bereit zu reden.«

»Gerade deshalb hat er dabei nichts zu gewinnen«, hielt ihm Gower entgegen.

Pitt machte ein finsteres Gesicht. »Bestimmt würde Narraway etwas einfallen, wenn die Aussage des Mannes eine Ausnahme rechtfertigt.«

»Es ist natürlich ohne weiteres möglich, dass Wrexham gar nicht zum Bahnhof will«, sagte Gower rasch und beugte sich ein wenig vor. »Wir haben die ganze Zeit angenommen, dass er nach Paris will. Und wenn nicht? Vielleicht will er in Saint Malo jemanden treffen. Warum sollte er sonst dahin fahren? Falls er nach Paris wollte, wäre es viel einfacher für ihn gewesen, die Fähre von Dover nach Calais zu nehmen und von da mit der Bahn weiterzufahren. Allem Anschein nach weiß er nach wie vor nicht, dass wir unverändert hinter ihm her sind. Wir sollten zumindest mal abwarten.«

Pitt ließ sich von diesem Vorschlag überzeugen. Möglicherweise war dieses Vorgehen ja am sinnvollsten. »Aber falls er doch zum Bahnhof geht, packen wir ihn uns – das heißt, wenn es uns möglich ist. Wenn er um Hilfe schreit und behauptet, dass man ihn entführen will, könnten wir das Gegenteil nicht beweisen.«

»Sie wollen doch nicht aufgeben?«, fragte Gower. In seiner Stimme schwang Enttäuschung mit. Außerdem glaubte Pitt auch eine Spur Herablassung darin zu hören.

»Nein«, sagte er entschlossen. Dem Sicherheitsdienst ging es nicht in erster Linie um die Ahndung von Straftaten – er sah seine Hauptaufgabe darin, Hoch- und Landesverrat, umstürzlerische Bewegungen und Gewalttaten zu verhindern. Wests Leben hatten sie nicht retten können. »Nein«, wiederholte er, »ganz bestimmt nicht.«

Als sie die Fähre verließen, fiel es ihnen im Licht des allmählich heller werdenden Morgens nicht schwer, Wrexham in der Menschenmenge zu erkennen und ihm zu folgen. Er ging nicht zum Bahnhof, wie Pitt befürchtet hatte, sondern wandte sich der Altstadt mit ihrer großartigen Mauer zu. Wenn sie nicht damit hätten rechnen müssen, ihn aus den Augen zu verlieren, hätte sich Pitt gern mehr Zeit genommen, die mächtige Anlage genauer zu betrachten, während sie die Stadt durch ein Tor von so eindrucksvoller Durchfahrtsbreite betraten, dass mehrere Fuhrwerke darin nebeneinander Platz hatten. In den kreuz und quer verlaufenden Gassen der Altstadt fiel ihm auf, dass vor den Haustüren keine Stufen waren, sondern ihre Schwellen auf einer Ebene mit dem Straßenpflaster lagen. Hohe Mauern aus einförmig grauschwarzem Stein ragten vier oder fünf Stockwerke hoch auf. Das Ganze war von einer strengen Schönheit, die er gern näher erkundet hätte; es kam ihm vor, als hätten diese wenigen Schritte sie weit in die Vergangenheit geführt. Einst waren gewiss Ritter auf ihren Pferden durch diese Straßen gesprengt und Seeräuber nach ihren Beutezügen dort herumstolziert.

Auf keinen Fall durften sie die Verbindung zu Wrexham abreißen lassen. Ohne sich auch nur ein einziges Mal umzusehen, schritt dieser rasch aus, als wisse er genau, wohin er wollte. Wenn sie ihn auch nur wenige Sekunden aus den Augen ließen, konnte er ihnen entkommen, indem er einfach in eins der Häuser an der Straße huschte.

Etwa eine Viertelstunde später, sie waren ziemlich weit nach Süden gegangen, blieb er unvermittelt stehen. Er klopfte an die Tür eines großen Hauses dicht hinter einem kleinen gepflasterten Platz mit einem mickrigen Baum in der Mitte und wurde schon bald eingelassen.

Während Pitt und Gower nahezu eine volle Stunde warteten, ob Wrexham wieder herauskam, gingen sie auf und ab, um kein Aufsehen zu erregen. Neidvoll stellte Pitt sich vor, wie Wrexham drinnen ausführlich frühstückte, sich wusch, rasierte und umzog. Als er Gower diese Vermutung mitteilte, verdrehte jener die Augen und sagte: »Manchmal ist es wirklich angenehmer, der Schurke zu sein. Auch ich könnte ein ordentliches Frühstück mit Schinkenspeck, Eiern, Würstchen, Bratkartoffeln, frischem Toast mit Orangenmarmelade und eine ordentliche Kanne Tee vertragen.« Mit einem freudlosen Grinsen fügte er hinzu: »Entschuldigung, aber ich leide nicht gern allein.«

»Das tun Sie auch nicht!«, gab Pitt nicht ohne Mitgefühl zurück. »Wir werden uns auf jeden Fall erst einmal stärken, bevor wir Narraway ein Telegramm schicken und dann feststellen, wer im Haus Nummer sieben wohnt.« Er ließ den Blick an der Wand hochwandern. »Rue Saint Martin.«

»Bestimmt gibt es hier nur heißen Kaffee und frisches Brot«, teilte ihm Gower mit. »Falls wir Glück haben, auch noch Aprikosenkonfitüre. Auf Orangenmarmelade versteht sich außer den Briten niemand.«

»Sie meinen, wir brauchen nicht einmal mit durchwachsenem Speck mit Spiegelei zu hoffen?«, erkundigte sich Pitt ungläubig.

»Vielleicht gibt es ein Omelette.«

»Das ist nicht dasselbe!«, sagte Pitt. Man hörte ihm die Enttäuschung an.

»Hier ist nichts wie bei uns«, gab ihm Gower Recht. »Ich glaube, die machen das mit Absicht.«

Nachdem sie weitere zehn Minuten gewartet hatten, ohne dass Wrexham aufgetaucht wäre, gingen sie den Weg zurück, den sie gekommen waren. Aus einer Bar drang der verlockende Geruch nach Kaffee und frischem Brot.

Gower sah fragend zu Pitt hin.

»Unbedingt«, stimmte dieser zu.

Wie von Gower vorausgesagt, gab es hausgemachte Aprikosenkonfitüre. Außerdem ungesalzene Butter, kalten Schinken und anderen Aufschnitt sowie hartgekochte Eier. Als sie sich nach ihrem Frühstück erhoben, war Pitt mehr als zufrieden. Gower hatte sich beim *patron* nach dem Weg zum Postamt erkundigt und gleichzeitig wie nebenbei einfließen lassen, dass sie nach einer Unterkunft suchten und wissen wollten, ob sich so etwas im Haus Nummer sieben in der Rue Saint Martin finden lasse – jemand habe ihnen das gesagt.

Pitt wartete. Der gutgelaunte Ausdruck, mit dem Gower die Bar verließ und neben ihm einherschritt, zeigte ihm, dass die Auskunft zu dessen Zufriedenheit ausgefallen war.

»Das Haus gehört einem unserer Landsleute namens Frobisher«, sagte er mit einem Lächeln. »Der *patron* hält ihn für einen etwas seltsamen Vogel. Er sagte, der Mann schwimmt in Geld und ist exzentrisch. Wahrscheinlich stellen sich die Leute hier einen Engländer der Oberschicht so vor wie den. Er wohnt schon seit mehreren Jahren hier und behauptet, er wolle nie wieder nach England zurück. Es genügt, ihn anzutippen, damit er erklärt, was in Europa und ganz besonders in England im Argen liegt.« Mit einem Achselzucken fügte er geringschätzig hinzu: »Obwohl das bewusste Haus ganz offensichtlich keine Pension oder dergleichen ist, sind fast immer Logiergäste dort, und der *patron* erklärt, dass die in keiner Weise sein Fall sind. Er sagt, es seien subversive Elemente. Allerdings nehme ich an, dass er ziemlich konservative Vorstellungen hat. Seiner Ansicht nach würde uns Madame Germaines Etablissement mehr zusagen, und er hat mir gleich die Adresse gegeben.« Gower schien außerordentlich zufrieden mit sich zu sein. Pitt, der sich dieser Einschätzung nur anschließen konnte, lobte ihn: »Sie haben wirklich gute Arbeit geleistet.«

»Danke, Sir.« Gower ging mit federndem Schritt und begann sogar recht melodiös ein Liedchen zu pfeifen.

»Jetzt aber telegrafieren wir erst einmal nach London und versuchen dann festzustellen, ob diese Madame Germaine etwas für uns hat«, fuhr Pitt fort.

Am Postamt setzte er ein Telegramm an Narraway auf. »Sind in Saint Malo. Bekannte, über die wir gern mehr erfahren würden. Brauchen Geld. Bitte schnellstens ans hiesige Postamt schicken. Melden uns wieder.«

Bis die Antwort kam, empfahl es sich, sparsam mit dem wenigen Geld umzugehen, das sie hatten. Auf jeden Fall würden sie Madame Germaines Haus aufsuchen, in der Hoffnung, dass sie ein freies Zimmer für sie hatte.

»Das kann eine ganze Weile dauern«, sagte Gower nachdenklich. »Hoffentlich erwartet Mister Narraway nicht, dass wir unter einer Hecke schlafen. Im August würde mich das nicht weiter stören, aber im April ist es nachts ziemlich kalt.«

Pitt machte sich nicht die Mühe, darauf zu antworten. Ihre Aufgabe würde nicht nur zeitraubend sein, sondern vermutlich auch recht langweilig. Er dachte an sein Zuhause und die beiden Kinder Jemima und Daniel. Er vermisste sie, vor allem aber Charlotte, den Klang ihrer Stimme, ihr Lachen, die Art, wie sie ihn ansah. Obwohl sie bereits seit vierzehn Jahren verheiratet waren, überraschte es ihn immer wieder, dass sie es nie bereut hatte, für ihn ihr Leben in der gehobenen Londoner Gesellschaft aufgegeben zu haben. Immerhin war damit nicht nur eine erhebliche finanzielle Sicherheit verbunden gewesen, die sie von klein auf gewöhnt war, sondern sie hatte auch eine ganze Reihe von Vorrechten gehabt sowie eine Kutsche und Dienstboten, hatte an großen Empfängen und rauschenden Bällen teilnehmen können.

Statt eine Vernunftehe einzugehen, wie in solchen Kreisen üblich, hatte sie aus Liebe geheiratet und ihm das auf mancherlei Weise deutlich gemacht. Sie sprachen nie darüber, dass sie damit alle Vorzüge ihres früheren Daseins gegen ein zweckbestimmtes und auf andere Weise interessantes Leben eingetauscht hatte, denn das wäre taktlos gewesen. Häufig hatte sie inoffiziell an seinen Fällen mitgearbeitet und sich dabei als ausgesprochen anstellig und einfallsreich erwiesen. Seit er für den Sicherheitsdienst arbeitete, kam das weniger häufig vor, da ein großer Teil seiner Aufträge strenger Geheimhaltung unterlag.

Ob er wagen durfte, auch ihr ein Telegramm zu schicken? In dieser fremden Welt, einer Straße in Frankreich, die so gänzlich anders roch und klang als Straßen zu Hause, umgeben von einer Sprache, die er so gut wie nicht verstand, sehnte er sich nach dem Vertrauten. Doch das Telegramm an Narraway war an eine nichtssagende Adresse gegangen, der Wrexham nichts würde entnehmen können, falls er sich danach erkundigte. Um mit Charlotte Verbindung aufzunehmen, würde

Pitt seine eigene Anschrift angeben müssen und sich damit eine Blöße geben. Der Preis dafür wären Sorgen, Angst und im schlimmsten Fall sogar der Tod geliebter Menschen. Unter keinen Umständen durfte er, nur weil er gut gefrühstückt hatte und sich in einer friedlich in der Aprilsonne daliegenden Straße befand, vergessen, wie West mit durchschnittener Kehle auf dem Hof der Ziegelei gelegen und sein Blut auf dem Boden eine kleine Lache gebildet hatte.

»Ja, so machen wir es«, sagte er zu Gower. »Anschließend werden wir versuchen, unauffällig möglichst viel über diesen Frobisher in Erfahrung zu bringen.«

Das Haus Nummer sieben in der Rue St. Martin ließ sich mühelos überwachen, denn es stand nahe der zur Seeseite hin hoch aufragenden Stadtmauer, und keine fünfzig Schritt von ihm entfernt führte eine Treppe zum Rundweg auf dieser Mauer. Von dort aus hatte man einen herrlichen Blick auf die See und den sich ständig verändernden Horizont, wo Boote mit geschwellten Segeln gegen den Wind kreuzten. Da am Rande der Bucht eine Vielzahl malerischer Felsen aufragte, mussten die Segler darauf achten, sich von ihnen fernzuhalten. Während Pitt und Gower miteinander redeten, war es ganz natürlich, dass sie sich von Zeit zu Zeit auf die Ellbogen stützten und auf die Straße und den Platz mit dem Haus Nummer sieben hinabsahen. Das ermöglichte es ihnen, auf unauffällige Weise festzustellen, wer da kam und ging.

Gleich am Nachmittag suchte Pitt noch einmal das Postamt auf. Dort lag bereits eine Geldanweisung über einen Betrag, der ihnen mindestens für zwei Wochen reichen würde, sowie ein Telegramm von Narraway, das keinen Hinweis auf West oder auf Informationen enthielt, die Narraway möglicherweise über ihn bekommen hatte. Doch damit hatte Pitt auch nicht gerechnet. Auf dem Rückweg zu dem kleinen Platz kam er an zwei Hausfrauen mit Einkaufskörben und einer jungen Frau in einem leuchtend roten Kleid vorüber. Er stieg erneut die Treppe zur Mauerkrone empor, wo Gower das Gesicht nach Westen gerichtet hielt, der allmählich untergehenden golden schimmernden Sonne zugekehrt, wobei es aussah, als lächele er mit geschlossenen Augen ins Licht. Er erweckte ganz den Eindruck eines typischen jungen Engländers, der Ferien machte.

Den Blick auf das Wechselspiel des Lichts auf den Wellen gerichtet, sagte Pitt mit leiser Stimme: »Wir haben eine Antwort auf unser Telegramm und auch Geld bekommen. Angesichts der Höhe des Betrages scheint unser Vorgesetzter zu erwarten, dass wir hier am Ort möglichst viel in Erfahrung bringen.«

»Das hatte ich mir gedacht.«

Auch Gower sah Pitt nicht an und bewegte beim Sprechen die Lippen so gut wie gar nicht. So wie er sich entspannt an die von der Sonne gewärmten Steine der Mauer lehnte, hätte man glauben können, er werde jeden Augenblick einschlafen. »Da unten hat sich inzwischen was getan. Ein Mann ist rausgekommen, dunkle Haare, französisch gekleidet. Zwei sind reingegangen.« Seine Stimmhöhe stieg ein wenig an, während er fortfuhr: »Einen von denen hab ich erkannt: Pieter Linsky. Ich bin mir ganz sicher. Er hat nicht nur ein unverkennbares Gesicht, sondern hinkt auch, seit er in Lille bei dem Versuch, nach einem Anschlag zu fliehen, angeschossen wurde. Ich nehme an, dass der andere Jacob Meister war. Das ist allerdings eher eine Vermutung.«

Pitt spannte sich an. Die Namen waren ihm bekannt. Beide Männer waren an sozialistischen Machenschaften auf dem ganzen europäischen Kontinent beteiligt, reisten von Land zu Land und schürten Aufruhr, wo sie konnten. Sie organisierten Demonstrationen, Streiks und sogar Aufstände. Angeblich geschah all das im Namen der von ihnen geforderten Reformen, in Wahrheit aber stand das Bestreben dahinter, das gesamte Gesellschaftssystem zu verändern, den herrschenden Schichten ihre Macht zu nehmen. Insbesondere Linsky war ein unverkennbarer Revolutionär. Da die ideologischen Standpunkte der beiden deutlich voneinander abwichen, war es bemerkenswert, dass sie gemeinsame Sache zu machen schienen. Die Anhänger der sozialistischen Bewegung traten mit einer Leidenschaft und einem Idealismus auf, als seien sie die Jünger einer neuen Religion, deren Begründer nahezu wie Götter verehrt wurden. Jeder, der eine abweichende Meinung vertrat, wurde als Ketzer gebrandmarkt. Innerhalb der Bewegung gab es Unter- und Splittergruppen, die ihre Rivalitäten mit geradezu missionarischem Eifer austrugen. Sie benutzten sogar religiöse Begriffe, wenn sie über ihre Ziele sprachen.

Pitt stieß die Luft aus. Es klang wie ein Seufzer. »Ich nehme an, dass Sie sich in Bezug auf Meister trotz Ihrer Einschränkung ziemlich sicher sind?«

Ohne sich zu rühren, sagte Gower, der nach wie vor in die Sonne lächelte, wobei sich seine Brust kaum hob und senkte, während er atmete: »Ja, Sir, durchaus. Bestimmt besteht da ein Zusammenhang mit dem, was West uns sagen wollte. Dass die beiden trotz ihrer gegensätzlichen Positionen gemeinsame Sache machen, kann nur bedeuten, dass etwas ganz Großes im Gange ist.«

Pitt widersprach nicht. Je länger er darüber nachdachte, desto sicherer war er, dass sie es hier mit den ersten Vorboten des Sturms zu tun hatten, den Narraway hatte heraufkommen sehen und der über Europa losbrechen würde, wenn sie es nicht verhinderten.

»Wir behalten die Leute im Auge«, sagte Pitt ruhig und bemühte sich, ebenfalls den Eindruck zu erwecken, als genieße er angenehm entspannt die Sonne. »Achten Sie darauf, mit wem sie sonst noch Kontakt aufnehmen.«

Gower lächelte. »Wir werden vorsichtig sein müssen. Was führen die Ihrer Ansicht nach im Schilde?«

Schweigend überlegte Pitt, während er unter halb gesenkten Lidern die farbig gestrichene Holztür von Nummer sieben beobachtete. Allerlei Gedanken schossen ihm durch den Kopf. Angesichts dessen, dass die Leute so viele Männer zu brauchen schienen, hielt er einen Mordanschlag auf eine einzelne Person für weniger wahrscheinlich als einen Generalstreik – wenn die Leute nicht gar eine Reihe von Bombenattentaten planten. Bisher waren Mordanschläge stets durch einen einzelnen Täter erfolgt, der bereit war, sein Leben aufs Spiel zu setzen. Aber ... wer war besonders verwundbar? Wessen Tod würde dauerhafte Veränderungen bewirken?

»Ob Streiks geplant sind?«, unterbrach Gower Pitts Erwägungen. »Wenn die in ganz Europa ausgerufen würden, ließe sich damit die Industrie in die Knie zwingen.«

»Möglich«, stimmte Pitt zu. Seine Gedanken wandten sich den großen Werft- und Industriestädten im Norden Englands zu. Auch die Kohlengruben nahe Durham, in Yorkshire oder Wales kamen in Frage. Dort hatte es früher schon Streiks gegeben, die aber stets beendet worden waren, nachdem die Arbeiter und ihre Familien längere Zeit unter dem fehlenden Einkommen gelitten hatten.

»Demonstrationen?«, fuhr Gower fort. »Wenn Tausende an den richtigen Stellen gleichzeitig auf die Straße gehen, könnten sie den Verkehr zum Erliegen bringen oder auch ein bedeutendes gesellschaftliches Ereignis wie beispielsweise das Pferderennen von Epsom verhindern.«

Pitt stellte sich vor, mit welcher Wut und Enttäuschung die Rennbegeisterten, wie empört die Angehörigen der Oberschicht auf die Unverfrorenheit derer reagieren würden, die ihnen den Besuch dieser von ihnen als äußerst wichtig erachteten Veranstaltung unmöglich machten.

Unwillkürlich trat ein Lächeln auf seine Züge, doch darin lag Bitterkeit. Auch wenn er nie den Kreisen jener angehört hatte, die dem »Zeitvertreib der Könige« huldigten, war er im Verlauf seiner Tätigkeit bei der Polizei mit einer ganzen Reihe von ihnen in Berührung gekommen. Er kannte ihre Leidenschaften und ihre Schwächen, hatte gesehen, dass manche von ihnen außerordentlichen Mut an den Tag legten, wusste aber auch, dass in ihren Augen Menschen, die nicht ihrer Schicht angehörten, einfach nicht zu existieren schienen. Wer sie dazu bringen wollte, etwas Bestimmtes zu tun, würde das mit Sicherheit nicht erreichen, indem er ihnen gewaltsam eins der wichtigsten Ereignisse in ihrem Kalender vorenthielt. Vermutlich war das auch längst jedem bewusst, der ernsthaft auf Revolution aus war.

Wodurch aber konnte man dann Veränderungen bewirken?

Gower machte ihn mit einer Geste darauf aufmerksam, dass er ihm noch nicht geantwortet hatte.

»Meister würde vielleicht so vorgehen«, sagte Pitt, »aber nicht Linsky. Der greift zu gewalttätigeren und wirksameren Mitteln.«

Gower überlief sichtlich ein leichter Schauder. »Es wäre mir lieber, Sie hätten das nicht gesagt. Es verdirbt einem die Freude an der Vorstellung, eine oder zwei Wochen in der Sonne zu verbringen, französisch zu essen und den Frauen beim Einkaufen zuzusehen. Haben Sie die Kleine aus Nummer sechzehn gesehen, die Rothaarige?«

»Ehrlich gesagt habe ich weniger auf ihre Haarfarbe geachtet«, gab Pitt mit breitem Lächeln zurück.

Gower lachte. »Ich auch nicht in erster Linie. Aprikosenkonfitüre finde ich übrigens gar nicht schlecht. Was sagen Sie? Und der Kaffee! Sicher würde mir eine anständige Tasse Tee auf die Dauer fehlen, aber so weit ist es noch nicht.« Er schwieg wieder eine Weile, dann drehte er den Kopf zur Seite. »Was haben die Ihrer Meinung nach in England vor, Sir – einmal von einer reinen Machtdemonstration abgesehen? Was planen die auf lange Sicht?«

Die respektvolle Anrede »Sir« erinnerte Pitt daran, dass er als der Höherrangige die Verantwortung trug. Bei diesem Gedanken fuhr er innerlich zusammen. Es gab Dutzende von Möglichkeiten, und manche davon konnten durchaus schwerwiegende Folgen haben. In jüngster Zeit war auch in Großbritannien eine beträchtliche Zunahme an politischer Aktivität auf der linken Seite des Spektrums zu verzeichnen gewesen. Zwar waren deren Vertreter verglichen mit ihren gewalttätigen Gesinnungsgenossen auf dem europäischen Festland harmlos, doch musste das nicht unbedingt so bleiben. Nachdem James Keir Hardie in Schottland bei seiner Kandidatur für das Unterhaus die Wahl verloren hatte, war er vor drei Jahren erneut angetreten. Da er bei dieser Gelegenheit auf einen Wahlkreis unmittelbar außerhalb Londons gesetzt hatte, in dem überwiegend Arbeiter wohnten, hatte er Erfolg gehabt und war als erster Abgeordneter der Labour-Partei ins Parlament eingezogen. Pitt kannte ihn nicht persönlich, aber Charlottes Schwager Jack, der im Unterhaus saß, hatte gesagt, der Mann sei gar nicht so übel, nur vertrete er eben einige politische Ansichten, die er nicht teile.

Gower sah nach wie vor erwartungsvoll zu Pitt hin.

»Ich denke eher an eine konzertierte Aktion mit dem Ziel, einen Machtwechsel herbeizuführen«, sagte dieser bedächtig.

»Machtwechsel?«, fragte Gower zweifelnd. »Ist das eine Beschönigung für den Sturz der Regierung?«

»Möglicherweise«, gab ihm Pitt zur Antwort, und während er das sagte, merkte er, wie sehr er diese Möglichkeit fürchtete. »Außerdem hängt damit die Abschaffung ererbter

Vorrechte und der Verlust der damit verbundenen Macht zusammen.«

»Sprengstoffattentäter?«, fragte Gower im Flüsterton. Jeder Anflug von Fröhlichkeit war dahin. »So wie am Anfang des 17. Jahrhunderts, als man versucht hat, das Parlamentsgebäude mit Schwarzpulver in die Luft zu jagen?«

»Ich kann mir nicht vorstellen, wie das funktionieren soll«, gab Pitt zurück. »Damit würden sie doch alle gegen sich aufbringen. Wir Engländer mögen es nicht, wenn man etwas mit Gewalt durchzusetzen versucht. Da müssen sie schon sehr viel klüger vorgehen.«

Gower schluckte. »Was dann?«, fragte er leise.

»Etwas, was die Macht endgültig zerschlägt. Ein Wandel, der so tiefgreifend ist, dass er sich nicht rückgängig machen lässt.« Schon während er die Worte sagte, ängstigte ihn diese Vorstellung. Etwas Gewalttätiges und Fremdartiges stand bevor. Möglicherweise waren er und sein Untergebener die Einzigen, die das verhindern konnten.

Jetzt stieß auch Gower die Luft so aus, dass es wie ein Seufzen klang. Sein Gesicht war bleich. Pitt warf ihm einen Seitenblick zu, während er nach wie vor so tat, als genieße er die Sonne und beobachte die Segelboote im Hafen. Er und Gower würden sich ganz und gar aufeinander verlassen müssen. Die vor ihnen liegende Aufgabe war anstrengend und erforderte einen langen Atem. Auf keinen Fall durften sie sich auch nur den kleinsten Hinweis entgehen lassen, denn jede noch so unbedeutend scheinende Spur konnte wichtig sein. Sie würden nachts frieren, oft nichts zu essen bekommen, ständig müde sein und zahlreiche Unannehmlichkeiten auf sich nehmen müssen. Vor allem aber mussten sie dafür sorgen, dass sie niemandem auffielen. Nur gut, dass Gower Humor hatte und nicht dazu neigte, die Dinge schwerzunehmen. Es gab im Sicherheitsdienst eine ganze Reihe von Männern, mit denen Pitt diese Aufgabe weit weniger gern ausgeführt hätte.

»Jetzt kommt Linsky heraus!« Gower spannte sich an und zwang sich dann förmlich, erneut eine entspannte Haltung einzunehmen, als interessiere ihn dieser Mann mit der Adlernase, der fliehenden Stirn und den strähnigen Haaren nicht mehr als der Bäcker, der Briefträger oder irgendein beliebiger Feriengast auf der Straße.

Pitt richtete sich auf, steckte lässig die Hände in die Taschen und machte sich daran, die Treppe hinabzugehen, um dem Mann zu folgen.

KAPITEL 2

Am frühen Abend des Tages, an dem sich Pitt und Gower an die Verfolgung Wrexhams gemacht hatten, die sie über Southampton bis nach Saint Malo führte, saß Victor Narraway in seinem Büro in Lisson Grove. Es klopfte, und auf sein »Herein« trat einer seiner Mitarbeiter ein.

»Ja, Stoker?«, sagte Narraway ungehalten. Er wartete schon eine ganze Weile auf die Informationen, die Pitt von West zu erlangen hoffte, und hatte jetzt keine Lust, mit jemandem zu reden.

Stoker, ein Mann mit schmalem Gesicht und hohem Nasenrücken, schloss die Tür hinter sich, trat an Narraways Schreibtisch und sagte mit ungewöhnlich ernster Miene: »Sir, vor einer aufgegebenen Ziegelei in der Nähe der Cable Road in Shadwell ist am helllichten Tag ein Mann ermordet worden ...«

»Sind Sie sicher, dass mich das interessiert?«, fiel ihm Narraway ins Wort.

»Unbedingt, Sir«, gab dieser ohne zu zögern zurück. »Zwei Männer haben den Täter, der dem Opfer die Kehle durchgeschnitten hat, entdeckt, als er das Messer noch in der Hand hielt. Den Angaben der dortigen Polizeiwache nach sieht es so aus, als wären sie ihm nach Limehouse gefolgt, und von da ...«

Ungeduldig fiel ihm Narraway ins Wort: »Ich erwarte Informationen über eine ausgedehnte Aktion sozialistischer Revolutionäre, bei der es unter Umständen zu Bombenanschlägen kommen kann.« Mit einem Mal überlief ihn ein kalter Schauer. »Also verscho…«

»West, Sir«, sagte Stoker. »Der Mann, dem man die Kehle durchgeschnitten hat, war unser Informant West. Die beiden Verfolger Pitt und Gower. Sie haben den Täter allem Anschein nach mindestens bis Limehouse verfolgt, möglicherweise sogar noch über die Themse hinweg bis zum Bahnhof. Von da aus kann er sich natürlich an jeden beliebigen Ort im Lande abgesetzt haben. Mehr haben wir nicht erfahren. Niemand hat angerufen.«

Narraway spürte, wie ihm der Schweiß ausbrach. Beinahe empfand er diese Mitteilung als Erleichterung. Wo zum Teufel steckte dieser Pitt? Warum hatte er nicht zumindest angerufen? Selbst wenn er dem Täter im Nachtzug nach Schottland auf den Fersen blieb, hätte er an einem der Bahnhöfe kurz aussteigen und sich bei seiner Dienststelle melden können.

Dann kam ihm ein anderer Gedanke: und wenn der Täter nach Dover oder zu einem anderen Hafen geflohen war – Folkestone, Southampton …? Von einem Schiff aus würde Pitt nicht anrufen können. Das wäre eine denkbare Erklärung für sein Schweigen.

»Aha. Vielen Dank, Stoker«, sagte er.

»Sir.«

»Sagen Sie vorerst niemanden etwas davon.«

»Jawohl, Sir.«

»Noch einmal danke. Sie können gehen.«

Nachdem Stoker die Tür hinter sich geschlossen hatte, blieb Narraway mehrere Minuten reglos sitzen. Der Mord an West bedeutete einen schweren Schlag, denn jetzt würden sie nichts von dem erfahren, was ihnen der Mann hatte mitteilen wollen. In jüngster Zeit hatte es wieder einmal Hinweise auf bevorstehende Aktionen von Radikalen gegeben. Notorische Unruhestifter kamen und gingen öfter als sonst, und eine gewisse Unruhe lag in der Luft. Zwar waren all diese Anzeichen Narraway bestens vertraut, doch er kannte den Zweck nicht, auf den sich diese Aktivitäten richteten. Es gab so viele Möglichkeiten: ein Anschlag konnte einem Minister oder einem Großindustriellen gelten, aber auch, und das wäre besonders unangenehm, einem ausländischen Würdenträger oder Potentaten auf englischem Boden. Ebenso war es möglich, dass man beabsichtigte, irgendein wichtiges Wahrzeichen zu sprengen. Er hatte Pitt den Auftrag gegeben, zu ermitteln, was jene Radikalen im Schilde führten. Vielleicht gelang ihm das ja auch noch, aber ohne West würde sich das deutlich schwieriger gestalten.

Selbstverständlich war das nicht alles. Gerüchte und Drohungen gab es immer. Ständig lagen Argwohn und Verrat in der Luft. Der Sicherheitsdienst hatte die Aufgabe, solchen Anzeichen nachzugehen, bevor etwas geschah, um zumindest das größte Übel zu verhüten.

Sollte Pitt aber dem Mörder Wests bis nach Schottland oder, schlimmer noch, über den Ärmelkanal gefolgt sein, ohne dass er Narraway das mitteilen konnte, dürfte er auch keine Zeit gehabt haben, seine Frau von seiner Lage in Kenntnis zu setzen. Das bedeutete, dass Charlotte im Haus in der Keppel Street auf ihn wartete und sich mit jeder Stunde mehr ängstigte.

Narraway sah auf die kunstvoll gearbeiteten Zeiger der Standuhr an einer der Wände seines Büros. Es war Viertel vor sieben. Zwar wäre Pitt an einem gewöhnlichen Tag jetzt bereits zu Hause, doch würde seine Frau wohl erst in einer oder zwei Stunden anfangen, sich Sorgen zu machen.

Er stellte sich vor, wie sie in der Küche das Abendessen zubereitete, wahrscheinlich allein. Die Kinder saßen vermutlich an den Hausaufgaben für den nächsten Tag. Er konnte sich Charlotte mühelos vorstellen – genau gesagt stand ihm ihr Bild ständig vor Augen.

Manch einer hätte sie nicht als schön bezeichnet, weil ihr Gesicht nicht dem landläufigen Ideal entsprach, weder niedlich war noch in irgendeiner Weise Beschützerinstinkte weckte. Solche Gesichter langweilten Narraway. Schönheit war seiner Ansicht nach eine sehr persönliche Sache, hatte mit Geschmack zu tun, mit der Fähigkeit, über das Augenfällige hinaus Elemente von Leidenschaften oder Träumen zu erkennen, in denen sich das Wesen eines Menschen zeigte.

Bei Charlotte hatte er eine Herzenswärme und ein Lachen kennengelernt, die er nie vergessen würde. Das war ihm nur allzu deutlich bewusst, denn er hatte es versucht. Mitunter fuhr sie vor Zorn auf, weil sie viel zu impulsiv reagierte, und seiner Ansicht nach schätzte sie Situationen häufig unzutreffend ein, doch an ihrem Mut und ihrer Willenskraft konnte es nicht den geringsten Zweifel geben.

Jemand musste ihr mitteilen, dass sich ihr Mann auf die Fährte von Wests Mörder gesetzt hatte – ach, es wäre wohl besser, den Mord nicht zu erwähnen. Er würde ihr sagen, dass er sich einem Mann an die Fersen geheftet hatte, der wichtige Informationen liefern konnte, und möglicherweise genötigt gewesen war, ihm über den Ärmelkanal zu folgen. Dabei habe er keine Gelegenheit gehabt, sie anzurufen oder auf andere Weise davon in Kenntnis zu setzen. Natürlich hätte Narraway Stoker zu ihr schicken können, aber sie kannte den Mann nicht und außer ihm selbst auch sonst niemanden im Hauptquartier von Lisson Grove. Es war ein Gebot der Höflichkeit, ihr diese Mitteilung selbst zu überbringen, zumal es für ihn kein großer Umweg war. Wenn er sich selbst gegenüber ehrlich war, bedeutete es doch einen ziemlichen Umweg, aber trotzdem dürfte es so das Beste sein.

Obwohl Pitt anfänglich nicht die geringste Vorstellung von der Arbeitsweise des Sicherheitsdienstes gehabt hatte und Narraway ihn in politischen Fragen gelegentlich für ein schlichtes Gemüt hielt, war er einer der besten Männer, die je für ihn gearbeitet hatten. Seine Rechtschaffenheit, die in Narraways Augen geradezu sein Kennzeichen war, brachte Narraway bisweilen zur Verzweiflung. Pitt war zusammen mit dem Sohn des Gutsbesitzers aufgewachsen und unterrichtet worden, für den sein Vater als Wildhüter tätig war, selbstverständlich ohne auf der gleichen gesellschaftlichen Ebene wie dieser zu stehen. Die Bildung, die ihm dort zuteil geworden war, hatte ihn zu einem Mann von edler Denkart gemacht, dessen menschliches Mitgefühl und gelegentlich aufflammenden Zorn über Ungerechtigkeiten in der Gesellschaft Narraway bewunderte. Es erstaunte ihn selbst, dass er Pitt vor dem Neid derer in Schutz nahm, die er aufgrund seiner Fähigkeiten überflügelt hatte, obwohl sie lange vor ihm in den Sicherheitsdienst eingetreten waren. Jetzt musste Narraway unbedingt Charlotte mitteilen, dass ihr Mann unter Umständen längere Zeit fortbleiben würde. Er räumte seinen Schreibtisch auf, schloss sorgfältig alle vertraulichen Papiere ein, verließ das Gebäude und winkte auf der Straße einer Droschke, deren Kutscher er Pitts Adresse nannte.

Er erkannte die Besorgnis in Charlottes Augen, kaum dass sie ihm geöffnet hatte. Ihr war sofort klar, dass es sich nicht um einen Höflichkeitsbesuch handelte. Die Empfindung, die er wahrnahm, erfüllte ihn mit Neid. Die Zeit, da sich jemand auf ähnliche Weise um ihn besorgt gezeigt hatte, lag lange zurück.

»Ich bedaure, Sie stören zu müssen«, sagte er mit steifer Förmlichkeit. »Heute ist bei uns nicht alles nach Plan gelaufen. Ihr Mann hat sich genötigt gesehen, mit seinem Mitarbeiter Gower einen mutmaßlichen Verschwörer zu verfolgen, ohne dass sie Gelegenheit hatten, jemanden darüber zu informieren.«

Der Ausdruck von Besorgnis wich aus Charlottes Augen, und mit ihrer üblichen Freundlichkeit fragte sie: »Wo ist er?«

Er beschloss, mehr Sicherheit in seine Worte zu legen, als er empfand. Auch wenn es denkbar war, dass sich Wests Mörder nach Schottland abgesetzt hatte, hielt Narraway es für wahrscheinlicher, dass ihn seine Flucht über den Ärmelkanal geführt hatte, und so sagte er: »In Frankreich. Verständlicherweise hatte er auf der Fähre keine Möglichkeit zu telefonieren, und davor hat er vermutlich nicht gewagt, den Mann aus den Augen zu lassen, weil er ihm sonst hätte entwischen können. Es tut mir leid.«

Sie lächelte. »Es ist sehr aufmerksam von Ihnen, eigens zu kommen, um mir das zu sagen. Ich muss zugeben, dass ich angefangen hatte, mir Sorgen zu machen.«

Der Aprilabend war kalt, ein scharfer Wind brachte den Geruch nach Regen mit sich. Von der Vortreppe aus sah Narraway das Licht im Haus, spürte die Wärme, die herausdrang. Er tat einen Schritt zurück. Ihn ängstigten seine Gedanken, die Verlockung, die seinen Puls beschleunigte.

»Dazu besteht kein Anlass«, sagte er rasch. »Gower ist ein erstklassiger Mann und spricht recht gut Französisch. Ganz davon abgesehen dürfte es dort wärmer sein als hier.« Er lächelte. »Außerdem isst man dort sehr gut.« Charlotte war gerade dabei gewesen, das Abendessen vorzubereiten. Wie ungeschickt von ihm, dieses Thema anzusprechen! Zum Glück stand er so weit im Dunkeln, dass sie nicht sehen konnte, wie er rot wurde. Jeder Versuch, diesen Tritt ins Fettnäpfchen ungeschehen zu machen, wäre plump gewesen, daher war es besser, die Sache stillschweigend auf sich beruhen zu lassen. »Ich gebe Ihnen Bescheid, sobald ich etwas von ihm höre. Falls der Mann, dem sie folgen, nach Paris weiterzieht, wird es für die beiden unter Umständen nicht ganz einfach sein, mit mir in Kontakt zu bleiben, aber machen Sie sich bitte um Ihren Mann keine Sorgen.«

»Vielen Dank, ich weiß jetzt, dass das nicht nötig ist.«

Ihm war klar, dass das eine höfliche Lüge war. Natürlich würde sie sich Sorgen machen. Vor allem würde sie ihn vermissen. Zwar gehört zur Liebe stets die Möglichkeit des Verlusts, doch die mit der Abwesenheit des geliebten Menschen einhergehende Leere war weit schlimmer.

Er nickte ganz leicht und verabschiedete sich. Als er ging, kam es ihm vor, als lasse er das Licht hinter sich zurück.

Um die Mitte des nächsten Vormittags bekam Narraway das von Pitt in Saint Malo aufgegebene Telegramm. Sogleich ließ er ihm so viel Geld anweisen, dass es für ihn und Gower mindestens zwei Wochen lang reichen würde. Kaum hatte er die Anweisung abgeschickt, hielt er sie für zu großzügig. Möglicherweise war sie ein Maßstab dafür, wie sehr es ihn erleichtert hatte, Pitt in Sicherheit zu wissen. Überrascht merkte er, wie schwer es ihm gefallen war, die Sorge von sich fernzuhalten. Er würde noch einmal das Haus in der Keppel Street aufsuchen müssen, um Charlotte mitzuteilen, dass sich ihr Mann gemeldet hatte.

Nach der Mittagspause kam Charles Austwick in Narraways Büro und schloss die Tür hinter sich. Er war ein recht gut aussehender, wenn auch unauffälliger Endvierziger, dessen blondes Haar sich zu lichten begann. Mit seiner Intelligenz und Tüchtigkeit hatte er sich offiziell die Position als Narraways Stellvertreter erarbeitet, doch hatte es sich so ergeben, dass Pitt diese Funktion de facto ausübte. Austwick sah Narraway so bemüht direkt an, als sei ihm etwas unangenehm und er versuche das nicht deutlich werden zu lassen. Er war dafür bekannt, dass er nie offen zeigte, was er empfand oder dachte.

»Eine schwierige Situation ist eingetreten, Sir«, sagte er und nahm unaufgefordert Platz. »Es tut mir leid, aber ich muss das ansprechen.«

»Dann tun Sie das, statt lange um den heißen Brei herumzureden!«, sagte Narraway ein wenig heftig. »Also, worum dreht es sich?«

Austwicks Gesicht spannte sich so an, dass seine Lippen wie ein schmaler Strich aussahen.

»Um Informanten«, sagte er. »Sie erinnern sich doch an Mulhare?«

Die einen winzigen Augenblick lang aufblitzende Befriedigung in Austwicks blassen Augen ließ erkennen, dass das, was er zu sagen hatte, mit Narraway selbst zu tun hatte, mit einem wunden Punkt seines Vorgesetzten. Voll Trauer erinnerte sich Narraway an den Iren Mulhare, der sein Leben aufs Spiel gesetzt hatte, um zu tun, was er für seine Pflicht hielt, indem er den Engländern Informationen zuspielte. Das war so gefährlich gewesen, dass er Irland mitsamt seinen Angehörigen hätte verlassen müssen, um nicht der Rache seiner Landsleute zum Opfer zu fallen, und Narraway hatte dafür gesorgt, dass man ihm das dazu nötige Geld zur Verfügung stellte.

»Selbstverständlich«, sagte er gelassen. »Hat man seine Mörder ermittelt? Leider wird dies Wissen niemandem mehr etwas nützen.« Er wusste, dass seine Stimme bitter klang. Er hatte Mulhare gut leiden können und ihm zugesichert, dass ihm nichts geschehen werde.

»Die Sache ist ziemlich verzwickt«, gab Austwick zurück. »Er hat das Geld nicht bekommen und konnte Irland deshalb nicht verlassen.«

»Doch, er hat es bekommen«, widersprach Narraway. »Ich habe das selbst in die Wege geleitet.«

»Genau das ist der springende Punkt«, sagte Austwick und rückte seinen Stuhl ein wenig auf dem Teppich zurecht.

Es ärgerte Narraway, dass man ihn an diesen Fehlschlag erinnerte; Mulhares Tod war ein herber Verlust, der ihn stets schmerzen würde. »Wenn Sie mir nicht sagen können, wer ihn umgebracht hat, warum vergeuden Sie dann Ihre und meine Zeit mit dem Fall, statt sich um Ihre laufende Arbeit zu kümmern?«, fragte er schroff. »Sofern Sie nichts zu tun haben sollten, finde ich bestimmt etwas für Sie. Pitt und Gower werden eine Weile nicht ins Büro kommen, und irgendjemand muss Pitts laufende Arbeit übernehmen.«

»Ach?« Austwick verbarg seine Überraschung nur mühsam. »Das habe ich gar nichts gewusst. Niemand hat mir etwas davon gesagt.«

Narraway sah ihn kalt an, ohne auf den unausgesprochenen Vorwurf einzugehen.

Austwick holte tief Luft. »Wie gesagt«, nahm er den Faden erneut auf, »es tut mir sehr leid, dass wir uns wieder mit der Sache befassen müssen. Man hat Mulhare verraten ...«

»Das ist uns bekannt, zum Kuckuck!« Narraway hörte den Ärger in seiner Stimme. »Man hat seine Leiche aus der Bucht von Dublin gefischt.«

»Er hat das Geld nie bekommen«, wiederholte Austwick.

Narraway presste seine Hände unter dem Tisch fest zusammen, so dass Austwick es nicht sehen konnte.

»Ich habe die Zahlung selbst in die Wege geleitet.« Das stimmte, doch hatte er aus guten Gründen, die er Austwick nicht mitzuteilen gedachte, dafür gesorgt, dass es den Empfänger auf verschlungenen Wegen erreichte.

»Aber Mulhare hat es nie bekommen«, gab Austwick zurück. In seiner Stimme schienen sich unterschiedliche Empfindungen zu vermengen. »Wir haben inzwischen festgestellt, wohin es gegangen ist.«

Narraway war verblüfft.

»Nämlich wohin?«

»Ich weiß nicht, wo es sich im Augenblick befindet«, gab Austwick zurück, »aber es ist auf eins Ihrer Konten hier in London gegangen.«

Narraway erstarrte. Mit erschreckender Klarheit begriff er, was Austwick von ihm wollte, und er hatte eine undeutliche Vorstellung davon, was geschehen war. Austwick vermutete – oder war gar überzeugt –, dass Narraway das Geld für sich abgezweigt und mit voller Absicht zugelassen hatte, dass man Mulhare fasste und umbrachte. Kannte ihn der Mann so wenig? Oder war das ein Ergebnis seines schon lange gehegten Grolls? Ging das auf sein Bestreben zurück, Narraways Stelle einzunehmen, um die vergleichsweise unumschränkte Macht ausüben zu können, die diesem zu Gebote stand?

»Ja, und von dort ist es weitergegangen«, sagte er zu Austwick. »Wir mussten es ein wenig hin und her schieben, damit es sich nicht ohne weiteres zum Sicherheitsdienst zurückverfolgen ließ.«

»Sicher«, stimmte Austwick gequält zu. »Es ist an verschiedene Stellen gegangen. Der Haken ist aber, dass es zum Schluss zurückgekehrt ist.«

»Zurück? Es ist an Mulhare gegangen«, korrigierte ihn Narraway.

»Nein, Sir, das ist es nicht. Es ist an eins Ihrer Sonderkonten zurückgegangen, und zwar eines, von dem wir angenommen hatten, es sei inzwischen aufgelöst«, sagte Austwick. »Und da liegt es immer noch. Wenn es bei Mulhare angekommen wäre, hätte er Dublin verlassen und wäre noch am Leben. Es ist in der Tat mehrfach hin und her geschoben worden, so dass man seine Herkunft kaum noch feststellen konnte, ganz, wie Sie gesagt haben, aber am Schluss ist es da gelandet, von wo es überwiesen wurde, nämlich auf Ihrem Konto.«

Narraway holte Luft, um das zu bestreiten, sah aber in Austwicks Augen, dass das sinnlos sein würde. Ganz gleich, wer das Geld dorthin überwiesen hatte, Austwick war fest überzeugt, dass Narraway selbst dahintersteckte, oder er tat zumindest so, als glaube er das.

»Ich war das nicht«, sagte Narraway, nicht weil er annahm, mit dieser Erklärung etwas ändern zu können, sondern weil er nicht bereit war, für etwas geradezustehen, was er nicht getan hatte. »Verrat« war kein Begriff, den er leichtfertig verwendete, doch es bestand kein Zweifel daran, dass man Mulhare verraten hatte, und das war ihm in tiefster Seele zuwider. »Ich habe es an Terence Kelly weitergeleitet, mit dem Auftrag, dafür zu sorgen, dass Mulhare es bekam. Aus leicht einsehbaren Gründen konnte ich es nicht direkt an Mulhare überweisen – ebenso gut hätte ich ihm eine Zielscheibe auf die linke Brustseite malen können.«

»Können Sie das beweisen, Sir?«, fragte Austwick in höflichem Ton.

»Natürlich nicht!«, fuhr ihn Narraway an. Stellte sich der Mann absichtlich begriffsstutzig? Er wusste genauso gut wie Narraway, dass man bei solchen Transaktionen keine Spuren hinterlassen durfte, die als Beweis dienen konnten. Was auch immer er jetzt zu seiner Rechtfertigung beweisen könnte, hätte sich jeder Beliebige zunutze machen können, um Mulhare das Genick zu brechen.

»Sie werden einsehen, dass damit die ganze Sache fragwürdig erscheint«, sagte Austwick in halb entschuldigendem Ton und mit ausdruckslosem Gesicht. »Es dürfte sich sehr empfehlen, Sir, irgendeinen Beweis dafür zu finden, dass es sich so verhält, wie Sie sagen, damit man die Angelegenheit als erledigt betrachten kann.«

Narraways Gedanken jagten sich. Er hatte einen genauen Überblick über alles, was sich auf den von ihm geführten Bankkonten befand, sowohl den dienstlichen als auch den privaten. Austwick hatte gesagt, man habe das bewusste Konto für aufgelöst gehalten. Narraway aber hatte absichtlich einen geringen Betrag darauf stehen lassen für den Fall, dass er es noch einmal brauchen konnte. Das war eine Frage der Zweckmäßigkeit gewesen. Seines Wissens nach hatte es auf diesem Konto eine ganze Zeit lang keinerlei Bewegungen gegeben.

»Ich sehe mir das Konto an«, sagte er mit kalter Stimme.

»Ein guter Gedanke, Sir«, stimmte Austwick zu. »Vielleicht finden Sie dabei auch eine Erklärung dafür, warum das Geld an Sie zurückgegangen ist, und einen Beweis für den Grund, aus welchem der arme Mulhare es nie bekommen hat.«

Schlagartig begriff Narraway, dass diese Worte Austwicks keine Anregung waren, sondern eine ernst gemeinte und kaum verhüllte Drohung. Mit einem Mal erfasste ihn die Sorge, dass seine Stellung im Sicherheitsdienst gefährdet sein könnte. Ihm war klar, dass er sich im Laufe der Jahre auf seinem Weg an die Spitze der Organisation Feinde gemacht hatte, und erst recht, seit er sie leitete. In dieser Position hatte man immer wieder harte Entscheidungen zu treffen, mit denen zwangsläufig nicht jeder einverstanden war. Opfer mussten gebracht werden, und zwar sowohl in Bezug auf Ideale als auch auf Menschen. In seinem Beruf hatte man es mit dem Auf und Ab geschichtlicher Ereignisse zu tun, da war kein Platz für Sentimentalität.

Er hatte Pitt aufgenommen, als man diesen mit Hilfe einer gegen ihn gerichteten Intrige aus seiner Führungsposition in der Hauptstadtpolizei hinausgedrängt hatte. Seine Absicht war es gewesen, dem Mann damit einen Gefallen zu tun, da er eine Familie zu ernähren hatte. Anfangs war er mit Pitt, der weder für die speziellen Bedürfnisse des Sicherheitsdienstes ausgebildet war noch dessen Aufgaben alle vollständig akzeptierte, nicht recht zufrieden gewesen. Doch Pitt hatte alles Erforderliche rasch gelernt, und da er die Eigenschaften eines außergewöhnlichen Kriminalisten besaß, nämlich Beharrlichkeit und

Vorstellungsvermögen, hatte sich Narraways Einschätzung von Pitts Leistungen bald geändert, zumal dieser über ein Maß an Integrität verfügte, das er rückhaltlos bewunderte.

Obwohl Narraway nach dem Grundsatz lebte, menschliche Gefühle aus dem beruflichen Umfeld herauszuhalten, konnte er Pitt gut leiden.

Aus all diesen Gründen hatte er ihn vor dem Neid und der Kritiksucht seiner Kollegen geschützt. Einerseits hatte Pitt seine herausgehobene Position mittlerweile mehr als verdient, und zum anderen dachte Narraway nicht daran, sich in seine Entscheidungen hineinreden zu lassen. Inzwischen gestand er sich ein, dass es teilweise auch um Charlottes willen geschehen war. Wenn Pitt nicht zu seiner Abteilung gehörte, gäbe es für ihn keinen Vorwand, sie wiederzusehen.

»Ich kümmere mich darum«, sagte er schließlich zu Austwick, »sobald ich etwas mehr über das Problem erfahren habe, das uns gegenwärtig beschäftigt. Man hat einen unserer Informanten ermordet, was die Aufgabe zusätzlich erschwert.«

Austwick erhob sich. »Sehr wohl, Sir. Das dürfte ein guter Gedanke sein. Ich denke, je früher Sie die Gemüter in Bezug auf die Angelegenheit beruhigen können, desto besser. Ich würde vorschlagen, noch vor Ende dieser Woche.«

»Immer vorausgesetzt, dass die Umstände das zulassen«, gab Narraway kühl zurück.

Wie sich herausstellte, ließen die Umstände es nicht zu. Schon früh am nächsten Morgen wurde Narraway zur Berichterstattung bei seinem politischen Vorgesetzten Sir Gerald Croxdale ins Innenministerium beordert – dem Einzigen, dem gegenüber er zu vollständiger Rechenschaft verpflichtet war.

Croxdale war ein farbloser Mann von Anfang fünfzig, dem es mit seiner beharrlichen Art erstaunlich rasch gelungen war, in hohe Regierungsämter aufzusteigen, obwohl er weder von einem der einflussreicheren Kabinettminister in erkennbarer Weise gefördert worden war, noch je im Unterhaus eine große Rede gehalten oder einen Gesetzesantrag eingebracht hatte. Er schien ganz und gar auf eigenen Füßen zu stehen. Sofern er anderen einen Gefallen schuldete oder Dankesschulden einforderte, tat er das so unauffällig, dass nicht einmal Narraway davon wusste. Er hatte nie bemerkenswerte politische Aktionen angestoßen, aber auch, und das war wahrscheinlich sehr viel wichtiger, keine erkennbaren Fehler gemacht. In Politikerkreisen wurde sein Name voller Achtung genannt.

Zwar hatte Narraway an ihm nie Anzeichen der Art von Leidenschaft bemerkt, die ehrgeizige Männer antreibt, doch war ihm der rasche Aufstieg des Mannes in den Sphären der Macht nicht entgangen, was ihm einen gewissen widerstrebenden Respekt abnötigte.

»'n Morgen, Narraway«, sagte Croxdale, als dieser sein großes Arbeitszimmer betrat, und wies auf einen wuchtigen braunen Ledersessel. Croxdale war hochgewachsen, breitschultrig und massig. Auch wenn man ihn nicht im herkömmlichen Sinne als gut aussehend bezeichnen konnte, wirkte sein Gesicht doch durchaus eindrucksvoll. Er sprach mit leiser Stimme und lächelte wohlwollend. Wie üblich trug er einen unauffällig gut geschnittenen Anzug und auf Hochglanz polierte schwarze Schuhe. Seinem ganzen Auftreten nach hätte er ohne weiteres der nachgeborene Sohn einer der großen Familien des Landes sein können.

Narraway erwiderte die Begrüßung und nahm Platz. Er beugte sich leicht im Sessel vor, um Croxdale seine Aufmerksamkeit zu signalisieren.

»Üble Geschichte, das, der Mord an Ihrem Informanten West«, begann dieser. »Sicher hätte der Ihnen eine ganze Menge über das berichten können, was die militanten Sozialisten zur Zeit planen.«

»Ja, Sir«, gab Narraway bedrückt zurück. »Pitt und Gower sind nur um wenige Sekunden zu spät gekommen. Sie haben West noch gesehen, aber der war schon wegen irgendetwas in Panik geraten und hatte sich davongemacht. Sie haben ihn auf dem Hof einer Ziegelei in Shadwell eingeholt, wenige Augenblicke, nachdem man ihn umgebracht hatte. Der Mörder stand noch über ihn gebeugt.« Er spürte die Hitze seiner Wangen, während er das sagte. Wirklich ärgerlich, dass seine Männer dem Täter so nahe gewesen waren, ohne die Tat verhindern zu können. Eine Minute früher, und West wäre nicht nur noch am Leben, sondern sie hätten auch all seine Informationen. Er empfand das zum Teil als persönliches Versagen, denn für den Fall, dass dahinter Unfähigkeit seiner Leute stand, fiel das seiner Ansicht nach auch auf ihn selbst zurück. Er sah Croxdale in die Augen, ohne den Blick abzuwenden. Es war nicht seine Art, nach Ausreden zu suchen, weder offen noch versteckt.

Mit einem Lächeln lehnte sich Croxdale zurück und schlug seine langen Beine übereinander. »Das war Pech – aber man kann nun einmal nicht immer Glück haben. Es war eine beachtliche Leistung Ihrer Männer, dass sie dem Mörder auf den Fersen geblieben sind. Wie sieht die Lage inzwischen aus?«

»Ich habe von Pitt zwei Telegramme aus Saint Malo bekommen. Wrexham, also der Mörder, scheint im Haus eines dort ständig lebenden Briten mehr oder weniger untergetaucht zu sein. Interessanterweise haben sie dort auch andere weithin bekannte sozialistische Aktivisten gesehen.«

»Wen?«

»Pieter Linsky und Jacob Meister«, erklärte Narraway.

Croxdale richtete sich ein wenig auf und fragte mit angespanntem Gesicht: »Tatsächlich? Dann ist vielleicht noch nicht alles verloren.« Er senkte die Stimme. »Meinen Sie immer noch, dass größere Aktionen bevorstehen könnten?«

»Unbedingt«, sagte Narraway, ohne zu zögern. »Meiner Ansicht nach dürfte der Mord an West jeden Zweifel daran ausgeräumt haben. Er hätte uns gesagt, worum es geht, und wahrscheinlich auch, wer dabei seine Hand im Spiel hat.«

»Verflucht! Sie müssen unbedingt dafür sorgen, dass Pitt und der andere an Ort und Stelle bleiben. Wie heißt der noch?«

»Gower.«

»Also, auch Gower. Stellen Sie den beiden so viel Geld zur Verfügung, wie sie brauchen. Ich sorge dafür, dass niemand Einwände dagegen erhebt.«

»Ja«, sagte Narraway. Croxdales letzte Worte erstaunten ihn, denn er hatte in Bezug auf die ihm zugewiesenen Gelder stets freie Hand gehabt und nach Gutdünken darüber verfügen können.

Croxdale spitzte die Lippen und beugte sich noch ein wenig weiter vor. »Das ist nicht selbstverständlich, Narraway«, sagte er mit bedeutungsvoll gehobener Stimme. »Wir haben uns mit der Verwendung Ihnen für frühere Fälle zur Verfügung gestellter Gelder beschäftigt, wie Sie vermutlich wissen werden.« Er schlang seine Finger ineinander, sah einen Augenblick auf seine Hände und hob dann rasch den Blick wieder. »Es sind im Zusammenhang mit Mulhares Tod einige unangenehme Fragen gestellt worden, und ich fürchte, wir werden Antworten darauf finden müssen.«

Narraway war überrascht. Er hatte nicht gewusst, dass die Sache schon so weit oben angekommen war, bevor er auch nur eine Möglichkeit gehabt hatte, sich damit zu beschäftigen und seine Schuldlosigkeit zu beweisen. Ob Austwick dahintersteckte? Der Teufel mochte ihn holen!

»Das versteht sich von selbst«, sagte er. »Ich habe seinerzeit bestimmte Kontobewegungen geheim gehalten, um Mulhare zu schützen. Man hätte ihn sofort umgebracht, wenn bekannt geworden wäre, dass er Geld aus England bekommen hat.«

»Ist denn nicht genau das passiert?«, fragte Croxdale betrübt.

Einen Augenblick lang dachte Narraway daran, das zu bestreiten, doch es war nicht seine Art, nach Ausflüchten zu suchen. Es gab in seinem Leben genug Belastungen, und er war nicht bereit, sich vor Croxdale seiner moralischen Verantwortung zu entziehen. »Doch, leider.«

»Wir haben den Mann im Stich gelassen, Narraway«, sagte Croxdale. In seiner Stimme lag Trauer.

»Ja.«

»Wie ist es dazu gekommen?«, fasste Croxdale nach.

»Man hat ihn verraten.«

»Wer?«

»Das weiß ich nicht. Sobald die Sache mit der sozialistischen Bedrohung ausgestanden ist, werde ich mich darum kümmern und zusehen, dass ich es herausbekomme, sofern das in meinen Kräften steht.«

»Zweifeln Sie etwa daran?«, fragte Croxdale freundlich. »Haben Sie keine Vorstellung davon, wer hier in London dahinterstecken könnte?«

»Nein.«

»Aber Sie haben gesagt, man habe den Mann verraten«, beharrte Croxdale. »Ich nehme an, Sie haben das Wort mit Bedacht gewählt. Bereitet Ihnen das keine Sorgen? Wem können Sie bei Problemen trauen, die Irland betreffen? Von denen haben wir weiß Gott mehr als genug.«

»In erster Linie muss unser Augenmerk gegenwärtig den sozialistischen Revolutionären auf dem europäischen Kontinent gelten, Sir.« Auch Narraway beugte sich ein wenig weiter vor. »Wir müssen mit ausgedehnter Gewalttätigkeit rechnen. Leute wie Linsky, Meister, la Pointe, Corazath sind allesamt rasch mit Schusswaffen und Sprengstoff bei der Hand. In ihren Augen sind ein paar Tote kein zu hoher Preis für mehr Gleichheit aller Menschen und ein höheres Maß an Freiheit. Natürlich immer vorausgesetzt, dass es sich nicht um Tote auf ihrer Seite handelt«, fügte er trocken hinzu.

»Und erscheint Ihnen das wichtiger als Verrat in Ihren eigenen Reihen?«, erkundigte sich Croxdale sichtlich erstaunt. Er ließ die Frage zwischen ihnen stehen. Es war klar, dass er eine Antwort darauf erwartete.

Auch wenn Narraway Mulhares Tod als tragisch empfunden hatte, hielt er dessen Aufklärung doch für weniger dringend als die Notwendigkeit, etwas gegen das drohende Unbekannte zu unternehmen. Er wusste, mit wie großer Umsicht er die Herkunft des Geldes verschleiert hatte, denn er kannte die Menschen, vor denen Mulhare Angst gehabt hatte. Er wusste nicht, auf welche Weise jemand es fertiggebracht hatte, das Geld zurück auf sein Konto zu leiten, wie jetzt behauptet wurde. Vor allem aber hatte er nicht die geringste Vorstellung davon, wer dahinterstecken konnte, und ihm war nicht klar, ob es sich dabei um das Ergebnis von Unfähigkeit oder um eine absichtliche Manipulation handelte, die darauf abzielte, ihn als Dieb hinzustellen.

»Ich bin noch nicht sicher, ob es sich wirklich um Verrat handelt, Sir. Vielleicht habe ich das Wort vorschnell benutzt«, sagte er mit betont gleichmütiger Stimme, ohne verhindern zu können, dass sie ein wenig rau klang. Er hoffte, dass Croxdales Ohren weniger empfindlich waren als seine eigenen und er nichts davon mitbekam.

Dieser sah ihn aufmerksam an. »Und was wäre dann das richtige Wort?«

»Unfähigkeit«, gab Narraway zur Antwort. »Wir haben die Herkunft des Geldes mit größter Sorgfalt verschleiert, damit niemand von Irland aus es zu uns zurückverfolgen konnte. Jede einzelne der Transaktionen sieht aus wie ein gewöhnlicher Überweisungsvorgang bei einem Handelsgeschäft.«

»Jedenfalls haben Sie das bisher angenommen. Trotzdem ist Mulhare umgebracht worden. Wo befindet sich das Geld gegenwärtig?«

Narraway hatte gehofft, ihm das nicht sagen zu müssen, aber vielleicht war es von Anfang an unvermeidlich gewesen. Unter Umständen wusste Croxdale das auch bereits, und seine Frage war nichts als eine ihm bewusst gestellte Falle. »Austwick hat mir gesagt, dass es sich auf einem Konto befindet, das ich schon längere Zeit nicht mehr benutzt habe«, gab er zur Antwort. »Ich weiß nicht, durch wen es dorthin gelangt ist, werde das aber feststellen.«

Croxdale schwieg eine Weile. »Das tun Sie bitte, und zweifellos werden Sie unwiderlegliche Beweise vorlegen. Es eilt, Narraway. Wir brauchen Sie und Ihre Fähigkeiten für diese verfluchte Sozialistengeschichte. Es sieht ganz so aus, als ob die Sache ernst wäre.«

»Ich kümmere mich um das Geld, sobald wir die Pläne von Wests Mördern in Erfahrung gebracht und sie vereitelt haben«, gab Narraway zurück, während ihn ein kalter Schauer überlief. »Mit etwas Glück bekommen wir unter Umständen sogar einige der Leute zu fassen und können sie hinter Schloss und Riegel bringen.«

Croxdale hob den Blick und sah ihn scharf an. Mit einem Mal war er nicht mehr der liebenswürdige Herr, der wie ein tapsiger Bär wirkte; er kam ihm eher vor wie ein Tiger, dessen innere Anspannung sich hinter äußerlicher Gelassenheit verbarg. »Glauben Sie etwa, dass sich diese Leute von ihrem Vorhaben abhalten lassen, sobald es auf ihrer Seit eine Handvoll Märtyrer gegeben hat? Da hätte ich mich in Ihnen aber sehr getäuscht. Idealisten gedeihen umso besser, je mehr Opfer für ihre Sache gebracht werden müssen, und wenn das in aller Öffentlichkeit geschieht und dramatisch verläuft, ist ihnen das gerade recht.«

»Das ist mir bekannt.« Die Geringschätzung seiner Urteilskraft durch Croxdale ärgerte ihn. »Ich denke nicht im Traum daran, denen den Gefallen zu tun und ihnen Märtyrer zu liefern. Ehrlich gesagt denke ich auch nicht daran, die Notwendigkeit gesellschaftlicher Reformen und eines gewissen Maßes an Veränderungen zu bestreiten. So etwas aber muss in Übereinstimmung mit der Mehrheit der Menschen im Lande geschehen, man darf es ihnen auf keinen Fall durch eine Handvoll Fanatiker aufzwingen. Bei uns ist es immer wieder zu Veränderungen gekommen, aber Schritt für Schritt. Man sehe sich nur die Geschichte der Revolutionen des Jahres 1848 an. Damals war England das einzige größere Land Europas, in dem es keine Aufstände gegeben hat. Und wo waren zwei Jahre später all die Idealisten, die auf die Barrikaden gestiegen waren? Wo waren all die um einen so hohen Blutzoll errungenen Freiheiten geblieben? Jede einzelne von ihnen war dahin, und jedes der alten Regimes saß wieder fest im Sattel.«

Croxdale sah ihn unverwandt an. Seinem Gesicht war nicht anzumerken, was er dachte.

»Bei uns hat es keinen Aufstand gegeben«, fuhr Narraway fort, etwas leiser, aber nach wie vor mit Nachdruck. »Weder Tote noch großartige Ansprachen, lediglich allmählichen gewachsenen Fortschritt. Gewiss, das ist langweilig, entbehrt womöglich auch jeden Heldentums, verläuft aber dafür auch unblutig und, wichtiger noch, ist von Dauer. Wir leben nicht unter einer früheren Tyrannei, und unsere Regierung ist eigentlich gar nicht so schlecht.«

»Danke«, sagte Croxdale trocken.

Narraway bedachte ihn mit einem strahlenden Lächeln, was bei ihm selten war. »Gern geschehen, Sir.«

Croxdale seufzte. »Ich wünschte, es wäre so einfach. Es tut mir leid, Narraway, aber Sie müssen diese üble Geschichte um den Verbleib des für Mulhare bestimmten Geldes unverzüglich aufklären. Austwick übernimmt einstweilen die Sache mit den Sozialisten, bis Sie damit fertig sind. Ich brauche unwiderlegliche Beweise dafür, dass ein Dritter das Geld auf Ihr Konto geleitet hat und Sie erst in dem Augenblick davon erfahren haben, als Ihnen Austwick das mitgeteilt hat. Außerdem brauchen wir den Namen des oder der dafür Verantwortlichen, denn immerhin ist mit dieser Geschichte einer der besten Leiter des Sicherheitsdienstes lahmgelegt worden, den wir im letzten Vierteljahrhundert hatten. Das aber ist Landesverrat und zugleich gegen die Königin gerichteter Hochverrat.«

Narraway brauchte einen Augenblick, um zu erfassen, was Croxdale damit gesagt hatte. Er saß regungslos da, umklammerte mit kalten Fingern die Sessellehnen, als müsse er sich im Gleichgewicht halten. Er holte Luft, um aufzubegehren, sah dann aber an Croxdales Gesicht, dass dieser Versuch sinnlos sein würde. Die Entscheidung war getroffen, und sie war endgültig. Er saß in der Falle und hatte nicht einmal gemerkt, wie er hineingegangen war. Jetzt hielt sie ihn fest wie das Fangeisen das Bein eines Tieres.

»Tut mir leid, Narraway«, sagte Croxdale ruhig. »Im Augenblick genießen Sie weder das Vertrauen der Regierung Ihrer Majestät noch das Ihrer Majestät. Mir bleibt nichts anderes übrig, als Sie so lange von Ihrer Aufgabe zu entbinden, bis Sie Ihre Schuldlosigkeit beweisen können. Mir ist bewusst, dass Ihnen das ohne Zugang zu Ihrem Büro und ohne Zugriff auf die dort befindlichen Unterlagen schwerer fallen wird, aber Ihnen muss auch klar sein, dass ich nicht anders vorgehen kann. Sofern Sie Zugang zu den Dokumenten hätten, gäbe Ihnen das zugleich die Möglichkeit, sie zu verändern, zu vernichten oder welche hinzuzufügen.«

Narraway war benommen. Es war, als habe man ihm einen Schlag vor den Kopf versetzt. Mit einem Mal bekam er kaum noch Luft. Die Situation war grotesk. Er war Leiter des Sicherheitsdienstes, und der für ihn zuständige Minister teilte ihm aus heiterem Himmel mit, dass er vorerst seines Amtes enthoben sei. Der Mann hatte diese einsame Entscheidung getroffen, sie ihm mitgeteilt, und damit war der Fall erledigt.

»Tut mir leid«, wiederholte Croxdale. »Das ist eine eher unglückliche Art, mit der Sache umzugehen, aber ich sehe keine andere Möglichkeit. Natürlich können Sie nicht nach Lisson Grove zurück.«

»Was?« Die Frage entfuhr Narraway und machte ihn verwundbarer, als er gewollt hatte. Er ärgerte sich über sich selbst, aber es war zu spät. Es gab nicht einmal die Möglichkeit, das zu überspielen, ohne die Dinge zu verschlimmern.

»Sie können nicht in Ihr Büro zurück«, sagte Croxdale, um Geduld bemüht. »Zwingen Sie mich nicht, die Angelegenheit aufzubauschen.«

Narraway erhob sich und merkte entsetzt, dass er leicht schwankte, als habe er getrunken. Er hätte gern etwas gesagt, was ihm einen würdevollen Abgang verschaffte, und zwar mit gefasster Stimme, in der keinerlei Gemütsbewegung mitschwang. Er atmete ein und stieß die Luft langsam wieder aus.

»Ich werde feststellen, wer Mulhare ans Messer geliefert hat«, sagte er mit leicht belegter Stimme. »Und auch, wer mir das angetan hat.« Er überlegte noch, ob er hinzufügen sollte, dass er es erst dann wieder für vertretbar halte, in den Sicherheitsdienst zurückzukehren, unterließ es aber, weil ihm das kleinlich erschien. »Guten Tag.«

Draußen auf der Straße sah alles genauso aus wie bei seiner Ankunft: eine Droschke hielt neben dem Gehsteig, hier und da sah man ein halbes Dutzend Männer in Anzügen mit gestreiften Hosen.

Er machte sich auf den Weg, ohne so recht zu wissen, wohin er ging. Er hatte jeden Richtungssinn verloren und dachte mit einem Gefühl unendlicher Leere an die Möglichkeit, dass das zum Dauerzustand werden könnte. Er war achtundfünfzig Jahre alt und noch vor einer halben Stunde einer der mächtigsten Männer im Lande gewesen, auch wenn das kaum jemandem bekannt war. Man hatte ihm unumschränktes Vertrauen entgegengebracht, er hatte das Leben anderer Menschen in Händen gehalten, die Geheimnisse der Nation gekannt; die Sicherheit gewöhnlicher Männer und Frauen hatte von seiner Urteilskraft und seinem Geschick abgehangen.

Jetzt aber war er ein Mann ohne Ziel und ohne Einkommen, auch wenn ihm der letzte Punkt keine unmittelbaren Sorgen bereitete, denn der von seinem Vater ererbte Landbesitz ermöglichte ihm ohne weiteres einen angemessenen Lebensstil, wenn auch kein Schwelgen im Luxus. Er hatte keine Verwandten mehr, und mit zunehmender Beklemmung kam ihm zum Bewusstsein, dass er zwar Bekannte, aber keine wirklichen Freunde besaß. Das hatte sein Beruf in den Jahren, in denen seine Macht immer mehr angewachsen war, unmöglich gemacht. Es waren zu viele Geheimnisse zu wahren gewesen, und er hatte gar nicht vorsichtig genug sein können.

Es wäre lächerlich und sinnlos, sich jetzt dem Selbstmitleid hinzugeben. Wenn er so tief sank, was hätte er da Besseres verdient? Er musste sich zur Wehr setzen. Offenbar hatte ihm jemand das mit voller Absicht eingebrockt, denn andernfalls ergäbe die ganze Geschichte keinen Sinn. Zu seinem Bedauern konnte er sich ohne weiteres von rund zwei Dutzend Menschen vorstellen, dass sie ihm das aus einer ganzen Reihe von Gründen angetan hatten. Der Einzige, auf dessen Hilfe er hätte zählen können, war Pitt – der aber jagte in Frankreich sozialistische Reformer, die von Gewalttat und Umsturz träumten.

Mit raschen Schritten ging er Whitehall entlang, ohne nach rechts und nach links zu sehen, wobei er vermutlich, ohne es zu merken, an Menschen vorbeikam, die er kannte. Keinen von ihnen würde es stören, dass er sie nicht zur Kenntnis nahm. Wenn seine angeblich vorläufige Amtsenthebung erst einmal allgemein bekannt war, würden sie wahrscheinlich erleichtert sein. Mit ihm war nicht leicht auszukommen, und sogar Menschen mit außerordentlich vertrauensseligem Gemüt neigten dazu, unlautere Motive hinter seinen Entscheidungen und allem zu wittern, was er tat; Geheimnisse zu vermuten, die es in Wirklichkeit nicht gab.

Auf Whitehall folgte Parliament Street, dann bog er nach links ab und ging weiter, bis er die Themsebrücke von Westminster erreichte, von der aus er über das vom Wind gepeitschte Wasser nach Osten blickte.

Er hatte nicht einmal die Möglichkeit, sein Büro aufzusuchen, um dort die Papierberge auf der Suche nach Unregelmäßigkeiten und Zahlen, die nicht zueinander passten, zu sichten. Damit blieb es ihm verwehrt, Dinge zu finden, die ihm einen Hinweis darauf hätten liefern können, wo er den Feind zu suchen hatte, der aus Habgier, Hass oder weil er zwei Herren diente, Verrat an Mulhare und damit zugleich an ihm geübt hatte.

Dann kam ihm ein noch weit entsetzlicherer Gedanke. War Mulhare womöglich nur zufällig zum Opfer geworden, während in Wahrheit das eigentliche Ziel des Komplotts er selbst war?

Während sich diese Frage in seinem Kopf immer deutlicher abzeichnete, begann er sich voll Bitterkeit zu fragen, ob er die Antwort darauf wirklich wissen wollte. Wer mochte das sein, dem er vertraut und in dem er sich so schrecklich getäuscht hatte?

Er merkte, dass Hass in ihm aufstieg, doch er mahnte sich, ihm nicht nachzugeben. Ein gewisses Maß an Wut war in Ordnung – das weckte die Kräfte, die nötig waren, um sich zur

Wehr zu setzen, nicht den Mut zu verlieren oder müde zu werden. Es half, die Leere zu überwinden, die darauf zurückging, dass er unvermittelt auf sich allein gestellt war.

Er überquerte die Brücke, nahm am anderen Ufer der Themse eine Droschke und ließ sich nach Hause fahren.

Nachdem er sich dort einen Schluck Macallan eingegossen hatte, sein Lieblings-Single-Malt-Whisky, ging er zum Tresor und nahm die wenigen Papiere heraus, die er zum Fall Mulhare im Hause aufbewahrte. So gründlich er sie durchlas, er konnte ihnen nichts entnehmen, was er nicht bereits wusste. Neu war für ihn lediglich, dass das für Mulhare bestimmte Geld binnen zwei Wochen ohne sein Wissen auf das Konto zurückgebucht worden war, von dem es seinen Ausgang genommen hatte, ohne dass ihm die Bank Mitteilung davon gemacht hätte.

Noch kurz vor Mitternacht saß er da und starrte die Wand an, ohne etwas zu sehen. Mit einem Mal riss ihn ein Geräusch aus seiner Versunkenheit. Es kam von den Fenstertüren, die auf den Garten gingen, und klang wie ein Anklopfen. Es konnte kein Zweig sein, der dagegenschlug, sondern musste von den Fingerknöcheln eines Menschen verursacht worden sein. Einen Augenblick lang erstarrte er, dann stand er auf. Die Geschwindigkeit, mit der er das tat und sich vom Licht und vom Fenster fortbewegte, zeigte ihm, wie angespannt er war.

Es klopfte erneut, und er sah zu dem Schatten hin, der sich vor dem Fenster abzeichnete. Undeutlich konnte er das Gesicht eines Mannes erkennen, der sich völlig still hielt, als wolle er erkannt werden. Einen Augenblick kam Narraway der Gedanke, es könne sich um Pitt handeln, doch sogleich verwarf er ihn wieder. Erstens befand sich Pitt in Frankreich, und zweitens war der Mann draußen kleiner.

Er musste sich konzentrieren, nachdenken. Durch den unvermuteten Schlag, den man ihm versetzt hatte, war er wie betäubt. Von einem Augenblick auf den anderen hatte man ihm nahezu alles genommen, woran ihm lag. Seinen Lebensinhalt, die Achtung anderer, wenn nicht sogar sein Selbstwertgefühl, und darüber hinaus einen großen Teil seiner Lebensfreude.

Der Mann vor dem Fenster konnte nur Stoker sein. Das hätte er sich gleich denken müssen. Mit einem Mal kam er sich lächerlich vor, wie er dort im Schatten stand, als habe er Angst. Er trat an die Doppeltür, die zum Garten führte, und öffnete sie weit.

Stoker kam herein. Seine Haare waren vom Nieselregen nass; er schien ein ganzes Stück zu Fuß gegangen zu sein. Das hoffte Narraway und auch, dass er mehrfach die Droschke gewechselt hatte, um eventuellen Beschattern das Leben schwer zu machen. Dann sah er, dass Stoker einen großen dicken Umschlag unter seiner Jacke verborgen hielt.

»Was tun Sie hier?«, fragte er ihn mit ruhiger Stimme und schloss die Vorhänge. Bis dahin hatte es keinen Grund dafür gegeben, und er hatte den Anblick des Gartens im Dämmerlicht genossen, den Vögeln und dem allmählichen Zunehmen der Dunkelheit zugesehen, wahrgenommen, wie sich gelegentlich Blätter in der leichten Brise bewegten.

»Ich hab Ihnen einige Papiere mitgebracht, die Ihnen vielleicht nützen können, Sir«, gab Stoker mit gleichmütig klingender Stimme zurück, wobei er ihn unverwandt ansah. Seine Körperhaltung war angespannt und zeigte Narraway, dass dem Mann bewusst war, welche Gefahr er damit auf sich nahm.

Narraway nahm den Umschlag entgegen, warf einen Blick auf die Papiere und blätterte sie rasch durch, um zu sehen, worum es sich handelte. Mit einem Mal stockte ihm der Atem, und seine Finger wurden starr. Es waren Unterlagen über einen zwanzig Jahre zurückliegenden Fall in Irland. Die Erinnerung daran überwältigte ihn aus einer Reihe von Gründen, und es überraschte ihn zu sehen, wie deutlich ihm plötzlich alles wieder vor Augen stand.

Es war, als habe er die Menschen, um die es ging, erst vor wenigen Tagen gesehen. Er konnte sich an den Geruch des Torffeuers in dem Zimmer erinnern, in dem er bis weit in die Nacht mit Kate über den geplanten Aufstand gesprochen hatte. Er war beinahe sogar noch imstande, sich an den genauen Wortlaut zu erinnern, mit dem er ihr klarzumachen versucht hatte, dass das Vorhaben der Iren auf jeden Fall fehlschlagen und in seinem Gefolge noch mehr Tod und Bitterkeit mit sich bringen werde.

Mit einer Genauigkeit, die ihn nach wie vor schmerzte, konnte er sich an ihren Blick erinnern, an den Lichtschein, den die Lampe auf ihre Haut warf, den Klang ihrer Stimme, wenn sie seinen Namen aussprach – und an sein Schuldgefühl.

Vor seinem inneren Auge sah er die Wut Cormac O'Neils, auf die Gram gefolgt war, und er verstand beides. Alle hatten Grund gehabt, Narraway zu hassen. Doch so lebhaft ihm die Dinge auch vor Augen standen, sie lagen zwanzig Jahre zurück.

Er hob den Blick zu Stoker. »Warum bringen Sie mir das?«, fragte er. »Der Fall ist erledigt. Es ist eine alte Geschichte.«

»Der Ärger mit Irland ist nie zu Ende«, gab Stoker schlicht zurück.

»Wir haben hier jetzt aber dringendere Probleme«, hielt ihm Narraway vor. »Und möglicherweise auch auf dem europäischen Festland.«

»Sozialisten?«, sagte dieser trocken. »Die haben immer was zu meckern.«

»Es ist weit mehr als das«, teilte ihm Narraway mit. »Es sind Fanatiker. Es handelt sich um eine Art neue Religion, die sie mit einem missionarischen Eifer verbreiten, als gehe es um eine heilige Sache. Ganz wie das Christentum in seinen Anfängen hat auch sie ihre Apostel und ihre Dogmen – außerdem ihre Sekten, die sich alle miteinander über die Frage in den Haaren liegen, welches der wahre Glaube ist.«

Stoker sah verwirrt drein, als halte er das für unerheblich, auch wenn es der Wahrheit entsprach.

»Sie halten sich gegenseitig alle miteinander für Ketzer«, sagte Narraway bitter, »und deshalb bekämpfen die einen die anderen ebenso sehr wie jeden Außenstehenden.«

»Gott sei Dank«, sagte Stoker mit Nachdruck.

»Wenn wir dann sehen, dass sich Jünger verschiedener Glaubensrichtungen insgeheim treffen und zusammenarbeiten, wissen wir, dass es sich um eine ungeheuer wichtige Sache handeln muss, die für eine Weile die Kluft zwischen ihnen überbrückt hat.« Narraway hörte die Schärfe in seiner eigenen Stimme und erkannte in Stokers Augen, dass er ihn jetzt verstanden hatte.

Langsam stieß Stoker die Luft aus.

»Wie viel wissen wir über das, was die vorhaben, Sir?«

»Ich ahne es nicht im Entferntesten«, gab Narraway zu. »Im Augenblick liegt die ganze Sache auf Pitts Schultern.«

»Und auf Ihren«, sagte Stoker. »Wir müssen unbedingt die Geschichte mit dem Geld aufklären, Sir, damit Sie wieder nach Lisson Grove zurückkönnen.«

Während Narraway Luft holte, um zu antworten, spürte er, wie ihn mit einem Mal eine sonderbare Mischung der unterschiedlichsten Gefühle erfüllte: tiefe Überzeugung, Furcht, Hilflosigkeit und der Eindruck, etwas verloren zu haben. Worte waren außerstande, das auszudrücken.

Stoker wies auf die von ihm mitgebrachten Papiere. »Wir können es uns nicht leisten zu warten«, sagte er eindringlich. »Ich habe im Hinblick auf Informanten, Geld und Irland so viel durchgesehen, wie ich konnte, um festzustellen, was dahinterstecken könnte. Den Fall hier halte ich für den wahrscheinlichsten. Außerdem bin ich ziemlich sicher, dass auch jemand anders kürzlich diese Akte herausgekramt hat.«

»Woran wollen Sie das gemerkt haben?«

»An der Art, wie sie zurückgestellt worden ist.«

»Unordentlich?«

»Nein, im Gegenteil – alles war geradezu übertrieben genau geordnet.«

Jetzt fürchtete Narraway um Stoker. Mit seinem Verhalten setzte der Mann seine Anstellung aufs Spiel, und wenn man ihm auf die Schliche kam, konnte man auch ihm den Prozess wegen Hochverrats machen. Allerlei Möglichkeiten schossen Narraway durch den Kopf, unter anderem der Verdacht, es könnte sich um eine Falle handeln, die man ihm stellte. Doch auf die Gefahr hin, dass es sich so verhielt, wollte er die Akte studieren, allerdings nicht in Stokers Gegenwart. Für den Fall, dass dessen Handlungsweise auf Ergebenheit seinem Vorgesetzten gegenüber fußte oder auch nur auf Anstand und Wahrheitsliebe, wollte er vermeiden, dass Stoker die damit verbundene Gefahr auf sich nahm. Es wäre besser für beide, nicht dabei ertappt zu werden.

»Woher haben Sie die?«, fragte er.

Stoker sah ihn mit dem Anflug eines Lächelns an. »Es ist besser, wenn Sie das nicht wissen, Sir.«

Narraway erwiderte das Lächeln. »Damit ich es nicht weitersagen kann«, folgerte er.

Stoker nickte. »Das auch, Sir.«

Die Art, wie ihn Stoker immer wieder mit »Sir« anredete, gefiel ihm in sonderbarer Weise, als sei er immer noch derjenige, der er am Vormittag gewesen war. War ihm die Achtung anderer so wichtig? Wie erbärmlich!

Er schluckte hart und sog die Luft ein. »Lassen Sie mir das da. Gehen Sie nach Hause, wo jeder Sie vermutet. Holen Sie es wieder ab, sobald das ohne Gefahr möglich ist.«

»Tut mir leid, Sir, aber das muss vor Morgengrauen wieder an Ort und Stelle sein«, gab Stoker zur Antwort. »Genau genommen je früher, desto besser.«

»Ich brauche sicher die ganze Nacht, um das zu lesen und mir Notizen zu machen«, hielt Narraway dagegen, doch noch während er das sagte, war ihm klar, dass der Mann Recht hatte. Es war zu gefährlich, diese Dokumente auch nur einen Tag aus Lisson Grove zu entfernen, denn wenn ihr Fehlen erst einmal entdeckt war, würde es keine Möglichkeit mehr geben, sie an Ort und Stelle zurückzubringen. Jeder, der auch nur einen Funken Verstand hatte, würde sie bei Narraway vermuten und als Nächstes festzustellen versuchen, wer sie ihm zugespielt hatte. Er hatte kein Recht, Stoker auf diese törichte Weise zu gefährden oder gar zugrunde zu richten. Damit würde er ihm die Ergebenheit schlecht lohnen, falls die dessen Triebfeder gewesen war. Unter Umständen gab es ja auch andere Gründe für seine Handlungsweise, doch Narraway hielt sich lieber an die Annahme, dass es sich um Ergebenheit handelte. Er konnte es sich nicht leisten, etwas anderes zu vermuten.

»Ich sehe zu, dass ich sie noch vor dem Morgengrauen ganz durchgehen kann«, versprach er. »Drei Uhr. Sie können dann wiederkommen und sie abholen. Auf die Weise haben Sie die Möglichkeit, noch vor Tagesanbruch ins Büro zu gehen und wieder zu verschwinden. Oder Sie können sich oben in meinem Gästezimmer hinlegen, wenn Ihnen das lieber ist. Das wäre wohl auch klüger, denn dann würden Sie niemandem über den Weg laufen.«

Stoker rührte sich nicht. »Ich bleibe lieber hier, Sir. Ich verstehe mich zwar ziemlich gut darauf, nicht gesehen zu werden, aber es dürfte das Beste sein, das Risiko gar nicht erst einzugehen.«

Narraway nickte. Offensichtlich hatte Stoker begriffen, welche Gefahr er auf sich nahm. Das war wohl auch ganz gut so, denn man sollte seine Feinde nie unterschätzen. Er selbst begann erst nach und nach zu erfassen, wie mächtig der Gegner sein musste, mit dem er es zu tun hatte.

»Im Obergeschoss gleich hinter der Treppe links«, sagte er. »Da finden Sie alles, was Sie brauchen.«

Stoker dankte ihm und ging, wobei er die Tür geräuschlos hinter sich zuzog.

Narraway drehte das Gas für den Glühstrumpf etwas weiter auf, setzte sich in den bequemen Sessel am Kamin und begann zu lesen.

Die ersten Seiten beschäftigten sich mit dem Fall Mulhare und der Zusage, dass dieser für seine Mitarbeit einen großen Geldbetrag bekommen würde. Letzterer war nicht so sehr als Belohnung gedacht, sondern sollte ihm die Möglichkeit geben, Irland zu verlassen und statt nach Amerika, wie man wohl allgemein annehmen würde, nach Südfrankreich zu gehen, weil die Wahrscheinlichkeit geringer war, dass ihn seine Feinde dort suchten.

Aufgrund von Austwicks Mitteilung war es Narraway inzwischen schmerzlich bewusst, dass Mulhare das Geld nicht bekommen hatte, weshalb er in Irland geblieben und umgebracht worden war. Nur war Narraway nach wie vor unbekannt, wieso das Geld seinen Empfänger nicht erreicht hatte. Er wusste genau, dass er es von einem seiner eigenen Konten weitergeleitet hatte, allerdings unter einem anderen Namen, damit niemand merkte, dass es von ihm und damit vom Sicherheitsdienst kam. Kein Ire wollte, dass man es an die große Glocke hängte, wenn er aus dieser Quelle finanziert wurde.

Narraway hatte das Geld ausgezahlt, genauer gesagt, alle dafür nötigen Formulare ausgefüllt und sich vergewissert, dass es angewiesen wurde. Jetzt war es auf unerklärliche Weise zurückgekehrt.

Er hatte sich für dies umständliche Verfahren entschieden, um Mulhare zu schützen, und jetzt sah es ganz so aus, als habe sich jemand in den Kreislauf des Geldes eingeschaltet, um das genaue Gegenteil zu bewirken, nämlich, dass Mulhare in Irland blieb und getötet wurde, wie es dieser von Anfang an befürchtet hatte.

Die übrigen Unterlagen bezogen sich auf einen zwanzig Jahre zurückliegenden Fall, den Narraway am liebsten vergessen hätte. Zu jener Zeit waren die Wogen von Gewalttat und Leidenschaftlichkeit noch höher gegangen als sonst.

Damals war Charles Stewart Parnell, ein Mann von feuriger Beredsamkeit, der dank seiner Abkunft aus dem protestantischen Establishment Irlands beste Beziehungen bis hinauf in die höchsten Gesellschaftskreise hatte, gerade ins Unterhaus gewählt worden. Darüber hinaus war er ein äußerst aktives Mitglied im Rat der Liga für die irische Selbstbestimmung gewesen. Er hatte eine harte Linie vertreten und der Erreichung dieses Ziels sein ganzes Leben untergeordnet. Mit einem Mal hatte es wieder Hoffnung gegeben, dass es für Irland nach Jahrhunderten der Fremdherrschaft eine Möglichkeit geben würde, dies Joch endlich abzuschütteln und sich erneut selbst zu regieren. Die Freiheit lockte, und die Menschen hätten die entsetzliche Zeit der durch die Kartoffel-Missernte verursachten Hungersnot vergessen können.

Selbstverständlich hatte Narraway im Jahre 1875 noch nicht den Sicherheitsdienst geleitet, sondern war im Außendienst tätig gewesen. Man hätte den drahtigen und kräftigen Mann von Mitte dreißig mit seinem raschen Verstand, beträchtlichen Charme und trockenen Humor dank seiner schwarzen Haare und nahezu schwarzen Augen ohne weiteres für einen Iren halten können. Sofern jemand das tat, wie in jenem bewussten Fall, unternahm er nichts, um den Irrtum richtigzustellen.

Damals hatte ein gewisser Cormac O'Neil die Sache der Iren verfochten, ein Grübler mit einem Naturell so finster wie eine Herbstlandschaft voll plötzlich auftretender Schatten und am Horizont dräuender Gewitter. Er liebte die Geschichte seines Landes, vor allem die mündlich überlieferte und in alten Liedern unsterblich gemachte. Auch wenn ihm klar war, dass die Hälfte davon wohl auf Erfindung beruhte, glaubte er an gefühlsbetonte Wahrheiten, an den Kummer im kollektiven Gedächtnis des irischen Volkes – kurz, er sehnte sich nach allem, was er nicht haben konnte.

Während Narraway diese Dinge ins Gedächtnis kamen, erinnerte er sich zugleich mit Bedauern und voll Schuldgefühl an Cormacs Bruder Sean und noch lebhafter an dessen Frau Kate. Die schöne Kate, so lebendig, so tapfer, so vernünftig und zugleich so blind den gefährlichen Empfindungen anderer gegenüber, die sich gekränkt fühlten.

In der Stille seines mit typisch englischen Erinnerungsstücken angefüllten Londoner Heims kam es ihm jetzt vor, als liege Irland am anderen Ende der Welt. Kate und Sean lebten nicht mehr. Narraway hatte gewonnen, und der von den Iren geplante Aufstand war ohne Blutvergießen auf beiden Seiten in sich zusammengebrochen. Nichts Spektakuläres hatte stattgefunden, das Ganze war einfach sacht dahingeschwunden wie ein Wintertag mit der Abenddämmerung. Darin hatte Narraways Sieg bestanden, und niemand hatte je davon erfahren.

Auch Charles Stewart Parnell lebte nicht mehr. Vor dreieinhalb Jahren, im Oktober 1891, war er einer Lungenentzündung erlegen. Durch eine sich über Jahre hinziehende wilde und verhängnisvolle Affäre mit der Gattin eines Parteifreundes, Hauptmann O'Shea, die in ganz England für Aufsehen gesorgt hatte, war er zwischen alle Stühle geraten und hatte sich damit politisch ins Abseits manövriert.

Der Traum von der Selbstbestimmung Irlands hatte sich nach wie vor nicht erfüllt, und geblieben war nichts als Groll.

Ein Schauer überlief Narraway in seinem warmen, vertrauten Wohnzimmer, in dessen Kamin die letzte Glut noch glomm und wo die Gaslampen einen goldenen Lichtschimmer auf ihn und seine Umgebung warfen. Die Kälte in seinem Inneren ließ sich durch diese Annehmlichkeiten nicht vertreiben und auch nicht durch Worte, Gedanken oder Bedauern.

Ob Cormac O'Neil noch lebte? Es gab keinen Grund, etwas anderes anzunehmen. In dem Fall dürfte er jetzt Mitte fünfzig bis knapp sechzig Jahre alt sein. Er konnte durchaus hinter dieser Geschichte stecken, denn er hatte nach dem fehlgeschlagenen Aufstand, nach Seans und Kates Tod, weiß Gott mehr Grund, Narraway zu hassen, als jeder andere Mensch auf der Erde.

Aber warum hätte er mit seiner Vergeltung zwanzig Jahre warten sollen? Wenn nun Narraway einem Unfall zum Opfer gefallen oder eines natürlichen Todes gestorben wäre, was ohne weiteres möglich war, hätte das Cormac O'Neil um seine Rache gebracht.

Konnte ihn in der Zwischenzeit etwas gehindert haben? Eine Krankheit, die ihn geschwächt hatte? Nicht zwanzig Jahre lang. War er im Gefängnis gewesen? Bestimmt hätte Narraway davon erfahren, wenn es sich um eine Tat gehandelt hätte, die eine so lange Haft rechtfertigte. Außerdem gab es sogar aus dem Gefängnis heraus Möglichkeiten, mit der Außenwelt Verbindung aufzunehmen.

Unter Umständen hatte dieser Fall doch nichts mit der Vergangenheit zu tun. Oder galt die auf diese Weise verübte Rache gar nicht Narraway als Person, sondern England? Hatte Cormac möglicherweise begriffen, dass auch Narraway wie sie alle lediglich für das eigene Land und seine eigenen Überzeugungen eintrat? Immerhin war es denkbar, dass der Sicherheitsdienst gerade in diesem Augenblick am verwundbarsten war, da man Narraway daraus entfernt und seine Arbeit in Misskredit gebracht hatte. War das, worum es jetzt ging, für Cormac nur ein zusätzlicher Nebeneffekt, ein eleganter Schlenker, der dem Ganzen Pfiff verlieh? Hatte es mit der von den anarchistischen Reformern Europas geplanten sozialistischen Revolution zu tun, mit der sie die alte Ordnung mitsamt ihrer Korruption und ihrer Ungleichheit hinwegfegen wollten, und zwar auf die einzige Weise, die ihrer Ansicht nach funktionieren würde, nämlich mit Gewalt? Er legte die Papiere wieder zusammen und steckte sie zurück in den Umschlag. Dann blieb er still im Dunkeln sitzen und dachte eine Weile über das alles nach.

Mühelos konnte er die alten Erinnerungen wachrufen. Er ging wieder an der Seite Kates in der Stille des Herbstes durch reifbedecktes rotes und gelbes Laub, das unter ihren Füßen leise brach. Sie hatte keine Handschuhe bei sich, und so hatte er ihr seine geliehen. Er spürte in der Erinnerung, wie seine Hände vor Kälte schmerzten. Sie hatte ihn deshalb ausgelacht, mit fröhlich lächelnden Augen, während sie bittere Späße darüber gemacht hatte, dass englische Wolle die Hände Irlands wärmte.

Bei ihrer Rückkehr in den Gasthof waren Sean und Cormac da gewesen, und sie hatten miteinander am offenen Torffeuer Roggenwhiskey getrunken. Er konnte sich noch an den Torfgeruch erinnern, wie auch daran, dass Kate gescherzt hatte, wie gut es sei, dass er keinen Wodka haben wolle, da Kartoffeln zu knapp seien, als dass man sie zur Schnapsherstellung vergeuden dürfte.

Er hatte darauf keine Antwort gegeben. Noch dreißig Jahre nach der großen Hungersnot hatte das Land damals unter deren Folgen gelitten. Nichts, was er hätte sagen können, wäre geeignet gewesen, das herunterzuspielen.

Es gab auch noch andere Erinnerungen, und sie alle hatten mit heftigen Gefühlsaufwallungen, Treubruch und Bedauern zu tun. Hatte nicht der Herzog von Wellington einmal gesagt, es gebe nichts Schlimmeres als eine gewonnene Schlacht – außer einer verlorenen? Oder etwas in der Art.

Hatte der damals von Narraway erstattete Bericht der Wahrheit entsprochen? Natürlich war er geschönt gewesen, von allen menschlichen und leidenschaftlichen Elementen befreit – aber alles, was für den Sicherheitsdienst von Bedeutung war, hatte der Wahrheit entsprochen, und er hatte eine hinreichende Menge an Informationen enthalten.

Dann kam ihm ein Gedanke. In einem Punkt stimmte etwas möglicherweise nicht ganz. Er stand auf, drehte das Gaslicht erneut heller und nahm die Blätter wieder aus dem Umschlag. Er las sie noch einmal von Anfang bis Ende, wie auch die von seinem damaligen Vorgesetzten Buckleigh angebrachten Randnotizen. Beim ersten Lesen hatte er sich nicht mit ihnen beschäftigt, weil er genau wusste, was darin stand, und er daran nicht erinnert werden wollte. Man hatte seine Entstellung der Wahrheit zu jener Zeit nur allzu bereitwillig geglaubt, wobei er sich hauptsächlich gewisser Auslassungen schuldig gemacht hatte. Da er die Operation in Buckleighs Auftrag durchgeführt hatte, war diesem nichts anderes übriggeblieben, als den Bericht zu akzeptieren, wie er war. Vom Standpunkt der Moral musste man auch ihm Vorwürfe machen.

Narraway fand, was er befürchtet hatte: Man hatte etwas hinzugefügt, nur ein oder zwei Wörter. Jemandem, der Buckleighs Art zu formulieren nicht kannte, wäre das nie aufgefallen. Die Handschrift sah völlig gleich aus, doch die hinzugefügten Wörter änderten den Sinn der Aussage. Zwar nur ein wenig, aber es genügte, um Zweifel daran aufkommen zu lassen, dass Buckleigh das in Narraways Bericht Enthaltene uneingeschränkt geglaubt hatte. An einer Stelle war lediglich ein Fragezeichen hinzugefügt worden, das ursprünglich nicht dagestanden hatte, an einer anderen hatte, wer auch immer das geschrieben hatte, eine Wendung benutzt, die Buckleigh nie aus der Feder gekommen wäre. Er hätte nie im Leben geschrieben »Wo hat er das her?«, sondern mit seinem geradezu pedantisch korrekten Satzbau grundsätzlich »Woher hat er das?«.

Von wem stammten diese Zusätze – und wann waren sie eingefügt worden? Bei der Frage nach dem Warum gab es für Narraway nicht den geringsten Zweifel: Jemand wollte die Rolle, die er bei der Geschichte gespielt hatte, als zwielichtig hinstellen, die alten Geister heraufbeschwören und erneut zum Leben erwecken. Vielleicht war das der entscheidende Faktor gewesen, der Croxdale dazu veranlasste hatte, ihn von seinem Amt zu suspendieren. Für so etwas genügten Zweifel, vorausgesetzt, sie waren hinreichend schwerwiegend. In solchen Fällen wartete man nicht auf Beweise, die womöglich nie kamen.

Er las die Papiere ein weiteres Mal durch, einfach, um sich zu vergewissern, dass er keinem Irrtum aufgesessen war, dann legte er sie erneut in den Umschlag zurück und ging nach oben, um Stoker zu wecken, damit dieser möglichst früh, und auf jeden Fall noch vor der Morgendämmerung, aufbrechen konnte.

Er klopfte an die Tür des Gästezimmers, und Stoker meldete sich. Als er die Tür öffnete, stand Stoker bereits neben dem Bett. Im Licht, das vom Treppenabsatz hereinfiel, konnte man deutlich sehen, dass die Decke kaum eingedrückt war. Eine rasche glättende Handbewegung, und es würde aussehen, als sei der Mann nie dagewesen.

Stoker sah Narraway fragend an.

»Ich danke Ihnen«, sagte dieser ruhig. Die Rührung in seiner Stimme war deutlicher zu hören, als er gewollt hatte.

»Allem Anschein nach haben Sie etwas gefunden«, bemerkte Stoker.

»Verschiedenes«, gab Narraway zu. »Jemand hat Buckleighs Randnotizen in meinem Bericht überaus umsichtig bearbeitet und damit ihren Sinn verändert. Zwar nur ganz wenig, aber es genügt, um den angestrebten Zweck zu erreichen.«

Stoker trat auf den Gang, und Narraway gab ihm den Umschlag. Stoker schob ihn so unter seine Jacke, dass man ihn nicht sehen konnte, kniffte ihn aber nicht und schob ihn auch nicht in den Hosenbund. Er wollte auf keinen Fall, dass er an den Rändern beschädigt wurde – auch dies ein Hinweis auf das Risiko, das er mit diesem Unternehmen auf sich genommen hatte. Er sah Narraway in die Augen.

»Austwick ist an Ihre Stelle getreten, Sir.«

»Schon?«

»Ja, Sir. Da Mr Pitt gegenwärtig in Frankreich ist, haben Sie in Lisson Grove keine Freunde mehr, jedenfalls keine, die bereit sind, etwas für Sie aufs Spiel zu setzen. Die Parole heißt ganz offensichtlich ›Jeder ist sich selbst der Nächste‹«, sagte er mit finsterer Miene. »Ich fürchte, es gibt auch niemanden mehr im Hause, der Mr Pitt helfen würde, falls er in Schwierigkeiten geriete.«

»Das ist mir klar«, sagte Narraway, der zutiefst unglücklich darüber war, dass er Pitt nicht mehr vor Neid und Missgunst derer bewahren konnte, die schon lange im Sicherheitsdienst tätig waren, als Narraway ihn eingestellt hatte.

Stoker zögerte, als wolle er noch etwas sagen, unterließ es dann aber. Er nickte schweigend und ging nach unten ins Wohnzimmer. Dort tastete er sich, ohne Licht zu machen, zu den Fenstertüren vor, öffnete sie und glitt hinaus in den Wind und die Dunkelheit.

Narraway schloss die Türflügel hinter ihm und ging wieder nach oben. Er entkleidete sich und ging zu Bett, lag aber lange wach und starrte die Decke an. Er hatte die Vorhänge offen gelassen, und ganz allmählich wichen mit der Frühlingsnacht die Schatten an der Decke. Man konnte es kaum sehen, es war gerade so viel, dass man merkte, draußen zeigte sich Licht.

Es war noch keine zwei Tage her, dass Austwick zu ihm ins Büro gekommen war. Narraway hatte kaum auf das geachtet, was der Mann zu sagen hatte: Er war ihm lästig gewesen, nichts weiter. Dann hatte Croxdale ihn kommen lassen, und alles war anders geworden. Die Situation kam ihm so vor, als gehe er eine steile Treppe hinab, nur um festzustellen, dass die unterste Stufe fehlte, so dass er mit rudernden Armen ins Leere stürzte – und weit und breit war nichts, woran er sich hätte festhalten können.

So blieb er bis Tagesanbruch liegen. Mit einem Schmerz, der ihn überraschte, machte er sich klar, einen wie großen Teil seiner selbst er verloren hatte. Es war seine Gewohnheit, morgens früh aufzustehen, ganz gleich, ob er geschlafen hatte oder nicht. Die Pflicht war eine unerbittliche Gebieterin, doch mit einem Mal erkannte er, dass sie überdies eine den Menschen treu ergebene beständige Begleiterin war, die zu schätzen wusste, was sie taten. Sie war nie bedeutungslos.

Ohne sie fühlte er sich nackt und bloß. Wie sehr mochte er es dann erst in den Augen anderer sein! Er war es gewohnt, dass man ihn nicht besonders gut leiden konnte. So war das nun einmal bei Menschen, die viel Macht hatten und viele Geheimnisse kannten. Aber noch nie war es vorgekommen, dass er nicht gebraucht wurde.

KAPITEL 3

Am frühen Abend saß Charlotte im Wohnzimmer dem Sessel ihres Mannes gegenüber allein am Kamin. Jemima und Daniel waren bereits im Bett. Man hörte keinen Laut, außer einem gelegentlichen leisen Knistern des Feuers. Von Zeit zu Zeit nahm sie von dem Stapel, der neben ihr lag, ein weiteres Teil zur Hand, das geflickt werden musste – Kissenbezüge, eine Schürze Jemimas –, doch meistens sah sie einfach ins Kaminfeuer. Zwar fehlte ihr Pitt, aber sie verstand, dass es nötig gewesen war, den Übeltäter, hinter dem er her war, bis nach Frankreich zu verfolgen. Auch ihr früheres Dienstmädchen Gracie fehlte ihr. Sie hatte seit ihrem vierzehnten Lebensjahr gut zehn Jahre bei ihnen im Hause gelebt, war aber inzwischen mit Polizeiwachtmeister Tellman verheiratet, Pitts früherem Untergebenen, der jahrelang unentwegt um sie geworben hatte.

Charlotte nahm die Schürze zur Hand und nähte den aufgegangenen Saum nach, wobei sie kaum hinsah. Immer wieder stieß die Nadel mit leisem Klicken gegen den Fingerhut. Jemima war inzwischen dreizehn Jahre alt und wuchs so rasch, dass man in ihr schon die junge Frau erahnen konnte, die sie bald sein würde. Der knapp drei Jahre jüngere Daniel bemühte sich nach Kräften, die Schwester rasch einzuholen.

Charlotte musste lächeln, als sie an Gracie dachte, wie sie stolz an Pitts Arm in ihrem weißen Hochzeitskleid durch den Mittelgang der Kirche schritt. Tellman hatte mit unübersehbarer Nervosität am Altar gewartet und vor Glück gestrahlt, als sich Gracie vom Arm ihres Brautführers löste. Er musste wohl befürchtet haben, dass er den Tag nie erleben würde.

Was Charlotte vor allem fehlte, war Gracies Munterkeit, ihre völlige Offenheit, die stets lebensbejahende Haltung und der Mut. Nie hatte sich Gracie durch irgendetwas unterkriegen lassen. Ihre Nachfolgerin, Mrs Waterman, eine mürrische Frau in mittleren Jahren, war zwar eine ehrliche Haut und sorgte dafür, dass alles im Hause blitzblank war, schien aber nur glücklich zu sein, wenn sie über etwas jammern konnte. Charlotte hoffte inständig, sie würde sich im Laufe der Zeit fangen und besser fühlen.

Als es unvermittelt an der Wohnzimmertür klopfte, fuhr sie zusammen. Sie hatte wohl die Klingel an der Haustür überhört, denn Mrs Waterman kam mit missmutig verzogenem Gesicht herein und sagte: »Da is' 'n Herr, Ma'am. Soll ich 'm sag'n, dass Mr Pitt nich' zu Hause is'?«

Charlotte war verblüfft, und ihr erster Gedanke war, diese Anregung aufzunehmen. Dann meldete sich ihre Neugier. Um diese Tageszeit konnte es sich nur um jemanden handeln, den sie kannte.

»Wer ist denn da, Mrs Waterman?«

»Einer, der ziemlich finster aussieht, Ma'am. Er sagt, er heißt Narraway«, gab sie Auskunft. Dabei senkte sie die Stimme, sei es aus Widerwillen, sei es, um Vertraulichkeit anzudeuten. Vermutlich Ersteres.

»Führen Sie den Herrn herein«, sagte Charlotte rasch und legte den Stapel mit Flickarbeiten auf einen Stuhl hinter dem Sofa, wo man ihn nicht sehen konnte. Mechanisch strich sie sich den Rock glatt und musterte ihre ziemlich lockere Frisur im Spiegel, um zu sehen, ob keine Strähnen hervorstanden. Ihr mahagonifarbenes Haar ließ sich nur schwer bändigen, und da ihr die Haarnadeln im Laufe des Tages lästig wurden, zog sie sie nacheinander heraus, was nicht ohne Folgen blieb.

Mrs Waterman zögerte.

»Führen Sie den Herrn bitte herein«, wiederholte Charlotte mit etwas schärferer Stimme.

»Ich bin in der Küche, falls Se mich brauch'n«, sagte die Haushälterin und verzog dabei den Mund zu etwas, was mit Sicherheit nicht als Lächeln gemeint war. Sie verschwand, und bald darauf trat Narraway ein. Drei Tage zuvor war er Charlotte müde und besorgt erschienen, was allerdings bei ihm nichts Ungewöhnliches war. Jetzt hingegen sah er abgespannt aus, die Augen in seinem schmalen Gesicht lagen tief in ihren Höhlen, und seine Haut schien alle Farbe verloren zu haben.

Bei diesem Anblick befiel Charlotte eine so entsetzliche Angst, dass es ihr den Atem nahm. Bestimmt war er gekommen, ihr zu berichten, dass Pitt etwas zugestoßen war. Alles in ihr wehrte sich dagegen, sich vorzustellen, was er sagen würde.

»Ich bitte um Entschuldigung, dass ich Sie so spät störe«, begann er. Zwar klang seine Stimme beinahe wie immer, doch hörte sie an dem leichten Zittern darin, welche Mühe es ihn kostete, sie zu beherrschen. Seine Augen waren so dunkel, dass sie im Schein der Lampe schwarz wirkten, doch sonderbarerweise konnte sie den Ausdruck darin mühelos deuten. Er war offenkundig tief verletzt, und in ihm erkannte sie eine Leere, die drei Tage zuvor noch nicht da gewesen war.

Er musste ihre Besorgnis erkannt haben, was nicht weiter verwunderlich war. Mit kläglichem Lächeln sagte er: »Ich habe nichts Neues von Ihrem Mann gehört, doch besteht kein Grund anzunehmen, dass es ihm nicht gutgeht. Wahrscheinlich hat er dort sogar besseres Wetter als wir hier.« Behutsam fuhr er fort: »Allerdings bin ich überzeugt, dass er es langweilig findet, auf den Straßen der Stadt jemanden zu beschatten und dabei den Eindruck zu erwecken, als mache er Ferien.«

Sie schluckte. Ihr Mund war völlig ausgetrocknet, und die Erleichterung, die ihren ganzen Körper durchlief, erfüllte sie mit einem Schwindelgefühl. »Was ist es dann?«

Ein Anflug von Belustigung blitzte flüchtig in seinen Augen auf und verschwand gleich wieder. »Ach je, sieht man es mir so deutlich an?«

Zwar überraschte es sie, dass er sich ihr gegenüber so freimütig geäußert hatte wie noch nie zuvor, beinahe so, als seien sie gute alte Bekannte, aber dennoch empfand sie es nicht als unnatürlich.

»Ja«, erwiderte sie. »Ich kann nur sagen, dass Sie entsetzlich aussehen. Darf ich Ihnen etwas anbieten? Tee oder lieber Whisky? Vorausgesetzt, dass wir welchen im Hause haben. Da bin ich jetzt gar nicht sicher. Der beste ist vermutlich bei Gracies Hochzeit ausgetrunken worden.«

»Ach ja, Gracie.« Diesmal war sein Lächeln ungekünstelt. Eine Spur von Herzlichkeit lag darin, und es veränderte den ganzen Ausdruck seines Gesichts. »Ihr Anblick hier im Haus wird mir fehlen. Mit jedem Zoll ihrer ein Meter fünfzig war sie ein großartiges Geschöpf.«

»Genau genommen waren es nicht einmal ganz ein Meter fünfzig«, berichtigte ihn Charlotte mit Wärme in der Stimme. »Glauben Sie mir, Sie können sie unmöglich so sehr vermissen wie ich.«

»Das höre ich Ihrer Stimme an«, bemerkte er und trat ein wenig näher ans Feuer, obwohl der Abend nicht sonderlich kalt war. »Diese Mrs ... Lemon ist Ihnen wohl nicht besonders ans Herz gewachsen?«

»Waterman«, korrigierte sie. »Aber Lemon würde gut passen, denn sie ist meist wirklich so säuerlich wie eine Zitrone. Ich glaube, sie missbilligt mich und was ich tue. Möglicherweise gewöhnen wir uns ja eines Tages aneinander. Sie kocht durchaus gut, und wo sie geputzt hat, könnte man ohne weiteres vom Fußboden essen.«

»Danke, aber ich begnüge mich mit dem Tisch«, sagte er trocken.

Sie setzte sich auf das Sofa, denn es war ihr unbehaglich, am Kamin so nahe bei ihm zu stehen. »Bestimmt sind Sie nicht gekommen, um sich nach den Einzelheiten meines Haushalts zu erkundigen. Selbst wenn Sie Mrs Waterman kennen würden, würde das noch nicht hinreichen, um den Kummer zu erklären, den ich in Ihrem Gesicht lese. Was ist geschehen?« Als sie merkte, dass ihre Hände, die sie fest ineinandergeschlungen im Schoß hielt, schmerzten, zwang sie sich, sie voneinander zu lösen.

Eine kurze Weile hörte man im Raum keinen Laut außer dem Knistern des Feuers. Es war, als habe sich Narraway noch nicht überlegt, was er eigentlich sagen wollte.

Während sie wartete, nahm ihre Besorgnis wieder zu, und ihre Finger schlangen sich erneut ineinander.

Er holte tief Luft, ließ sie wieder entweichen, wandte den Blick zum Kaminfeuer. »Man hat mich meines Postens im Sicherheitsdienst enthoben. Wie es heißt, handelt es sich dabei lediglich um eine vorläufige Maßnahme, aber die Leute werden mit Sicherheit dafür sorgen, dass sie von Dauer sein wird, wenn sie eine Möglichkeit dazu finden.« Er schluckte, als habe er Halsschmerzen, und sah dann zu ihr hin. »Das betrifft insofern auch Sie, als ich keinen Zutritt mehr zu meinem Büro und damit auch keinen Zugang zu den darin befindlichen Unterlagen habe. Ich werde also nicht erfahren, wie sich die Dinge in Frankreich oder wo auch immer entwickeln. An meine Stelle ist Charles Austwick getreten, dem Ihr Mann nicht genehm ist und der ihm nicht traut. Ersteres aus Neid, weil Pitt ihn, obwohl er nach ihm eingestellt wurde, weit überflügelt hat, wenn auch nicht, was den offiziellen Dienstgrad angeht. Dass er ihm nicht traut, geht darauf zurück, dass die beiden so gut wie nichts miteinander gemeinsam haben. Das hängt nicht nur mit dem Hintergrund der beiden zusammen – während Ihr Mann von der Polizei kommt, war Austwick früher beim Heer. Pitt hat Eingebungen, die der Kommisskopf Austwick nie verstehen würde. Hinzu kommt, dass er sich maßlos über das ärgert, was er als Pitts mangelnde Ordnungsliebe ansieht.« Er seufzte. »Und natürlich auch darüber, dass er mein Schützling ist … nun ja, war.«

Wie war es möglich, etwas im selben Augenblick zu glauben und für unglaublich zu halten? Charlotte war wie betäubt, so dass es ihr unmöglich war, mit dem Verstand aufzunehmen, was Narraway gesagt hatte. Doch ein Blick in sein Gesicht zeigte ihr, dass es keinen Grund gab, an seinen Worten zu zweifeln. Plötzliches Mitleid mit ihm erfasste sie, und sie wandte sich ab, damit er ihr das nicht anmerkte. Dann ging ihr auf, was er über Pitt und Austwick gesagt hatte, und sie verstand, warum er eigens gekommen war, um sie über die veränderte Situation zu unterrichten.

Ihr war bewusst, dass er sie beobachtete.

»Es tut mir leid«, sagte er.

Ihr war klar, wofür er gleichsam um Entschuldigung bat. Er hatte dazu beigetragen, dass Pitt in der Dienststelle unbeliebt war, indem er ihn den anderen Mitarbeitern vorgezogen und ihm Aufgaben übertragen hatte, die er ihnen nicht zutraute. Jetzt, da Narraway nicht mehr seine schützende Hand über ihn halten konnte, würde er verwundbar sein. Er hatte nie einen anderen Beruf als den eines Polizeibeamten und danach den eines Beamten im Sicherheitsdienstes ausgeübt. Bei der Polizei hatte man ihn aus seiner Position gedrängt, nachdem er einen langen und durchaus erfolgreichen Kampf gegen den Inneren Kreis geführt hatte, Männer, die hohe Machtpositionen bekleideten – dorthin konnte er also nicht zurück. In jener verzweifelten Situation, in der Pitt dringend darauf angewiesen war, für seine Familie und sich Geld zu verdienen, hatte Narraway ihn eingestellt. Sofern man ihn jetzt aus dem Sicherheitsdienst entließ, wohin könnte er sich da wenden? In keinem Beruf, der ihm ein vergleichbares Auskommen bot, würden ihm seine ganz speziellen Fähigkeiten und Kenntnisse von Nutzen sein.

Sie würden das Haus in der Keppel Street und alle damit verbundenen Annehmlichkeiten aufgeben müssen. Über Mrs Waterman würde sich Charlotte künftig mit Sicherheit nicht mehr zu ärgern brauchen, da sie genötigt sein würde, ihre Fußböden eigenhändig zu schrubben, wenn nicht gar auch noch die anderer Leute. Das würde Pitt noch härter ankommen als sie selbst. Sie konnte sich die Scham auf seinem Gesicht schon vorstellen, die er empfinden würde, weil er nicht in der Lage war, für sie zu sorgen, ihr nicht einmal mehr die bescheidene Behaglichkeit eines eigenen Heims bieten konnte, ganz zu schweigen von dem Luxus, in dem sie aufgewachsen war.

Sie hob den Blick zu Narraway und fragte sich, wie es ihm ergehen mochte. Bisher hatte sie sich nie Gedanken darüber gemacht, ob er auf sein Gehalt angewiesen war oder nicht. Seine Art zu sprechen und sich zu geben, die nahezu gleichgültige Eleganz seiner Kleidung wiesen auf eine Herkunft aus einer gehobenen Gesellschaftsschicht hin, was aber nicht unbedingt gleichbedeutend mit Reichtum war. Nicht einmal alle nachgeborenen Söhne des Hochadels waren finanziell besonders gut gestellt.

»Was werden Sie jetzt tun?«, fragte sie und merkte sogleich, dass er diese Frage als aufdringlich und schmerzlich empfinden konnte. Sicherlich hatte sie kein Anrecht auf eine Antwort. Sie spürte, wie es ihr heiß in die Wangen stieg. Wäre es gut, ihn um Entschuldigung zu bitten, oder würde sie die Sache damit nur verschlimmern?

»Es entspricht ganz Ihrem Wesen«, gab er freundlich zurück, »sich um mich Sorgen zu machen und gleichzeitig anzunehmen, dass es etwas zu tun gibt.«

Jetzt kam sie sich töricht vor. »Gibt es denn nichts, was man tun könnte?«

Er zögerte. Das Schweigen zwischen ihnen war mit allerlei Erinnerungen und Empfindungen angefüllt. Noch vor drei Tagen war er Pitts mit großer Machtfülle ausgestatteter Vorgesetzter gewesen, und jetzt war von dieser Macht nichts mehr übrig. Ganz davon abgesehen, würde er möglicherweise in einigen Wochen auch kein Einkommen mehr beziehen.

Hatte er Freunde, Menschen, an die er sich wenden konnte, oder würde es ihm sein Stolz verbieten, das zu tun? Sie kannte ihn zwar, seit Pitt in den Sicherheitsdienst eingetreten war, merkte jetzt aber deutlich, wie sehr diese Bekanntschaft an der Oberfläche geblieben war. Wie sah seine Vergangenheit aus, sein Leben außerhalb des Dienstes? Unter Umständen gab es da nicht viel.

Sie wusste, dass sich Pitt beim letzten im Auftrag des Sicherheitsdienstes abgeschlossenen Fall die Feindschaft des Prinzen von Wales zugezogen hatte. Erstreckte sie sich auch auf Narraway? Während sie an die näheren Umstände dachte, wuchs ihre Überzeugung, dass es so sein musste. Wie viele weitere Feinde mochte er haben? Die Menschen schätzten es nicht, wenn anderen private Dinge über sie bekannt waren, wie das bei Narraway der Fall war, und sie vergaßen es ihnen nicht.

Sie sah auf sein von der Lampe erhelltes Gesicht und senkte dann den Blick. Sie war nicht sicher, was sie sagen sollte, doch war ihr klar, dass Stillschweigen weder ihm noch Pitt etwas nützen würde.

»Was werden Sie tun?«, fragte sie erneut.

»Um Pitt zu helfen? Da sind mir die Hände gebunden; ich habe dazu keine Möglichkeiten mehr«, gab er zurück. »Mir sind die näheren Umstände nicht bekannt, und aufs Geratewohl einzugreifen, könnte mehr schaden als nützen.«

»Ich hatte mich mit dieser Frage nicht auf Thomas bezogen, sondern auf Sie.« Sie hatte ihn weder nach dem Grund seiner Amtsenthebung gefragt noch danach, ob er sich etwas hatte zuschulden kommen lassen, und falls ja, was das war. Mit einem Mal erschien ihr diese Unterlassung als so bedeutend, dass sie Luft holte, um etwas in dieser Richtung zu sagen. Dann aber kam ihr das ungeheuer taktlos vor, so dass sie schwieg.

Das Feuer im Kamin sank in sich zusammen.

Einige Sekunden verstrichen, dann sagte er: »Ich weiß nicht.« Sie konnte sich nicht erinnern, dass seine Stimme je so gezögert hätte. »Ich bin nicht einmal sicher, wer hinter der ganzen Sache steckt. Allerdings habe ich da eine gewisse Vorstellung. Es ist eine ziemlich ... üble Geschichte.«

Um Pitts willen musste sie der Sache auf den Grund gehen. »Ist das ein Grund, sich nicht weiter damit zu beschäftigen?«, fragte sie ruhig. »Von selbst kommt das doch sicher nicht in Ordnung.«

Ein Lächeln blitzte auf seinem Gesicht auf. »Nein. Im Übrigen bin ich nicht einmal sicher, ob es überhaupt in Ordnung kommen kann.«

»Möchten Sie eine Tasse Tee?«, fragte sie.

»Wie bitte?«, gab er verblüfft zurück.

»Etwas Besseres habe ich vermutlich nicht«, entschuldigte sie sich. »Aber es ist ungemütlich, wie Sie da am Kamin stehen. Wäre es nicht besser, sich zu setzen?«

Er drehte sich leicht zur Seite und trat nach einem Blick auf die Feuerstelle und die Kaminumrandung einen Schritt zurück. »Ach so, Sie meinen, dass ich dem wärmenden Feuer den Zutritt zum Zimmer versperre«, sagte er mit gequältem Lächeln.

»Nein, wohl aber, dass ich einen steifen Hals bekomme, wenn ich den Kopf zur Seite drehen und zu Ihnen aufsehen muss.«

Einen Augenblick lang verschwand der gequälte Ausdruck von seinem Gesicht. »Vielen Dank, aber ich möchte Ihre Mrs … wie auch immer sie heißt, lieber nicht bemühen. Ich kann mich auch ohne Tee setzen, selbst wenn das vielleicht unnatürlich aussieht.«

»Mrs Waterman«, sagte sie.

»Ach ja.«

»Ich wollte ihn selbst machen, immer vorausgesetzt, dass sie mich in die Küche lässt. Sie missbilligt ein solches Verhalten. Ich nehme an, dass Damen der Kreise, für die sie gewöhnlich arbeitet, nicht einmal wissen, wo sich die Küche befindet.«

»Ein gewisser Abstieg für sie«, bemerkte Narraway. »Das kann den Besten von uns widerfahren.«

Er setzte sich, elegant wie immer, schlug die Beine übereinander und lehnte sich zurück, als fühle er sich rundum wohl.

»Meiner Vermutung nach könnte es sich um einen alten Fall in Irland handeln«, begann er, wobei er ihr anfangs in die Augen sah, den Blick aber dann verlegen senkte. »Es sieht ganz so aus, als habe es damit zu tun, dass man einen in jüngster Zeit für uns dort tätigen Informanten umgebracht hat, weil ihn das Geld, das ich ihm angewiesen habe, nicht rechtzeitig erreichte, so dass er nicht vor denen fliehen konnte, die er … verraten hatte.« Er sagte das Wort »verraten« so, als untersuche er mit voller Absicht eine Wunde: seine eigene, nicht die eines anderen.

»Ich hatte die Zahlung auf Umwegen vorgenommen, damit man sie nicht zum Sicherheitsdienst zurückverfolgen konnte, denn in dem Fall hätte es ihn umgehend das Leben gekostet.«

Zögernd suchte sie nach den passenden Worten, wobei sie ihn aufmerksam ansah. Sie hatte nicht den Eindruck, dass er ihr etwas vorenthalten wollte. Sie wartete. Im Raum herrschte völlige Stille, und auch von draußen drang kein Laut herein, weder von den Kindern, die oben schliefen, noch von Mrs Waterman, die vermutlich noch in der Küche war. Bestimmt würde sie ihr Zimmer nicht aufsuchen, solange der Besucher das Haus nicht verlassen hatte.

»Gerade weil ich dafür gesorgt hatte, die Herkunft des Geldes zu verschleiern, ist es mir jetzt unmöglich, genau festzustellen, was damit geschehen ist«, fuhr er fort. »Für Außenstehende sieht es auf den ersten Blick so aus, als hätte ich es selbst an mich genommen.«

Er beobachtete sie unter gesenkten Lidern. Sie sah, dass flüchtig ein Ausdruck von Besorgnis in seine Augen trat und gleich wieder verschwand. Sie bemühte sich, ein möglichst neutrales Gesicht zu machen. Sie wusste nicht, was sie von ihm denken sollte, konnte sich aber um Pitts willen keine Zweifel erlauben.

»Sie haben Feinde«, sagte sie.

Er entspannte sich kaum wahrnehmbar. Genau genommen sah man es lediglich an der leichten Veränderung in der Art, wie sich der Stoff seines Jacketts an den Schultern spannte. Er war nicht besonders groß oder breitschultrig, ein durchschnittlich großer schlanker, drahtiger Mann. Sie sah, dass seine Hände, die auf den Knien lagen, schön waren. Das war ihr früher nie aufgefallen.

»Ja«, erwiderte er. »So ist es. Zweifellos sogar eine ganze Reihe. Ich hatte geglaubt, hinreichende Vorkehrungen dagegen getroffen zu haben, dass sie mir schaden könnten. Dabei scheine ich etwas Wichtiges übersehen zu haben.«

»Oder es handelt sich um jemanden, den Sie nicht verdächtigt hatten«, ergänzte sie.

»Auch das ist möglich«, stimmte er zu. »Ich halte es aber für wahrscheinlicher, dass ein alter Feind eine Machtfülle gewonnen hat, die ich nicht vorausgesehen habe.«

»Denken Sie an einen Bestimmten?« Sie beugte sich leicht vor. Die Frage war zwar indiskret, aber sie musste es wissen. Pitt befand sich in Frankreich und war darauf angewiesen, dass man ihm den Rücken freihielt. Bestimmt ahnte er nichts davon, dass sein Vorgesetzter nicht mehr im Amt war.

»Ja.« Die Antwort schien ihm schwerzufallen.

Sie wartete wieder.

Er beugte sich vor und legte ein großes Holzscheit auf das Feuer. »Der Fall reicht zwanzig Jahre in die Vergangenheit zurück.« Seine Stimme klang rau, und er musste sich räuspern, bevor er fortfahren konnte. »Die Leute, die damit zu tun hatten, sind inzwischen alle tot, bis auf einen.«

Sie hatte keine Vorstellung, wovon er sprach, doch schien die Vergangenheit sie eingeholt zu haben.

»Einer lebt also noch?«, fasste sie nach. »Wissen Sie das, oder ist das lediglich eine Vermutung?«

»Ich weiß, dass Kate und Sean tot sind«, sagte er so leise, dass es sie Mühe kostete, die Worte zu hören. »Ich nehme an, dass Cormac noch lebt. Er dürfte nicht einmal sechzig sein.«

»Aber warum hätte er so lange warten sollen?«

»Das weiß ich nicht«, gab er zu.

Sie sah ihn aufmerksam an, wie er in Pitts Sessel ihr gegenüber saß. Er fühlte sich sichtlich unbehaglich, machte aber keine Anstalten zu gehen und versuchte auch nicht, sich ihr gegenüber zu verteidigen.

»Dennoch nehmen Sie an, dass er Sie hinreichend hasst, um Ihren Untergang zu planen und ins Werk zu setzen?«, fuhr sie fort.

Sie sah seinem Gesicht an, dass sich die Gedanken hinter seiner Stirn jagten, konnte aber nicht erraten, worum es dabei ging.

»Ja. Ich zweifle nicht im Geringsten daran. Er hat allen Grund dazu.«

Überrascht und zugleich voll Mitleid begriff sie, dass er sich für etwas schämte, was geschehen war. Zugleich hoffte sie, nie zu erfahren, worum es dabei ging.

»Was werden Sie unternehmen?«, fragte sie. »Sie müssen kämpfen.«

Er lächelte. Ihr war klar, dass er annahm, sie mache sich Sorgen, weil er nicht weiterhin seine schützende Hand über Pitt halten könnte. Das stimmte zwar, war aber nicht alles, und das hatte auch nicht den Ausschlag für ihre Äußerung gegeben.

Sie spürte, wie ihr Gesicht heiß wurde. »Wenn Sie einige Stunden Ihre Wunden geleckt haben, sollten Sie Ihre Kräfte zusammennehmen und überlegen, was Sie tun wollen.«

Jetzt lächelte er richtig und legte einen natürlichen Humor an den Tag, den sie an ihm noch nicht kannte. »Sprechen Sie so mit Ihren Kindern, wenn sie hingefallen sind und sich die Knie aufgeschürft haben?«, fragte er. »Müssen sie nach einer mitfühlenden Umarmung gleich wieder aufstehen? Ich bin nicht vom Pferd gefallen, sondern in Ungnade, und ich sehe kein Möglichkeit, mich aus dieser Situation zu befreien.«

Ihr Gesicht war noch röter als zuvor. »Heißt das, Sie haben keine Vorstellung, was Sie tun können?«

Er stand auf und strich sich das Jackett auf den Schultern glatt. »Doch. Ich werde nach Irland fahren und versuchen, Cormac O'Neil aufzustöbern. Ich hoffe, auf diese Weise beweisen zu können, dass er dahintersteckt, und meinen Namen reinzuwaschen. Ich werde dafür sorgen, dass Croxdale alles zurücknimmt, was er gesagt hat. Jedenfalls hoffe ich, dass ich das schaffe.«

Sie stand ebenfalls auf. »Gibt es jemanden, dem Sie vertrauen und der Ihnen helfen kann?«

»Nein.« Nur dies eine schlichte Wort. Seine Einsamkeit ließ sich förmlich mit Händen greifen. Dann war es vorüber, als sei ihm Selbstmitleid widerwärtig. »Nicht hier«, fügte er hinzu. »Aber vielleicht finde ich in Irland jemanden.«

Ihr war klar, dass er die Unwahrheit sagte, um zu vertuschen, was ihm herausgerutscht war.

»Ich komme mit«, sagte sie spontan. »Mir können Sie vertrauen, weil wir dieselben Interessen verfolgen.«

Seine Stimme klang vor Verblüffung angespannt, als wage er nicht, ihr zu glauben. »Meinen Sie?«

»Selbstverständlich«, sagte sie und hielt ihre Antwort für vielleicht überstürzt, obwohl sie zugleich sicher wusste, dass es sich so verhielt. »Außer Ihnen hat Thomas im Sicherheitsdienst keinen Freund. Das Überleben meiner Familie könnte davon abhängen, dass Sie imstande sind, Ihre Schuldlosigkeit zu beweisen.«

Auch ihm stieg eine heiße Röte in die Wangen, die aber unter Umständen auf das erneut aufgeflammte Feuer im Kamin zurückging. »Und was könnten Sie tun?«, fragte er.

»Mich umsehen und umhören, Leute fragen, Orte aufsuchen, an denen gesehen zu werden Sie nicht riskieren dürfen, weil man Sie erkennen könnte. Ich bin eine ziemlich gute Kriminalistin – jedenfalls war ich das, als Thomas noch bei der Polizei gearbeitet hat und seine Fälle keiner so strengen Geheimhaltung unterlagen. Zumindest dürfte ich sehr viel besser sein als nichts.«

Er schlug die Augen nieder und wandte sich ab. »Ich könnte das unmöglich zulassen.«

»Ich habe Sie nicht um Ihre Erlaubnis gebeten«, gab sie zurück. »Aber natürlich wäre es deutlich angenehmer, Ihr Einverständnis zu haben«, fügte sie hinzu.

Er gab keine Antwort. Es war das erste Mal, dass sie ihn so unsicher sah. Sogar als sie vor längerer Zeit entsetzt bemerkt hatte, dass er sie anziehend fand, hatte zwischen ihnen stets eine gewisse Distanz bestanden. Er war Pitts Vorgesetzter, klug, hart und allem Anschein nach unverwundbar: ein Mann, der jederzeit Herr der Situation war und so manches wusste, wovon andere nichts ahnten. Jetzt wirkte er unentschlossen, verletzlich, und er beherrschte die Situation ebenso wenig wie sie.

»Sie und ich haben ein und dasselbe Ziel«, begann sie. »Wir müssen feststellen, wer hinter dieser Intrige steht, und ihr ein Ende bereiten. Es geht um unser beider Überleben. Sofern Sie annehmen sollten, dass ich nicht kämpfen kann oder werde, weil ich eine Frau bin, sind Sie weniger klug, als ich gedacht hätte, und das kann ich mir offen gestanden nicht vorstellen. Vermutlich haben Sie einen anderen Grund. Entweder ist Ihnen Ihr Stolz wichtiger als Ihr Überleben, oder Sie haben Angst, ich könnte etwas entdecken, irgendeine Unwahrheit, die nicht ans Licht kommen soll. Was mich betrifft, ist mir das Überleben wichtiger als mein Stolz.« Sie holte tief Luft. »Und für den Fall, dass ich Ihnen behilflich sein könnte, würden Sie mir nichts schulden, weder moralisch noch sonstwie. Mir ist wichtig, was mit Ihnen geschieht. Ich würde es nicht gern sehen, wenn man Sie zugrunde richtete, denn Sie haben meinem Mann unter die Arme gegriffen, als er dringend darauf angewiesen war. Weit wichtiger aber ist im Augenblick, dass ich mitkommen will, um meine Familie zu retten.«

»Jedes Mal, wenn ich glaube, etwas über Sie zu wissen, überraschen Sie mich«, bemerkte er. »Nur gut, dass Sie nicht mehr der feinen Gesellschaft angehören – die würde Sie nie überleben. Deren Angehörige sind eine so unverblümte Offenheit nicht gewöhnt und würden gar nicht wissen, was sie mit Ihnen anfangen sollten.«

»Um die brauchen Sie sich keine Sorgen zu machen. Wenn es nicht anders geht, kann ich ebenso gut heucheln wie andere auch«, gab sie zurück. »Ich begleite Sie nach Irland. Sie müssen der Sache an Ort und Stelle nachgehen und können das nicht allein, weil zu viele Menschen dort Sie bereits kennen. Sie haben es selbst gesagt. Aber ich brauche einen guten Vorwand, um eine gemeinsame Reise mit Ihnen zu rechtfertigen, weil wir sonst einen noch größeren Skandal heraufbeschwören würden. Darf ich für diese Unternehmung Ihre Schwester sein?«

»Wir sehen uns aber doch nicht im Geringsten ähnlich«, sagte er mit schiefem Lächeln.

»Dann eben Ihre Halbschwester, falls man fragt«, schlug sie vor.

»Natürlich haben Sie Recht«, räumte er ein. Seine Stimme klang müde. Jeglicher Anflug von Unernst war daraus verschwunden. Die Sache hatte ihn bis ins Mark getroffen, und ihm war bewusst, dass es töricht wäre, die einzige Hilfe zurückzuweisen, die man ihm angeboten hatte. »Aber Sie werden auf mich hören und tun, was ich Ihnen sage. Ich kann es mir nicht leisten, meine Zeit oder Kraft damit zu vergeuden, dass ich mich um Sie kümmern oder mir um Sie Sorgen machen muss. Sind wir uns in dem Punkt einig?«

»Unbedingt. Ich will niemandem etwas beweisen, sondern möchte, dass Sie Ihr Ziel erreichen.«

»Dann werde ich Sie übermorgen Vormittag um acht Uhr hier abholen und mit Ihnen zum Bahnhof fahren. Nehmen Sie Kleidung mit, die sich für lange Fußmärsche eignet, aber auch solche für Besuche in der Stadt und zumindest ein Abendkleid, für den Fall, dass wir ins Theater gehen sollten. Dublin ist für seine Theater berühmt. Aber nur einen Koffer.«

»Ich werde bereit sein.«

Er zögerte einen Augenblick, stieß dann die Luft aus und sagte: »Danke.«

Nach seinem Weggang kehrte Charlotte ins Wohnzimmer zurück. Gleich darauf klopfte es an der Tür.

»Herein«, sagte sie, bereit, der Haushälterin zu danken, weil sie eigens aufgeblieben war, ihr zu sagen, dass sie sie nicht mehr brauche und sie zu Bett gehen könne.

Mrs Waterman kam herein, schloss die Tür hinter sich und blieb stocksteif davor stehen. Ihr Gesicht hatte so gut wie alle Farbe verloren und trug den Ausdruck äußerster Missbilligung. Man hätte glauben können, dass sie einen verstopften Abfluss entdeckt hatte.

»Ich bedaure Ihn'n sag'n zu müss'n, Mrs Pitt«, begann sie, bevor Charlotte Gelegenheit gehabt hatte, den Mund aufzutun, »dass ich in Ihrem Haus unmöglich länger bleiben kann. Mein Gewissen lässt das nich zu.«

Charlotte war verblüfft. »Wovon sprechen Sie? Sie haben doch nichts Unrechtes getan.«

Mrs Waterman sagte naserümpfend: »Ich geb ja gerne zu, dass ich meine Fehler un' Schwächen hab, wie wir alle. Aber ich war immer achtbar, Mrs Pitt. Niemand hätte mir je was and'res nachsag'n könn'n.«

»Das hat ja auch niemand getan.« Charlotte wusste nach wie vor nicht, worauf die Frau hinauswollte. »Niemand hat so etwas auch nur angedeutet.«

»Un' so soll das auch bleib'n, falls Se mich versteh'n.« Mrs Waterman straffte die Schultern noch ein wenig mehr. »Daher geh ich gleich morg'n früh. Ich bedauer das, denn vermutlich wird das auch für Sie schwer werd'n, aber ich muss an mein'n gut'n Nam'n denk'n.«

»Wovon reden Sie eigentlich?« Allmählich wurde Charlotte ärgerlich. Mrs Waterman war nicht besonders angenehm im Umgang, aber im Laufe der Zeit würden sie beide vielleicht lernen, einander gelten zu lassen. Die Frau tat ihre Arbeit, war fleißig und absolut zuverlässig – jedenfalls bisher. Jetzt, da Pitt auf unbestimmte Zeit nicht da sein würde und sich Narraways Situation in so katastrophaler Weise gewandelt hatte, war eine häusliche Krise das Letzte, was Charlotte brauchen konnte. Sie musste unbedingt mit ihm nach Irland. Falls Pitt seine Anstellung verlor, würden sie das Haus aufgeben müssen und möglicherweise schon bald nicht mehr wissen, wovon sie leben konnten. Unter Umständen würde er sich in einen gänzlich neuen Beruf einarbeiten müssen. Für einen Mann von Mitte vierzig wäre das ausgesprochen schwierig und würde Zeit kosten, ganz gleich, wie sehr er sich bemühte. Sie mochte sich gar nicht ausmalen, wie schwierig die Lage werden konnte. Dabei waren ihr die Schande und die Peinlichkeit der ganzen Situation noch gar nicht richtig zu Bewusstsein gekommen. Wie um Himmels willen würden Daniel und Jemima die Veränderung aufnehmen? Keine hübschen Kleider mehr, keine Gesellschaften, und für den Jungen keinerlei Hoffnung auf einen guten Beruf. Er würde von Glück sagen können, wenn er sich nicht in einem oder zwei Jahren genötigt sähe, an Arbeit anzunehmen, was sich ihm bot, und Jemima würde in irgendeinem fremden Haushalt als Küchenmagd arbeiten müssen. Die Tränen begannen ihr in die Augen zu steigen.

»Sie können nicht gehen«, sagte sie aufgebracht. »Sollten Sie es dennoch tun, würde ich mich außerstande sehen, Ihnen eine Empfehlung auszustellen.« Letzteres war eine deutliche Drohung, denn ohne eine solche Empfehlung fanden Hausangestellte nicht leicht eine neue Beschäftigung. Solchen, die nicht nachweisen konnten, dass sie ihre vorige Stellung im Einvernehmen mit der Herrschaft aufgegeben hatten, trat man allgemein mit äußerstem Misstrauen gegenüber.

Mrs Waterman zeigte sich davon nicht im Geringsten beeindruckt. »Ich bin gar nich' sicher, Ma'am, ob mir 'ne Empfehlung von Ihn'n was nützen würde, falls Se versteh'n, was ich meine.«

Es kam Charlotte vor, als habe man sie geohrfeigt. »Nein, ich verstehe nicht, was Sie meinen. Ich habe im Gegenteil nicht die geringste Ahnung, wovon Sie reden«, sagte sie mit Schärfe in der Stimme.

»Ich sag das nich' gerne«, gab Mrs Waterman mit widerwillig verzogenem Gesicht zurück. »Aber ich war noch nie bei Herrschaft'n in Anstellung, wo der Hausherr einfach so un' ohne Gepäck für längere Zeit verschwindet und die gnä'ge Frau am spät'n Abend 'nen fremd'n Mann alleine empfängt. Das gehört sich nich', Ma'am, und mehr hab ich dazu nich' zu sag'n. Da, wo so anstößige Sach'n passier'n, kann ich nich' bleib'n.«

Charlotte war verblüfft. Die Frau warf ihr vor, sich anstößig zu verhalten! Sie spürte, wie ihr die Hitze ins Gesicht stieg, und ärgerte sich über sich selbst. Das würde Mrs Waterman nicht etwa als Zeichen des Zorns deuten, sondern als Beweis für Charlottes schlechtes Gewissen. »Mr Pitt musste in einer dringenden Angelegenheit, über die Sie nichts zu wissen brauchen, nach Frankreich und hatte keine Zeit, vorher nach Hause zu kommen, um einen Koffer zu packen. Mr Narraway, sein Vorgesetzter in der Regierungsbehörde, für die er tätig ist, war hier, um mir das mitzuteilen, damit ich mir keine Sorgen mache. Sofern Ihnen das ›anstößig‹ erscheint, wie Sie sich auszudrücken belieben, spielt sich das ausschließlich in Ihrem Kopf ab.«

»Ganz, wie Se mein'n, Ma'am«, gab Mrs Waterman zurück, den Blick nach wie vor unverwandt auf Charlotte geheftet. »Un' warum is' er dann noch mal gekomm'n? Hat'm Mr Pitt 'ne Mitteilung gemacht statt Ihn'n, wo Se doch vermutlich seine Ehefrau sind?«

Am liebsten hätte Charlotte sie für diese Unverfrorenheit ins Gesicht geschlagen. Sie fühlte sich entsetzlich und kam sich zugleich lächerlich und würdelos vor. Manchmal verstand sie sehr gut, warum Männer einander mitunter schlugen, hatte aber noch nie davon gehört, dass eine ehrbare Frau ihre Hausangestellte auf diese Weise behandelt hätte. Wahrscheinlich würde man sie in dem Fall festnehmen und wegen tätlicher Beleidigung unter Anklage stellen. Das Ganze war ein Alptraum. Mit großer Mühe zwang sie sich zur Ruhe.

»Mrs Waterman, Mr Narraway ist gekommen, um mir weitere Mitteilungen über die Arbeit meines Mannes zu machen, die Sie nichts angehen. Im Übrigen kann ich mir nicht vorstellen, warum Sie der Ansicht sind, dass ich Ihnen dafür in irgendeiner Weise Rechenschaft ablegen müsste. Die Aufgabe, die Mr Pitt im Auftrag Ihrer Majestät ausführt, verlangt bisweilen ein hohes Maß an Diskretion, weshalb er nicht mit mir darüber spricht, und das ist auch völlig in Ordnung. Ich habe nicht die Absicht, Ihnen mehr darüber zu sagen. Sofern Sie es für richtig halten, schlecht über die Situation oder über mich zu denken, kann ich Sie nicht daran hindern, denn das ist dann Ausdruck Ihres Wesens ...«

Jetzt wurde Mrs Watermans Gesicht flammend rot. »Versuch'n Se bloß nich', die Sache großspurig und mit glatt'n Wort'n zu vertusch'n«, sagte sie im Ton eines bittern Vorwurfs. »Ich weiß, wie'n Mann aussieht, der auf 'ne Frau scharf is'.«

Charlotte lag die sarkastische Frage auf der Zunge, bei welcher Gelegenheit Mrs Waterman je einen solchen Mann gesehen haben wollte. Doch wäre das möglicherweise unnötig grausam, war doch Mrs Waterman trotz der ihr aus reiner Höflichkeit zugebilligten Anrede »Mrs« vor dem Namen genau das, was Charlottes Großmutter eine »versauerte alte Jungfer« zu nennen pflegte.

»Offensichtlich verfügen Sie über eine äußerst lebhafte und offen gesagt auch etwas ordinäre Vorstellungskraft, Mrs Waterman«, gab sie kalt zurück. »Da ich es mir nicht leisten kann, einen solchen Menschen in meinem Hause zu beschäftigen, dürfte es in der Tat für uns beide das Beste sein, wenn Sie Ihre Siebensachen packen und es gleich morgen früh verlassen. Ich werde selbst das Frühstück für mich und die Kinder machen und dann sehen, ob mir meine Schwester für eine Weile jemanden von ihrem Personal überlassen kann, bis ich selbst eine geeignete Haushaltshilfe finde. Ihr Gatte ist Unterhausabgeordneter, und sie führt ein großes Haus. Ich werde mich morgen früh von Ihnen verabschieden.«

»Sehr wohl, Ma'am.« Mrs Waterman wandte sich der Tür zu.

»Noch eins, Mrs Waterman!«

»Ja, Ma'am.«

»Ich werde Dritten gegenüber nichts über Sie sagen, weder Gutes noch Schlechtes. Daher scheint es mir angebracht, dass Sie mir diesen Gefallen auch Ihrerseits durch Stillschweigen vergelten. Ich darf Ihnen versichern, dass es Ihnen nicht gut bekommen würde, wenn Sie sich nicht daran hielten.«

Mrs Waterman hob leicht die Brauen.

Charlotte lächelte mit eiskalten Augen. »Dienstboten, die sich in einem Hause abschätzig über ihre Herrschaft äußern, werden das auch im nächsten tun. Das ist allen, die Personal beschäftigen, sehr wohl bekannt. Gute Nacht.«

Mrs Waterman schloss die Tür, ohne ihr zu antworten.

Charlotte ging ans Telefon, um Emily anzurufen und sie zu bitten, ihr möglichst umgehend eine Aushilfe zu schicken. Es überraschte sie ein wenig zu sehen, dass ihre Hand zitterte, als sie nach dem Hörer griff, um ihn vom Haken zu nehmen.

Als sich die Vermittlung meldete, nannte sie ihr Emilys Nummer.

Die Verbindung wurde hergestellt, und es klingelte einige Male am anderen Ende, bis der Butler abnahm.

»Bei Mr Radley. Was darf ich für Sie tun?«, fragte er höflich.

»Hier spricht Mrs Pitt. Es tut mir leid, Sie so spät zu stören. Bei uns ist eine Art Notfall eingetreten«, sagte Charlotte entschuldigend. »Dürfte ich bitte mit Mrs Radley sprechen?«

»Ich bedaure außerordentlich, Mrs Pitt«, gab er zurück, »Mr und Mrs Radley befinden sich auf einer Reise nach Paris und werden erst am Wochenende zurück erwartet. Könnte ich etwas für Sie tun?«

Eine Art Panik überfiel Charlotte. An wen sonst konnte sie sich um Hilfe wenden? Ihre Mutter war mit ihrem zweiten Mann Joshua, einem Schauspieler, nach Schottland gereist, weil dieser ein Engagement am Theater von Edinburgh hatte.

»Nein, vielen Dank«, sagte sie ein wenig atemlos. »Ich denke, dass ich eine andere Lösung finden kann. Vielen Dank für Ihre Mühe. Gute Nacht.« Sie hängte rasch auf, bevor er etwas sagen konnte.

Sie stand im stillen Wohnzimmer vor dem Kamin, in dem die letzte Glut verlosch, weil sie keine weiteren Scheite aufgelegt hatte. Unbedingt musste sie bis zum Abend des kommenden Tages jemanden finden, der sich um Daniel und Jemima kümmerte, weil sie sonst Narraway nicht begleiten konnte. In dem Fall aber hätte sie keine Möglichkeit, ihm zu helfen, und er würde in Dublin allein sein, durch den Umstand behindert, dass ihn seine Feinde dort kannten. Sein Aussehen und Auftreten waren so auffällig, dass man ihn auch nach zwanzig Jahren kaum vergessen haben dürfte. Ganz davon abgesehen vergaß Hass nie, ganz gleich, ob zwanzig oder fünfzig Jahre vergingen. Bisweilen wurde er sogar von einer Generation zur nächsten weitergegeben, ein Vermächtnis, so schlimm wie die Veranlagung zu einer Erbkrankheit.

Über den Mordfall im Buckingham Palace hatte Pitt ihr damals nur wenig gesagt, doch wusste sie, hauptsächlich durch Dinge, die er ausgelassen hatte, dass seine Lösung des Falles den Prinzen von Wales sehr verärgert hatte, weil dabei dessen

Schwächen mehr oder weniger öffentlich bekannt geworden waren. Schlimmer noch war, dass bei dieser Gelegenheit außerdem ein schwerer Irrtum des Prinzen zur Sprache gekommen war, und zwar in Gegenwart der versammelten Höflinge – und natürlich, was erst recht unverzeihlich war, der seiner Mutter, der Königin Viktoria.

Wenn der Prinz von Wales auf Jahre hinaus Pitt seine Feindschaft spüren ließ, würde es diesem nicht im Geringsten nützen, dass ihn die Königin einige Minuten lang zu schätzen gewusst hatte.

Dass Narraway von Anfang an seine schützende Hand über Pitt gehalten und ihn de facto zu seinem Stellvertreter gemacht hatte, während offiziell Austwick diese Position bekleidete, hatte zu Missgunst und hin und wieder auch zu Befürchtungen geführt. Jetzt, da Narraway nicht mehr im Amt war, dürfte es nur eine Frage der Zeit sein, bis man auch Pitt auf einen unbedeutenden Posten abschob, wenn man ihn nicht gar entließ oder – was noch schlimmer wäre – dafür sorgte, dass er einen »Unfall« hatte.

Dann kam ihr ein anderer unangenehmer und noch hässlicherer Gedanke. Sofern Narraway, wie er sagte, schuldlos war, hatte jemand mit voller Absicht Beweismaterial gefälscht, um ihn als schuldig hinzustellen. Nichts würde diese Leute daran hindern, mit Pitt ebenso zu verfahren. Es war sogar durchaus möglich, dass er bereits in die Sache verwickelt war. Dann würde er in die Falle gehen, sobald er aus Frankreich zurückkehrte. Nur ein Dummkopf würde ihm genug Zeit lassen, eine Verteidigungslinie aufzubauen oder gar Beweise für seine Schuldlosigkeit und damit gleichzeitig für die Schuld der Gegenseite zu sammeln.

Was nur mochte der Grund für all das sein? Wollte sich wirklich jemand an Narraway für einen Fall aus früheren Zeiten rächen, oder war jenen Leuten bekannt, dass er etwas über sie wusste, weshalb sie unbedingt verhindern mussten, dass er der Sache nachging? Was auch immer es war, was auch immer Narraway getan oder nicht getan haben mochte, Charlotte sah es als ihre Aufgabe an, ihren Mann zu schützen. Narraway konnte unmöglich getan haben, was man ihm vorwarf. Daran zweifelte sie keine Sekunde lang.

Jetzt aber musste sie eine Frau finden, die sich während ihrer Abwesenheit um die beiden Kinder kümmerte. Der Teufel mochte Mrs Waterman holen – das dumme Geschöpf!

Charlotte war so müde, dass sie recht gut schlief, doch gleich nach dem Aufwachen fiel ihr am nächsten Morgen alles mit einem Schlag wieder ein. Während sie im Nachthemd im Schlafzimmer stand, ging sie in Gedanken durch, was zu tun war. Dass sie das Frühstück selbst machen musste, störte sie nicht weiter. Daran war sie gewöhnt, denn sie hatte das in den Anfängen ihrer Ehe stets getan. Vor allem musste sie dafür sorgen, dass Mrs Waterman das Haus verließ und den beiden Kindern zumindest in etwa erklären, was geschehen war. Bei Jemima war das möglicherweise nicht so schwierig, denn sie war mit ihren dreizehn Jahren schon recht verständig, doch wie würde der zehnjährige Daniel die Sache aufnehmen, und wie konnte sie erreichen, dass er ihr glaubte? Sie musste unbedingt dafür sorgen, dass er nicht auf den Gedanken kam, er könne schuld an der Situation sein.

Vor allem aber musste sie sich der eigentlichen Aufgabe des Tages zuwenden. Wo nur konnte sie eine zuverlässige Frau finden, der sie die Kinder anvertrauen konnte, und zwar sofort? Das machte ihr große Sorgen, und die Furcht vor einem Fehlschlag ließ sie frösteln.

Sie musste unbedingt die Reise nach Irland antreten, musste um eine Zukunft kämpfen, in der Pitt es nicht nötig hatte, auf der Suche nach einer geeigneten Arbeit von Ort zu Ort zu ziehen, immer in der Hoffnung, dass ihn jemand einstellen würde. Das wäre demütigend für ihn. Er hatte auf der Haupt-Polizeiwache in der Bow Street Männer unter sich gehabt, hatte die Macht besessen, von Menschen aller Gesellschaftsschichten zu erwarten, dass sie seine Fragen beantworteten, und hatte hochherrschaftliche Häuser durch den Vordereingang betreten statt durch die Hintertür wie ein Bettler, ein Dienstbote oder ein Lieferant.

So zitternd, wie sie nun dastand, würde sie nichts erreichen. Also konnte sie sich ebenso gut anziehen, während sie ihre Möglichkeiten erwog. Eine weiße Bluse und ein einfacher brauner Rock dürften das Richtige sein, immerhin standen ihr Haushaltspflichten bevor.

Als sie nach unten ging, wartete Mrs Waterman bereits in der Diele; ihr Koffer stand an der Haustür. Beinahe hätte Charlotte Mitleid mit ihr empfunden, aber diese Anwandlung ging vorüber. Es gab viel zu viel zu tun, als dass sie hätte weich werden können, selbst wenn Mrs Waterman das gewollt hätte. Das hier war nichts als eine Unannehmlichkeit – die Katastrophen reckten ihr Haupt erst am Horizont.

»Guten Morgen, Mrs Waterman«, sagte sie höflich. »Ich finde es bedauerlich, dass Sie es für richtig halten, uns zu verlassen, aber so, wie die Dinge liegen, dürfte das die beste Lösung sein. Sicherlich werden Sie verstehen, dass ich mich kurz fasse. Ich muss bis heute Abend Ersatz für Sie finden und hoffe für Sie, dass Sie bald eine passende Anstellung bekommen. Guten Tag.«

»Das schaff ich bestimmt, Ma'am«, gab Mrs Waterman mit so viel Überzeugung in der Stimme zurück, dass in Charlotte der Verdacht aufkeimte, die Frau habe bereits eine Anstellung in Aussicht. Es kam durchaus vor, dass Hausangestellte, insbesondere Köchinnen, einen Vorwand suchten, um kündigen zu können, damit sie eine Stelle antreten konnten, die ihnen lieber war oder günstiger erschien.

»Ja, das denke ich mir, dass Sie auf die Füße fallen werden«, sagte Charlotte eine Spur schroff.

Mrs Waterman warf ihr einen kalten Blick zu, holte Luft, um etwas zu antworten, unterließ es dann aber und öffnete die Haustür. Sie zerrte ihren offenbar sehr schweren Koffer nach draußen und trat dann auf den Bürgersteig, um einer Droschke zu winken.

Charlotte schloss die Tür, als Jemima herunterkam. Das Mädchen wuchs rasch und würde bestimmt so groß werden wie ihre Mutter. Nach den allmählich weiblicher werdenden Formen ihres Körpers und der Sicherheit zu urteilen, mit der sie sich zu bewegen begann, würde es nicht mehr lange dauern, bis sie eine erwachsene Frau war.

»Wo will Mrs Waterman denn hin?«, fragte sie. »Es ist Frühstückszeit.«

Um den heißen Brei herumzureden war sinnlos. »Sie geht«, gab Charlotte gelassen zurück.

»Um diese Tageszeit?« Jemima hob die Brauen, die genauso elegant geschwungen waren wie die ihrer Mutter.

»Ja, die andere Möglichkeit wäre gestern Abend gewesen«, gab Charlotte zurück.

»Hat sie etwa gestohlen?« Jemima hatte jetzt die unterste Stufe erreicht. »Das kann ich mir von der überhaupt nicht vorstellen. Die könnte sich doch nie wieder im Spiegel ansehen. Aber wenn ich es mir recht überlege, tut sie das vielleicht sowieso nie, weil er dann zerspringen würde.«

»Boshafte Äußerungen dieser Art sind äußerst ungehörig«, sagte Charlotte mit Schärfe. »Nicht ich habe ihr gekündigt, sondern sie mir«, fügte sie hinzu. »Leider ist es ein ausgesprochen ungünstiger Augenblick dafür ...«

Inzwischen war Daniel am oberen Treppenabsatz aufgetaucht. Er wollte gerade das Geländer herunterrutschen, als er seine Mutter sah und stattdessen mit betont würdigen

Schritten herabkam, als habe er nie etwas anderes vorgehabt.

»Geht Mrs Waterman weg?«, fragte er mit hoffnungsvoller Stimme.

»Sie ist bereits fort«, gab seine Mutter zurück.

»Juhu! Kommt Gracie jetzt wieder?«

»Natürlich nicht«, sagte Jemima in tadelndem Ton. »Sie ist jetzt verheiratet, da muss sie zu Hause bleiben und sich um ihren Mann kümmern. Wir bekommen sicher jemand anders, nicht wahr, Mama?«

»Ja. Und sobald wir gefrühstückt haben und ihr in der Schule seid, werde ich mich nach einer passenden Person umsehen.«

»Wo?«, erkundigte sich Daniel neugierig, während er ihr durch den Gang in die Küche folgte, in der alles vor Sauberkeit blitzte. Zwar hatte Mrs Waterman sie in einwandfreiem Zustand hinterlassen, aber nicht das Geringste für das Frühstück vorbereitet. Sie hatte nicht einmal den Herd ausgeräumt oder gar Feuer gemacht. Er war gerade noch handwarm, und so würde es eine ganze Weile dauern, bis die nötigen Handgriffe erledigt waren, um ihn für ein warmes Frühstück heiß genug zu bekommen – auf jeden Fall so lange, dass die Zeit dafür nicht gereicht hätte, bevor die Kinder in die Schule mussten. Selbst für die Zubereitung von Tee und das Rösten von Toast wurde der Herd gebraucht.

Nur mit Mühe unterdrückte Charlotte den in ihr aufsteigenden Zorn. Wenn sie einen Wunsch frei gehabt hätte, außer dem, dass Pitt wieder zu Hause wäre, hätte sie sich Gracie zurückgewünscht. Allein schon deren Munterkeit, Offenheit und Entschlossenheit, sich durch nichts und niemanden unterkriegen zu lassen, würde alles leichter machen.

Aber sie war nun einmal nicht da, und Charlotte freute sich für Gracie, dass sich für diese endlich der Traum von einem eigenen Zuhause erfüllt hatte.

»Es tut mir leid«, sagte sie zu Daniel und Jemima, »aber auf etwas Warmes werden wir alle bis heute Abend warten müssen. Heute Morgen gibt es nur Brot mit Konfitüre und ein Glas Milch.« Ohne auf eine Antwort der beiden zu warten, ging sie in die Speisekammer, um Milch, Butter und Konfitüre zu holen. Dabei versuchte sie sich zurechtzulegen, mit welchen Worten sie ihnen mitteilen wollte, dass sie sie für eine Weile verlassen und nach Irland gehen musste. Allerdings hing das davon ab, dass sie jemanden fand, auf den in jeder Hinsicht Verlass war. Wo aber sollte sie in einem halben Tag einen solchen Menschen finden? Sie würde gründlich überlegen müssen. Im allerschlimmsten Fall konnte sie die Kinder zu Emily bringen und deren Dienstboten bitten, sich um sie zu kümmern, bis sie selbst aus Irland oder Pitt aus Frankreich zurückkam – oder Emily aus Paris.

Sie kehrte mit Milch, Butter und Konfitüre zurück und stellte alles auf den Tisch. Während Jemima die Messer und die Konfitürelöffel auflegte, stellte Daniel für jeden ein Glas hin. Mit einem Mal spürte Charlotte, wie sich ihr die Kehle zuschnürte. Wie hatte sie auch nur eine Sekunde lang erwägen können, die beiden in der Obhut der alles missbilligenden Mrs Waterman zurückzulassen? Warum nur musste Emily ausgerechnet jetzt fort sein, wo sie sie so dringend brauchte?

Sie ging an die Brottrommel, öffnete sie, nahm den Laib heraus und legte ihn zusammen mit dem Brotmesser auf das Schneidebrett.

»Danke«, sagte sie, als das letzte Glas auf dem Tisch stand. »Ich weiß, dass es ein bisschen früh ist, aber wir sollten gleich anfangen. Ich hätte eher aufstehen und Feuer im Herd machen müssen, denn ich habe ja gewusst, dass Mrs Waterman fortgeht. Ich habe einfach nicht daran gedacht. Es tut mir leid.« Sie schnitt drei Scheiben Brot ab, jeder nahm eine, bestrich sie mit Butter und wählte seine Lieblingskonfitüre: Jemima entschied sich für Himbeere, Daniel – ganz wie sein Vater – für schwarze Johannisbeere und Charlotte für Aprikose. Sie goss Milch in die Gläser.

»Warum ist sie denn gegangen, Mama?«, fragte Daniel.

Dies eine Mal unterließ Charlotte es, ihn zu ermahnen, nicht mit vollem Mund zu sprechen. Seine Frage verdiente zwar eine aufrichtige Antwort – aber wie viel würde er verstehen? Er sah sie aufmerksam mit seinen grauen Augen an, die genau wie die seines Vaters waren. Jemima wartete ebenfalls, das Brot halb zum Mund geführt. Vielleicht war die reine Wahrheit, knapp und furchtlos erzählt, die einzige Möglichkeit, um später nicht lügen zu müssen. Wenn sie je merkten, dass ihnen ihre Mutter die Unwahrheit gesagt hatte, wäre ihr Vertrauen wohl selbst dann dahin, wenn sie die Gründe dafür verstanden.

»Weil er wollte, dass wir uns keine Sorgen darüber machten, dass euer Vater nicht nach Hause kam, war Mr Narraway neulich abends hier, um mir zu sagen, dass euer Vater nach Frankreich musste, ohne uns das vorher mitteilen zu können.«

»Das hast du uns doch schon gesagt«, fiel ihr Jemima ins Wort. »Aber warum ist Mrs Waterman gegangen?«

»Mr Narraway war gestern Abend noch einmal hier, und zwar ziemlich spät. Er ist eine Weile geblieben, weil man ihm übel mitgespielt hat. Man hat ihm die Schuld für etwas gegeben, was er nicht getan hat, und jetzt ist er nicht mehr der Vorgesetzte eures Vaters. Weil das ziemlich wichtig ist, hat er es mir gesagt.«

Jemima zog die Stirn kraus. »Das verstehe ich nicht. Was hat das mit Mrs Waterman zu tun? Ist sie gegangen, weil wir sie nicht mehr bezahlen können?«

»Natürlich nicht deshalb«, sagte Charlotte rasch, obwohl das möglicherweise für die Zukunft nicht mehr unbedingt gelten würde. »Sie war nicht damit einverstanden, dass Mr Narraway am Abend gekommen ist, um mir das zu berichten.«

»Warum nicht?« Daniel legte das Brot aus der Hand und sah zu ihr her. »Hätte er es dir nicht sagen sollen? Und woher wusste sie das überhaupt? Ist sie auch bei der Polizei?«

Pitt hatte es für richtig gehalten, seinen Kindern nicht zu erklären, worin der Unterschied zwischen der Polizei und dem Sicherheitsdienst bestand. Während Erstere Verbrechen aufdeckte, hatte man Letzteren ins Leben gerufen, um Gewalttaten, Bedrohungen der öffentlichen Sicherheit und Fälle von Hochverrat zu bekämpfen. Aber dies war nicht der richtige Zeitpunkt, um Daniel das nun darzulegen.

»Nein«, sagte sie. »Damit hat sie nicht das Geringste zu tun. Sie war der Ansicht, dass ich nach Einbruch der Dunkelheit keinen fremden Mann hätte ins Haus lassen dürfen, während euer Vater nicht da ist. Sie hat gesagt, das gehöre sich nicht und sie könne nicht in einem Haus bleiben, wo sich die Hausherrin nicht jederzeit tadelfrei aufführt. Ich habe versucht, ihr zu erklären, dass es sich um einen Notfall handelte, aber sie hat mir nicht geglaubt.« Wäre Charlotte nicht mit noch dringenderen Problemen beschäftigt gewesen, hätte das nach wie vor an ihr genagt.

Daniel sah weiterhin verständnislos drein, aber es war deutlich zu sehen, dass Jemima begriffen hatte.

Sie schlug sich sofort auf die Seite der Mutter. »Wenn die impertinente Person nicht von sich aus gegangen wäre, hättest du sie unbedingt vor die Tür setzen müssen.« »Impertinent« war ihr neues Lieblingswort, wenn es darum ging, jemanden herabzusetzen.

»Das stimmt«, gab ihr Charlotte Recht. Eigentlich hatte sie den beiden sagen wollen, dass sie auf jeden Fall nach Irland musste, unterließ es aber einstweilen. Vielleicht war es besser, diese Dinge eines nach dem anderen anzusprechen. Es gab keinen Grund, die beiden zu beunruhigen, solange sie niemanden gefunden hatte, der sich um sie kümmern konnte. »Aber da sie von sich aus gegangen ist, spielt das jetzt keine Rolle mehr. Würdest du mir bitte die Butter reichen, Daniel?«

Er gab sie ihr. »Und was passiert jetzt mit Mr Narraway? Hilft Papa ihm?«

»Das kann er nicht«, gab ihm Jemima zu verstehen. »Er ist doch in Frankreich.« Sie sah fragend zu ihrer Mutter hin, in der Hoffnung, dass diese sie unterstützte, wenn sie Recht hatte.

»Wer dann?«, ließ Daniel nicht locker.

Charlotte holte tief Luft. »Ich, wenn mir etwas einfällt, was ich tun kann. Jetzt frühstückt bitte zu Ende, damit ich euch verabschieden und danach anfangen kann, mich um einen Ersatz für Mrs Waterman zu kümmern.«

Doch als sie sich eine Schürze umgebunden hatte und sich vor den Herd kniete, um die Asche auszuräumen und alles für ein frisches Feuer vorzubereiten, das sie nach ihrer Rückkehr entzünden würde, kam ihr die Aufgabe, eine neue Haushaltshilfe zu finden, nicht annähernd so einfach vor, wie sie das Daniel und Jemima gegenüber hingestellt hatte. Sie wollte nicht nur eine Hausangestellte haben, die kochte und putzte, sondern eine absolut zuverlässige und umgängliche Frau, die wusste, was zu tun war, mit wem man Verbindung aufnehmen musste, wenn die Situation es erforderte, und die das auch tun würde.

Wen könnten die Kinder um Hilfe bitten, wenn sie in Irland wäre? War es überhaupt richtig, dorthin zu reisen? Was war vorrangig? Sollte sie die neue Kraft, vorausgesetzt, sie fand eine, bitten, Großtante Vespasia anzurufen, falls sie Hilfe brauchte? Genau genommen waren sie nicht miteinander verwandt, denn Vespasia war die Großtante von Emilys erstem Mann Lord Ashworth gewesen, doch hatte sich schon bald ein tiefes Vertrauensverhältnis zwischen ihnen entwickelt. Trotz ihrer deutlich mehr als achtzig Jahre, die man ihr nicht ansah, nahm sie nach wie vor aktiv am Leben der obersten Gesellschaftskreise teil, in denen man sie stets als richtungsweisend anerkannt hatte. Mit ihrem Mut, ihrer Leidenschaftlichkeit und Energie konnte sie noch so manche Dreißigjährige beschämen. Zwar hatte sich ihre große Schönheit verändert, aber nicht verringert. Sicher war sie der geeignete Mensch, Entscheidungen zu treffen, falls eins der Kinder krank würde – aber wäre sie es auch dann, wenn es Schwierigkeiten im Haushalt gab, beispielsweise, wenn ein Abfluss verstopft war, ein Wasserhahn tropfte, der Kohlevorrat zur Neige ging, der Ruß im Schornstein Feuer fing und so weiter?

Bei Widrigkeiten solcher Art hatte sich Gracie stets der Situation gewachsen gezeigt.

Charlotte erhob sich, wusch sich die Hände in nahezu kaltem Wasser und nahm die Schürze ab. Das war es: sie würde Gracie um Rat fragen. Es war mehr oder weniger ein Akt der Verzweiflung, ihr junges Glück so früh zu stören, aber es handelte sich ja auch um eine verzweifelte Situation. Gebe der Himmel, dass Gracie zu Hause war.

Es war keine sehr lange Fahrt mit dem Pferdeomnibus zu dem kleinen Haus aus rotem Ziegelstein, dessen ganzes Erdgeschoss Gracie und Tellman für sich hatten, so dass sie auch den Vorgarten nutzen konnten. Für ein so junges Paar war das durchaus beachtlich, allerdings war Tellman auch zwölf Jahre älter als Gracie und hatte sich seine Beförderung zum Polizeiwachtmeister hart erarbeitet. Pitt bedauerte nach wie vor, sich nicht mehr auf seine Dienste stützen zu können.

Mit angehaltenem Atem klopfte Charlotte an die Haustür. Falls Gracie nicht zu Hause war, wüsste sie nicht, an wen sie sich als Nächstes wenden sollte.

Doch die Tür öffnete sich, und Gracie stand vor ihr. Sie trug ihre eleganten Schnürschuhe und endlich ein Kleid, das nicht von einer anderen Frau abgelegt worden und für sie passend gemacht worden war. Es war nicht nötig, sie zu fragen, ob sie glücklich sei – es stand ihr in das strahlende Gesicht geschrieben.

»Mrs Pitt! Se sind gekomm'n, um mich zu besuch'n! Samuel is' nich' da, der is' schon zur Arbeit, aber komm' Se doch rein, ich mach uns 'ne Tasse Tee.« Sie öffnete die Tür, so weit es ging, und trat einen Schritt zurück.

Charlotte nahm die Einladung an und zwang sich, erst einmal an Gracies neues Heim, ihren Stolz und ihr Glück zu denken, statt mit ihrem Anliegen herauszuplatzen. Durch den Gang, dessen Linoleumboden auf Hochglanz gebohnert war, folgte sie ihr in die kleine nach hinten hinaus liegende Küche. Auch dort war alles blitzblank und roch trotz der frühen Morgenstunde frisch nach Zitrone und Kernseife. Das Feuer im Herd brannte, und auf dem Fensterbrett standen Formen mit gründlich gekneteten Brotteig, der aufgehen sollte, bevor Gracie sie in die Backröhre schob.

Sie zog den Wasserkessel auf die Ringe, stellte eine Teekanne mit Tassen auf den Tisch und holte dann Milch aus der Speisekammer.

»Ich hab Kuch'n im Haus, wenn Se woll'n«, bot sie an. »Aber vielleicht hätt'n Se lieber Toast mit Konfitüre?«

»Ehrlich gesagt wäre mir ein Stück Kuchen am liebsten, falls es Ihnen nichts ausmacht«, sagte Charlotte. »Ich habe schon eine ganze Weile keinen guten Kuchen mehr gegessen. Da Mrs Waterman nichts vom Kuchenbacken hielt, waren die Ergebnisse dementsprechend, wenn sie doch einen machte. Was sie buk, lag wie Blei im Magen.«

Gracie nahm den Kuchen aus dem Schrank und stellte Teller auf den Tisch. Charlotte musste lächeln, als sie sah, dass alles am Tellerregal genau so war wie in der Keppel Street, wo sich Gracie so lange um den Haushalt gekümmert hatte: Die

Tassen hingen an Haken, die kleinen Teller standen auf dem obersten Brett, dann kamen Schüsseln und ganz unten die großen Teller.

»Is' se denn weg?«, fragte Gracie besorgt.

»Mrs Waterman? Ja, leider. Sie hat gestern Abend gekündigt und ist gleich gegangen. Genauer gesagt, hat sie gestern am späten Abend gekündigt und stand heute am frühen Morgen mit ihrem Koffer in der Diele, als ich herunterkam.«

Gracie war sichtlich verblüfft. Sie stellte den Kuchen auf den Tisch und sah dann Charlotte betrübt an. »Was hat se denn gemacht? Se ham se doch nie und nimmer ohne Grund vor de Tür gesetzt?«

»Ich habe sie überhaupt nicht vor die Tür gesetzt«, gab Charlotte zurück. »Sie hat mir wirklich gekündigt, einfach so ...«

»So was kann se doch nich' mach'n.« Gracie unterstrich ihre Worte mit einer Handbewegung, die deutlich zeigte, wie sehr sie diesen Gedanken missbilligte. »So kriegt die doch nie 'ne neue Stellung, jed'nfalls keine vernünftige.«

»Es ist viel geschehen«, sagte Charlotte ruhig.

Gracie setzte sich ihr gegenüber und beugte sich ein wenig vor. Ihr Gesicht war von einem Augenblick auf den anderen bleich geworden. »Mr Pitt fehlt doch nix ...?«, fragte sie. Charlotte hörte, dass in Gracies Stimme mit einem Mal Besorgnis mitschwang.

»Nein«, beeilte sie sich, ihr zu versichern. Das hätte sie gleich sagen müssen, damit Gracie gar nicht erst auf solche Gedanken kam. »Er ist dienstlich in Frankreich und kann erst zurückkommen, wenn der Fall abgeschlossen ist. Man hat Mr Narraway durch eine Intrige aus dem Amt entfernt, und das kann auch für Mr Pitt sehr schwerwiegende Auswirkungen haben.« Gracie die Wahrheit vorzuenthalten hatte keinen Sinn, und ganz davon abgesehen wäre es ihr gegenüber auch nicht anständig gewesen. Schließlich hatte Mr Narraway sie damals als Dienstmädchen in den Buckingham-Palast eingeschleust, als Pitt dort dringend Hilfe bei der Aufklärung eines Mordfalls brauchte. Dass es ihm schließlich gelungen war, ihn zu lösen, war beinahe ebenso sehr Gracies Verdienst wie sein eigenes gewesen, weshalb Narraway sie höchstpersönlich für ihre Arbeit gelobt hatte.

Gracie war entsetzt. »Das is gemein!«

»Er nimmt an, dass ein alter Feind dahintersteckt. Möglicherweise macht der gemeinsame Sache mit einem neuen, der auf seinen Posten scharf ist«, teilte ihr Charlotte mit. »Mr Pitt weiß nichts davon und verlässt sich darauf, dass Mr Narraway tut, was er kann, um ihn von hier aus bei seiner Aufgabe zu unterstützen. Er ahnt nicht, dass er jetzt auf einen anderen angewiesen ist, der möglicherweise nicht so unverbrüchlich zu ihm steht wie Mr Narraway.«

»Un' was mach'n wir da?«, erkundigte sich Gracie sofort.

Eine plötzliche Dankbarkeit erfüllte Charlotte angesichts Gracies unwandelbarer Treue. Sie spürte, wie ihr warm ums Herz wurde und ihr die Tränen in die Augen traten. Doch das war nicht der richtige Augenblick, um sich ihren Gefühlen hinzugeben.

»Mr Narraway vermutet, dass das Ganze mit einem Fall zu tun hat, den man ihm vor zwanzig Jahren in Irland übertragen hatte. Deshalb will er dort hinreisen, um seinen Feind aufzuspüren, damit er versuchen kann, seine Schuldlosigkeit zu beweisen.«

»Aber kann er das alleine? Mr Pitt is' nich' da un' kann 'm nich' helf'n«, gab Gracie zu bedenken. »Kennt der Feind 'n denn nich', oder rechnet er womöglich nich' damit, dass er kommt?« Die freudige Röte, die ihr Gesicht beim Anblick Charlottes überzogen hatte, war dahin. »Das wär doch dumm. Se müss'n 'm sag'n, dass er sich das gut überleg'n soll!«

»Ich muss ihm helfen, Gracie. Die Leute im Sicherheitsdienst, die ihn in diese Situation gebracht haben, sind auch Mr Pitts Feinde, und deswegen müssen wir um unser aller willen dafür sorgen, dass er sein Ziel erreicht.«

»Se woll'n nach Irland? Se woll'n 'm helf'n ...« Gracie streckte die Hand aus, als wolle sie diese auf Charlottes Hand legen, die auf dem Tisch ruhte, zog sie aber dann verlegen wieder zurück. Auch wenn sie nicht mehr Charlottes Dienstmädchen war, würde sie sich mit einer solchen Geste trotz all der Jahre, die sie mit ihr unter ein und demselben Dach gelebt hatte, zu viel herausnehmen. Sie holte tief Luft. »Ja, das müss'n Se unbedingt tun.«

»Es ist auch meine feste Absicht«, versicherte ihr Charlotte. »Aber um die Reise unternehmen zu können, muss ich eine Frau finden, die Mrs Watermans Aufgabe übernimmt, denn sie hat mich heute Morgen voll moralischer Entrüstung verlassen, weil Mr Narraway nach Einbruch der Dunkelheit mit mir allein im Wohnzimmer war.«

Wechselnde Empfindungen traten auf Gracies Züge. Zorn, Empörung, Ungehaltenheit, aber auch eine gewisse Belustigung.

»So 'ne blöde alte Schachtel!«, sagte sie mit Nachdruck und voll Abscheu. »Man sollte nich glaub'n, was für 'ne versaute Fantasie manche von den verdorrt'n alt'n Jungfern ha'm. Aber Mr Narraway kann Se tatsächlich gut leid'n.« Einen Augenblick lang ließ ein Lächeln ihre Augen leuchten, war aber sogleich wieder verschwunden. Als sie noch für Charlotte gearbeitet hatte, hätte sie das wohl nicht zu sagen gewagt, aber jetzt war sie eine achtbare Ehefrau und befand sich in der unübersehbar liebevoll gepflegten Küche ihrer eigenen Wohnung. Sie hätte nicht einmal mit der Königin tauschen wollen – und sie hatte der Königin von Angesicht zu Angesicht gegenübergestanden, was nicht viele von sich sagen konnten.

»Meine Schwester Emily ist verreist und meine Mutter ebenfalls«, erklärte Charlotte ihr mit betrübter Stimme. »Ich brauche unbedingt eine Betreuerin für Jemima und Daniel, denn ich kann die beiden unmöglich allein lassen. Aber wo soll ich so rasch eine finden, der ich voll und ganz vertrauen kann? Wer kann mir so eine Frau rückhaltlos empfehlen?«

Gracie schwieg lange. Charlotte, der aufging, dass sie da eigentlich eine unmögliche Frage gestellt hatte, sagte rasch: »Entschuldigung, das war ungehörig.«

Der Kessel auf dem Herd begann zu pfeifen, ein Zeichen, dass das Wasser anfing zu sieden. Gracie stand auf, nahm ein Tuch, um sich nicht die Hand zu verbrennen, und zog ihn von den Ringen zur Seite. Sie gab ein wenig dampfendes Wasser in die Kanne, um sie vorzuwärmen, schwenkte sie aus und brühte den Tee auf. Dann stellte sie die heiße Kanne vorsichtig auf einen Metalluntersetzer und setzte sich wieder.

»Ich«, sagte sie.

Charlotte zwinkerte. »Wie bitte?«

»Ich wüsste da jemand. Minnie Maude Mudway. Wir kenn' uns aus Spitalfields, aus der Zeit, bevor ich zu Ihn'n gekomm'n bin. Se hat dicht bei dem Haus gewohnt, wo ich auch war, gleich um de Ecke, 'n paar Straß'n weiter. Man hat ihr'n Onkel umgebracht, und ich hab ihr geholf'n rauszukrieg'n, wer's war. Wiss'n Se noch?«

Charlotte war verwirrt und versuchte vergeblich, sich zu erinnern.

»Se sind damals als Maria auf'm Esel geritt'n, für das Kripp'nspiel«, versuchte Gracie Charlottes Erinnerung aufzufrischen. »Damals war Minnie Maude acht, aber jetz' is se erwachs'n. Auf Minnie is' Verlass, die gibt nie auf. Ich such se für Sie. Un' ich geh auch selber jed'n Tag inne Keppel Street un' seh nach, ob alles in Ordnung is'.«

Nachdenklich ließ Charlotte ihren Blick zwischen Gracies kleinem ernsthaftem Gesicht, der sacht vor sich hin dampfenden Teekanne und dem selbstgebackenen Kuchen mit den vielen Rosinen darin hin und her wandern.

»Danke«, sagte sie leise. »Das wäre wunderbar. Wenn Sie jeden Tag hingehen, brauche ich mir keine Sorgen zu machen.«

Mit zufriedenem Lächeln fragte Gracie: »Woll'n Se 'n Stück Kuch'n?«

»Ja, gern.«

Bereits um drei Uhr am Nachmittag hatte Charlotte ihren Koffer gepackt, damit sie am nächsten Morgen mit Narraway den Zug besteigen konnte, falls alles wie geplant ablief. Sie war unruhig und konnte sich auf nichts richtig konzentrieren. Sie wollte das Gemüse für das Abendessen putzen, vergaß, was sie hatte auf den Tisch bringen wollen, dann fiel ihr noch etwas ein, was sie unbedingt einpacken musste. Zweimal glaubte sie jemanden an der Tür zu hören, doch als sie nachsah, war niemand da. Dreimal kontrollierte sie, ob die Kinder ihre Hausaufgaben machten.

Endlich ertönte das Klopfen, dessen Rhythmus ihr so vertraut war. Sogleich wandte sie sich um und rannte fast zur Tür, um zu öffnen.

Neben Gracie, die so strahlend lächelte, dass es ihr ganzes Gesicht erhellte, stand eine schlanke junge Frau, eine gute Handbreit größer als sie, der es offenbar nicht recht gelingen wollte, ihre widerspenstige Haarpracht zu bändigen. Obwohl Gracies Begleiterin ziemlich nervös zu sein schien, fiel Charlotte sogleich die Klugheit in deren Augen auf.

»Das is' Minnie Maude«, verkündete Gracie mit einer Stimme wie ein Zauberkünstler, der ein Kaninchen aus dem Zylinderhut zieht.

Minnie Maude machte einen leicht ungelenken Knicks. Unübersehbar war sie im Knicksen nicht sonderlich geübt.

Charlotte konnte ein Lächeln nicht unterdrücken – es hatte nicht das Geringste mit Belustigung zu tun, sondern war Ausdruck ihrer Erleichterung. »Schön, dass Sie da sind, Minnie Maude. Kommen Sie bitte herein. Ich nehme an, dass Gracie Ihnen meine Lage bereits geschildert hat, und so können Sie sich denken, wie froh ich bin, Sie zu sehen.« Sie öffnete die Tür ein Stück weiter, wandte sich um und ging den Besucherinnen voraus in die Küche – erstens, weil es dort wärmer war, und zweitens, weil die Minnie Maudes Reich sein würde, falls sie die Stellung antrat.

»Bitte nehmen Sie Platz«, forderte sie die beiden auf. »Möchten Sie eine Tasse Tee?« Es war eine rhetorische Frage, denn Besucher bekamen immer Tee.

»Ich mach ihn«, sagte Gracie.

»Kommt überhaupt nicht in Frage«, entgegnete ihr Charlotte. »Sie arbeiten hier nicht, sondern sind mein Gast.« Als sie den verblüfften Ausdruck auf Gracies Gesicht sah, fügte sie »bitte« hinzu.

Gracie setzte sich. Sie schien sich unbehaglich zu fühlen.

Charlotte machte sich an die Zubereitung des Tees. Da sie keinen Kuchen hatte, schnitt sie Brot in hauchdünne Scheiben, die sie mit Butter bestrich und mit dünnen Scheiben von Gurke und hartgekochtem Ei belegte. Selbstverständlich wäre auch Konfitüre im Hause gewesen, allerdings war es dafür ein wenig zu früh am Nachmittag.

»Gracie hat mir gesagt, dass Sie beide einander schon lange kennen«, begann Charlotte, während sie so beschäftigt war.

»Ja, Ma'am, seit ich acht war«, gab Minnie Maude zurück. »Se hat mir gehulf'n, wie man mein'n Onkel Alf umgebracht un' Charlie geklaut hat.« Sie holte tief Luft, als wolle sie noch mehr sagen, unterließ es aber.

Da Charlotte mit dem Rücken zum Tisch stand, konnten die beiden jungen Frauen ihr Lächeln nicht sehen. Sie stellte sich vor, wie Gracie ihre Freundin angewiesen hatte, möglichst nur auf die Fragen zu antworten, die man ihr stellte.

»Hat sie Ihnen auch gesagt, dass mein Mann im Sicherheitsdienst tätig ist?«, fragte sie. »Dabei handelt es sich um eine Art Polizei, deren Aufgabe es ist zu verhindern, dass Menschen Unruhe im Lande schüren oder zum Aufstand aufrufen.«

»Ja, Ma'am. Se hat auch gesagt, dass er der beste Kriminaler von ganz England is'«, gab Minnie Maude zurück. Die Begeisterung und Bewunderung in ihrer Stimme waren nicht zu überhören.

Charlotte brachte den Teller mit Broten von der Anrichte und stellte ihn auf den Tisch.

»Das ist wohl ein wenig übertrieben, aber er ist wirklich gut«, erwiderte sie. »Im Augenblick befindet er sich wegen einer unvorhergesehenen Wendung eines Falles im Ausland. Meine bisherige Haushaltshilfe hat mir Knall auf Fall gekündigt, weil sie etwas missverstanden hat und der Ansicht war, nicht länger hierbleiben zu können. Ich muss morgen wegen einer weiteren Schwierigkeit, die ebenfalls nicht vorherzusehen war, sehr früh zu einer längeren Reise aufbrechen.« Was sie sagte, klang sogar in ihren eigenen Ohren sonderbar.

»Gewiss, Ma'am.« Minnie Maude nickte ernsthaft. »Gracie sagt, es geht um 'n sehr wichtig'n Herrn, vor dem se große Achtung hat. Se sagt, dass 'm jemand was anhäng'n will, was er nich' gemacht hat, un' Se woll'n 'm helf'n, weil sich das so gehört.«

Charlotte entspannte sich ein wenig. »Genau so ist es. Bedauerlicherweise geschehen bei uns im Hause von Zeit zu Zeit unerwartete Dinge. Aber für Sie besteht nicht die geringste Gefahr. Andererseits ist Ihre Aufgabe mit einem hohen Maß an Verantwortung verbunden, denn ich bin zwar meistens zu Hause, aber eben nicht immer.«

»Ja, Ma'am. Ich war schon mal bei Herrschaft'n im Dienst, aber die sin' gestorb'n un' ich hab noch keine neue Stelle gefund'n. Gracie hat gesagt, se will jed'n Tag vorbeikomm'n un' seh'n, ob alles in Ordnung is'.« Bei diesen Worten sah Minnie Maude Charlotte unverwandt und mit leicht ängstlichem Gesicht an.

Diese richtete den Blick auf Gracie und erkannte die Zuversicht in ihren Augen. Da sie neben ihr saß, sah sie auch, dass sie ihre kleinen Hände fest im Schoß ineinandergeschlungen hatte. Sie traf ihre Entscheidung.

»In dem Fall würde ich Sie gern mit sofortiger Wirkung als Hausmädchen einstellen, Minnie Maude. Es tut mir leid, dass die Sache so sehr eilt. Daher, wie auch zum Ausgleich dafür, dass Sie ausgerechnet in der ersten Zeit allein sein werden, die in einer neuen Stellung immer die schwierigste ist, gebe ich Ihnen für den ersten Monat das doppelte Gehalt.«

Minnie Maude schluckte. »Viel'n Dank, Ma'am.«

»Nachher werde ich Ihnen Jemima und Daniel vorstellen. Normalerweise sind es brave Kinder, die Ihnen als einer Freundin Gracies sicher von Anfang an wohlgesonnen sein werden. Jemima weiß von fast allem im Hause, wo es sich befindet, und wird Ihnen gern helfen, wenn Sie sie darum bitten. Wahrscheinlich wird sie sogar stolz darauf sein. Aber lassen Sie ihr keine Ungezogenheiten durchgehen. Das gilt natürlich auch für Daniel. Vermutlich wird er es probieren, einfach, um zu sehen, wie weit er bei Ihnen gehen kann. Zeigen Sie ihm bitte in einem solchen Fall unverzüglich seine Grenzen auf.«

Da das Wasser inzwischen heiß war, goss sie den Tee auf und stellte die Kanne auf den Tisch. Während er zog, sprach sie einige weitere Dinge in Bezug auf den Haushalt an, die

Minnie Maude wissen musste, und sagte ihr, wo was zu finden war.

»Ich lasse Ihnen eine Liste unserer Lieferanten hier und schreibe die Preise dazu, obwohl ich vermute, dass Sie sich da auskennen. Aber möglicherweise versuchen die Leute aufzuschlagen, wenn sie annehmen, dass Sie nicht wissen, wie viel ich üblicherweise bezahle.« Anschließend teilte sie ihr Daniels und Jemimas Lieblingsgerichte mit und erklärte, welche Gemüsesorten sie vermutlich abzulehnen versuchen würden. »Und machen Sie ihnen Reispudding«, sagte sie zum Schluss, »aber höchstens zweimal die Woche. Es soll etwas Besonderes bleiben.«

»Mit Muskat?«, fragte Minnie Maude.

Charlotte warf einen Blick zu Gracie hinüber, dann lächelte sie entspannt und zufrieden. »Ganz genau. Ich glaube, Sie werden gut miteinander auskommen.«

KAPITEL 4

Gracie und Minnie Maude kamen am frühen Abend wieder, begleitet von Tellman, der Minnie Maudes Koffer trug. Er brachte ihn nach oben in das Zimmer, das Gracie vor nicht allzu langer Zeit bewohnt hatte, dann verabschiedeten er und Gracie sich und gingen nach Hause. Minnie Maude packte aus und räumte ein, wobei ihr Jemima half und Daniel aus respektvoller Entfernung zusah. Kleidungsstücke waren Frauensache.

Nachdem sich Charlotte vergewissert hatte, dass alles in Ordnung war, rief sie Großtante Vespasia an, um zu fragen, ob sie sie aufsuchen dürfe. Zu ihrer großen Erleichterung war sie zu Hause.

»Deine Stimme klingt so ernst«, sagte Lady Vespasia. Charlotte verstand sie nur schlecht, weil es in der Leitung knisterte.

»Ja, es gibt viel zu berichten, und ich würde dich gern um Rat fragen – allerdings lieber unter vier Augen als am Telefon. Ein großer Teil davon ist äußerst vertraulich.«

»Dann solltest du am besten zu mir kommen«, gab Lady Vespasia zurück. »Ich schicke dir meine Kutsche. Geht es bei dir gleich? Wir könnten dann miteinander zu Abend essen. Es gibt überbackenen Käsetoast, dazu einen sehr guten Rheinwein und zum Nachtisch Apfelpfannkuchen mit Sahne. Um diese Jahreszeit ist Kochen das Beste, was man mit Äpfeln machen kann.«

»Wunderbar«, nahm Charlotte die Einladung an. »Ich sehe nur noch nach, ob sich meine neue Haushaltshilfe schon vollständig eingerichtet hat und weiß, was sie den Kindern zu Abend machen soll, dann bin ich zum Aufbruch bereit.«

»Ich dachte, die hättest du schon, seit Gracie geheiratet hat«, rief Lady Vespasia erstaunt aus. »Kann sie denn immer noch nicht selbst entscheiden, was sie kochen soll?«

»Mrs Waterman hat mir gestern Abend gekündigt und ist heute Morgen gegangen«, erläuterte Charlotte. »Gracie hat für mich eine junge Frau gefunden, die sie schon seit Kindertagen kennt, aber sie ist gerade erst angekommen und noch beim Auspacken.«

»Charlotte?« Vespasias Stimme klang besorgt. »Ist etwas Ernsthaftes vorgefallen?«

»Ja. Nun ... wir leben alle noch und sind gesund, aber doch, es ist ernst. Ich weiß nicht recht, ob es klug ist, was ich mir vorgenommen habe, oder ob ich es lieber bleiben lassen soll.«

»Und da willst du mich um Rat bitten? Wenn du bereit bist, auf einen anderen Menschen zu hören, muss es sich in der Tat um etwas Ernsthaftes handeln«, sagte Lady Vespasia mit leichtem Spott in der Stimme, der aber lediglich ihre Besorgnis überdecken sollte.

»Genaugenommen«, gestand ihr Charlotte, »habe ich bereits mein Wort gegeben.« Als sie merkte, wie endgültig das klang, fröstelte sie unwillkürlich.

»Ich schicke dir sofort meinen Kutscher«, teilte ihr Lady Vespasia mit. »Wenn Gracie dir die neue Hilfe empfohlen hat, kannst du dich bestimmt auf sie verlassen. Nimm einen Umhang mit, der Abend ist ziemlich kühl.«

»Ja«, sagte Charlotte, verabschiedete sich und hängte den Hörer auf den Haken.

Eine halbe Stunde später klingelte Lady Vespasia Cumming-Goulds Kutscher an der Tür. Charlotte war überzeugt, das Haus unbesorgt verlassen zu können, als sie sah, dass Daniel und Jemima mit Minnie Maude nicht nur schon ein wenig warm geworden zu sein schienen, sondern ihr bereitwillig alle Schränke und Schubladen zeigten und ihr erklärten, was sie enthielten.

Charlotte bat den Kutscher, ein wenig zu warten, und ging noch einmal in die Küche. Einen Augenblick lang sah sie zu, wie Jemima mit ernster Miene Minnie Maude erklärte, in welchem Krug morgens jeweils die Milch geholt wurde und wo sie den Milchmann finden konnte. Daniel trat unruhig von einem Fuß auf den anderen, weil auch er unbedingt Ratschläge von sich geben wollte, und Minnie Maude lächelte abwechselnd den beiden zu.

»Es kann sein, dass ich ziemlich spät zurückkomme«, unterbrach Charlotte die Unterhaltung der drei. »Sie brauchen nicht auf mich zu warten.«

»Sehr wohl, Ma'am«, sagte Minnie Maude rasch. »Aber das macht mir nix aus.«

»Danke, es ist wirklich nicht nötig«, teilte ihr Charlotte mit. »Gute Nacht.«

Sie ging hinaus und bestieg die Kutsche für die halbstündige Fahrt zu Lady Vespasias Haus, Gladstone Park. Genaugenommen handelte es sich nicht um einen Park, sondern um einen von blühenden Bäumen umstandenen viereckigen Platz. Unterwegs bemühte sie sich, ihre Gedanken zusammenzunehmen und zu überlegen, auf welche Weise sie Tante Vespasia darlegen wollte, was sie zu tun gedachte.

Das Mädchen führte sie in den in warmen, gedämpften Farben gehaltenen Salon, in dem Lady Vespasia, die sich noch nie im Leben auf einer Sitzgelegenheit angelehnt hatte, mit durchgedrücktem Rücken kerzengerade dasaß. Die Vorhänge vor dem großen Fenster, das zum Garten ging, waren zugezogen, und im Kamin brannte leise knisternd ein Feuer. Charlotte merkte, dass es ihr nicht leichtfallen würde, darzulegen, was für eine verwegene Unternehmung sie sich vorgenommen hatte.

Lady Vespasia hatte in der höheren Gesellschaft einst nicht nur als schönste Frau ihrer Generation gegolten, sondern zugleich auch als ein Mensch, der mit großer Leidenschaft in solchen Kreisen unerhörte politische Ansichten vertrat. Die Jahre hatten durchaus Spuren in ihren Zügen hinterlassen, ihr Temperament aber eher noch verstärkt. Angesichts ihrer herausgehobenen gesellschaftlichen Stellung und ihrer gesicherten finanziellen Verhältnisse brauchte sie sich nicht darum zu kümmern, was andere von ihr dachten, und so tat sie, was sie für richtig hielt. Kritik mochte schmerzlich sein, doch die Zeit, da sie sich dadurch von etwas hatte abhalten lassen, lag lange zurück.

Anders als bei Charlotte, deren Frisur immer dazu neigte, sich aufzulösen, saß Lady Vespasias silbergraues Haar in vollkommener Weise. Ein hoher Spitzenkragen umschloss ihren Hals, und eine dreireihige Perlenkette schimmerte im Licht der Lampen.

»Wir essen erst in einer Stunde«, teilte sie Charlotte mit, »du hast also Zeit, mir die ganze Geschichte ausführlich zu erzählen.«

Was den Anfang betraf, hatte Charlotte keine Zweifel. »Vor vier Tagen ist Mr Narraway abends in die Keppel Street gekommen, um mir mitzuteilen, dass Thomas und sein Mitarbeiter einen Mann, der nahezu vor ihren Augen einen Mord begangen hatte, bis über den Kanal nach Frankreich verfolgen mussten, ohne vorher jemanden darüber informieren zu können. Von Frankreich aus haben sie Mr Narraway ein Telegramm geschickt. Er hat mir das Ganze persönlich berichtet, damit ich mir wegen Thomas' Ausbleiben keine Sorgen machte.«

Vespasia nickte. »Das war sehr aufmerksam von ihm«, bemerkte sie trocken.

Der spöttische Unterton in ihrer Stimme entging Charlotte nicht, und sie hob fragend den Blick.

»Er hat ein Auge auf dich geworfen, meine Liebe«, erklärte ihr Lady Vespasia mit kaum verhüllter Belustigung. »Aber was hat das mit deiner Hausangestellten zu tun?«

Charlotte sah nacheinander auf die zugezogenen Vorhänge und den Teppich mit dem blassen Blumenmuster. »Er ist gestern Abend noch einmal gekommen«, sagte sie ruhig. »Und sehr viel länger geblieben.«

Mit kaum wahrnehmbar veränderter Stimme sagte Lady Vespasia: »Ach ja?«

Charlotte hob den Blick und sah ihr in die Augen. »Im Sicherheitsdienst scheint es eine Art Verschwörung zu geben, deren Ziel es ist, den Eindruck zu erwecken, als habe Mr Narraway einen ziemlich hohen Geldbetrag unterschlagen.« Als sie Lady Vespasias ungläubigen Blick sah, fügte sie hinzu: »Man hat ihn wegen dieses Vorwurfs von einem Augenblick auf den anderen seines Amtes enthoben.«

»Ach je«, sagte Lady Vespasia. Es klang vieldeutig. »Jetzt verstehe ich, warum du so betroffen bist. Das ist in der Tat eine ernsthafte Geschichte. Victor hat gewiss seine Schwächen, aber Veruntreuung von Geldern gehört nicht dazu. Geld interessiert ihn nicht und bedeutet für ihn daher nicht die geringste Versuchung.«

Charlotte erschien diese Äußerung nicht gerade beruhigend. Welche Schwächen meinte Tante Vespasia da wohl? Sie schien ihn erstaunlich gut zu kennen. Zwar hatte sie sich für eine ganze Reihe von Pitts und damit Narraways Fällen interessiert, doch das war Charlottes Ansicht nach keine hinreichende Erklärung. Während sie Lady Vespasias Gesicht musterte, begriff sie, dass diese sich große Sorgen um Narraway machte, und das bestärkte sie in ihrer Ansicht, dass sie dessen Worten uneingeschränkt Glauben schenken durfte.

Sie spürte, wie ihre Anspannung nachließ. Lächelnd sagte sie: »Ich hatte ihm das auch nicht zugetraut. Allerdings scheint es in seiner Vergangenheit etwas zu geben, was ihn zutiefst beunruhigt.«

»Das dürfte eine ganze Menge sein«, gab Lady Vespasia mit dem Anflug eines Lächelns zurück. »Er hat viele Facetten, aber nichts liegt ihm mehr am Herzen als seine Arbeit, und auf diesem Gebiet ist er am verwundbarsten.«

»Dann würde er ja wohl selbst nichts tun, um seine Anstellung aufs Spiel zu setzen, nicht wahr?«

»Bestimmt nicht. Offensichtlich ist es jemandem wichtig, ihn aus dem Amt zu drängen und zu erreichen, dass er bei der Regierung Ihrer Majestät jede Glaubwürdigkeit einbüßt. Dafür kann man sich eine ganze Reihe von Gründen denken, und da ich nicht ahne, welcher hier in Frage kommen könnte, weiß ich auch nicht recht, wo ich anfangen soll.«

»Wir müssen ihm helfen.« Es war Charlotte alles andere als recht, mit dieser Bitte an Tante Vespasia heranzutreten, aber Not kannte nun einmal kein Gebot. »Es geht ja nicht nur um ihn, sondern auch um Thomas. Er gilt in Lisson Grove als Mr Narraways Schützling. Wenn Narraway nicht mehr da ist, besteht durchaus die Möglichkeit, dass die Anstifter dieser Intrige als Nächstes versuchen werden, auch Thomas aus dem Weg zu räumen ...«

»Das versteht sich von selbst, du brauchst es mir also nicht ausdrücklich zu erklären, meine Liebe«, fiel ihr Lady Vespasia ins Wort. »Da er in Frankreich ist, weiß er nichts von dem Vorfall, und Victor kann ihm von hier aus nicht mehr die nötige Unterstützung gewähren.«

»Hättest du Freunde, die ...«, setzte Charlotte an.

»Da mir das Motiv unbekannt ist und ich nicht weiß, wer dahintersteckt«, gab Lady Vespasia zur Antwort, bevor Charlotte ihre Frage beenden konnte, »wüsste ich nicht, wem ich in diesem Zusammenhang vertrauen könnte.«

»Victor ... Mr Narraway ...« Charlotte spürte, wie ihr eine leichte Hitze ins Gesicht stieg. »... vermutet, dass es mit einem Fall in Irland zu tun haben könnte, der zwanzig Jahre zurückliegt und für den sich jemand an ihm rächen möchte. Mehr hat er mir darüber nicht gesagt, daher nehme ich an, dass ihm die Sache unangenehm ist.«

»Zweifellos.« Einen kurzen Augenblick lang blitzte ein Funke Humor in Lady Vespasia Augen auf. »Zwanzig Jahre soll das zurückliegen? Warum dann die Rache erst jetzt? Zwar sind die Iren dafür bekannt, dass sie einen Groll ebenso wenig vergessen wie einen Gefallen, den man ihnen schuldet, aber sie pflegen mit der Abrechnung nicht zu warten, wenn es nicht unbedingt sein muss.«

»Könnte hier nicht jemand nach dem Grundsatz handeln: ›Rache ist ein Gericht, das man am besten kalt genießt‹?«, gab Charlotte zu bedenken.

»Gewiss, meine Liebe. Aber in diesem Fall wäre sie nicht kalt, sondern steif gefroren. Meiner Vermutung nach steckt mehr dahinter als persönliche Rache, doch weiß ich natürlich nicht, was das sein könnte. Aber was hat das Ganze damit zu tun, dass dich deine Hausangestellte verlassen hat? Kann es sein, dass du ... vergessen ... hast, mir das zu sagen?«

Charlotte fühlte sich unbehaglich. Wäre Tante Vespasia weniger zartfühlend oder weniger besorgt gewesen, hätte diese Mahnung sie entrüstet.

»Ach so, ja ... Mr Narraway ist nach Einbruch der Dunkelheit gekommen, und da das, was wir zu besprechen hatten, aus verständlichen Gründen nicht für fremde Ohren bestimmt war, hat er die Wohnzimmertür geschlossen. Ich habe den Eindruck, dass mich Mrs Waterman ... für eine Frau ... von zweifelhafter Tugend gehalten hat. Deshalb hat sie erklärt, es sei ihr nicht möglich, länger in einem Haus zu bleiben, dessen Herrin sich mit ›anstößigen Dingen‹ abgibt, wie sie sich auszudrücken beliebte.«

»In dem Fall wird sie bei ihrer nächsten Stellensuche keine große Auswahl haben«, sagte Lady Vespasia. »Vor allem dann nicht, wenn sie solche Maßstäbe auch an den Hausherrn anlegt.«

»Davon hat sie nichts gesagt.« Charlotte biss sich auf die Lippe, konnte aber ein Lächeln nicht unterdrücken. »Doch hätte sie bestimmt vor Entrüstung das Haus noch zur selben Stunde verlassen, auf die Gefahr hin, sich am späten Abend mit ihrem Koffer in der Hand allein auf der Straße wiederzufinden, wenn sie gewusst hätte, dass ich Mr Narraway versprochen habe, ihn nach Irland zu begleiten, um ihn bei der Aufdeckung der Wahrheit nach Kräften zu unterstützen. Ich muss es ihm ermöglichen, seinen Namen reinzuwaschen, denn die Leute, die ihm das eingebrockt haben, sind zwangsläufig auch Thomas' Feinde. Ohne Narraway in Lisson Grove wäre er ihnen hilflos ausgeliefert – und was würden wir dann tun?«

Lady Vespasia schwieg eine Weile. »Gib acht, was du tust, Charlotte«, sagte sie mit ernster Stimme. »Ich weiß nicht, ob dir klar ist, wie gefährlich das werden kann.«

Charlotte ballte die Fäuste. »Was soll ich denn deiner Ansicht nach tun? Untätig hier in London herumsitzen, während man Mr Narraway voll Heimtücke zugrunde richtet, und dann darauf warten, dass Thomas sein Schicksal teilt? Im besten Fall wird man ihn aus dem Dienst entlassen, weil er Narraways Schützling ist und man ihn nicht leiden kann, im ungünstigsten aber in den Unterschlagungsvorwurf mit einbeziehen und wegen Diebstahls unter Anklage stellen.« Bei diesen Worten überschlug sich ihre Stimme ein wenig und verriet das Ausmaß ihrer Müdigkeit und ihrer Besorgnis. »Was würdest du an meiner Stelle tun?«

Lady Vespasia streckte ihre Hand über den Tisch aus und berührte ganz sacht Charlottes Fingerspitzen. »Dasselbe wie du, meine Liebe. Nur bedeutet das nicht zwangsläufig, dass deine Entscheidung klug ist. Es ist einfach die einzige, mit der du leben kannst.«

Das Mädchen klopfte und teilte mit, dass im Frühstückszimmer gedeckt sei. Zierliche Mahagonimöbel aus dem 18. Jahrhundert schimmerten dunkel vor goldgelb tapezierten Wänden, so dass es aussah, als äßen sie im Licht des Sonnenuntergangs, obwohl die Vorhänge auch hier zugezogen waren und das einzige Licht von den Gaskandelabern an den Wänden kam.

Erst als sie in den Salon zurückgekehrt waren und sicher sein durften, dass man sie nicht stören würde, wandten sie sich erneut ihrer ernsthaften Unterhaltung zu.

»Du darfst in Irland keinen Augenblick vergessen, wo du bist«, mahnte Lady Vespasia. »Nimm vor allem nicht an, dass es dort zugeht wie hier in England. Die Leute da sind außerstande, die Vergangenheit auch nur einen Augenblick lang zu vergessen. Genieße, was sich dir bietet, aber sei ständig auf der Hut. Man sagt, wer mit dem Teufel essen will, muss einen langen Löffel haben. Das gilt sinngemäß auch dort: Um mit den Iren zurechtzukommen, muss man all seine geistigen Kräfte zusammennehmen. Die bringen es fertig und seifen jeden ein, der nicht aufpasst.«

»Ich werde nicht vergessen, warum ich dort bin«, versprach Charlotte.

»Und auch nicht, dass Victor Irland sehr gut kennt und die Iren ihn kennen?«, fügte Lady Vespasia hinzu. »Du solltest weder seine Intelligenz noch seine Verletzlichkeit unterschätzen. Übrigens hast du mir noch gar nicht gesagt, auf welche Weise du das Unternehmen so durchführen willst, dass sein guter Ruf nicht noch mehr beschädigt und deiner nicht zugrunde gerichtet wird. Ich nehme jedenfalls nicht an, dass dich deine Angst und dein Widerwille gegen das ihm angetane Unrecht in dieser Hinsicht blind gemacht haben?« In ihrer Stimme lag keinerlei Kritik, sondern lediglich Sorge.

Charlotte spürte, wie ihr das Blut heiß ins Gesicht stieg. »Selbstverständlich habe ich daran gedacht. Eine Gesellschafterin kann ich nicht mitnehmen, denn ich habe keine, und ohnehin würde mir das Geld für ihre Reisekosten fehlen, sofern ich eine hätte. Ich werde mich als Mr Narraways Schwester ausgeben, genauer gesagt, als seine Halbschwester. Damit dürfte die Sache ja wohl hinreichend schicklich sein.«

Ein leichtes Lächeln umspielte Lady Vespasias Mundwinkel. »Dann solltest du aber besser aufhören, ihn als ›Mr Narraway‹ anzureden, und seinen Vornamen benutzen, wenn du kein Aufsehen erregen willst.« Sie zögerte. »Vielleicht tust du das ja bereits?«

Charlotte sah ihr in die silbergrauen Augen, ohne sich dazu zu äußern.

Früh am nächsten Morgen kam Narraway in einer Droschke. Als Charlotte die Tür öffnete, zögerte er nur einen winzigen Augenblick, fragte aber nicht, ob sie es sich anders überlegt habe. Vielleicht wollte er ihr keine Gelegenheit geben, in ihrem Entschluss wankend zu werden. Sein Gesicht war düster, und er hatte dunkle Ringe unter den Augen, als habe er schon lange nicht mehr richtig geschlafen. Nachdem er den Droschkenkutscher aufgefordert hatte, ihr Gepäck aufzuladen, fragte er: »Wollen Sie noch einmal hineingehen und sich verabschieden? Wir haben genug Zeit.«

»Nein, vielen Dank, das habe ich bereits getan«, gab sie zurück. »Außerdem sind mir lange Abschiede zuwider. Ich bin zum Aufbruch bereit.«

Er nickte und folgte ihr über den schmalen Weg, half ihr in die Droschke und ging dann hinten um diese herum, um ebenfalls darin Platz zu nehmen. Offensichtlich hatte er dem Kutscher das Fahrtziel schon genannt.

Charlotte hatte sich bereits entschieden, ihm nicht mitzuteilen, dass sie bei Lady Vespasia gewesen war; auch sagte sie kein Wort über Mrs Watermans Verdächtigungen. Das wäre nur peinlich gewesen, so, als sehe auch sie selbst in der Reise etwas, was über deren eigentlichen Zweck hinausging. Der bloße Gedanke ließ ihr die Röte ins Gesicht steigen.

»Vielleicht möchten Sie mir etwas über Dublin erzählen«, schlug sie vor. »Ich war noch nie dort, und mir ist bewusst, dass ich so gut wie nichts darüber weiß, außer, dass es sich um die Hauptstadt Irlands handelt.«

Aus irgendeinem Grund schien ihn das zu belustigen.

»Unterwegs wird genug Zeit dafür sein, denn obwohl wir den Schnellzug benutzen, haben wir nicht nur eine lange Fahrt bis zur Küste, sondern auch noch die mit der Fähre vor uns. Zum Glück ist die Wettervorhersage günstig. Ich hoffe nur, dass sie stimmt, denn wenn die Irische See rau ist, kann die Überfahrt außerordentlich unangenehm werden. Ich werde also unterwegs reichlich Gelegenheit haben, Ihnen alles zu sagen, was ich weiß, angefangen mit der Zeit von 7500 vor Christi Geburt bis heute.«

Es verblüffte sie zu hören, dass die Stadt so alt sein sollte, doch dachte sie nicht daran, ihm zu zeigen, dass es ihm so leicht gelungen war, sie zu beeindrucken. So sagte sie lediglich: »Ach, tatsächlich? Und liegt das daran, dass unsere Reise so lange dauern wird oder dass Sie weniger über die Geschichte Dublins wissen, als ich angenommen hatte?«

»Genau genommen gibt es zwischen der Zeit um 7500 und dem Auftauchen der Kelten dort im Jahre 700 vor Christi Geburt eine große Lücke«, gab er mit einem Lächeln zurück. »Danach ist ebenfalls nicht sonderlich viel passiert, bis ein gewisser Patricius im Jahre 432 nach Christi Geburt dorthin gelangt ist, Apostel und Patron der Iren, den sie gewöhnlich St. Patrick nennen.«

»Wir können also acht Jahrtausende kommentarlos überspringen«, folgerte sie. »Danach gibt es aber doch sicherlich genauere Einzelheiten?«

»Wie wäre es mit der Errichtung der St. Patrick geweihten Kathedrale im Jahre 1192?«, schlug er vor. »Es sei denn, Sie wollen etwas über die Wikinger wissen – da müsste ich selbst erst nachlesen. Auf jeden Fall waren sie keine Iren und zählen deshalb nicht.«

»Sind Sie Ire, Mr Narraway?«, fragte sie plötzlich. Vielleicht war das aufdringlich von ihr, und solange er Pitts Vorgesetzter war, hätte sie eine solche Frage nie zu stellen gewagt, doch jetzt sprachen sie miteinander beinah von Gleich zu Gleich, und vielleicht konnte es für sie wichtig sein, es zu wissen. Mit seinen dunklen Augen, den dunklen Haaren und der Haut, die nicht annähernd so hell war die anderer Briten, konnte er ohne weiteres aus Irland stammen.

Er zuckte leicht zusammen. »Wie förmlich Sie sind – Sie klingen fast wie Ihre Mutter. Ich bin ebenso englisch wie Sie, wenn man von einer irischen Urgroßmutter absieht. Warum fragen Sie?«

»Weil Sie sich in der Geschichte des Landes so gut auskennen«, gab sie zurück. Das entsprach nicht ganz der Wahrheit, denn ihre Frage hatte mehr damit zu tun, dass sie feststellen wollte, wem seine Loyalität galt. Außerdem konnte das womöglich etwas über sein Wesen aussagen und unter Umständen sogar zur Erhellung dessen beitragen, was vor zwanzig Jahren im Fall O'Neil geschehen war.

»Solches Wissen gehört zu meinen Aufgaben«, sagte er ruhig. »Besser gesagt, es gehörte dazu. Möchten Sie etwas über die Fehde hören, die den König von Leinster veranlasste, Heinrich II. von England zu bitten, er möge ein Heer zu seiner Unterstützung entsenden?«

»Ist das interessant?«

»An der Spitze dieses Heeres stand der als *Strongbow* bekannte Richard de Clare. Er hat sich mit der Erbtochter des irischen Provinzialkönigs vermählt und wurde im Jahre 1171 selbst König, womit die Anglo-Normannen die Herrschaft über Irland in die Hand bekamen. Im Jahre 1205 haben sie damit begonnen, die Burg von Dublin zu bauen. ›Silken‹ Thomas ist im Jahre 1534 an die Spitze einer Revolte gegen Heinrich VIII. getreten und in diesem Kampf unterlegen. Sehen Sie allmählich ein Muster?«

»Selbstverständlich. Verbrennen die Iren also heutzutage alljährlich eine Strohpuppe, die den König von Leinster darstellen soll?«

Er lachte kurz und scharf. »Davon habe ich nie etwas gesehen, aber der Gedanke ist nicht schlecht. So, wir sind am Bahnhof. Ich werde mich um einen Gepäckträger kümmern. Wir unterhalten uns im Zug weiter.«

Noch während er das sagte, hielt die Droschke an, und Narraway sprang leichtfüßig hinaus. Mit seiner gebieterischen Haltung erregte er binnen Sekunden die Aufmerksamkeit eines Gepäckträgers, der das Gepäck auf seinen Karren lud. Er entlohnte den Droschkenkutscher und trat dann mit Charlotte in die riesige Halle des Bahnhofs von Paddington, von wo aus die Züge der Gesellschaft Great Western Rail nach Holyhead in Nordwales fuhren. Das Dach, das sich mit seinen großen Bögen gleich einer halbfertigen Kathedrale über ihnen spannte, war so hoch, dass die den Bahnsteigen entgegeneilenden Menschen winzig wirkten. Eine gewisse Ruhelosigkeit und Erregung lagen in der von Dampf, Ruß, Kohlenstaub und Lärm erfüllten Luft.

Narraway nahm Charlottes Arm. Es war ein sonderbares Gefühl, und sie wollte sich im ersten Augenblick dagegen sträuben, doch dann fiel ihr ein, wie töricht das wäre. Falls sie sich in der ungeheuren Menschenmenge aus den Augen verlören, würden sie einander möglicherweise erst nach Abfahrt des Zuges wieder finden. Er hatte die Fahrkarten und wusste sicherlich, zu welchem Bahnsteig sie mussten.

Sie kamen an Gruppen von Menschen vorüber, die Wiedersehen feierten oder Abschied voneinander nahmen. Immer wieder übertönten zischender Dampf und sich mit lautem Knall schließende Waggontüren alles andere. Auf den schrillen Pfiff eines Schaffners hin setzte sich eine der riesigen Lokomotiven in Bewegung und verließ den Bahnhof.

Erst nachdem Narraway und Charlotte ihr Abteil gefunden und darin Platz genommen hatten, setzten sie ihr Gespräch fort. Mit seinem höflichen und sogar zuvorkommenden Verhalten ihr gegenüber konnte er sie nicht über seine innere Anspannung hinwegtäuschen. So gut wie nie hielt er seine Hände ruhig, und immer wieder richtete er seine Blicke hierhin und dorthin, als wolle er sich die Gesichter der Menschen um ihn herum einprägen.

Charlotte sah es als ihre Aufgabe an, die lange Fahrt nach Holyhead so angenehm wie möglich zu gestalten, doch wollte sie zugleich von ihm erfahren, was genau er von ihr erwartete.

Sie nahm an, dass sie ziemlich steif wirkte, wie sie so mit im Schoß gefalteten Händen in vorbildlich aufrechter Haltung auf der ziemlich unbequemen Bank im Abteil saß. Zwar gefiel ihr das gouvernantenhafte Bild ganz und gar nicht, das sie damit abgab, doch jetzt, da sie, jeder aus seinen eigenen Gründen, zu diesem gemeinsamen Abenteuer aufgebrochen waren, musste sie unbedingt darauf achten, keinen Fehler zu begehen, der sich nicht wiedergutmachen ließ, vor allem bezüglich ihrer Gefühle. Sie konnte Victor Narraway gut leiden, er war hochintelligent, alles andere als ein Massenmensch und konnte gelegentlich sehr amüsant sein. Aber sie kannte nur einen Teil von ihm, nämlich die berufliche Seite, die auch Pitt bekannt war, und überdies weit besser, als sie sie je kennenlernen würde. Vielleicht machte diese Seite den Mann in erster Linie aus – das jedenfalls hatte sie Lady Vespasias Andeutungen entnommen. Doch selbstverständlich war ihr klar, dass da noch mehr sein musste, nämlich der Privatmann Narraway. Sicher waren irgendwo hinter seinem Pragmatismus Träume verborgen; sie hatte seinen Augen angesehen, dass er deren Verlust betrauerte.

»Danke für Ihre Ausführungen über die frühe irische Geschichte«, begann sie und kam sich dabei unbeholfen und ungeschickt vor. »Aber ich muss mehr über die Angelegenheit wissen, der wir nachspüren wollen, weil ich sonst bestimmt Wichtiges nicht erkenne, wenn ich etwas darüber höre. Ich kann mir unmöglich alles merken, was gesagt wird, um es Ihnen dann Wort für Wort zu berichten.«

»Selbstverständlich nicht.« Ganz offensichtlich war er bemüht, ein ernstes Gesicht zu machen, was ihm aber nicht ganz gelang. »Ich werde Ihnen so viel sagen, wie ich kann. Sie werden aber verstehen, dass es da nach wie vor den einen oder anderen heiklen Punkt gibt … ich meine, politisch gesehen.«

Sie sah ihn aufmerksam an und begriff, dass das, worauf er damit anspielte, auch für ihn persönlich schmerzlich war. Er erkannte, dass sie das gemerkt hatte, und lächelte. Der Spott, der darin lag, galt in erster Linie ihm selbst.

»Vielleicht könnten Sie mir etwas über die politische Lage im Lande sagen«, regte sie an. »Zumindest, soweit sie allgemein bekannt ist – jedenfalls den Menschen, die sich dafür interessieren«, fügte sie hinzu. Jetzt war die Reihe an ihr, sich ein wenig selbst zu verspotten. »Zu meiner Schande muss ich sagen, dass ich mich zu jener Zeit mehr mit Kleidern und Gesellschaftsklatsch als mit Politik beschäftigt habe.« Damals war sie seiner Schätzung nach um die fünfzehn Jahre alt gewesen. »Und natürlich mit der Frage, wen ich wohl eines Tages heiraten würde.«

»Verständlich. Ein Thema, das die meisten von uns von Zeit zu Zeit beschäftigt.« Er nickte. »Es genügt, wenn Sie über den politischen Hintergrund wissen, dass die Iren, wie bereits seit langer Zeit, unüberhörbar nach Selbstbestimmung verlangen. Verschiedene britische Premierminister haben schon früher versucht, sie im Unterhaus durchzusetzen, was einigen von ihnen großen Ärger bereitet und andere das Amt gekostet hat. Hier geht es um die Zeit des aufsehenerregenden Aufstiegs von Charles Stewart Parnell. Dieser Mann hat sich im Jahre 1877 an die Spitze der Partei gestellt, die sich für die Selbstbestimmung der Iren einsetzte.«

»Den Namen habe ich schon einmal gehört.«

»Kann ich mir denken, wahrscheinlich wegen seines skandalösen Verhältnisses zu Katie O'Shea, das ihm letzten Endes politisch gesehen den Hals gebrochen hat. Aber das war sehr viel später.«

»Bestand zwischen Parnell und den Ereignissen um die Familie O'Neil irgendein Zusammenhang?«

»In keiner Weise, jedenfalls nicht unmittelbar. Aber die Hoffnung, die das Auftreten eines neuen leidenschaftlichen Anführers erweckt, lag in der Luft. Endlich, so nahm man allgemein an, würde Irland unabhängig, und das machte alles anders als zuvor.« Er richtete den Blick aus dem Fenster, durch das die Sonne hereinfiel, auf die vorüberziehende Landschaft, doch ihr war klar, dass er etwas gänzlich anderes sah, was sich in einer anderen Zeit abspielte.

»Und das mussten wir verhindern?«, fragte sie.

»Ich denke, dass es darauf hinauslief, ja. Uns erschien es notwendig, um den Frieden zu bewahren. Die Dinge ändern sich fortwährend, und da muss man darauf achten, dass man nicht die Kontrolle über die Art verliert, wie sie sich entwickeln, damit sie nicht aus dem Ruder laufen. Es hat keinen Sinn, zahllose Menschenleben zu opfern, nur um die eine Tyrannei gegen eine andere einzutauschen.«

»Mir gegenüber brauchen Sie das nicht zu rechtfertigen«, teilte sie ihm mit. »Mir sind diese Gedanken durchaus vertraut. Ich würde nur gern etwas mehr über die Familie O'Neil erfahren, damit ich verstehen kann, warum einer von ihnen Sie persönlich so sehr hasst, dass Sie noch zwanzig Jahre später annehmen, er habe dafür gesorgt, dass man Ihnen ein Verbrechen anlastet, das Sie nicht begangen haben. Was für eine Art Mensch war er? Warum hat er damit so lange gewartet?«

Narraway wandte sich ihr erneut zu. Er sprach zögernd. »Cormac O'Neil? Er hat gut ausgesehen, war ein sehr kräftiger Mann, der genauso leicht lachte wie ärgerlich wurde, doch seine Wut blieb gewöhnlich an der Oberfläche und war rasch vergessen. Ein Mann, der ausgesprochen treu zu Irland und zu seiner Familie hielt und seinem Bruder Sean sehr nahestand.« Er lächelte. »Die beiden haben sich fortwährend wie die Besenbinder in den Haaren gelegen. Aber wehe, ein Außenstehender trat dazwischen – dann haben sie sich gemeinsam auf ihn gestürzt, dass die Fetzen flogen.«

»Wie alt war er damals?«, fragte sie und versuchte sich den Mann vorzustellen.

»An die vierzig«, gab er zurück.

Sie fragte sich, ob er das aus den Akten hatte oder mit Cormac O'Neil gut genug bekannt gewesen war, dass sie solche Dinge voneinander wussten. Sie meinte, tiefreichende und vielschichtige persönliche Empfindungen an Narraway wahrzunehmen, und gewann immer mehr den Eindruck, dass hinter dem Ganzen weit mehr steckte als ein Einsatz des Sicherheitsdienstes. Sicherlich würde er ihr immer nur sagen, was unumgänglich war.

Sie musste sich daran erinnern, dass er alles verloren hatte, was ihm etwas bedeutete, nicht auf materieller Ebene – in diesem Punkt stimmte sie Lady Vespasias Ansicht zu, dass ihm derlei nichts bedeutete. Aber er hatte sein Ziel im Leben verloren, das er mit all seiner Leidenschaft und Energie verfolgt und das geradezu sein Wesen ausgemacht hatte. Am meisten hatte ihn wohl verletzt, dass man ihn an dieser Stelle so tief getroffen hatte.

»Stammen die O'Neils aus einer alten Familie?«, fuhr sie fort. »Wo haben die Leute gelebt und wie?«

Wieder sah er aus dem Fenster zur Sonne hin. »Cormac hatte Landbesitz südlich von Dublin – in Slane. Ein interessanter Ort. Ob die Familie alt war? Gehen wir nicht alle auf Adam zurück?«

Ihr war klar, dass er damit ihrer Frage auswich.

»Er scheint uns sein Erbe aber nicht allen zu gleichen Teilen hinterlassen zu haben«, gab sie zurück.

»Seine finanziellen Mittel erlaubten es ihm, sich mehr oder weniger auf die Verwaltung seines Vermögens zu beschränken. Er und Sean besaßen gemeinsam auch eine Brauerei. Sicher wissen Sie, dass das Wasser des Flusses Liffey für seine besondere Weichheit bekannt ist. Bier lässt sich überall auf der Welt brauen, doch hat keins den ganz besonderen Geschmack des mit Liffey-Wasser gebrauten. Aber Sie wollten wissen, wie die beiden waren.«

»Ja. Müsste ich den Mann nicht für Sie aufspüren? Wenn er Sie so sehr hasst, wie Sie annehmen, wird er Ihnen doch bestimmt nichts sagen, was Ihnen weiterhilft.«

Sein Gesicht verfinsterte sich. »Für den Fall, dass tatsächlich Cormac dahintersteckt, hat er sich die Sache sehr sorgfältig ausgedacht, und er muss über Mulhare und die ganze Operation rundum informiert gewesen sein: die Zusicherung des Geldes und die Höhe des Betrags, den Grund dafür, dass es auf so komplizierte Weise ausbezahlt wurde, und wahrscheinlich auch darüber, dass es Mulhare das Leben kosten würde, wenn es nicht wie vereinbart an diesen weitergegeben wurde.«

Sie hatte nicht die Absicht, noch einmal zu sagen, wie sehr sie mit ihm fühlte und wie verhasst ihr die ganze Geschichte war. Es gab dem, was sie bereits gesagt hatte, nichts hinzuzufügen. »Und er müsste auch eine Möglichkeit gehabt haben, dafür zu sorgen, dass ihn jemand in Lisson Grove dabei unterstützte.«

Er zuckte zusammen. »Ja. Darüber habe ich viel nachgedacht.« Jetzt war sein Gesicht voll Düsterkeit. »Ich habe alle Stücke des Puzzles zusammengesetzt, die ich kenne: Mulhares Verbindungen, was ich unternommen habe, um unter allen Umständen zu verhindern, dass die wahre Herkunft des Geldes bekannt werden konnte, alle Freunde und Feinde, die ich mir im Laufe der Zeit dort gemacht habe, wo das passiert ist. Alles weist auf O'Neil hin.«

»Aber warum sollte jemand in Lisson Grove bereit gewesen sein, den Mann bei seiner Handlungsweise zu unterstützen?«, fragte sie. Ihr war klar, dass diese Frage ebenso schmerzhaft war wie das Herausholen winziger Steinchen aus einem aufgeschürften Knie oder Ellbogen, nur dass sie weit tiefer reichte als eine solche Wunde. Unwillkürlich trat ihr das Bild vor Augen, wie Daniel mit schmutzigen und blutigen Beinen auf einem Küchenstuhl saß und sie versucht hatte, die Stellen zu säubern, an denen er sich die Haut aufgeschürft hatte, und dabei die kleinen Steinchen zu entfernen. Dabei hatten ihm die Tränen in den Augen gestanden, während er finster entschlossen an die Decke gestarrt hatte, um zu verhindern, dass sie ihm über das Gesicht liefen und verrieten, wie sehr es ihn schmerzte.

»Dafür gibt es viele Gründe«, gab Narraway zurück. »Eine Arbeit wie die meine kann niemand erledigen, ohne sich Feinde zu machen. Man erfährt Dinge über andere Menschen, die man weit lieber nicht wüsste. Aber das ist ein Luxus, auf den man in dem Augenblick verzichtet, da man die Verantwortung übernimmt.«

»Das ist mir bekannt«, erwiderte sie ihm.

Seine Augen wanderten ein wenig hin und her. »Tatsächlich? Woher wissen Sie das, Charlotte?«

Sie erkannte die Falle und vermied sie. »Nicht von Thomas. Seit er beim Sicherheitsdienst ist, spricht er nicht mehr über seine Arbeit. Außerdem nehme ich an, dass man so komplizierte Dinge einem Außenstehenden nicht erklären kann.«

Er sah sie jetzt aufmerksam an. Seine Augen waren so dunkel, dass es ihr schwerfiel, darin irgendeinen Ausdruck zu erkennen. Die Linien seines Gesichts zeigten alle Gefühle, die er im Laufe der Jahre empfunden hatte: Besorgnis, Freude und Kummer.

»Meine älteste Schwester ist vor vielen Jahren ermordet worden, wie eine ganze Reihe anderer junger Frauen«, erklärte sie. »Niemand wusste, wer dahintersteckte. Diese Mordserie hat im ganzen Land Aufsehen erregt, und wir alle haben uns über den wahren Hintergrund getäuscht. Aber im Laufe der Nachforschungen hat jeder von uns eine Menge Dinge über sich und die jeweils anderen erfahren, von denen wir besser nie Kenntnis erlangt hätten. So etwas kann man nicht vergessen.« Die bloße Erinnerung schmerzte sie, obwohl die Sache volle vierzehn Jahre zurücklag. Sie hatte nicht die geringste Absicht, ihm mitzuteilen, worin diese Entdeckungen bestanden hatten, und schon gar nicht, was sie dabei über sich selbst erfahren hatte.

Sie sah ihn an und erkannte neben der Überraschung auf seinen Zügen auch eine Freundlichkeit, die sie verlegen machte. Die einzige Möglichkeit, das Unbehagen zu überspielen, bestand darin weiterzureden.

»Später, nachdem ich Thomas geheiratet hatte, habe ich mich an der Aufklärung einer ganzen Reihe seiner Fälle beteiligt, vor allem, wenn es um Angehörige der höheren Schichten ging. Ich hatte den Vorteil, ihnen von Gleich zu Gleich gegenüberzutreten und dabei Dinge in Erfahrung bringen zu können, die er nie im Leben herausbekommen hätte. Man hört ganz nebenbei, was getratscht wird – der Klatsch macht ja einen großen Teil des gesellschaftlichen Lebens aus. Wer etwas erfahren möchte und dabei klug vorgeht, das, was einer sagt, mit dem vergleicht, was andere gesagt haben, unauffällig Fragen stellt und Antworten auswertet, erhält auf jeden Fall Kenntnis von so manch Betrüblichem aus dem Privatleben anderer, was ihn nicht im Geringsten angeht, und er bekommt auch mit, wo diese Menschen verletzlich sind. Mitgefühl wie Enttäuschung kann weit schmerzhafter sein, als man es sich vorstellt, bis man es am eigenen Leibe erfahren hat.«

Er nickte kaum merklich. Ihm war klar, dass es für ihn keinen Grund gab, etwas dazu zu sagen.

Eine Weile saßen sie schweigend da. Das rhythmische Rattern der Räder war angenehm, beinahe einlullend. Die letzten Tage waren schwierig und anstrengend gewesen, und als sie merkte, dass sie einzunicken begann, fuhr sie mit einem Ruck hoch. Hoffentlich hatte sie nicht mit halb offenem Mund in ihrem Sitz gehangen!

Nach wie vor hatte sie nicht die geringste Vorstellung davon, auf welche Weise sie Narraway helfen konnte.

»Wissen Sie, wer Sie in Lisson Grove verraten hat?«, fragte sie.

Er beantwortete ihre Frage umgehend, als habe er geradezu darauf gewartet.

»Nein«, gab er zu. »Ich habe mehrere Möglichkeiten erwogen. Bei Licht besehen, sind die Einzigen, von denen ich sicher bin, dass sie es nicht gewesen sein können, Ihr Mann und ein gewisser Stoker. Während ich darüber nachgedacht habe, ist mir überhaupt erst aufgegangen, wie stümperhaft ich mich verhalten haben muss, dass mir kein Verdacht gekommen ist. Ich habe meinen Blick immer nur nach außen gerichtet, auf die Feinde, von denen ich wusste. In unserem Beruf hätte ich aber auch hinter mich blicken müssen.«

Sie widersprach nicht. Jeder Versuch, ihn zu trösten, wäre nur allzu durchsichtig gewesen und möglicherweise auch als herablassend empfunden worden.

»Das heißt, wir dürfen gegenwärtig im Sicherheitsdienst niemandem trauen, mit Ausnahme dieses Mannes namens Stoker«, folgerte sie. »In dem Fall wird uns wohl in der Tat nichts anderes übrigbleiben, als uns auf Irland zu konzentrieren. Warum hasst Cormac O'Neil Sie eigentlich so sehr? Wenn ich etwas in Erfahrung bringen soll, muss ich unbedingt die Hintergründe kennen.«

Diesmal wich er ihrem Blick nicht aus, doch sie hörte das Zögern in seiner Stimme. Es war ganz offensichtlich, dass er ihr die gewünschte Auskunft nur gab, weil ihm keine andere Wahl blieb. »Ich hatte erfahren, dass er einen Aufstand plante, und habe diesen verhindert, und zwar, indem ich seine Schwägerin, Seans Frau, auf meine Seite gezogen und die Angaben, die sie mir gemacht hat, genutzt habe, um seine Leute festnehmen zu lassen, woraufhin sie zu Gefängnisstrafen verurteilt wurden.«

»Ich verstehe.«

»Nein, Sie verstehen nicht«, sagte er rasch mit gepresster Stimme. »Ich habe auch nicht die Absicht, Ihnen mehr zu sagen. Jedenfalls hat Sean seine Frau deswegen umgebracht und ist für diese Tat zum Strang verurteilt worden. Das kann Cormac mir nicht vergeben. Wenn es einfach ein Kampf gewesen wäre, hätte er den Sieg unserer Seite als Kriegsglück angesehen. Damals hätte er mich dafür vielleicht gehasst, aber inzwischen wäre das längst vergessen, wie das so geht, wenn Schlachten lange genug zurückliegen. Aber Sean und Kate sind immer noch tot. Ihr haftet nach wie vor der Makel einer Verräterin und ihm der eines Mörders an. Ich weiß nicht, warum O'Neil so lange gewartet hat – das ist das Einzige, was ich an der ganzen Geschichte nicht verstehe.«

»Vielleicht spielt es auch keine Rolle«, sagte sie düster. Es war eine tragische und auch äußerst hässliche Geschichte, und sie war überzeugt, dass er sie ihr nur in ganz groben Zügen berichtet hatte, möglicherweise, um Geheimnisse des Sicherheitsdienstes zu wahren. Doch eigentlich war sie überzeugt, dass er sich für seinen Anteil an diesen Vorfällen schämte.

»Und was soll ich jetzt tun?«, fragte sie.

»Ich denke, dass ich nach wie vor Freunde in Dublin habe«, gab er zur Antwort. »Da ich keine Möglichkeit habe, selbst an Cormac heranzutreten, brauche ich jemanden, auf den ich mich verlassen kann. Es muss ein Mensch sein, der völlig unbeteiligt wirkt und in keiner Weise mit mir in Verbindung zu stehen scheint. Ich kann mich nicht einmal mit Ihnen irgendwo zeigen, sonst würde man Sie sofort mit Argwohn betrachten. Beschaffen Sie mir die Fakten; ich kann sie dann zusammensetzen.« Er schien noch etwas hinzufügen zu wollen, unterließ es dann aber.

»Haben Sie Sorge, dass ich unter Umständen nicht erkennen kann, was wichtig ist?«, fragte sie. »Oder dass ich es mir nicht merke und Ihnen falsch berichte?«

»Nein. Mir ist durchaus klar, dass Sie zu beidem imstande sind.«

»Wirklich?« Sie war überrascht.

Er lächelte flüchtig. »Sie haben mir gesagt, dass Sie Pitt geholfen haben, als er bei der Polizei war, als ob Sie der Ansicht wären, dass ich das nicht wüsste.«

»Ich hatte den Eindruck, dass Ihnen die Sache mit meiner Schwester Sarah nicht bekannt war«, gab sie zurück. »Oder war es mehr Takt als Wahrheitsliebe, dass Sie nichts dazu gesagt haben?«

In seine Augen trat ein gekränkter Blick, der sogleich wieder verschwand. »Es war die Wahrheit. Aber vielleicht habe ich diesen Kommentar verdient. Das meiste über Sie habe ich von Vespasia erfahren. Sie hat Sarah mit keiner Silbe erwähnt, vielleicht aus Feingefühl. Und ich brauchte das ja auch nicht zu wissen.«

»Aber das andere mussten Sie wissen?«, fragte sie ungläubig.

»Selbstverständlich. Sie gehören zu Pitts Leben. Ich musste genau wissen, wie weit ich mich auf Sie verlassen konnte. Allerdings kann ich Ihnen angesichts meiner gegenwärtigen Lage keine Vorwürfe machen, wenn Sie meine diesbezüglichen Fähigkeiten anzweifeln.«

»Das klingt wie Selbstmitleid«, sagte sie mit Schärfe in der Stimme. »Ich habe keine Kritik an Ihnen geübt, und das weder, weil sich das so gehört, noch aus Mitgefühl. Wir können uns keine dieser beiden Haltungen leisten, sofern sie die Wahrheit verhüllen. Wir sind darauf angewiesen, einander bedingungslos zu trauen. Das Vergehen besteht im Verrat, nicht im Verratenwerden.«

»Wirklich gut, dass Sie keinen Mann aus den höheren Kreisen geheiratet haben«, gab er zurück. »Sie hätten das nicht überlebt – vielleicht aber hätte es auch die feine Gesellschaft nicht überlebt, und das wäre gar nicht mal schlecht. Eine kleine Erschütterung der Grundfesten von Zeit zu Zeit kann ganz heilsam sein.«

Sie war nicht sicher, ob er über sie spottete, sich verteidigte oder beides.

»Sie haben also meine Unterstützung akzeptiert, weil Sie überzeugt sind, dass ich imstande bin zu tun, was Sie von mir erwarten«, schloss sie.

»Aber nein. Ich habe es getan, weil Sie so darauf bestanden haben. Ganz davon abgesehen hatte ich ohnehin keine Wahl, da Stoker der einzige andere Mensch ist, dem ich traue, und er hat sich nicht dazu erbötig gemacht.«

»*Touchée*«, sagte sie gelassen.

Sie schwiegen eine ganze Weile, und als sie das Gespräch wieder aufnahmen, drehte es sich um Unterschiede zwischen der feinen Gesellschaft in London und in Dublin. Er schilderte ihr das Leben in der irischen Hauptstadt und deren Umland, Patronatsfeste, Festspiele und andere Gelegenheiten, bei denen die Iren feierten, mit so großer Lebhaftigkeit, dass sie sich zu freuen begann, all das bald mit eigenen Augen sehen zu dürfen.

In Holyhead stiegen sie auf die Fähre um und suchten nach einer kurzen Mahlzeit ihre Kabinen auf. Zwar würde die Fähre schon vor Morgengrauen in Kingstown, dem Hafen von Dublin, anlegen, doch brauchten die Passagiere nicht sogleich an Land zu gehen, sondern durften ausschlafen und in Ruhe frühstücken.

Nach der Ausschiffung in Kingstown konzentrierte sich Charlotte so sehr darauf, weder Narraway noch den Gepäckträger aus den Augen zu verlieren, dass sie nicht dazu kam, ihre Umgebung zur Kenntnis zu nehmen. Bei der Fahrt in die Stadt, die gerade erwachte, sah sie, wie sich die vom Regen sauber gewaschenen Straßen nach und nach mit Menschen füllten, die ihren Verrichtungen nachgingen. Eine große Zahl von Pferdefuhrwerken war unterwegs – um diese Tageszeit hauptsächlich solche von Händlern und Gewerbetreibenden. Kutschen und Einspänner würden erst später dazukommen. Die wenigen Frauen auf der Straße waren Dienstmädchen, die Einkäufe machten, Wäscherinnen oder Fabrikarbeiterinnen in dicken Röcken und wollenen Umschlagtüchern. All das war mehr oder weniger so wie auch in London um diese Tageszeit. Auf die von Narraway angekündigten deutlichen Unterschiede zwischen Dublin und London würde sie wohl noch warten müssen.

Er schien ziemlich genau zu wissen, in welchem Teil der Stadt er eine Unterkunft für sie beide suchen wollte, denn er hatte dem Droschkenkutscher exakte Anweisungen gegeben, ohne ihr Näheres zu sagen. Während er hinaussah, beobachtete sie sein Gesicht, auf dem im scharfen Licht des frühen Morgens noch die kleinsten Fältchen um Mund und Augen zu sehen waren. Das ließ ihn älter und weit weniger selbstsicher erscheinen als sonst.

Sie fragte sich, woran er sich wohl erinnern mochte, während er den Blick durch die ihm sicherlich vertrauten Straßen gleiten ließ. Ein wie großer Teil der Leidenschaft oder des Kummers in seinem Leben mochte sich hier abgespielt haben? Sie war froh, das nicht zu wissen, und schon der bloße Gedanke daran kam ihr vor wie ein unerlaubtes Eindringen in seine Privatsphäre. Es wäre ihr recht, das nie zu erfahren.

Sie musste an Daniel und Jemima denken und hoffte, dass Minnie Maude gut mit allem zurechtkam. Es hatte so ausgesehen, als ob die Kinder sie gut leiden könnten. Zweifellos war die junge Frau ihrer Aufgabe gewachsen, sonst hätte Gracie sie kaum empfohlen. So sehr sie Gracie ihr Glück gönnte, so sehr fehlte sie ihr bei Gelegenheiten wie dieser.

Gleich darauf verbot sie sich diesen lachhaften Gedanken. Eine Zeit wie diese hatte es nie zuvor gegeben. Alle früheren Fälle und Abenteuer hatten sich in London oder in der näheren Umgebung der Stadt abgespielt, hier aber fuhr sie in einem fremden Land mit Victor Narraway auf der Suche nach einer Unterkunft durch die Straßen. Da brauchte sie sich wirklich nicht über Mrs Watermans Entrüstung zu wundern. Vielleicht hatte die Frau damit ja durchaus Recht gehabt. Charlotte hatte weder eine Vorstellung davon, wo sie sich befand, noch davon, auf welche Weise sie Narraway oder auch ihrem Mann helfen konnte.

Pitt war in Frankreich, hatte nicht einmal ein frisches Hemd, Socken oder Wäsche zum Wechseln mit und verfolgte jemanden, dem es nichts ausmachte, einem Mann am helllichten Tag die Kehle durchzuschneiden, so dass er verblutete und liegenblieb wie ein Sack Abfall. Zwar hatte Narraway ihm Geld geschickt, aber würde er damit auskommen? Ganz davon abgesehen war er auf Unterstützung angewiesen, auf Informationen, möglicherweise auch auf die Mitwirkung der französischen Polizei. Würde der Mann, der in Lisson Grove an Narraways Stelle getreten war, für all das sorgen? Verhielt er sich seinen Untergebenen gegenüber loyal – und war er seiner Aufgabe überhaupt gewachsen?

Schlimmer noch war der Gedanke, dass er nahezu mit Sicherheit auch Pitts Feind war, wenn es sich bei ihm um einen Feind Narraways handelte. Da Pitt von den Vorgängen in London nichts wusste, würde er seine Berichte weiterhin so abfassen, als ob sie für Narraway bestimmt seien.

Sie wandte sich von ihm ab und sah hinaus. Die Fahrt ging vorüber an hübschen Häusern aus dem 18. Jahrhundert und ab und zu auch an öffentlichen Gebäuden und Kirchen von klassischer Eleganz. Von Zeit zu Zeit erhaschte sie einen Blick auf den Liffey, der sich nicht so sehr zu winden schien wie die Themse.

Die Pferdebahnen sahen denen in London recht ähnlich, und in den stilleren Seitenstraßen peitschten Kinder Kreisel oder vergnügten sich mit Seilhüpfen.

Zweimal setzte sie an, um zu fragen, wohin sie fuhren, unterließ es aber, als sie die Anspannung und Konzentration auf Narraways Zügen erkannte.

Schließlich hielten sie vor einem Haus in der Molesworth Street im Südosten der Stadt an.

»Augenblick«, sagte Narraway, der plötzlich wieder ansprechbar schien, »ich bin gleich wieder da.« Ohne auf ihre Erwiderung zu warten, stieg er aus, ging auf das nächstgelegene Haus zu und klopfte kräftig an dessen Tür. Schon bald öffnete eine Frau in mittleren Jahren, die eine weiße Schürze trug und die Haare in einem Knoten auf dem Kopf zusammengefasst hatte. Nachdem Narraway etwas zu ihr gesagt hatte, bat sie ihn herein und schloss die Tür hinter ihm.

Mit einem Mal merkte Charlotte, dass sie fror und schrecklich müde war. Sie hatte schlecht geschlafen, teils wegen der Enge der Kabine und der ständigen Bewegung des Fährschiffs, vor allem aber, weil ihr zu Bewusstsein gekommen war, wie überstürzt sie gehandelt hatte. Während sie jetzt dort wartete, wäre sie gern an jedem anderen Ort als jenem gewesen. Vermutlich würde Pitt fuchsteufelswild sein, sobald er davon erfuhr. Und wenn er nun nach Hause zurückkehrte und die Kinder allein in der Obhut eines Mädchens vorfand, das er nie zuvor gesehen hatte? Sie würden ihm mitteilen, dass Charlotte mit Narraway nach Irland gereist war, ohne ihm den Grund dafür sagen zu können!

Sie fröstelte, als Narraway zurückkehrte, erst mit dem Kutscher sprach und dann das Wort an sie richtete.

»Hier bekommen wir ruhige und saubere Zimmer. Es ist ein durch und durch achtbares Haus, und wir werden hier niemandes Aufmerksamkeit erregen. Sobald wir uns eingerichtet haben, werde ich mit den Leuten in der Stadt Verbindung aufnehmen, denen ich nach wie vor trauen kann.« Er musterte sie aufmerksam. Ihr war klar, dass sie müde und zerzaust aussah, ganz davon abgesehen, dass man ihr die schlechte Laune vermutlich vom Gesicht ablesen konnte. Sie hatte von sich selbst in diesem Augenblick keine besonders hohe Meinung. Sicher würde ein Lächeln die Situation entspannen, doch wäre es ihr angesichts der Umstände töricht erschienen, ein künstliches Lächeln aufzusetzen.

»Bitte warten Sie auf mich«, fuhr er fort. »Sie können sich unterdessen gern ausruhen. Vielleicht haben wir heute Abend eine Menge zu tun. Bedauerlicherweise dürfen wir keine Zeit verlieren.«

Er hielt ihr den Arm hin, um ihr beim Aussteigen behilflich zu sein, und sah ihr fragend in die Augen. Offensichtlich war er um sie besorgt, doch war sie froh, dass er nichts weiter sagte. Alles Nötige war gesagt worden. Augenblicke des Zweifels waren unvermeidlich, vielleicht sogar solche, in denen sie vom unausbleiblichen Fehlschlag ihres ganz und gar verantwortungslosen Unternehmens überzeugt war. Solche Augenblicke galt es mit möglichst viel Seelenstärke und möglichst wenig Jammern zu ertragen. Auf jeden Fall musste sie bedenken, dass man seine und nicht ihre berufliche Existenz zugrunde gerichtet hatte und er derjenige war, der letztlich die Konsequenzen auf sich nehmen musste. Er war derjenige, den man der Veruntreuung von Geldern und des Verrats beschuldigte – gegen sie würde niemand solche Vorwürfe erheben.

Aber natürlich bestand eine große Wahrscheinlichkeit, dass man Pitt mit in die Sache hineinziehen würde.

»Danke«, sagte sie mit einem flüchtigen Lächeln und sah dann zu dem Haus hin. »Es sieht sehr angenehm aus.«

Nach kurzem Zögern ging er etwas zuversichtlicher vor ihr auf die Haustür zu. Als die Pensionswirtin öffnete, stellte er ihr

Charlotte als seine Halbschwester Mrs Pitt vor, die nach Irland gekommen war, um Verwandte mütterlicherseits zu besuchen.

»Guten Tag, Ma'am«, sagte Mrs Hogan mit munterer Stimme. »Willkommen in Dublin. Es ist eine schöne Stadt.«

»Danke, Mrs Hogan. Ich freue mich schon richtig darauf«, gab Charlotte zurück.

Narraway verließ die Pension nahezu augenblicklich. Charlotte begann ihren Koffer auszupacken und die Falten der wenigen Kleidungsstücke zu glätten, die sie mitgebracht hatte. Nur ein Kleid eignete sich für formelle Anlässe, aber sie hatte schon vor einiger Zeit beschlossen, die Gewohnheit der bekannten Schauspielerin Lillie Langtry zu übernehmen und es bei jedem Anlass mit anderen Accessoires zu verändern. Um die Aufmerksamkeit der Menschen davon abzulenken, dass es sich jedesmal um ein und dasselbe Kleid handelte, hatte sie Ohrringe, eine Halskette aus Hämatit und Bergkristall sowie eine schwarze und eine weiße Spitzenmantille mitgebracht. Immerhin saß das Kleid bemerkenswert gut. Frauen würden zweifellos trotzdem merken, dass sie bei jeder Gelegenheit dasselbe Kleid trug, aber mit etwas Glück würden Männer lediglich sehen, dass sie gut darin aussah.

Während sie es ebenso wie das Kostüm mit zwei Röcken und ein Kleid aus dünnerem Stoff in den Schrank hängte, musste sie unwillkürlich an die Zeit denken, als Pitt noch bei der Polizei war und sie zusammen mit ihrer Schwester Emily versucht hatte, ihm bei seinen Ermittlungen zu helfen, insbesondere dann, wenn die Verbrechensopfer den gehobenen Schichten der Gesellschaft angehörten, in denen sie und Emily ungehindert verkehren konnten, während dem Polizeibeamten Pitt Einblick lediglich als Außenstehendem gewährt wurde – und so jemandem gegenüber verhielten sich die Menschen unnatürlich und mit äußerster Zurückhaltung.

Diese Verbrechen waren jeweils das Ergebnis menschlicher Leidenschaft und gelegentlich gesellschaftlicher Unbill gewesen, aber nie mit Staatsgeheimnissen verbunden. Für Pitt hatte es keinen Grund gegeben, nicht offen mit ihr darüber zu sprechen und ihre Kenntnisse von den Zusammenhängen und den Verhaltensweisen der Angehörigen jener Gesellschaftsschicht nicht zu nutzen, die sich so sehr von der seinen unterschied, dass er nicht ohne weiteres zu erfassen vermochte, wie er einzuschätzen hatte, was sie taten und sagten. Ganz besonders galt das natürlich für die Damen der Gesellschaft.

Fast immer war es um eine menschliche Tragödie gegangen, und bisweilen war es dabei zu gefährlichen Situationen gekommen. Charlotte hatte häufig Zorn über Ungerechtigkeiten empfunden und Mitgefühl für Menschen aufgebracht, deren Handlungsweise auf einer Gefühlsverwirrung beruhte. Dennoch hatte sie dies Abenteuer, an dem Kopf und Herz gleichermaßen beteiligt waren, sehr geschätzt, zumal es dabei um eine Sache gegangen war, für die zu kämpfen sich lohnte. Sie hatte sich dabei nie gelangweilt und auch nie die innere Leere empfunden, die sich einstellte, wenn man im Leben kein Ziel hatte, an das man unverbrüchlich glaubte.

Sie verteilte ihre Toilettenartikel auf der Frisierkommode und der Ablage des freundlichen Badezimmers, das sie sich mit einem anderen weiblichen Pensionsgast teilte. Dann zog sie Rock und Bluse aus, nahm die Haarnadeln heraus und legte sich im Unterrock auf das Bett.

Als es an der Tür klopfte, fuhr sie hoch. Sie musste wohl eingeschlafen sein. Verwirrt sah sie die Möbel, die Gaslampen an den Wänden und die Fenster an – nichts davon war ihr vertraut. Einen Augenblick lang wusste sie nicht, wo sie war, doch dann fiel es ihr ein, und sie stand so rasch auf, dass sie dabei die Decke vom Bett herunterzog.

»Wer ist da?«, fragte sie.

»Victor«, sagte er leise. Immerhin war es möglich, dass Mrs Hogan besonders feine Ohren hatte, und er wollte auf jeden Fall die Täuschung aufrechterhalten, dass es sich bei ihnen beiden um Halbgeschwister handelte.

»Ach je.« Sie sah an sich herab, wie sie im Unterrock dastand. »Einen Augenblick bitte«, sagte sie. Zwar konnte sie unmöglich binnen kürzester Zeit ihre Haare wieder ordentlich feststecken, aber auf jeden Fall musste sie sich vollständig anziehen. Mit einem Mal war sie wegen ihres Aussehens befangen. Sie schlüpfte rasch in Rock und Bluse, warf sich dann die Kostümjacke über, knöpfte sie in der Eile falsch zu und musste wieder von vorn anfangen. Sicherlich fragte er sich, während er auf dem Gang vor dem Zimmer wartete, warum sie so lange brauchen mochte.

»Ich komme gleich«, sagte sie, fuhr sich rasch mit der Bürste über die Haare und öffnete dann die Tür.

Trotz seiner Erschöpfung musterte er sie mit einem belustigten Lächeln. Möglicherweise lag darin auch eine Anerkennung ihrer Weiblichkeit, die sie lieber nicht zur Kenntnis nahm. Sie war keine ausgesprochene Schönheit – jedenfalls nicht im landläufigen Sinne –, aber eine bemerkenswert gut aussehende Frau mit vollem Haar, glatter weicher Haut und ausgeprägten weiblichen Formen.

»Du bist heute zu einer Abendgesellschaft eingeladen«, sagte er, kaum dass er ins Zimmer getreten war und die Tür hinter sich geschlossen hatte. »Und zwar im Haus von John und Bridget Tyrone, mit denen ich noch nicht zusammenzutreffen wage. Mein Freund Fiachra McDaid begleitet dich. Ich kenne ihn schon lange, und er wird dich mit ausgesuchter Höflichkeit behandeln. Gehst du bitte hin?«

»Selbstverständlich«, sagte sie sogleich, sowohl, um sich festzulegen, bevor ihre Vorsicht sie mahnte, es lieber nicht zu tun, als auch, um ihn zu beruhigen. »Erzähl mir etwas über diesen McDaid und das Ehepaar Tyrone. Je mehr ich weiß, desto besser. Was ist ihnen von dir bekannt? Wird es sie erstaunen, dass du plötzlich mit einer Halbschwester auftauchst?« Ein flüchtiges Lächeln trat auf ihre Züge. »Die noch dazu ferne Verwandte in Irland aufsuchen möchte. Und wie gut kennen wir beide einander schon? Ist mir deine Tätigkeit für den Sicherheitsdienst bekannt? Vermutlich sollten wir uns darauf einigen, dass wir in getrennten Familien aufgewachsen sind, denn wir wissen zu wenig voneinander. Der kleinste Fehler könnte Argwohn wecken.«

Die Hände in den Taschen, lehnte er am Türrahmen. Er sah völlig entspannt aus, völlig anders als der, den sie bisher ausschließlich im Zusammenhang mit seinen Berufspflichten kennengelernt hatte. Sie stellte sich flüchtig vor, wie er vor zwanzig Jahren gewesen sein musste: ein kluger Mann, der niemanden nah an sich heranließ und dessen Gefühle man nicht recht einschätzen konnte. Allerdings fühlten sich manche Frauen gerade davon unwiderstehlich angezogen. Sie selbst hatte mehrere von dieser Art Frau kennengelernt, die sich davon weit mehr verlocken ließen als von der Aussicht auf eine gute Heirat – einen Mann mit einem Adelstitel oder viel Geld.

Während sie auf seine Antwort wartete, war sie sich ihres Reisekostüms und ihres unfrisierten Haares bewusst.

»Mein Vater hat deine Mutter geheiratet, nachdem die meine gestorben war«, begann er.

Sie hörte aufmerksam zu, um sich genau einzuprägen, was er sagte, damit sie beide jederzeit dieselbe Geschichte erzählen konnten.

»Als du geboren wurdest«, fuhr er fort, »habe ich schon in Cambridge studiert. Deshalb wissen wir so wenig voneinander. Mein Vater stammt aus Buckinghamshire, kann aber ohne weiteres nach London gezogen sein, so dass du einfach sagen kannst, wo du aufgewachsen bist und wo du dich auskennst. Man sollte immer möglichst nah an der Wahrheit bleiben. Ich kenne die Gegend und habe euch von Zeit zu Zeit besucht.«

»Was hat er gemacht – ich meine, unser Vater?«, fragte sie. Das Ganze war so unwirklich und geradezu lächerlich, aber ihr war klar, dass es wichtig war und von entscheidender Bedeutung sein konnte.

»Er hatte Grundbesitz in Buckinghamshire und hat in jungen Jahren bei der Kolonialarmee in Indien gedient. Ich habe ihn nicht besonders gut gekannt, du brauchst also auch nicht mehr über ihn zu wissen.«

Sie hörte den Ton des Bedauerns in seiner Stimme, einen gewissen Zorn über das, was ihm in der Jugend entgangen sein mochte, doch das war rasch verflogen. »Er ist schon länger tot. Was deine Mutter betrifft, kannst du dich an die Wahrheit halten. Du und ich haben einander erst kürzlich näher kennengelernt und wollen unsere Bekanntschaft auf dieser Reise vertiefen.« Ein undeutbarer Ausdruck trat in seine Augen und verschwand wieder.

»Aber warum ausgerechnet Irland?«, fragte sie. »Danach wird man mich doch bestimmt fragen.«

»Meine Mutter war Irin«, gab er zurück.

»Tatsächlich?«, fragte sie überrascht, da er es zuvor abgestritten hatte, irischer Abkunft zu sein. Er hatte ihr doch gesagt, eine seiner Urgroßmütter sei Irin gewesen.

»Natürlich nicht«, fuhr er mit breitem Lächeln fort, »aber sie lebt nicht mehr und wird sich nicht beschweren.«

Sie empfand ein sonderbares Mitgefühl und begriff seine große Einsamkeit.

»Ich verstehe«, sagte sie ruhig. »Und was ist mit den Verwandten, die ich suche? Wieso bleibe ich einfach hier in Dublin, ohne etwas zu unternehmen, um sie zu finden? Warum suche ich sie überhaupt?«

»Vielleicht solltest du diesen Punkt besser streichen«, gab er zurück. »Du willst einfach Dublin kennenlernen. Ich habe dir so viel darüber berichtet, und wir haben uns diesen Vorwand ausgedacht, um einen Grund für die Reise hierher zu haben. Die Leute sind sicher gern bereit, das zu glauben, denn es wird ihnen schmeicheln. Dublin ist eine herrliche Stadt und von einzigartigem Zauber.«

Sie erhob keine Einwände, hatte aber das Gefühl, dass sie nicht weiterkommen würden, wenn sie keine Fragen stellte. Höfliches Interesse ließ sich einfach beiseite wischen und erforderte nicht mehr als ebenso höfliche wie unergiebige Antworten.

Charlotte nahm ihren Umhang, und sie verließen Mrs Hogans Haus, um in der angenehmen Atmosphäre des Frühlingsabends den knappen Kilometer bis zum Anwesen von Fiachra McDaid zu Fuß und schweigend zurückzulegen.

Narraway klopfte an die mit Schnitzereien verzierte Mahagonitür, die ein eleganter Mann in einem dunkelgrünen Samtjackett nahezu sogleich öffnete. Er war ziemlich groß und um die Leibesmitte herum recht rundlich. Im Schein der Lampe an der Haustür wirkten seine Züge trübsinnig, doch sobald er Narraway erkannte, leuchtete sein Gesicht in einer Weise auf, die ihn auf verblüffende Weise anziehend erscheinen ließ. Sein Alter ließ sich nur schwer schätzen, aber da sein schwarzes Haar an den Schläfen weiße Strähnen aufwies, nahm Charlotte an, dass er an die fünfzig sein musste.

»Victor!«, sagte er munter und ergriff Narraways Hand, um sie kräftig zu schütteln. »Das Telefon ist zwar eine großartige Erfindung, lässt aber gegenüber einer persönlichen Begegnung viel zu wünschen übrig.« Er wandte sich Charlotte zu. »Und Sie sind bestimmt Mrs Pitt, die zum ersten Mal die Königin unserer Städte besucht. Ich heiße Sie willkommen. Es wird mir ein Vergnügen sein, Ihnen einen Teil von ihr zu zeigen. Ich suche das Beste für Sie heraus, denn die Zeit ist zu knapp, um alles zu genießen. Dafür würde Ihr ganzes Leben nicht ausreichen. Treten Sie näher, wir wollen einen Schluck trinken, bevor wir aufbrechen.« Er hielt die Tür weit auf, und nach einem Blick auf Narraway nahm Charlotte die Einladung an.

Die Räume waren elegant eingerichtet, ganz im Stil des frühen 19. Jahrhunderts. So hätte es ohne weiteres auch in einer guten Wohngegend Londons aussehen können, vielleicht mit Ausnahme einiger der Bilder an den Wänden und der eigenartigen silbernen Pokale auf dem Kaminsims. Sie fand die kleinen Unterschiede interessant und hätte gern alles genauer in Augenschein genommen, doch wäre ein solches Verhalten unhöflich gewesen, da der Mann nicht wissen würde, ob sie die Dinge bewunderte oder kritisch beäugte.

»Sie müssen unbedingt ins Theater gehen«, fuhr Fiachra McDaid fort und sah Charlotte an. Ihr war klar, dass er sie aufmerksam musterte, obwohl er sich bemühte, das beiläufig aussehen zu lassen.

Er bot ihr ein Glas Sherry an, an dem sie lediglich nippte. Sie hatte nur wenig gegessen und musste einen klaren Kopf bewahren.

»Natürlich«, gab sie mit einem Lächeln zurück. »Die anderen Damen in London würden mich sicherlich sonderbar ansehen, wenn ich in Dublin gewesen wäre, ohne ins Theater zu gehen.« Nicht ohne Befriedigung sah sie einen Augenblick Verwirrung in seinen Augen. Es war eine unbedeutende Bemerkung gewesen, wie eine Frau sie wohl machte, der mehr daran lag, was andere von ihr hielten, als sie von sich selbst – und mit solchen Menschen würde sich Narraway freiwillig nicht umgeben. Was mochte er diesem Mann über sie gesagt haben? Und was wusste McDaid über Narraway? Sie war sicher, dass sie auf solche Fragen keine Antwort bekommen würde.

Der Ausdruck in McDaids Augen, der nur flüchtig aufgeblitzt war, hatte ihr gezeigt, dass es eine ganze Menge sein musste. Sie lächelte, nicht, um ihn zu umgarnen, sondern aus Belustigung.

Er sah das Lächeln und verstand es. Ja, offensichtlich wusste er eine ganze Menge über Narraway.

»Ich nehme an, dass man dort alle interessanten Menschen trifft«, sagte sie.

»So ist es«, bestätigte er mit einem Nicken. »Und eine ganze Anzahl von ihnen wird heute bei der Abendgesellschaft der Tyrones anwesend sein. Es wird mir ein Vergnügen sein, sie Ihnen vorzustellen. Von hier ist es nur eine kurze Fahrt dorthin. Da es aber spät werden wird und zu weit ist, um zu Fuß in die Molesworth Street zurückzukehren, werde ich mir erlauben, Sie anschließend in meiner Kutsche nach Hause zu bringen.«

»Das klingt sehr gut.« Zu Narraway gewandt, fragte sie: »Sehe ich dich morgen zum Frühstück? Sagen wir, gegen acht?«

Er lächelte. »Ich nehme an, dass es dir lieber sein wird, wenn ich neun Uhr sage«, gab er zur Antwort.

Auf dem Weg zum Haus ihrer Gastgeber unterhielten sich Charlotte und ihr Begleiter ausschließlich über belanglose Dinge. In erster Linie nannte ihr McDaid die Namen der Straßen, durch die sie fuhren, und erwähnte einige der Größen, die dort gelebt hatten. Manche der Namen hatte sie noch nie gehört, und obwohl sie das nicht sagte, nahm sie an, dass er es vermutete. Mitunter flocht er ein »Wie Sie sicher wissen« ein und teilte ihr dann etwas mit, wovon sie nicht die geringste Ahnung gehabt hatte.

Das Haus des Ehepaars Tyrone war größer als das McDaids. In der aufwendig gestalteten Eingangshalle führten zu beiden Seiten geschwungene Treppen nach oben, die sich über der Tür zum ersten Empfangssalon zu einer Galerie vereinigten. Links hinter dem Salon lag das Esszimmer, in dem für über zwanzig Personen gedeckt war.

Mit einem Mal begriff Charlotte, dass sie eine privilegierte Außenseiterin war, die man im Gegenzug für einen erwiesenen Gefallen oder zum Ausgleich einer bestehenden Schuld eingeladen hatte. Als sie und McDaid eintrafen, waren bereits über ein Dutzend Gäste da, Herren in Abendgarderobe und Damen, welche die gleichen Farben trugen, die man auch bei einer entsprechenden Abendgesellschaft in London hätte sehen können. Der Unterschied lag in der energiegeladenen Atmosphäre im Raum, in den ausholenden Handbewegungen und darin, dass die Anwesenden mit eindeutig nicht auf die englische Standardaussprache hin gedrillten melodiösen Stimmen sprachen.

Sie wurde der Gastgeberin Bridget Tyrone vorgestellt, einer gut aussehenden Frau mit blendend weißen Zähnen. Ihr herrliches, kaum gebändigtes kastanienfarbenes Haar schien sich ihren Bemühungen, es zu frisieren, auf die gleiche Weise entzogen zu haben, wie Herbstlaub im Wind davonweht.

»Mrs Pitt ist gekommen, um sich Dublin anzusehen«, teilte ihr McDaid mit. »Wo könnte man da besser beginnen als bei Ihnen?«

»Aha, Neugier also führt Sie hierher?«, fragte John Tyrone, der neben seiner Gattin stand, ein Mann mit dunklen Haaren und leuchtend blauen Augen.

Da Charlotte in der Frage einen Vorwurf zu spüren glaubte, ergriff sie die Gelegenheit und erläuterte mit einem Lächeln, von dem sie hoffte, dass es warm wirkte: »Sagen wir: Interesse. Einige Verwandte aus der Familie meiner Mutter stammen aus der näheren Umgebung der Stadt und haben so begeistert von ihr gesprochen, dass ich mich selbst einmal hier umsehen wollte. Ich bedaure nur, dass es so lange gedauert hat, bis sich eine Möglichkeit dazu ergab.«

»Ich hätte es mir denken sollen!«, sagte Bridget sogleich. »Sieh dir doch nur die Haare an, John! Das ist ein typisch irischer Farbton, nicht wahr? Wie hießen sie denn?«

Charlotte überlegte rasch. Sie musste sich etwas ausdenken, zugleich aber auch dafür sorgen, dass es der Wahrheit so nahe wie möglich kam, damit sie später nicht vergaß, was sie gesagt hatte oder sich gar widersprach. Außerdem musste es für Narraways und ihr Vorhaben nützlich sein. Alles, was sie unternahm, würde sich als sinnlos erweisen, wenn sie nichts über die Vergangenheit erfuhr. Bridget Tyrone wartete mit weit geöffneten Augen auf ihre Antwort.

Charlottes Großmutter hatte Christine Owen geheißen, und so sagte sie mit der gleichen Gelassenheit, die sie empfunden hätte, wenn sie in einen Wildwasserfluss hätte springen müssen: »Christina O'Neil.«

Einen Augenblick herrschte Schweigen. Ihr kam der entsetzliche Gedanke, dass es möglicherweise einen Menschen dieses Namens gab, den diese Leute kannten. Wie um Himmels willen würde sie aus der Sache herauskommen, falls es sich so verhielt?

»O'Neil«, wiederholte Bridget. »Hier in der Gegend gibt es viele O'Neils. Bestimmt werden Sie jemanden finden, der sie gekannt hat, außer natürlich, wenn die Leute das Land während der großen Hungersnot verlassen haben. Gott allein weiß, wie viele das gewesen sein mögen. Kommen Sie, ich möchte Sie unseren anderen Gästen vorstellen.«

Charlotte begleitete sie folgsam und wurde einem der Paare nach dem anderen vorgestellt. Sie gab sich Mühe, sich ihr unbekannte Namen einzuprägen, etwas halbwegs Intelligentes zu sagen und gleichzeitig einen Überblick zu gewinnen, um festzustellen, wen der Anwesenden sie möglicherweise näher kennenlernen sollte. Sie musste Narraway mehr berichten können, als dass sie Zutritt zur Dubliner Gesellschaft erlangt hatte, denn sonst konnte es ohne weiteres ein halbes Jahr dauern, bis sie an Informationen kam, die es ihnen ermöglichten festzustellen, wer ihn ans Messer geliefert hatte.

Erneut brachte sie die Sprache auf ihre erfundene Großmutter.

»Ach, tatsächlich?«, sagte Talulla Lawless überrascht und hob die schmalen schwarzen Brauen über ihren wunderbaren großen leuchtenden Augen, die zwischen Blau und Grün zu changieren schienen, kaum, dass Charlotte – die nun entschlossen war, nach dem Motto »Wenn schon, denn schon« ihr Ziel zu verfolgen – den Namen genannt hatte. »Sie scheinen sie gerngehabt zu haben«, fuhr Talulla fort. Sie war so schlank, dass sie fast knochig wirkte.

Charlotte dachte an die einzige ihrer beiden Großmütter, die sie kennengelernt und als brummig und streitsüchtig in Erinnerung hatte. »Sie hat mir herrliche Geschichten erzählt«, fantasierte sie drauflos. »Es kann gut sein, dass sie ein bisschen übertrieben waren, aber man hat in ihnen die Wahrheit des Herzens gespürt, auch wenn die Ereignisse, von denen sie berichtet hat, nicht unbedingt alle der Wirklichkeit entsprochen haben mögen.«

Talulla tauschte einen kurzen Blick mit einem blonden Mann namens Phelim O'Conor, und das so rasch, dass Charlotte es kaum mitbekam.

»Sollte ich mich irren?«, fragte Charlotte entschuldigend.

»Aber nein«, versicherte ihr Talulla. »Das liegt wohl lange zurück.«

»Ja, sicher zwanzig Jahre. Sie hat oft an einen Vetter geschrieben, vielleicht aber auch an die Frau des Vetters. Die war auf jeden Fall wunderschön, wie meine Großmutter immer gesagt hat.« Sie versuchte rasch, sich zu überlegen, wie alt Kate O'Neil wohl gewesen wäre, wenn sie jetzt noch lebte. »Kann sein, dass es auch nur ein Vetter zweiten Grades war«, fügte sie hinzu. Damit war eine gewisse familiäre Bandbreite gegeben.

»Vor zwanzig Jahren«, sagte Phelim O'Conor gedehnt. »Damals gab es hier viel Ärger. Aber davon werden Sie in London wohl nichts mitbekommen haben. Möglicherweise hat Ihre Großmutter die Sache mit Charles Stewart Parnell, Gott sei seiner Seele gnädig, als romantisch empfunden. Das ist manchmal so mit dem Kummer anderer Menschen.« Sein Gesicht wirkte glatt, nahezu unschuldig, aber in seiner Stimme lag eine unauslotbare Schwärze.

»Entschuldigung«, sagte Charlotte. »Ich wollte an nichts Schmerzliches rühren. Hätte ich vielleicht lieber nicht fragen sollen?« Sie ließ den Blick zwischen Phelim und Talulla hin und her wandern.

Phelim zuckte kaum merklich die Achseln. »Zweifellos werden Sie ohnehin davon erfahren. Sollte die Frau Ihres Vetters Kate O'Neil gewesen sein, lebt sie nicht mehr, Gott möge ihr verzeihen ...«

»Wie kannst du das sagen?«, stieß Talulla zwischen fest zusammengebissenen Zähnen hervor. »Zwanzig Jahre sind nichts! Ein Augenzwinkern in der leidvollen Geschichte unseres Landes.«

Charlotte bemühte sich, möglichst verwirrt und zugleich schuldbewusst dreinzublicken. Tatsächlich bekam sie allmählich ein wenig Angst. Offenbar hatte Phelim mit seiner Äußerung bei Talulla einen empfindlichen Nerv getroffen, denn anders ließ sich deren unverhüllte Wut nicht erklären.

»Seither hat es neues Blut und neue Tränen gegeben«, gab er, an Talulla gewandt, zurück. »Außerdem waren neue Aufgaben zu lösen.« Er ließ den letzten Satz in der Luft hängen, als gebe es da noch mehr zu sagen.

Eigentlich hätte Charlottes gute Kinderstube verlangt, dass sie um Entschuldigung bat und sich zurückzog, damit die beiden auf ihre eigene Weise mit ihren Erinnerungen fertigwerden konnten. Doch sie dachte an Pitt, der allein in Frankreich festsaß, während es jetzt in Lisson Grove nur noch Feinde Narraways gab, die ohne weiteres auch seine Feinde sein konnten. In dieser Situation konnte sie sich den Luxus der guten Kinderstube nicht leisten.

»Gibt es da etwa eine Tragödie, von der meine Großmutter nichts wusste?«, fragte sie betont unschuldig. »Es tut mir leid, wenn ich an alte Wunden oder Ungerechtigkeiten gerührt haben sollte. Das war gewiss nicht meine Absicht. Sollte das der Fall sein, bitte ich um Entschuldigung.«

Talulla sah sie mit unverhohlener Erbarmungslosigkeit an. Ihre sonst bleichen Wangen waren leicht gerötet. »Für den Fall, dass Kate O'Neil die angeheiratete Kusine Ihrer Großmutter war, ist sie auf einen Engländer hereingefallen, der als Vertreter der Regierung der Königin hier im Lande war. Er ist um sie herumscharwenzelt und hat sie durch allerlei Schmeichelreden dazu gebracht, ihm die Geheimnisse ihres Volkes zu verraten. Anschließend hat er sie denen überlassen, deren Vertrauen sie missbraucht hatte, und die haben sie umgebracht.«

O'Conor zuckte zusammen. »Ich denke, sie hat ihn geliebt. Die Liebe kann jeden von uns zum Narren machen«, sagte er.

»Sicher!«, stieß Talulla hervor. »Aber der Schweinehund hat sie eben nicht geliebt. Das wäre ihr auch klargeworden, wenn sie nur einen Tropfen treues irisches Blut in den Adern gehabt hätte. Es wäre besser gewesen, sie hätte ihm seine Geheimnisse entlockt und ihm dann ein Messer zwischen die Rippen gejagt. Schon möglich, dass er die Gabe besaß, Leuten schön zu tun, aber er war nun mal der Feind ihres Volkes, und das muss ihr auch bewusst gewesen sein. Sie hat bekommen, was sie verdient hat.« Damit wandte sie sich schroff ab, den Kopf mit den dunklen Haaren stolz erhoben, der Rücken so steif, als hätte sie einen Ladestock verschluckt.

»Sie müssen sie entschuldigen«, sagte O'Conor betrübt. »Man könnte glauben, dass sie den Mann selbst geliebt hat, dabei ist das Ganze zwanzig Jahre her. Ich werde unbedingt daran denken müssen, nie mit ihr zu flirten, denn wenn sie auf meinen Charme hereinfiele, würde ich möglicherweise eines Tages mit einem Messer zwischen den Rippen aufwachen.« Er zuckte die Achseln. »Wahrscheinlich würde sie aber gar nicht erst darauf hereinfallen.« Er sagte nichts weiter, aber der Ausdruck auf seinem Gesicht sprach Bände.

Mit einem Lächeln, das so plötzlich kam, wie die Sonne im Frühling den Regen vertreibt, erzählte er ihr von dem Ort, an dem er zur Welt gekommen war, und von der Kleinstadt weiter im Norden, in der er aufgewachsen war, wie auch von seiner ersten Reise nach Dublin, die er im Alter von sechs Jahren unternommen hatte.

»Ich war sicher, dass Dublin der herrlichste Ort war, den ich je gesehen hatte«, sagte er und lächelte versonnen. »Eine Straße nach der anderen voller Gebäude, von denen jedes ohne weiteres der Palast eines Königs hätte sein können. Und manche dieser Straßen waren so breit, dass es für ein Kind eine Reise zu sein schien, sie zu überqueren.«

Mit einem Mal war Talullas so unvermittelt aufgebrochener Hass nichts weiter als ein kleiner Verstoß gegen das gute Betragen und ebenso rasch vergessen, als hätte jemand versehentlich einen Gast mit dem Ellbogen angestoßen und dabei dessen Wein verschüttet.

Aber Charlotte vergaß nichts davon. O'Conors plötzliche Charmeoffensive ging ebenso sehr auf den Wunsch zurück, etwas zu verbergen, wie auf seine unverkennbare Liebe zu seiner irischen Heimat. Charlotte war überzeugt, dass er später Talulla Vorhaltungen machen würde, weil sie einer Außenstehenden, noch dazu einer Engländerin, Einblick in einen Teil der Geschichte Irlands ermöglicht hatte, den man besser für sich behielt. Es war so, als wenn eine Familie ihre schmutzige Wäsche in aller Öffentlichkeit wusch, so dass jeder Vorübergehende sie sehen konnte.

Die Gesellschaft nahm ihren Fortgang. Die Speisen waren köstlich, und der Wein floss in Strömen. Man lachte viel, es gab geistreiche Gespräche und im Verlauf des späteren Abends auch Musik. Über all dem aber vergaß Charlotte weder die aufgewühlten Gefühle noch den Hass, derer sie Zeugin geworden war.

Während McDaid sie in seiner Kutsche zurückbrachte, gab sie trotz seiner vorsichtigen Nachfragen nichts preis und sagte lediglich, wie sehr sie die Gastfreundschaft des Ehepaars Tyrone genossen hatte.

»Und kannte jemand Ihre angeheiratete Kusine?«, erkundigte er sich. »In Bezug auf solche Dinge ist Dublin eine Kleinstadt, fast wie ein Dorf.«

»Ich glaube nicht«, gab sie in munterem Ton zurück. »Vielleicht finde ich ja später noch einen Hinweis auf sie. Immerhin ist O'Neil kein seltener Name. Genau genommen ist es auch nicht besonders wichtig.«

»Was diesen Punkt angeht, wage ich zu behaupten, dass unser Freund Victor das bezweifeln würde«, sagte er ganz offen. »Ich hatte den Eindruck, dass ihm das durchaus wichtig war. Meinen Sie, dass ich mich da irren könnte?«

Zum ersten Mal an jenem Abend sagte sie die volle Wahrheit. »Ich glaube, Sie kennen ihn weit besser als ich, Mr McDaid. Wir sind uns lediglich in bestimmten Situationen begegnet, und damit bekommt man kein vollständiges Bild von einem Menschen, finden Sie nicht auch?«

Da es in der Kutsche dunkel war, konnte sie seinem Gesicht nicht ansehen, was er darüber dachte.

»Trotzdem habe ich den unabweisbaren Eindruck, dass er Sie gut leiden kann, Mrs Pitt«, gab er zurück. »Was meinen Sie, irre ich mich damit ebenfalls?«

»Ich halte mich mit dem, was ich meine, gern zurück, Mr McDaid ... oder besser gesagt, ich äußere mich nicht gern darüber«, gab sie zurück. Während sie das sagte, jagten sich ihre Gedanken. Sie versuchte sich zu erinnern, was Phelim O'Conor über Narraway gesagt hatte, und fragte sich, wie gut sie ihn wirklich kannte. Immer mehr nahm ihre Überzeugung zu, dass sich Talulla mit ihrer Darstellung von Kate O'Neils Verrat auf Narraway bezogen hatte. Diesen doppelten Verrat an ihrem Land und ihrem Gatten hatte Kate aus Liebe zu einem Mann begangen, der sie benutzt und dann zugelassen hatte, dass sie dafür ermordet wurde.

Bestimmt war das noch nicht die ganze Geschichte; es musste mehr dahinterstecken. Aber machte das die Tragödie und das Widerwärtige besser? Narraway hatte gesagt, Cormac O'Neil habe sich rächen wollen. Die einzige Frage, die in diesem Zusammenhang von Interesse war, lautete, warum er damit zwanzig Jahre gewartet hatte.

Pitt hatte stets volles Vertrauen zu Narraway gehabt, das wusste sie ohne den geringsten Zweifel. Sie wusste aber auch, dass er den meisten Menschen positiv gegenüberstand, auch wenn ihm klar war, dass sie ein komplexes Wesen hatten, zu Feigheit, Habgier und Gewalttat fähig waren. Ob er je etwas von der Düsternis in Narraway erkannt hatte, etwas von dem Menschen, der sich hinter dem Kämpfer gegen die Feinde des Landes versteckte? Die beiden waren denkbar verschieden. Wo der eine auf seinen Instinkt vertraute, verließ sich der andere ausschließlich auf seinen scharfen Verstand. Pitt konnte sich in andere Menschen hineindenken, brachte Verständnis für Schwäche und Angst auf, und da er materielle Not am eigenen Leibe erfahren hatte, wusste er außerdem, wie sehr sich so etwas auf einen Menschen auswirken konnte.

Aber er wusste auch, was Dankbarkeit war. Narraway hatte ihm zu einer Zeit, da er dringend darauf angewiesen war, ein Ziel im Leben, Würde und die Möglichkeit gegeben, seine Familie zu ernähren. Das würde er ihm nie vergessen.

War unter Umständen auch er ein wenig zu vertrauensselig?

Mit einem Lächeln erinnerte sie sich an seine Enttäuschung über die Niedertracht des Prinzen von Wales. Sie hatte gespürt, wie sehr er sich da für einen Mann geschämt hatte, von dem er mehr erwartet hätte. Er hatte mehr an das von dessen hoher Berufung unablösbare Ehrgefühl geglaubt als der Prinz selbst. Dafür liebte sie Pitt aufrichtig, denn sie verstand ihn ganz und gar.

Nie und nimmer hätte sich Narraway auf diese Weise täuschen lassen; er hätte von dem Prinzen mehr oder weniger genau das Verhalten erwartet, das dieser schließlich auch an den Tag gelegt hatte, und persönlich verletzt hätte er sich deshalb auf keinen Fall gefühlt.

Ob er sich überhaupt je verletzt gefühlt hatte?

War es denkbar, dass er Kate O'Neil geliebt und sie dennoch für seine Zwecke benutzt hatte? Das entsprach nicht Charlottes Verständnis von Liebe.

Aber möglicherweise hatte er stets seine Pflicht an die erste Stelle gesetzt. Unter Umständen empfand er gerade jetzt zum ersten Mal im Leben einen tief reichenden Schmerz, über den er nicht hinwegkam und der darauf zurückging, dass man ihm das Einzige genommen hatte, was ihm wichtig war: seine Arbeit, die für ihn mehr oder weniger gleichbedeutend mit seiner Identität war.

Warum nur um Himmels willen fuhr sie hier an der Seite eines Mannes, den sie vor dem heutigen Abend noch nie gesehen hatte, durch die finstern Straßen einer fremden Stadt, ging unvernünftige Risiken ein, tischte anderen Leuten Lügengeschichten auf, um einem Mann zu helfen, den sie selbst kaum kannte? Warum schmerzte sie so sehr, was er verloren hatte?

Die Antwort war einfach – weil sie sich vorstellen konnte, wie sie sich in seiner Situation fühlen würde. Aber er war nicht wie sie. Sie dachte daran, dass ihm an ihr lag, denn das hatte sie in Augenblicken, in denen er seine Gefühle nicht wie sonst beherrscht hatte, an seinem Gesicht erkannt. Sie hatte seine Einsamkeit gesehen, seine Sehnsucht nach einer Liebe, die ihm nur lästig sein würde, wenn man sie ihm schenkte.

»Ich habe gehört, dass Ihnen Talulla Lawless eine Probe ihres Temperaments geliefert hat«, unterbrach McDaid ihre Gedanken. »Das tut mir leid. Sie ist tief verletzt und sieht keinen Grund, daraus einen Hehl zu machen. Aber daran tragen Sie keine Schuld. In jedem Krieg sind Opfer zu beklagen, und unter ihnen ist die Zahl der Unschuldigen, die es zufällig trifft, häufig ebenso hoch wie die der Schuldigen.«

Sie wandte sich ihm zu und sah im Schein der Laterne eines Wagens, der ihnen entgegenkam, ein trübseliges Lächeln auf seinem Gesicht. Dann hüllte ihn wieder die Dunkelheit ein, und sie war sich seiner Gegenwart lediglich aufgrund seiner leisen Stimme sowie des Geruchs von Tabak bewusst.

»Natürlich«, stimmte sie ihm zu.

In der Molesworth Street hielt die Kutsche an.

»Vielen Dank, Mr McDaid«, sagte sie gänzlich gefasst. »Es war äußerst zuvorkommend von Ihnen, mich einzuladen und zu begleiten. Die Gastfreundschaft der Menschen in Dublin ist genau so, wie man es mir berichtet hat, und Sie dürfen mir glauben, dass das ein hohes Lob ist.«

»Wir haben gerade erst angefangen«, gab er mit Wärme zurück. »Grüßen Sie Victor von mir, und sagen Sie ihm, dass wir auf dem eingeschlagenen Weg weitergehen werden. Ich werde nicht ruhen, bis ich Sie davon überzeugt habe, dass Dublin die schönste Stadt der Welt ist und die Iren die besten Menschen. – Das sind wir selbstverständlich trotz unserer Schwierigkeiten und unserer Leidenschaftlichkeit. Man kann uns nicht hassen, müssen Sie wissen.« Im Schein der Lampe sah sie, dass er seine Worte mit einem fröhlichen Lächeln begleitete.

»Jedenfalls nicht auf die Weise, wie Sie uns hassen«, stimmte sie freundlich zu. »Aber wir haben auch keinen Grund dazu. Gute Nacht, Mr McDaid.«

KAPITEL 5

Noch als sie am nächsten Morgen Narraway am Frühstückstisch in Mrs Hogans ruhiger Pension gegenübersaß, hatte sich Charlotte nicht entschieden, was sie ihm sagen wollte. Sie brauchte noch viel mehr Zeit, um einzuordnen, was sie gehört hatte, und möglicherweise würde nicht einmal das helfen. Um diese relativ späte Vormittagsstunde waren keine weiteren Gäste im Speiseraum. Auf den meisten anderen Tischen lagen bereits frische Leinentischtücher mit Spitzenbesatz für das Abendessen.

»Ausgesprochen angenehm«, antwortete sie auf seine Frage nach dem Verlauf des Abends. Dabei merkte sie überrascht, dass das weitgehend ihrer wahren Meinung entsprach. Es war schon lange her, dass sie an einer Abendgesellschaft von so hohem Niveau teilgenommen hatte, bei der zugleich ganz allgemein eine gewisse Leichtigkeit der Atmosphäre geherrscht hatte. In Bezug auf die bessere Gesellschaft schien es ihr keine bemerkenswerten Unterschiede zwischen Dublin und London zu geben.

Sie konzentrierte sich auf das reichhaltige Frühstück, das vor ihr stand. Es war weit mehr, als sie brauchte, um sich bei guter Gesundheit zu erhalten.

»Die Leute waren äußerst freundlich zu mir«, fügte sie hinzu.

»Unsinn«, gab er gelassen zurück.

Von seiner Schroffheit überrascht, hob sie den Blick.

Er lächelte, doch im klaren Licht des Vormittags war außer der Müdigkeit auf seinem Gesicht deutlich etwas zu erkennen, was Furcht sein mochte. Ihre Entschlossenheit, ihm nicht die Wahrheit zu sagen, geriet ins Wanken. Es gab so manches, was sie an ihm nicht deuten konnte, doch die ausgeprägten Falten in seinem Gesicht und die tief in ihren Höhlen liegenden Augen zeigten, wie es wahrhaft um ihn stand.

»Schön«, gab sie nach. »Sie waren gastfreundlich, und ein gewisser Glanz des Ereignisses war sehr angenehm. Trifft es das besser?«

Er war belustigt. Zwar reagierte er nicht mit einem so offenkundigen Signal wie einem Lächeln, doch begriff sie auch so.

»Wen hast du kennengelernt? Natürlich abgesehen von Fiachra.«

»Kennst du ihn schon lange?«, fragte sie zurück, während sie sich mit einem leichten Schauder an McDaids Worte erinnerte.

»Warum willst du das wissen?« Er nahm eine weitere Scheibe Toast und bestrich sie mit Butter. Er hatte noch nicht viel gegessen, und sie fragte sich, ob er überhaupt geschlafen hatte.

»Nun, er scheint durchaus bereit, dir weiterzuhelfen«, erklärte sie, »und er hat mich in Bezug auf dich nach nichts gefragt.«

»Er ist ein guter Freund«, sagte er und sah ihr dabei gerade in die Augen.

Sie lächelte. »Unsinn«, sagte sie im selben Ton wie zuvor er.

»Stimmt«, bestätigte er. »Aber wir kennen einander wirklich schon lange.«

»Kann es sein, dass Irland von Menschen wimmelt, die du schon lange kennst?«

Er strich ein wenig Orangenmarmelade auf seinen Toast. Sie wartete.

»Ja«, sagte er. »Aber von den meisten weiß ich nicht, auf welcher Seite sie stehen.«

»Wofür brauchst du eigentlich mich, wenn dieser McDaid dein Freund ist?«, fuhr sie mit schonungsloser Offenheit fort. Benutzte er sie etwa dazu, andere abzulenken, während er sich bemühte, die Probleme allein zu lösen? Mit einem Mal kam ihr ein noch entsetzlicherer Gedanke: Vielleicht wollte er nicht, dass sie in London war, wo sich Pitt mit ihr in Verbindung setzen könnte. Wie verwickelt war diese ganze Geschichte eigentlich und wie widerwärtig? Wo mochte sich das unterschlagene Geld gegenwärtig befinden? Ging es wirklich um Geld und nicht in Wahrheit um die Begleichung alter Rechnungen, um Rache? Oder ging es um beides?

Es war dringender nötig denn je, die Wahrheit zu erfahren, oder zumindest alles, was nach wie vor seinen Schatten auf die Gegenwart warf.

Er hatte ihr keine Antwort gegeben.

»Ist es nicht so, dass du mich oder sogar uns beide benutzt und großzügig mit der Wahrheit umgehst?«, hielt sie ihm vor.

Er zuckte zusammen, als habe sie ihn nicht nur seelisch getroffen, sondern auch körperlich. »Ich belüge dich nicht, Charlotte.« Seine Stimme war so leise, dass sie sich ein wenig vorbeugen musste, um zu verstehen, was er sagte. »Ich wähle … nur sehr sorgfältig aus, einen wie großen Teil der Wahrheit ich dir sage …«

»Und worin besteht da der Unterschied?«, erkundigte sie sich.

Er seufzte. »Du bist eine gute Kriminalistin – auf deine ganz besondere Weise beinahe so gut wie dein Mann –, aber die Arbeit im Sicherheitsdienst ist von gänzlich anderer Art als die Ermittlung in einem gewöhnlichen Mordfall.«

»Nicht alle Mordfälle sind gewöhnlich«, widersprach sie. »Liebe und Hass der Menschen lassen sich nur äußerst selten unter diesem Begriff fassen. Die Menschen töten einander aus allen möglichen Gründen, meist aber, um etwas zu schützen, etwas zu bekommen, was ihnen wahrhaft am Herzen liegt, oder um sich für eine Herabsetzung oder Verletzung zu rächen, die sie andernfalls nicht ertragen könnten. Damit meine ich nicht unbedingt körperliche Verletzungen. Seelische Wunden heilen mitunter weit schlechter.«

»Ich bitte um Entschuldigung«, gab er zurück. »Ich hätte sagen sollen, dass die Bündnisse und Treuebeziehungen sehr viel kompliziertere Netze knüpfen. Geschwister können einander ebenso gut als Feinde gegenüberstehen wie Mann und Frau. Genauso kann es sein, dass Rivalen einander helfen oder gar einer für den anderen in den Tod geht, weil sie derselben Sache dienen.«

»Und dabei werden Unschuldige, die es zufällig trifft, ebenso zu Opfern wie die Schuldigen«, wiederholte sie McDaids Worte. »Meine Rolle ist recht einfach. Ich würde dir gern beistehen, sehe mich aber durch alles in meinem Wesen dazu verpflichtet, in erster Linie meinem Mann zu helfen und natürlich auch mir selbst ...«

»Ich hatte gar nicht gewusst, dass du so nüchtern und praktisch denkst«, sagte er mit einem angedeuteten Lächeln.

»Für mich als Frau mit begrenzten Geldmitteln, die für ihre Kinder sorgen muss, ist ein gewisses Maß an Nüchternheit und praktischem Denken unabdingbar.« Sie sagte das mit freundlicher Stimme, um ihn mit ihren Worten nicht zu kränken.

»Dann wirst du verstehen, dass Fiachra in Bezug auf so mancherlei mein Freund ist, ich mich aber nicht auf ihn verlassen kann, wenn bei der Sache eine andere Lösung herauskommt, als ich vermutet hatte.«

»Es gibt also eine, die du vermutest?«

»Das habe ich dir doch gesagt: Ich nehme an, dass Cormac O'Neil eine ideale Methode entdeckt hat, sich an mir zu rächen, und die hat er genutzt.«

»Für etwas, was zwanzig Jahre zurückliegt?«, fragte sie in zweifelndem Ton.

»Niemand in Europa hat ein längeres Gedächtnis als die Iren.« Er biss in seinen Toast.

»Und haben sie auch so viel Geduld?«, fragte sie ungläubig. »Normalerweise werden Menschen tätig, weil sich irgendwo etwas verändert hat. Das ist der gemeinsame Nenner von Staatsverbrechen und gewöhnlichem, alltäglichem Mord. Etwas, was neu auf der Bildfläche erschienen ist, muss O'Neil – oder wer auch sonst immer dahintersteckt – veranlasst haben, das gerade jetzt zu tun. Unter Umständen hat sich die Möglichkeit dazu erst jüngst ergeben, ebenso gut aber kann es sein, dass er jetzt den richtigen Zeitpunkt für gekommen hielt.«

Er verzehrte den Rest der Scheibe Toast, bevor er antwortete. »Du hast natürlich Recht. Der Haken ist nur, dass ich nicht weiß, welcher dieser Gründe zutrifft. Ich beschäftige mich schon lange gründlich mit der Lage in Irland und vermag keinerlei Anlass dafür zu erkennen, dass O'Neil das gerade jetzt getan hat.«

Ein äußerst unangenehmer Gedanke kam ihr und ließ sie innerlich erschauern. »Müsste er sich dann nicht auch klar darüber sein, dass seine Handlungsweise dich hierherbringen würde?«, fragte sie.

Narraway sah sie aufmerksam an. »Du meinst, dass er mich hier haben möchte? Ich bin sicher, wenn er mich umbringen wollte, wäre er dazu nach London gekommen. Wenn ich der Ansicht gewesen wäre, dass es hier um Mord geht, hätte ich nicht zugelassen, dass du mich begleitest, Charlotte. Bitte billige mir zu, dass ich so weit vorausgedacht habe.«

»Entschuldigung«, sagte sie.

»Um deiner selbst willen kann ich dir nicht alles sagen, was ich weiß«, räumte er ein, »weder was Irland, noch was andere Dinge betrifft. Ich wüsste keinen Grund, warum sich O'Neil – oder auch sonst jemand – ausgerechnet jetzt zu diesem Schritt entschlossen hat. Unbestreitbar hat jemand, der in Dublin über sehr gute Beziehungen verfügen muss, das für Mulhare bestimmte Geld an sich gebracht, um auf diese Weise zu erreichen, dass der arme Teufel umgebracht wurde. Anschließend hat er es auf das besagte Konto zurücküberwiesen und dafür gesorgt, dass Austwick und Croxdale darauf aufmerksam wurden, was – ganz wie gewünscht – zu meiner Entfernung aus dem Amt geführt hat.«

Er goss sich Tee nach. »Vielleicht hat O'Neil die Sache gar nicht selbst in Gang gesetzt, sondern lediglich als williges Werkzeug gedient. Ich habe mir im Laufe der Zeit viele Feinde gemacht. Das bringen Wissen und Macht zwangsläufig mit sich.«

»Dann überleg dir, welche anderen Feinde das sein könnten«, drängte sie ihn. »Bei wem haben sich die Umstände geändert? Gibt es jemanden, dem ihr vielleicht zu dicht auf den Fersen wart?«

»Meinst du wirklich, meine Liebe, dass ich daran nicht gedacht habe?«

»Und du meinst nach wie vor, dass es O'Neil ist?«

»Vielleicht hängt das einfach mit meinem schlechten Gewissen zusammen.« Er lächelte so flüchtig, dass es kaum seine Augen erreichte und gleich wieder verschwunden war. »Der Gottlose flieht, und niemand jagt ihn‹‹, zitierte er. »Aber auf jeden Fall gibt es in diesem Zusammenhang ein Wissen, das ausschließlich mit der Angelegenheit vertraute Menschen besitzen können.«

»Oh.« Sie goss sich ebenfalls noch einmal Tee ein. »Dann sollten wir besser mehr über O'Neil in Erfahrung bringen.

Man hat ihn gestern Abend erwähnt, denn ich habe gesagt, dass meine Großmutter Christina O'Neil hieß.«

Er schluckte. »Wie hieß sie in Wirklichkeit?«

»Christine Owen«, gab sie zur Antwort.

Er lachte, aber es klang nicht fröhlich, sondern eher ein wenig traurig. Sie sagte nichts, aß ihren Toast auf und leerte ihre Tasse.

Den Vormittag und den größten Teil des Nachmittags hindurch las sie so viel wie möglich über die Geschichte Irlands. Dabei merkte sie, wie groß ihre Wissenslücken waren, und sie schämte sich ein wenig dafür. Da das Land so nahe an England lag und die Engländer es über Jahrhunderte hinweg gewissermaßen besetzt gehalten hatten, war seine Geschichte in den Köpfen der meisten Briten zum Bestandteil der Geschichte des eigenen Landes geworden. Großbritannien beherrschte ein Viertel der ganzen Welt, und die Engländer neigten dazu, Irland ihrem eigenen kleinen Teil davon zuzuschlagen. Das fiel ihnen umso leichter, als die Iren »selbstverständlich« nicht nur der Krone und der Londoner Regierung unterstanden, sondern auch dieselbe Sprache benutzten wie die Engländer – die Existenz des Gälischen hatten die Briten der Einfachheit halber gar nicht erst zur Kenntnis genommen.

Eine große Zahl der bedeutendsten Söhne Irlands hatte sich auf der Weltbühne einen Namen gemacht und war dabei von Engländern nicht zu unterscheiden. Zwar war allgemein bekannt, dass Oscar Wilde Ire war, doch seine Theaterstücke waren durch und durch englisch. Wahrscheinlich wussten die Leute auch, dass Jonathan Swift irischer Abkunft war – aber wie war es mit Bram Stoker, dem Schöpfer des bösen Grafen Dracula, und dem bedeutenden Herzog von Wellington, dem Sieger von Waterloo und späteren Premierminister Englands? Dass all diese Männer die irische Heimat in jungen Jahren verlassen hatten, änderte nicht das Geringste an ihrer Abstammung.

Zwar hatte Charlotte keine irische Vorfahren, doch nachdem sie behauptet hatte, eine irische Großmutter zu haben, war es vielleicht angebracht, die ganze Sache sensibler zu betrachten und für die Gefühle der Iren etwas mehr Verständnis aufzubringen.

Gegen Abend zog sie erneut ihr einziges schwarzes Kleid an, diesmal mit anderem Schmuck und anderen Handschuhen. Ihre Frisur zierte ein Schmuckstück, das ihr Emily vor Jahren geschenkt hatte. Dann fragte sie sich besorgt, ob sie für das Theater vielleicht übertrieben gut gekleidet war. Sie überlegte sich, ob andere Frauen weniger Aufwand treiben würden. Immerhin war es denkbar, dass die Iren als gebildete und kultivierte Menschen in einem Theaterabend weniger ein gesellschaftliches Ereignis sahen, als vielmehr das intellektuelle Vergnügen und die innere Bewegung in den Vordergrund stellten.

Sie nahm den Haarschmuck ab und musste dann ihre Frisur neu ordnen. Das kostete Zeit, und so war sie ziemlich aufgeregt, als Narraway an ihre Tür klopfte, um ihr mitzuteilen, McDaid sei da, um sie abzuholen.

»Danke«, sagte sie und legte rasch den Kamm auf die Frisierkommode, wobei ihr mehrere lose Haarnadeln zu Boden fielen, ohne dass sie weiter darauf achtete.

Er sah sie besorgt an. »Alles in Ordnung?«

»Ja. Ich war mir einfach nicht ganz sicher, was ich anziehen sollte«, tat sie seine Sorge mit einer Handbewegung ab.

Er musterte sie gründlich. Seine Augen wanderten von ihren Schuhen, deren Spitzen unter dem Saum ihres Kleides zu sehen waren, bis hinauf zu ihrer Stirn. Sie spürte, wie ihre Wangen brannten, als sie in seinen Augen die unverhohlene Bewunderung erkannte.

»Du hast es genau richtig gemacht«, gab er schließlich sein Urteil ab. »Brillantschmuck wäre hier gänzlich unangebracht. Die Iren nehmen ihr Theater sehr ernst.«

Sie holte Luft, um zu erwidern, dass sie derlei nicht besitze, doch dann ging ihr auf, dass er sich über sie lustig machte. Sie fragte sich, ob er einer Frau, die er liebte, Diamanten schenken würde. Wahrscheinlich nicht. Falls er zu dieser Art Liebe fähig war, würde er wohl eher etwas Persönlicheres und Einfallsreicheres schenken: ein Häuschen am Meer, wie klein auch immer, einen geschnitzten Vogel, ein Musikstück.

»Da bin ich aber froh«, sagte sie und sah ihm in die Augen. »Mir erschien das ebenfalls als zu ordinär.« Sie nahm den Arm, den er ihr anbot, und legte die Finger so leicht auf den Stoff seines Jacketts, dass er kaum etwas gespürt haben dürfte.

McDaid war ebenso elegant gekleidet wie am Vorabend, doch weniger formell. Er schien sich zu freuen, sie wiederzusehen, obwohl ihr Abschied noch nicht lange zurücklag, und erklärte sich bereit, ihr das irische Theater zu erläutern, damit sie so viel davon verstand, wie das einer Engländerin möglich war. Bei diesen Worten lächelte er ihr zu, als handele es sich um eine geheime Botschaft, von der ihm klar war, dass sie sie verstand.

Sie war schon ziemlich lange nicht im Theater gewesen, da Pitt nicht viel dafür übrig hatte, und ohne ihn mochte sie nicht gehen. Gelegentlich allerdings begleitete sie Emily und Jack und genoss einen solchen Abend in vollen Zügen. Am angenehmsten aber waren ihr Theaterbesuche mit Tante Vespasia. Da diese jedoch gegenwärtig tief bekümmert über die Hetzkampagne gegen Oscar Wilde sowie über die Art war, wie man die Affäre zwischen ihm und Lord Queensberry in der Öffentlichkeit breittrat, hatte sie in letzter Zeit keine rechte Lust gehabt, ins Theater zu gehen.

Hier in Dublin war nun so manches anders. Da das Theater deutlich kleiner war als die großen Londoner Theater, herrschte dort eine nahezu familiäre Atmosphäre. Offensichtlich ging es weniger darum, gesehen zu werden, als darum, an einem Abenteuer des Geistes teilzunehmen.

McDaid stellte sie mehreren seiner Bekannten vor, die ihn begrüßten. Sie schienen sich sowohl vom Alter wie auch – so weit sich das dem äußeren Erscheinungsbild entnehmen ließ – von ihrer gesellschaftlichen Stellung her sehr zu unterscheiden. Man hätte glauben können, er habe sie aus so vielen Berufen wie möglich ausgewählt.

»Mrs Pitt«, sagte er munter. »Sie ist aus London zu uns gekommen, um zu sehen, wie wir leben, hauptsächlich, weil unsere schöne Stadt sie interessiert, zum Teil aber auch, weil sie versuchen will, Spuren ihrer irischen Vorfahren zu finden. Wer könnte sie dafür tadeln? Welcher Mensch mit wachem Geist und heißem Herzen hätte nicht gern ein wenig irisches Blut in den Adern?«

Sie reagierte freundlich auf das Willkommen, das man ihr bot, und fand die Unterhaltung angenehm. Sie hatte fast vergessen, wie belebend es sein konnte, Menschen mit frischen Gedanken kennenzulernen. Gleichzeitig dachte sie gründlich über das nach, was Narraway über McDaid gesagt hatte. Aus dessen Antworten auf die Fragen einer oder zweier etwas neugieriger Damen schloss sie, dass er weit mehr wusste, als Narraway hatte durchblicken lassen.

Sie betrachtete aufmerksam das Gesicht ihres Begleiters, sah darauf aber nichts als gute Laune, Interesse und Freude. Dennoch war sie überzeugt, dass ihm Dinge bekannt waren, die er auf keinen Fall preiszugeben bereit war.

Obwohl sie recht früh gekommen waren, schienen die meisten Besucher schon da zu sein, als sie ihre Plätze einnahmen. Während McDaid noch mit Bekannten plauderte, hatte sie Gelegenheit, sich umzusehen und einige Gesichter zu mustern. Die Unterschiede zwischen den Besuchern hier und denen der Londoner Theater waren nicht besonders groß. Man sah weniger blonde Köpfe, weniger bäurische angelsächsische Gesichtszüge, und in der Atmosphäre lag eine Anspannung, eine unter der Oberfläche knisternde Energie.

Außerdem hörte sie natürlich die ihr bereits vom Vortag vertraute andersartige melodiöse Sprechweise. Von Zeit zu Zeit bedienten sich Menschen einer ihr völlig unverständlichen Sprache, in der weder der geringste Hinweis auf lateinische oder französische Wörter noch auf solche aus germanischen Sprachen lag, aus denen sich so viele englische Wörter herleiteten. Sie nahm an, dass es sich um Gälisch handelte, die eigentliche Muttersprache der Iren. Lediglich anhand der Gesten, des Gelächters und der Gesichtsausdrücke konnte sie Rückschlüsse auf das Gesagte ziehen.

Ein Mann fiel ihr wegen seiner mit Grau durchsetzten schwarzen Tolle besonders auf. Er hatte einen schmalen Kopf, und erst als er sich zu ihr umwandte, sah sie, wie dunkel seine Augen waren. Seine Nase war stark gekrümmt, so dass das Gesicht schief wirkte. Auf seinen Zügen glaubte sie den Ausdruck großer Verwundbarkeit zu erkennen. Zu ihrer Erleichterung wandte er sich bald wieder ab, als habe er sie nicht gesehen. Sie hatte ihn unverhohlen angestarrt, und das war ungehörig, ganz gleich, wie interessant man einen Menschen finden mochte.

»Sie haben ihn gesehen«, bemerkte McDaid. Es war kaum lauter als ein Flüstern.

Verblüfft fragte sie: »Wen?«

»Cormac O'Neil.«

Sie wusste nicht, was sie denken sollte. Hatte sie sich so auffällig verhalten? »War das … ich meine … der Mann mit dem …« Sie wusste nicht, wie sie ihren Satz beenden sollte.

»… mit dem gequälten Gesicht«, sagte er an ihrer statt.

»Ich wollte nicht …« Sie sah in seinen Augen, dass Abstreiten zwecklos gewesen wäre. Entweder hatte Narraway es ihm gesagt, oder er hatte es sich selbst zusammengereimt. Sie fragte sich, wie viele andere das noch wussten, genauer gesagt, ob alle, die in die Sache einbezogen waren, mehr wussten als sie und sie daher niemanden mit ihren vorgeschobenen Gründen täuschen konnte. War das Narraway bekannt? Oder war er in dieser Hinsicht ebenso arglos wie sie?

»Kennen Sie ihn?«, fragte sie.

»Ich?« McDaid hob die Brauen. »Natürlich bin ich ihm hier und da begegnet, aber kennen? So gut wie nicht.«

»Eigentlich meinte ich damit, ob Sie miteinander bekannt sind.«

»Früher habe ich das gedacht.« Er warf einen unauffälligen Blick zu dem Mann hinüber. »Aber Tragödien verändern den Menschen. Vielleicht bringen sie auch nur zum Vorschein, was schon immer da war, ohne an die Oberfläche zu gelangen. Wie gut kennt man einen Menschen denn? Und wie gut sich selbst.«

»Ausgesprochen metaphysisch«, gab sie trocken zurück. »Die Antwort auf diese Frage lautet, dass man mehr oder weniger zutreffende Vermutungen anstellen kann, je nachdem, wie klug man ist und welche Erfahrungen man mit dem Betreffenden gemacht hat.«

Er sah sie unverwandt an. »Victor hat gesagt, dass Sie ... sehr direkt sind.«

Sie fand es sonderbar, dass jemand Narraway formlos beim Vornamen nannte, da sie an die Distanz gewöhnt war, die Menschen in Führungspositionen einforderten.

Sie war nicht sicher, ob sie im Begriff stand, McDaid zu kränken. Andererseits würde ihr die Gelegenheit entgleiten, wenn sie zu schüchtern war, auch nur anzusprechen, was sie wirklich wissen wollte.

»Wie war O'Neil, als Sie ihn kennengelernt haben?«, fragte sie mit entwaffnendem Lächeln.

Seine Augen weiteten sich.

»Hat Ihnen Victor das nicht gesagt? Wie interessant.«

»Hatten Sie das von ihm erwartet?«, fragte sie zurück.

»Warum interessiert er sich für ihn, ausgerechnet jetzt?« Er saß reglos da. Um ihn herum bewegten sich Theaterbesucher in alle Richtungen, lächelten, winkten, suchten ihren Platz, nickten zustimmend zu etwas, was man ihnen sagte, machten sich Bekannten bemerkbar.

»Vielleicht kennen Sie ihn gut genug, um ihn danach zu fragen?«

Er hielt dagegen: »Sie etwa nicht?«

Mit unverändert warmem und zugleich leicht belustigtem Lächeln gab sie zurück: »Doch, selbstverständlich. Aber ich würde Ihnen seine Antwort nicht wiederholen. Sicher kennen Sie ihn gut genug, um zu wissen, dass er niemandem sein Vertrauen schenken würde, auf den er sich nicht in jeder Hinsicht verlassen kann.«

»Dann kennen wir vielleicht beide die Antwort, und keiner traut dem anderen«, sagte er nachdenklich. »Eine wie absurde und unglaublich menschliche Situation, die zugleich allerlei seelische Verletzungen ermöglicht – geradezu der Stoff für eine Komödie.«

»Nach Cormac O'Neils Aussehen zu urteilen, war es zumindest in seinem Fall eine Tragödie«, hielt sie dagegen. »Er dürfte wohl eines der unschuldigen Zufallsopfer des Krieges sein, von denen Sie gestern gesprochen haben.«

Er sah sie ruhig an, und einen Augenblick lang nahm keiner der beiden die Geräusche um sie herum wahr. »Das stimmt«, sagte er leise. »Aber das liegt zwanzig Jahre zurück.«

»Vergisst man so etwas denn?«

»Ein Ire? Nie. Und Engländer?«

»Manchmal«, gab sie zurück.

»Selbstverständlich. Es dürfte ihnen wohl auch kaum möglich sein, sich an all ihre Opfer zu erinnern!« Sogleich fing er sich und fragte mit verändertem Gesichtsausdruck: »Wollen Sie ihm vorgestellt werden?«

»Ja, bitte.«

»Ich werde mich darum kümmern«, versprach er.

Auf die Unruhe im Zuschauerraum folgte völlige Stille. Gleich darauf hob sich der Vorhang, und die Vorstellung begann. Charlotte konzentrierte sich auf die Handlung, um in den Pausengesprächen bestehen zu können, denn sicher würde McDaid sie dann mit weiteren Menschen bekanntmachen. Wenn sie keine Kommentare zu dem Stück beitragen konnte, würde man ihr das als mangelndes Interesse auslegen, und das war hier unverzeihlich.

Es fiel ihr schwer, allen Windungen der Handlung zu folgen. Nicht nur wurde häufig auf Ereignisse angespielt, von denen sie nichts wusste, es wurden sogar Wörter verwendet, die sie nicht kannte. Über dem Ganzen lag eine schwermütige Stimmung, so, als sei den Hauptdarstellern bewusst, dass am Ende ein Verlust stehen würde, an dem nichts von dem, was sie sagten oder taten, etwas ändern konnte.

Ob sich Cormac O'Neil so fühlte wie die Personen in dem Stück: ohnmächtig dem alles überrollenden Schicksal ausgeliefert? Persönliche Verluste waren ein Bestandteil des Lebens. Die einzige Möglichkeit, sie zu vermeiden, bestünde darin, niemanden zu lieben. Nach einer Weile gab sie ihre Bemühungen auf, der Handlung auf der Bühne zu folgen, und beobachtete unauffällig O'Neil.

Er schien ohne Begleitung gekommen zu sein. Die Menschen links und rechts von ihm schienen zu anderen zu gehören, denn er wandte kein einziges Mal den Kopf zu ihnen. Während der ganzen Zeit, da sie zu ihm hinsah, richtete niemand das Wort an ihn und auch er an keinen der anderen, und er sah auch zu niemandem hin, wenn die Schauspieler eine besonders gelungene Sentenz zum Besten gaben oder ein Handlungselement die Zuschauer tief anrührte.

Je länger sie ihn beobachtete, desto vollkommener schien seine Einsamkeit zu sein. Zugleich aber merkte sie, dass er alles andere als gelangweilt wirkte. Nicht eine Sekunde lang nahm er den Blick vom Geschehen auf der Bühne, doch so manches Mal spiegelte sich, was er sah, nicht auf seinen Zügen. Was ihm wohl durch den Kopf gehen mochte? Andere Zeiten und Ereignisse, andere Tragödien, die mit der hier gezeigten durch nichts als die Tiefe der Empfindungen verbunden waren?

Als es im Saal zur Pause hell wurde, merkte Charlotte, dass eine von den Akteuren wie auch dem Publikum ausgehende Leidenschaftlichkeit sie gepackt hatte, der sie sich nicht entziehen konnte. Zugleich verwirrte es sie, es vermittelte ihr mehr noch als die andere Sprechweise, dass sie sich an einem fremden Ort befand, voller Empfindungen, die sie zwar wahrnahm, die sich ihr aber sogleich entzogen.

»Wollen wir etwas trinken gehen?«, fragte McDaid, als der Vorhang gefallen war. »Vielleicht kann ich Sie dann auch dem einen oder anderen meiner Bekannten vorstellen. Sicher sterben die vor Neugier zu erfahren, wer Sie sind, und natürlich werden sie auch wissen wollen, woher ich Sie kenne.«

»Sehr gern«, gab sie zurück. »Und woher kennen Sie mich? Da wäre es doch sicher am besten, wenn wir dasselbe sagten, weil die Leute sonst anfangen würden zu reden.« Sie lächelte, um ihren Worten den möglichen Geschmack einer Kränkung zu nehmen.

»Hat nicht ein Theaterbesuch mit einer schönen Frau den einzigen Zweck, zu erreichen, dass die Leute reden?« Er hob die Brauen. »Sonst würde man doch besser allein kommen wie Cormac O'Neil und sich auf das Stück konzentrieren, ohne sich ablenken zu lassen.«

»Vielen Dank. Der Gedanke, ich könnte Sie ablenken, schmeichelt mir.« Sie neigte den Kopf leicht kokett. »Vor allem von einem so aufwühlenden Drama. Die Schauspieler sind glänzend. Ich hatte zwar die halbe Zeit keine Ahnung, wovon sie reden, trotzdem schlagen mich die von ihnen vermittelten Gefühle in ihren Bann.«

»Sind Sie ganz sicher, dass Sie keine Irin sind?«, fragte er.

»Überhaupt nicht. Vielleicht bin ich es ja tatsächlich zum Teil. Ich müsste einfach gründlicher suchen. Aber sagen Sie Mr O'Neil bitte nicht, dass auch meine Großmutter eine geborene O'Neil war, weil ich mich sonst gezwungen sähe zuzugeben, dass ich kaum etwas über sie weiß. Das würde doch ausgesprochen unhöflich wirken, so, als missbilligte ich diesen Teil meiner Herkunft. Ehrlich gesagt hatte ich keine Ahnung, als wie interessant sie sich erweisen würde.«

»Ich werde es ihm nicht sagen, wenn das Ihr Wunsch ist«, versprach er.

»Aber Sie haben mir noch nicht gesagt, wie wir einander kennengelernt haben«, erinnerte sie ihn.

»Ich habe Sie in einem Raum voller Menschen gesehen und eine gemeinsame Bekannte gebeten, uns vorzustellen«, sagte er. »Lernt man eine Frau, die man sieht und bewundert, nicht immer auf diese Weise kennen?«

»Gut möglich. Aber was für ein Raum war das? Hier in Irland? Vermutlich nicht, denn ich bin erst zwei Tage hier. Waren Sie denn in jüngster Zeit in London?« Mit einem Lächeln fügte sie hinzu: »Oder überhaupt jemals?«

»Selbstverständlich. Sie halten mich doch nicht etwa für einen Hinterwäldler?« Er zuckte die Achseln. »Allerdings nur einmal. Die Stadt hat mir nicht zugesagt – und ich ihr auch nicht. Sie ist so ungeheuer groß, so voller Menschen und gleichzeitig so anonym. Man könnte dort leben und sterben, ohne je wahrgenommen zu werden.«

»Jedenfalls bin ich doch erst seit zwei Tagen in Dublin«, erinnerte sie ihn noch einmal, um das Schweigen zu füllen.

»Dann haben Sie mich eben auf den ersten Blick behext«, sagte er und lächelte plötzlich wieder. »Es tut mir leid, etwas Kränkendes über Ihre Heimat gesagt zu haben. Das ist unverzeihlich. Führen wir es auf meine eigene Unzulänglichkeit inmitten von drei Millionen Engländern zurück.«

»Oh, unter denen gibt es eine ganze Menge Iren, das dürfen Sie mir glauben«, sagte sie lächelnd. »Und keiner von denen ist im Geringsten unzulänglich.«

Er verneigte sich.

»Und ich habe in unverantwortlicher Weise Ihre Einladung angenommen, weil ich mich geschmeichelt fühlte?«, fragte sie in herausforderndem Ton.

»Nein, Sie haben Recht«, räumte er ein. »Wir müssen gemeinsame Bekannte haben – irgendeine hochachtbare Tante, würde ich sagen. Haben Sie solche Verwandten?«

»Meine angeheiratete Großtante, Lady Vespasia Cumming-Gould. Wenn die Sie mir empfohlen hätte, würde ich Sie ohne das geringste Zögern an jeden beliebigen Ort auf der Welt begleiten«, gab sie zurück.

»Das klingt nach einer bezaubernden Dame.«

»Das ist sie auch. Sie können mir glauben. Wenn Sie wirklich mit ihr zusammengetroffen wären, würden Sie nicht wagen, mich anders als mit der größten Achtung zu behandeln.«

»Wie heißt diese bemerkenswerte Dame, und wo habe ich sie kennengelernt?«

»Lady Vespasia Cumming-Gould. Der genaue Ort ist unerheblich. Sie würden jede Umgebung sogleich vergessen, wenn Sie sie sehen würden. London genügt voll und ganz.«

»Lady Vespasia Cumming-Gould«, sagte er in einem Ton, als ließe er sich den Namen auf der Zunge zergehen. »Den Namen muss ich schon einmal gehört haben.«

»Sie hat in ganz Europa Aufsehen erregt«, teilte sie ihm mit. »Ihnen muss klar sein, dass sie von unbestimmtem Alter ist, aber ihr Haar ist silberfarben, und sie hat einen Gang wie eine Königin. Sie war die schönste und aufregendste Frau ihrer Generation. Wenn Sie das nicht wissen, ist sofort klar, dass Sie ihr nie begegnet sind.«

»Ich bin zutiefst enttäuscht, dass es mir nicht vergönnt war.« Er bot ihr den Arm, und sie schritten die Treppe hinab. Im Foyer hatte sich bereits ein großer Teil des Publikums versammelt, um Bekannte zu begrüßen und Kommentare über das Gesehene abzugeben.

Nach einigen weiteren Minuten angeregten Plauderns stellte McDaid sie einem ungewöhnlich großen Mann namens Ardal Barralet sowie einer Dame namens Dolina Pearse vor, die durch ihr wild gelocktes Haar auffiel. Neben den beiden stand Cormac O'Neil, doch war offensichtlich, dass er nicht in ihrer Gesellschaft war.

»Ach, da ist ja O'Neil!«, sagte McDaid mit einer Stimme, die überrascht klang. »Ich habe Sie ewig lange nicht gesehen. Wie geht es denn?«

Barralet wandte sich um, als habe er O'Neil nicht gesehen, der so dicht neben ihm stand, dass sich ihre Frackschöße berührten.

»'n Abend, O'Neil. Gefällt Ihnen das Stück? Hinreißend, finden Sie nicht auch?«, sagte er im Plauderton.

O'Neil blieb nichts anderes übrig, als darauf einzugehen, wenn er den Mann nicht offen vor den Kopf stoßen wollte.

»Grandios«, sagte er und sah Barralet an. Seine tiefe Stimme klang äußerst gepflegt, als sei auch er ein Schauspieler, der die Wörter liebkoste, indem er sie aussprach. Ohne zu Charlotte hinzusehen, begrüßte er ihre Nachbarin mit den Worten »Guten Abend, Mrs Pearse.«

»Guten Abend, Mr O'Neil«, gab sie kalt zurück.

»Natürlich kennen Sie Fiachra McDaid«, füllte Barralet das plötzlich eingetretene Schweigen. »Aber vielleicht nicht Mrs Pitt? Sie ist erst seit kurzem in Dublin.«

»Schön, Sie zu sehen, Mrs Pitt«, sagte O'Neil höflich, doch ohne jede Spur von Interesse, und sah dann McDaid mit einem plötzlich aufflammenden Ausdruck an, den Charlotte nicht zu deuten vermochte.

McDaid erwiderte seinen Blick gelassen, und der Moment war vorüber.

Charlotte fragte sich, ob sie das gesehen oder es sich nur eingebildet hatte.

»Was führt Sie hierher, Mrs Pitt?«, erkundigte sich Dolina Pearse, unübersehbar aus dem Wunsch heraus, die Situation zu entspannen, indem sie das Thema wechselte. Weder in ihrer Stimme noch auf ihrem Gesicht lag der geringste Anflug von Interesse.

»Ich habe viel Gutes über die Stadt Dublin gehört«, gab Charlotte zurück, »und den Entschluss gefasst, angenehme Dinge in Zukunft nicht aufzuschieben, wenn sie sich sofort erledigen lassen.«

»Typisch englisch«, murmelte Dolina, »und ausgesprochen wohlerzogen«, fügte sie hinzu, als langweile sie das entsetzlich.

Charlotte spürte, wie Zorn in ihr aufstieg. Sie sah die Frau an und erklärte: »Wenn es als wohlerzogen gilt, nach Dublin zu kommen, hat man mich falsch informiert. Ich hatte gehofft, dass es vergnüglich sein würde.«

McDaid lachte laut heraus, offensichtlich von dieser Parade höchst belustigt. »Es kommt ganz darauf an, worin man seine Vergnügungen sucht, meine Liebe. Oscar Wilde, der arme Kerl, ist natürlich einer von uns und hat die Welt zum Lachen gebracht. Jahrelang haben wir versucht, die Engländer so gut nachzuahmen, wie wir konnten. Jetzt endlich sind wir dabei, uns selbst zu finden, und füllen unsere Theaterstücke mit Kummer, Poesie und Dreifachbedeutungen. Man kann sich dann immer diejenige aussuchen, die zur jeweiligen Stimmung passt. Hinter den meisten aber stehen Verderben und Untergang, so, als wäre das Buch unseres Schicksals mit Blut geschrieben. Wenn wir lachen, dann über uns selbst, und Ihnen als Außenstehender erscheint es möglicherweise als unhöflich, mit einzustimmen.«

»Das erklärt eine ganze Menge«, sagte Charlotte und dankte ihm mit einem leichten Neigen des Kopfes. Ihr war klar, dass O'Neil sie beobachtete, möglicherweise, weil sie die Einzige in der Gruppe war, die er nicht kannte. Sie wollte unbedingt auf irgendeine Weise mit ihm ins Gespräch kommen, war er doch derjenige, von dem Narraway vermutete, dass er die ganze unselige Sache angezettelt hatte. Was nur konnte sie sagen, was nicht gezwungen klang? Sie sah ihn offen an, damit er sich genötigt fühlte, ihr entweder zuzuhören oder sie offen zu brüskieren.

»Möglicherweise war der Ausdruck ›vergnüglich‹ etwas unbedacht«, sagte sie halb entschuldigend. »Ich würze mein Vergnügen gern mit einer Prise Nachdenklichkeit und gelegentlich auch mit dem einen oder anderen schwer zu lösenden Rätsel, um den Genuss zu verlängern. Ein Theaterstück, bei dem man gleich alles versteht, ist oberflächlich, finden Sie nicht auch?«

Seine harten Züge wurden ein wenig weicher. »Wenn das so ist, werden Sie Irland als glückliche Frau verlassen«, teilte er ihr mit. »Bestimmt werden Sie uns nicht in einer Woche oder einem Monat verstehen, wahrscheinlich nicht einmal in einem ganzen Jahr.«

»Weil ich Engländerin bin? Oder weil die Iren so schwer zu verstehen sind?«, setzte sie nach.

»Weil wir uns meistens selbst nicht verstehen«, gab er mit leichtem Schulterzucken zurück.

»Das gilt für uns alle«, erwiderte sie. Jetzt sprachen sie miteinander, als sei sonst niemand anwesend. »Nur langweilige Menschen glauben, sie seien leicht zu verstehen.«

»Man kann langweilig sein, indem man stets laut versucht, sich selbst zu verstehen.« Er lächelte, wobei sich der Ausdruck seines Gesichts vollständig veränderte. »Aber wir tun es auf poetische Weise. Auf die Nerven geht man anderen erst, wenn man anfängt, sich zu wiederholen.«

»Aber wiederholt sich die Geschichte nicht ständig selbst, so, wie in der Musik Variationen ein Thema wieder aufnehmen?«, fragte sie. »Jede Generation, jeder Künstler, fügt eine andere Note hinzu, doch die Grundmelodie bleibt dieselbe.«

»Die Englands ist in Dur geschrieben.« Er verzog den Mund, während er das sagte. »Viel Blech und Schlagzeug. Die von Irland hingegen in Moll – Holzbläser und verklingende Akkorde. Vielleicht hier und da ein Violinsolo.« Er sah sie aufmerksam an, als spielten sie ein Spiel, bei dem einer gewinnen und der andere verlieren würde. War ihm bereits bekannt, wer sie war? Wusste er, dass sie mit Narraway gekommen war und warum?

Sie versuchte diese Überlegung als absurd von sich zu weisen, dann aber fiel ihr ein, dass jemand Narraway bereits überlistet hatte. Das durfte man als durchaus bemerkenswerte Leistung ansehen, denn dafür war außer dem glühenden Wunsch nach Rache eine hohe Intelligenz erforderlich. Vor allem aber waren, um das Geld auf Narraways Bankkonto zu überweisen, Verbindungen zu Lisson Grove nötig, und zwar zu Leuten in einflussreicher Position, die darüber hinaus bereit waren, ihrem Vorgesetzten in den Rücken zu fallen. Dieser Gedanke ließ sie vor Furcht erstarren.

Mit einem Mal erschien ihr die Sache weitaus bedrohlicher als bisher. Während sie zögerte weiterzusprechen, merkte sie, dass Dolina Pearse inzwischen ebenfalls erwartungsvoll zu ihr hersah.

»Ich finde immer, dass die Violine der menschlichen Stimme sehr ähnlich klingt«, sagte Charlotte mit einem Lächeln. »Sie nicht auch, Mr O'Neil?«

Einen Augenblick lang flackerte in seinem Blick Überraschung auf. Offensichtlich war er auf eine andere Äußerung gefasst gewesen, möglicherweise eine, mit der sie sich gegen ihn zur Wehr setzte. »Haben Sie nicht damit gerechnet, dass die Stimme der Helden Irlands menschlich klingt?«, fragte er. Der Blick seiner Augen zeigte, dass er diesen melodramatischen Hinweis nur halb ernst meinte.

»Nicht unbedingt«, gab sie zurück, wobei sie es vermied, McDaid oder Dolina Pearse anzusehen. »Ich hatte eher an etwas Heroisches, wenn nicht gar Übermenschliches, gedacht.«

»Das hat gesessen«, sagte McDaid leise. Er nahm Charlottes Arm mit überraschend festem Griff. Sie hätte seine Hand nicht einmal abschütteln können, wenn sie es gewollt hätte. »Leider müssen wir jetzt zurück.« Er entschuldigte sich bei den anderen und führte sie nach einem knappen Abschied davon. Fast hätte sie ihn gefragt, ob sie jemanden gekränkt habe, doch sie wollte die Antwort lieber nicht hören, und sie dachte auch nicht daran, sich zu entschuldigen.

Als sie wieder ihre Plätze eingenommen hatten, merkte sie, dass man von ihrer Loge aus das Publikum im Parkett ebenso gut sah wie die Bühne. Ein Blick auf McDaids Gesicht zeigte ihr, dass er das mit Absicht so eingerichtet hatte, doch sie äußerte sich nicht dazu.

Sie hatten ihre Loge gerade rechtzeitig erreicht, denn schon ging der Vorhang auf, und die Handlung des Stücks nahm sie sogleich wieder gefangen. Es fiel ihr trotz der großen Gefühle schwer, den Dialogen zu folgen, die voller Anspielungen auf geschichtliche Ereignisse und ihr unbekannte Legenden waren, so dass sie so manches nicht mitbekam. Vielleicht war das der Grund, warum sie anfing, den Blick im Saal umherschweifen zu lassen, um ein wenig von der Reaktion des Publikums zu erhaschen und auf diese Weise etwas mehr zu verstehen.

In einer Loge ihnen nahezu genau gegenüber sah sie das Ehepaar Tyrone. Sie konnte beider Gesichter ziemlich deutlich erkennen. John folgte dem Bühnengeschehen so aufmerksam, dass er sich leicht vorbeugte, als wolle er sich kein Wort entgehen lassen. Bridget sah zu ihm hin, wandte sich dann aber ab, als sie merkte, wie konzentriert er war, und ließ ihrerseits den Blick durch den Saal schweifen. Charlotte nahm das Opernglas, das ihr McDaid geliehen hatte, vor die Augen, nicht etwa, um die Schauspieler auf der Bühne besser sehen zu können, sondern damit niemand merkte, wohin sie blickte, und beobachtete Bridget aufmerksam. Als diese einen Mann entdeckte, der links unter ihr im Parkett saß, sah sie lange zu ihm hin. Obwohl Charlotte lediglich seinen Hinterkopf sehen konnte, war sie sicher, dass sie ihn schon einmal gesehen hatte, doch fiel ihr nicht ein, wo.

Bridget sah weiterhin unverwandt zu ihm hin, als wolle sie ihn dazu veranlassen, seinen Blick auf sie zu richten.

Die Handlung auf der Bühne spitzte sich zu, doch bekam Charlotte das nur am Rande mit, da sie sich weiterhin auf die Zuschauer im Saal konzentrierte. John Tyrone ließ nach wie vor die Schauspieler nicht aus den Augen. Der Mann im Zuschauerraum wandte endlich den Kopf und hob den Blick zu den Logen, die er eine nach der anderen abzusuchen schien, bis er Bridget entdeckt hatte. Charlotte erkannte ihn sofort, als sie ihn im Profil sah – es war Phelim O'Conor. Mit einem für sie nicht deutbaren Gesichtsausdruck hielt er den Blick unverwandt auf Bridget gerichtet.

Diese wandte den Kopf rasch beiseite, als sich ihr Mann vom Geschehen auf der Bühne löste und zu ihr hersah. Sie wechselten einige Worte miteinander.

Jetzt wandte sich O'Conor erneut der Bühne zu und beobachtete, was sich dort abspielte. Er hielt sich völlig reglos, während die Handlung erkennbar einem Höhepunkt entgegenstrebte und die Schauspieler einander wild gestikulierend zu bedrohen schienen.

In der zweiten Pause nahm McDaid Charlotte wieder mit ins Foyer, an dessen Bar Erfrischungen serviert wurden. Alle Gespräche schienen sich um das Stück zu drehen, die Qualität der Darbietung, die Frage, ob sie die Aussageabsicht des Autors deutlich machte und der Hauptdarsteller seiner Rolle gerecht wurde.

Während Charlotte zuhörte, sah sie sich aufmerksam unter den Anwesenden um. Doch wie sich zeigte, war unter ihnen niemand weiter, den sie kannte. Dennoch kamen ihr die Menschen in gewisser Weise vertraut vor. Manche von denen, die da an der Bar anstanden oder sich angeregt mit anderen unterhielten, ähnelten solchen, die sie vor ihrer Heirat gekannt hatte, so sehr, dass sie mehr oder weniger damit rechnete, sie wiederzuerkennen. Es war ein sonderbares Gefühl, angenehm und zugleich voll Wehmut, auch wenn sie ihr gegenwärtiges Leben um keinen Preis mit ihrem früheren vertauscht hätte.

»Gefällt Ihnen das Stück?«, erkundigte sich McDaid. Sie näherten sich der Bar, wo Cormac O'Neil mit einem Glas Whiskey in der Hand stand.

Ob McDaid wusste, wie wenig sie auf die Vorstellung geachtet hatte? Das war durchaus möglich. Sie wollte ihn weder belügen noch ihm die Wahrheit sagen.

Auch O'Neil schien gespannt auf ihre Antwort zu warten.

»Mir gefällt das Ganze. Es ist für mich ein wirkliches Erlebnis«, gab sie diplomatisch zurück. »Ich bin Ihnen außerordentlich dankbar dafür, dass Sie mich hierher mitgenommen haben – zum einen, weil ich unmöglich hätte allein kommen können, und zum anderen, weil ich es dann als nicht annähernd so angenehm empfunden hätte.«

»Es freut mich, dass es Ihnen zusagt«, sagte McDaid mit einem Lächeln. »Ich war nicht sicher, ob es die richtige Wahl war, denn das Stück endet mit einem düsteren und schrecklichen Höhepunkt. Sie werden möglicherweise nicht viel davon verstehen.«

»Ist das die Absicht«, fragte sie, wobei sie den Blick zwischen den beiden Männern hin und her wandern ließ, »uns alle so sehr zu verwirren, dass wir Wochen oder gar Monate damit zubringen müssen herauszubekommen, welche Bedeutung wirklich dahintersteckt? Vielleicht finden wir dann ein halbes Dutzend verschiedener Möglichkeiten.«

Flüchtig trat ein Ausdruck von Überraschung und Bewunderung in McDaids Augen. In munterem Ton gab er zurück: »Es kann sein, dass Sie uns überschätzen, zumindest in diesem Fall. Ich nehme kaum an, dass die Gedankengänge des Autors so kompliziert waren.«

»An welche Möglichkeiten hatten Sie denn gedacht?«, erkundigte sich O'Neil mit leiser Stimme und in einem Ton, als handele es sich lediglich um eine Pausenplauderei. Allerdings nahm sie an, dass er darauf aus war, mit dieser Frage etwas zu ergründen.

»Fragen Sie mich in einem Monat noch einmal, Mr O'Neil«, sagte sie leichthin. »Natürlich liegt Wut darin, das kann jeder merken. Außerdem habe ich den Eindruck, dass es um eine Art Vorbestimmung geht, so, als gebe es für uns alle keine rechte Wahl und als sei unsere Handlungsweise von Geburt an vorgegeben. Mir sagt das nicht zu. Ich möchte nicht den Eindruck haben, dass … mich die Schicksalsmächte auf diese Weise beherrschen.«

»Sie sind Engländerin. Ihre Leute halten sich gern für die Herren der Geschichte. Wir in Irland haben gelernt, dass die Geschichte uns beherrscht«, erwiderte er. Auch wenn sich die Bitterkeit in seiner Stimme mit leichtem Spott und Lachen vermengte, war der Schmerz darin unverkennbar.

Es lag ihr auf der Zunge, ihm zu widersprechen, doch dann begriff sie, welche Gelegenheit sich ihr da bot. »Wirklich? Wenn ich das Stück richtig verstehe, geht es um eine gewisse allgemeingültige Unausweichlichkeit in der Liebe und im Verrat – eine Art düsteres und auf Urzeiten zurückgehendes Thema ähnlich dem in Romeo und Julia.«

O'Neils Gesichtszüge spannten sich an, und selbst im Lampenlicht des von Menschen erfüllten Raumes konnte Charlotte sehen, dass er erbleichte. »Sehen Sie das darin?« Seine Stimme klang belegt, er schien beinahe an seinen Worten zu ersticken. »In dem Fall romantisieren Sie das Ganze, Mrs Pitt.« Jetzt war die Bitterkeit in ihm überwältigend, das merkte sie deutlich.

»Ach ja?«, fragte sie und tat einen Schritt beiseite, damit ein Paar passieren konnte, das Arm in Arm vorüberkam. Dabei trat sie absichtlich näher an O'Neil heran, als erforderlich war, um Platz zu machen, so dass er nicht hätte fortgehen können, ohne sie aus dem Weg zu schieben. »Welche härtere Wirklichkeit müsste ich erkennen? Rivalität zwischen verfeindeten Parteien, zerrissene Familien, unerfüllte Liebe, Verrat und Tod? Ich halte das nicht für wirklich romantisch, außer natürlich für uns Zuschauer im Theater. Für die davon Betroffenen dürfte es alles andere als das sein.«

Er sah sie mit einer Art schwarzer Verzweiflung in seinen tief liegenden Augen an. Es fiel ihr leicht zu glauben, dass Narraway mit seiner Vermutung Recht hatte und O'Neil seinen Hass zwanzig Jahre lang genährt hatte, bis ihm das Schicksal eine Möglichkeit zur Rache aufgezeigt hatte. Aber was war der Auslöser gewesen, was hatte sich verändert?

»Und als was sehen Sie sich, Mrs Pitt?«, fragte er dicht neben ihr so leise, dass McDaid es nahezu mit Sicherheit nicht hören konnte. »Sind Sie Zuschauerin oder Mitwirkende? Ist der Zweck Ihres Hierseins, sich das Blut und die Tränen Irlands anzusehen – oder sich in die Sache einzumischen, wie Ihr Freund Narraway?«

Sie war wie vor den Kopf geschlagen und wusste nicht, was sie sagen sollte. Einen Augenblick lang waren die Gespräche der Menge um sie herum nichts anderes als ein Lärmteppich, den ebenso gut eine Gänseherde hätte erzeugen können. War es sinnvoll, die Verbindung zu ihm abzustreiten? Sicherlich würde es lächerlich wirken, wenn sie sich jetzt unwissend gebärdete.

»Ich wäre gern so etwas wie ein Deus ex Machina«, gab sie zurück. »Aber ich nehme an, dass dergleichen unmöglich ist.«

»Der Gott aus der Maschine wie im römischen Theater?«, fragte er ärgerlich. »Sie wollen also im letzten Akt auf die Bühne herabsteigen und einen unmöglichen Schluss bewirken, der dafür sorgt, dass sich alles in Wohlgefallen auflöst? Wie englisch Sie sind! Es ist geradezu absurd und unglaublich überheblich. Sie kommen zwanzig Jahre zu spät. Sagen Sie das Victor Narraway, wenn Sie ihn sehen. Hier gibt es nichts mehr auszubügeln.« Er wandte sich ab, bevor sie den Mund auftun konnte, und drängte sich an ihr vorüber. Weil er dabei gegen einen breitschultrigen Mann in einem blauen Jackett stieß, verschüttete er den Rest seines Whiskeys. Im nächsten Augenblick war er verschwunden.

Charlotte sah, dass McDaid mit dem Ausdruck eines gewissen Unbehagens neben sie trat.

»Es tut mir leid«, bat sie um Entschuldigung. Es hatte keinen Sinn, nach einer Erklärung zu suchen. Gründe spielten keine Rolle, und sie wusste nicht, inwieweit McDaid mit Narraways gegenwärtiger Schwierigkeit oder der Rolle vertraut war, die er vor so langer Zeit in der Tragödie von O'Neils Leben gespielt hatte. »Ich habe meine Ansichten wohl etwas zu freimütig ausgedrückt.«

Er biss sich auf die Lippe. »Sie konnten das nicht wissen, aber Themen wie die Freiheit Irlands und Verräter an der Sache gehen O'Neil schmerzhaft nahe. Angehörige seiner Familie waren vor zwanzig Jahren verantwortlich für den Fehlschlag unseres großen Vorhabens.« Er zuckte die Achseln. »Was da im Hintergrund wirklich abgelaufen ist, haben wir nie erfahren. Sean O'Neil ist gehängt worden, weil er seine Frau Kate umgebracht hat. Es hieß immer, er habe das getan, weil sie den Engländern unsere Pläne verraten hatte, doch ist so mancher der Ansicht, in Wahrheit habe er sie mit einem anderen Mann ertappt. Wie auch immer sich das verhalten mag, wir haben wieder einmal versagt, und die Bitterkeit dieser Niederlage dauert bis in die Gegenwart an.«

Mord und der Strang. Kein Wunder, dass O'Neil verbittert war und der Kummer nie endete – und Narraway nach wie vor ein Schuldgefühl empfand, das schwer auf ihm lastete.

»Hatten Sie einen Aufstand geplant?«, fragte sie ruhig. Sie hörte die vielen Leute um sich herum.

»Natürlich«, gab McDaid mit einer Stimme zurück, die betont jeden Ausdruck vermied, so dass sie gekünstelt klang. »Damals lag die Selbstbestimmung für unser Volk in der Luft, die wir atmeten. Wir hätten wir selbst sein können, ohne den Mühlstein England um den Hals.«

»Sehen Sie das so?« Mit diesen Worten wandte sie sich ihm zu und sah ihn forschend an.

Sein Gesichtsausdruck entspannte sich, und er erwiderte ihr Lächeln, betrübt und ein wenig selbstironisch. »Damals jedenfalls habe ich es so gesehen, und immer wenn ich Cormac sehe, kommt mir die ganze Situation ins Gedächtnis. Jetzt aber bin ich nicht mehr so hitzköpfig wie damals. Es gibt bessere Möglichkeiten, seine Energien einzusetzen – und für lohnendere Ziele.« Sie nahm die Geräusche und die Farben um sich herum wahr. Sie standen in einer der interessantesten Hauptstädte der Welt inmitten von Menschen, die gekommen waren, um einen Theaterabend zu genießen. Sicherlich hatten einige dieser Männer und Frauen den Eindruck, in ihrem eigenen Land unter einer Fremdherrschaft zu leben, und sicher war der eine oder andere von ihnen bereit zu töten und zu sterben, um das Joch der Unterdrückung abzuwerfen. Obwohl sie genau wie diese Menschen aussah, die gleiche Farbe von Haut und Haar hatte, gehörte sie nicht dazu, unterschied sich von ihnen in Herz und Sinn.

»Und was für Ziele wären das?«, fragte sie mit aufrichtigem Interesse.

Sein Lächeln wurde breiter, als wolle er damit die Frage abtun. »Die Reform längst überholter Gesetze und die Abschaffung gesellschaftlicher Ungerechtigkeiten«, gab er zurück. »Mehr Gleichheit. Zweifellos sind es dieselben, für die Sie in Ihrer Heimat kämpfen. Wie ich höre, gibt es in London einige bemerkenswerte Frauen, die sich für allerlei Bestrebungen dieser Art einsetzen. Vielleicht werden Sie mir eines Tages über die eine oder andere etwas berichten?« Er sagte das in fragendem Ton, als sei ihm an einer Antwort gelegen.

»Gern«, sagte sie leichthin und versuchte, Fakten in ihrem Kopf zu ordnen, damit sie erforderlichenfalls eine brauchbare Auskunft geben konnte.

Er nahm erneut ihren Arm und führte sie durch das Menschengewimmel zu ihrer Loge zurück, ein höflicher, gastfreundlicher Mann mit trockenem Witz, voller Leben. Wie leicht könnte es ihr fallen zu vergessen, dass sie nicht hierhergehörte, und wie gefährlich wäre das – vor allem für sie, denn ihr Mann arbeitete für den Sicherheitsdienst, und McDaids alter Bekannter Narraway war möglicherweise derjenige, der sich Kate O'Neils bedient hatte, damit sie ihr eigenes Volk verriet und auf diese Weise ihre Familie zugrunde richtete.

Narraway fragte sich, was Charlotte im Theater wohl so alles herausfinden würde. Während er mit gesenktem Kopf in der warmen, feuchten Luft, die vom Wasser aufstieg, am Nordufer des Liffey am Arran-Kai entlangging, begann er zu fürchten, dass sie über ihn so manches in Erfahrung bringen würde, was er ihr lieber vorenthalten hätte, doch sah er keine Möglichkeit, das zu verhindern. Sie würde Cormac O'Neil treffen und zumindest zum Teil das Ausmaß seines Hasses wie auch die Gründe dafür erkennen.

Er lächelte bitter, als er sich vorstellte, wie sie ihrer Aufgabe nachging, all das herauszubekommen. Ob sie enttäuscht wäre, wenn sie hörte, welche Rolle er bei all dem gespielt hatte? War es reine Eitelkeit, wenn er annahm, sie schätze ihn so sehr, dass sie davon enttäuscht oder gar verletzt sein würde?

Nie würde er die Tage nach Kates Tod vergessen. Am schlimmsten war der Vormittag gewesen, an dem man Sean gehängt hatte. Die Härte dieser Strafe und der Kummer, den er darüber empfand, hatten einen kalten Schauer auf all die folgenden Jahre gelegt. Warum hatte er sich den Schmerz angetan, Charlotte davon zu berichten? Hatte er befürchtet, sie werde von sich aus etwas darüber in Erfahrung bringen, und es für besser gehalten, den Stoß selbst zu führen, als qualvoll darauf zu warten, dass ein anderer das tat?

Er hätte es besser wissen können. Die vielen im Sicherheitsdienst verbrachten Jahre hätten ihn sowohl Geduld als auch Selbstbeherrschung lehren müssen. Gewöhnlich legte er diese beiden Tugenden mit einer Perfektion an den Tag, die dafür sorgte, dass man ihn für so kalt wie einen Fisch hielt. Sicherlich sah ihn Charlotte so. Setzte er möglicherweise so viel aufs Spiel, damit sie merkte, dass es sich in Wirklichkeit anders verhielt?

Er wollte unter keinen Umständen, dass sie etwas für ihn empfand oder sich um ihn grämte, wenn diese Gefühle auf einer Fehleinschätzung seines Wesens fußten.

Er lachte über sich selbst, so leise, dass es in seinen raschen Schritten auf den Pflastersteinen beinahe unterging. Wieso legte er eigentlich in seinem Alter so großen Wert auf die Meinung der Frau eines anderen?

Er zwang sich, auf seinen Weg und auf sein Ziel zu achten. Wenn er nicht dahinterkam, wer das für Mulhare bestimmte Geld fehlgeleitet und zurück auf sein Konto überwiesen hatte, wäre alles, was er über O'Neil erfuhr, bedeutungslos. Irgendjemand in Lisson Grove war an der Sache beteiligt. Den Iren machte er in diesem Zusammenhang keine Vorwürfe. Sie kämpften für ihr Land und ihre Freiheit, und bisweilen waren sie ihm deswegen sogar sympathisch. Aber der Mann im Sicherheitsdienst, der dahintersteckte, war zum Verräter an der eigenen Sache geworden, und das war etwas gänzlich anderes. Er wollte wissen und vor allem beweisen, wer das war. Der Schaden, den ein solcher Mensch anrichten konnte, war grenzenlos. Wenn er England so sehr hasste, dass er eine Möglichkeit gefunden hatte, dafür zu sorgen, dass Narraway bei der Regierung in Ungnade fiel, was konnte er da noch alles anrichten? War es sein eigentliches Ziel, an Narraways Stelle zu treten? Möglicherweise war die ganze Geschichte mit Mulhare nichts anderes als ein Mittel zu diesem Zweck. Aber ging es dabei wirklich um nichts als persönlichen Ehrgeiz, oder stand dahinter noch ein anderer, finstererer Zweck?

Tief in Gedanken, wäre er an der Gasse, die er suchte, beinahe vorübergegangen. Er bog in sie ein und musste sich auf den unebenen Steinen seinen Weg förmlich ertasten, so dunkel war es dort. Die dritte Tür. Er klopfte in einem bestimmten schnellen Rhythmus an.

Charlotte hatte er mit nach Dublin genommen, weil das seinem Wunsch entsprach, aber sie hatte ihre eigenen Gründe dafür, hier zu sein. Sofern er mit seiner Vermutung bezüglich des Verräters in Lisson Grove Recht hatte, würde eine der ersten Amtshandlungen jenes Menschen darin bestehen, Pitt kaltzustellen. Wenn er Glück hatte, würde man ihn einfach entlassen, doch es gab weit schlimmere Möglichkeiten. Einige davon gingen Narraway durch den Kopf, während die Tür geöffnet wurde. Man führte ihn in einen kleinen, entsetzlich stickigen Büroraum voller Hauptbücher, Rechnungsbücher und Stapel loser Blätter. Eine getigerte Katze hatte es sich vor dem Kaminfeuer bequem gemacht und rührte sich nicht, als er eintrat und sich setzte.

O'Casey saß hinter dem überladenen Schreibtisch, sein kahler Schädel glänzte im Licht der Gaslampe.

»Nun?«, fragte Narraway, bemüht, seine Ungeduld zu verbergen, so gut es ging.

O'Casey zögerte.

Narraway überlegte, ob er dem Mann drohen sollte. Ihm standen durchaus noch gewisse Machtmittel zur Verfügung, wenn sie auch jetzt nicht mehr durch die Gesetze gedeckt wurden. Er sog die Luft ein. Dann sah er erneut zu O'Casey hin und überlegte es sich anders. Er hatte wenig genug Freunde, da konnte er es sich nicht leisten, es sich mit einem von ihnen zu verderben.

»Was wollen Sie von mir?«, fragte O'Casey mit leicht schief gelegtem Kopf. »Um der alten Zeiten willen will ich Ihnen helfen. Aber nicht mehr, als ich unbedingt muss, und das ist wenig genug. Und dann muss Schluss sein.«

»Ist mir klar«, gab ihm Narraway Recht. Es gab auf beiden Seiten Wunden und Schulden, die zum Teil noch nicht beglichen waren. »Ich muss wissen, was sich bei Cormac O'Neil geändert hat ...«

»Lassen Sie den armen Mann doch um Gottes willen in Ruhe! Haben Sie ihm nicht schon alles genommen, was er hatte?«, rief O'Casey aus. »Sie sind doch wohl nicht auf das Kind aus, oder?«

»Das Kind?« Einen Augenblick verstand Narraway nicht. Dann kam ihm die Erinnerung – Kates und Seans Tochter. Sie war beim Tod ihrer Eltern erst sechs oder sieben Jahre alt gewesen. »Hat Cormac sie aufgezogen?«, fragte er.

»Natürlich nicht.« O'Casey warf ihm einen verächtlichen Blick zu. »Was hätte er denn mit einem sechsjährigen Mädchen anfangen sollen? Eine Kusine von Kate, ich glaube, sie hieß Maureen, hat sie zu sich genommen. Sie und ihr Mann. Sie haben sie als ihr eigenes Kind aufgezogen.«

Narraway empfand tiefes Mitleid mit dem Mädchen – Kates Tochter. Das hätte nie geschehen dürfen.

»Aber sie weiß, wer sie ist?«, fragte er.

»Selbstverständlich. Wenn sonst schon niemand, hat Cormac es ihr bestimmt gesagt.« O'Casey hob leicht die Schultern. »Es kann natürlich gut sein, dass das nicht die Wahrheit ist, wie Sie sie kennen. Das arme Kind. Manche Dinge bleiben besser ungesagt.«

Unwillkürlich überlief Narraway ein Schauder. An Kates Tochter hatte er nicht gedacht. Der Ausbruch von Gewalttätigkeit, dem man nicht mehr hätte Einhalt gebieten können, hatte so unmittelbar bevorgestanden, dass er nicht daran gedacht hatte, zu verhindern, was dann geschehen war. Er hatte nicht mit der Möglichkeit gerechnet, dass Kate sterben würde, es war nie Teil von ihrer beider Plan gewesen. Er hatte Sean gekannt. Ihn im Kampf gegen den Aufruhr zu hintergehen war eine Sache gewesen, eine gänzlich andere, ihn in Bezug auf Kate zu hintergehen.

Im Rückblick hatte er schon nach wenigen Wochen begriffen, dass Kate die Seiten gewechselt hatte, weil der Aufstand ihrer festen Überzeugung nach zum Scheitern verurteilt war und dabei weit mehr Iren als Engländer umgekommen wären. Aber sie hatte auch Sean gekannt. Er hatte nicht das Geringste dabei gefunden, sich ihrer Schönheit zu bedienen, um Narraway abzulenken, doch wäre er in seinen wildesten Träumen nicht auf den Gedanken gekommen, dass sie sich Narraway bereitwillig hingeben oder er ihr, schlimmer noch, etwas bedeuten könnte.

Als es dann dazu gekommen war, hatte sich Sean außerstande gesehen, ihr zu verzeihen. Er hatte gesagt, er habe sie für Irland umgebracht, aber Narraway wusste, dass er es um seiner selbst willen getan hatte und ihm selbst das auch klar gewesen war.

Und Cormac? Er hatte Kate ebenfalls geliebt. Hatte er den Eindruck gewonnen, in einem Kampf, den keine der beiden Seiten mit sauberen Mitteln führte, habe ein Engländer einen Iren an Verschlagenheit übertroffen? Oder hatte es daran gelegen, dass eine Frau, die er begehrte, aber nicht bekommen konnte, ihren Mann betrogen hatte: die Frau seines Bruders, die sich auf die Seite des Feindes geschlagen hatte – aus Gründen, die nur ihr bekannt gewesen waren, seien sie gut oder schlecht gewesen, politischer oder persönlicher Art?

Was hatte er Talulla gesagt?

War es denkbar, dass es in den letzten Monaten etwas Neues gegeben hatte? Falls ja, musste er feststellen, auf welche Weise sie es fertiggebracht hatte, das Geld von Mulhares Konto fernzuhalten und es mit Hilfe eines Verräters in Lisson Grove auf Narraways Konto zurückzuschleusen. Sie konnte das unmöglich allein bewerkstelligt haben. Wer also hatte ihr dabei geholfen?

»Wer hat Mulhare verpfiffen?«, fragte er O'Casey.

»Ich ahne es nicht«, gab dieser zurück, »aber ich würde es Ihnen auch nicht sagen, wenn ich es wüsste. Einer, der sein eigenes Volk verrät, hat verdient, dass man ihm seine dreißig Silberlinge wegnimmt und in einen Sack voll Blei steckt, ihm den um den Hals hängt und ihn dann in die Bucht von Dublin wirft.«

Narraway hatte Mulhare nicht besonders gut leiden können, aber er hielt es für ein Gebot der persönlichen Ehre, sich an Zusagen zu halten, ganz gleich, wem er sie gemacht hatte. Mit einem Wortbruch erreicht man im Krieg ebenso wenig wie mit einem zerbrochenen Schwert.

Er stand auf. Die Katze am Kaminfeuer streckte sich, drehte sich dann auf die andere Seite und rollte sich wieder zusammen.

»Danke«, sagte er.

»Kommen Sie ja nicht wieder«, knurrte O'Casey. »Ich werde nichts gegen Sie unternehmen, aber Ihnen auch bestimmt nicht unter die Arme greifen.«

»Das ist mir klar«, gab Narraway zurück.

Nach ihrer Rückkehr aus dem Theater hatte Charlotte keine Gelegenheit zu einem längeren Gespräch mit Narraway, und am folgenden Tag ebenso wenig. Sie trafen einander lediglich kurz zum Frühstück, aber diesmal saßen andere Pensionsgäste in Hörweite. Narraway teilte ihr mit, er habe Verschiedenes zu erledigen und von Dolina Pearse erfahren, Charlotte sei zur Eröffnung einer Kunstausstellung willkommen und anschließend bei Dolina mit deren Bekannten zu einer Teegesellschaft eingeladen. Er habe in ihrem Namen zugesagt.

»Danke«, sagte sie ein wenig distanziert.

Er lächelte. »Hättest du lieber abgelehnt?«, fragte er mit gehobenen Brauen.

Sie sah ihm ins Gesicht und erkannte die plötzlich in seinen Augen aufblitzende Belustigung wie auch die Überzeugung, dass diese Annahme absurd sei. Es wäre äußerst töricht von ihr gewesen, jetzt auf seine Überempfindlichkeit einzugehen. Er war unmittelbar von Schande bedroht, sofern ihrer beider Unternehmen fehlschlug, und litt an einer Einsamkeit, die tiefer reichte als alles, was sie je selbst erfahren hatte.

»Nein, natürlich nicht«, gab sie mit einem Lächeln zurück. »Ich bin einfach ein bisschen nervös. Ich habe im Haus der Tyrones ein paar von den Leuten kennengelernt und bin mir nicht sicher, ob die Begegnung ausschließlich freundschaftlicher Natur war.«

»Kann ich mir vorstellen«, sagte er. »Aber ich kenne dich, und ich kenne auch Dolina ein wenig. Der Tee bei ihr dürfte interessant sein. Und die Bilder werden dir gefallen. Ich glaube, es sind Impressionisten.« Er stand auf. Mit seinem einwandfrei geschnittenen Jackett und seiner sorgfältig gebundenen Krawatte wirkte er ausgesprochen elegant, wie er zum Gehen bereit dastand.

»Victor!« Zum ersten Mal benutzte sie seinen Vornamen spontan.

Sie wusste kaum, wie sie beginnen sollte, doch war ihr klar, dass sie unbedingt sagen musste, was zu sagen war.

Er wartete. Sie zwang sich zu einem Lächeln.

»Wenn ich zu der Gemäldeausstellung gehen soll, würde ich mir gern vorher eine neue Bluse kaufen.« Sie spürte, wie ihr vor Peinlichkeit die Röte ins Gesicht stieg. »Meine Mittel erlauben mir aber nicht ...«

»Selbstverständlich«, sagte er rasch. »Wir gehen, sobald du mit dem Frühstück fertig bist. Vielleicht sollten wir sogar zwei kaufen. Du kannst unmöglich bei allen Gelegenheiten immer völlig gleich gekleidet auftreten. Meinst du, dass du in einer halben Stunde fertig sein kannst?« Er sah zur Kaminuhr hin.

»Um Himmels willen! In der Zeit könnte ich sogar noch Mittag essen. Es dauert höchstens zehn Minuten«, rief sie aus.

»Wirklich? Dann warte ich an der Haustür auf dich.« Er sah überrascht aus und unübersehbar zufrieden.

Schon nach knapp dreihundert Metern stießen sie auf eine Droschke, mit der sie in die Stadtmitte fahren konnten. Narraway schien genau zu wissen, wohin er wollte, und ließ den Kutscher vor einem überaus exklusiv aussehenden Geschäft für Damenmoden anhalten.

Charlotte konnte sich die dort üblichen Preise nur allzu gut vorstellen, und so war ihr klar, dass sie ihr Budget bei weitem überstiegen. Warum nur hatte er sie ausgerechnet dorthin gebracht? Ihm musste doch bekannt sein, was Pitt verdiente!

Er hielt ihr die Ladentür auf, doch statt einzutreten, sagte sie: »Könnten wir bitte ein etwas weniger teures Geschäft aufsuchen? Ich denke, dass die hier geforderten Preise meine Möglichkeiten übersteigen, vor allem, wenn man bedenkt, dass ich etwas kaufen möchte, was ich möglicherweise nicht oft tragen werde.«

Er sah sie überrascht an.

»Vermutlich hast du ja noch nie eine Bluse gekauft«, sagte sie mit leichter Schärfe in der Stimme, weil sie sich gedemütigt fühlte. »Die können ziemlich teuer sein.«

»Ich hatte nicht die Absicht, dich dafür bezahlen zu lassen«, sagte er. »Da der Kauf im Zusammenhang mit meinen Erkundigungen steht, muss ich auch dafür aufkommen.«

»An diesen Erkundigungen bin ich in gleicher Weise wie du interessiert«, gab sie zu bedenken.

»Können wir das drinnen besprechen?«, fragte er. »So, wie wir hier am Eingang stehen, lenken wir nur die Aufmerksamkeit der Leute auf uns.«

Sie ging rasch hinein, über ihn wie auch sich selbst gleichermaßen verärgert. Sie hätte die Situation voraussehen und vermeiden sollen.

Eine ältere Verkäuferin kam auf sie zu. Sie trug ein unglaublich gut geschnittenes schwarzes Kleid ohne jede Verzierung. Es war so elegant, dass es keine bessere Werbung für das Geschäft hätte geben können. Liebend gern hätte Charlotte ein Kleid gehabt, das so erstklassig saß. Sie hatte nach wie vor eine sehr gute Figur, und ihr war klar, dass sie diese damit in äußerst vorteilhafter Weise zur Geltung bringen würde.

»Wir würden uns gern einige festliche Blusen ansehen«, erklärte Narraway. »Sie sollten für den Besuch einer Kunstausstellung oder einer Nachmittags-Teegesellschaft geeignet sein.«

»Gewiss, mein Herr«, sagte die Verkäuferin. Sie sah Charlotte nicht einmal eine Minute lang an, um zu überlegen, was ihr passen und stehen könnte, dann warf sie einen kurzen Blick auf Narraway, möglicherweise, um seine Finanzkraft einzuschätzen. Bei dem Gedanken an seinen eleganten und zweifellos teuren Anzug wurde Charlotte ganz flau im Magen. Zweifellos war die Frau zu dem naheliegenden Schluss gekommen, dass sie es mit einen Ehepaar zu tun hatte. Mit wem außer ihrem Gatten würde eine achtbare Frau ein so intimes Kleidungsstück wie eine Bluse kaufen gehen? Sie hätte darauf bestehen sollen, dass er sie zu einem anderen Geschäft brachte und draußen wartete. Allerdings hätte sie sich dann das Geld von ihm leihen müssen.

»Victor, das ist unmöglich«, flüsterte sie, kaum dass die Verkäuferin außer Hörweite war.

»Ach was, nicht im Geringsten«, widersprach er. »Es ist nötig. Möchtest du etwa, dass sich die Leute das Maul zerreißen, weil du ständig mit denselben Sachen aufkreuzt? So etwas erregt Aufsehen, das weißt du besser als ich. Dann wird man sich fragen, wie unsere Beziehung aussehen mag und warum ich mich nicht besser um dich kümmere.«

Sie versuchte sich ein schlagendes Gegenargument zu überlegen, doch ihr fiel keines ein.

»Oder willst du etwa den Kampf ganz aufgeben?«, fragte er.
»Natürlich nicht!«, gab sie zurück. »Aber ...«
»Dann sei bitte still und lass die Sache auf sich beruhen.« Er schob sie ein wenig weiter in den Laden. Wenn sie sich dagegen gewehrt hätte, wäre der Druck seiner Finger auf ihrem Arm schmerzhaft gewesen. Sie beschloss, ihn später zur Rede zu stellen und ihm klipp und klar zu sagen, was sie von der ganzen Sache hielt.

Die Verkäuferin kehrte mit mehreren Blusen zurück, eine schöner als die andere.

»Wenn die Dame sie anprobieren möchte – dort finden Sie einen dafür vorgesehenen Raum.«

Charlotte dankte ihr und folgte ihr auf dem Fuß. Zwar waren alle Blusen hinreißend, aber am schönsten fand sie eine mit schwarzen und bronzefarbenen Streifen, die ihr so gut passte, als sei sie eigens für sie entworfen und zugeschnitten worden, sowie eine weiße Baumwollbluse mit Spitzenbesatz, Rüschen und Perlmuttknöpfen, die ungeheuer weiblich wirkte. Nicht einmal als junges Mädchen hatte sie sich zu der Zeit, als ihre Mutter versucht hatte, sie mit einem passenden Mann zu verheiraten, so attraktiv gefühlt, beinahe geradezu schön.

Die Versuchung, beide zu kaufen, war zu groß.

Die Verkäuferin kehrte zurück, um zu sehen, ob sich die Kundin entschieden hatte oder sich noch mehr Blusen ansehen wollte.

»Ah«, sagte sie gedehnt. »Das ist genau das Richtige für Sie, es könnte nicht herrlicher sein.«

Charlotte zögerte, während sie die gestreifte Bluse auf ihrem Bügel mit begehrlichen Augen ansah.

»Eine glänzende Wahl. Vielleicht möchten Sie sehen, welche Ihrem Mann besser gefällt?«, regte die Frau an.

Gerade als Charlotte dazu ansetzte, ihr mit vorsichtigen Worten zu erklären, dass Narraway nicht ihr Mann sei, sah sie ihn hinter dem Rücken der Verkäuferin und erkannte die aufrichtige Bewunderung auf seinem Gesicht. Einen Augenblick lang wirkte es offen und ungeschützt. Dann musste er etwas gemerkt haben. Er sagte lächelnd: »Wir nehmen beide«, und wandte sich ab.

Wenn sie ihm nicht vor der Verkäuferin widersprechen und eine für alle peinliche Situation heraufbeschwören wollte, blieb ihr nichts anderes übrig, als zuzustimmen. Sie trat in den Anproberaum zurück, schloss die Tür und zog ihre eigene Alltagsbluse wieder an.

»Das hättest du nicht tun sollen«, sagte sie, kaum, dass sie den Laden verlassen hatten. »Ich habe keine Ahnung, wie ich das je wiedergutmachen könnte.«

Er blieb stehen und sah sie einen Augenblick lang an.

Als sein Ärger schlagartig dahinschwand, musste sie daran denken, wie er sie im Laden angesehen hatte, und mit einem Mal bekam sie Angst.

Er hob die Hand und berührte ihre Wange leicht mit den Fingerspitzen. Es war eine äußerst zärtliche und zugleich intime Geste.

»Indem du mir hilfst, meinen Namen von dem Makel zu befreien«, sagte er. »Das ist mehr als genug.«

Etwas dagegen zu sagen wäre sinnlos und geradezu grausam gewesen, denn damit hätte sie ihn nicht nur gekränkt, sondern überdies auch den Eindruck erweckt, als rechne sie nicht mit einem Erfolg, auf den sie doch beide so dringend angewiesen waren.

»Dann sollten wir uns besser ans Werk machen«, sagte sie, trat einen Schritt von ihm zurück und setzte sich wieder in Bewegung.

Die Gemäldeausstellung war herrlich, doch konnte sich Charlotte nicht recht auf die Bilder konzentrieren. Vermutlich würde

Dolina Pearse, die alle Maler zumindest dem Namen nach zu kennen schien und von jedem sagen konnte, für welche Maltechnik er berühmt war, sie für schrecklich unwissend halten. So hörte sie schweigend zu und machte ein Gesicht, als wisse sie die von Dolina verkündeten Weisheiten zu schätzen. Hoffentlich konnte sie sich genug davon merken, um später so darüber zu sprechen, als habe sie all das interessiert.

Während sie durch die Ausstellungsräume gingen und Bild für Bild ansahen, beobachtete Charlotte die anderen Frauen. Sie waren genauso gekleidet wie die in London. In dieser Saison verlangte die Mode Ärmel, die an den Unterarmen eng anlagen und an den Schultern breit gepufft waren, während die Röcke unten weit schwangen und ein als »Tournüre« bezeichnetes Gesäßpolster aufwiesen. Das Ganze machte einen außerordentlich weiblichen Eindruck, und die Frauen sahen aus wie voll erblühte große Blumen, wie Magnolienblüten oder Pfingstrosen. Wenn eine Gruppe von ihnen vorüberging und ihre Sonnenschirme über sich hielten, um ihr Gesicht zu schützen, wirkte das von ferne wie eine Blumenrabatte im Wind. So etwas hätte einer der Maler versuchen sollen darzustellen! Vielleicht hatte das der eine oder andere sogar getan, und sie war nur so unaufmerksam gewesen, es nicht zu merken.

Die Teegesellschaft im Hause Pearse erinnerte sie unwillkürlich an die »Morgenbesuche«, zu denen sie ihre Mutter in der Zeit vor ihrer Eheschließung begleitet hatte und die in Wahrheit stets am Nachmittag stattfanden. So gesittet sich alle der anwesenden Damen verhielten und so sehr sie jedes der ungeschriebenen Gesetze beachteten, dienten die höflichen Bemerkungen, die ausgetauscht wurden, in Wahrheit als Vorwand für Klatsch und spitze Bemerkungen.

»Wie gefällt es Ihnen bei uns in Dublin, Mrs Pitt?«, erkundigte sich Talulla Lawless höflich. »Nehmen Sie doch ein Gurkensandwich. Die sind immer so erfrischend, finden Sie nicht auch?«

»Vielen Dank«, nahm Charlotte an. Ihr wäre gar nichts anderes übriggeblieben, selbst wenn sie Gurkensandwiches auf den Tod nicht hätte ausstehen können. »Die Stadt beeindruckt mich, und das würde wohl auch jedem anderen so gehen.«

»Ach, ich weiß nicht«, gab Talulla zurück. »Manche halten uns für ziemlich provinziell und unkultiviert.« Sie lächelte. »Aber vielleicht sagt Ihnen gerade das zu?« Damit ließ sie offen, ob Charlotte Dublin als eine Art Sommerfrische nach den Zwängen der Londoner Gesellschaft empfand oder selbst provinziell und unkultiviert war.

Sie erwiderte das Lächeln, ohne die geringste Wärme hineinzulegen. »Entweder war es diesen Leuten nicht ernst damit, oder aber, falls doch, ist Ihnen möglicherweise die Raffinesse Ihrer Wortwahl entgangen«, gab sie zurück. »Ich halte Sie ehrlich gesagt für alles andere als einfältig«, setzte sie noch eins drauf.

Talulla lachte klirrend. »Sie schmeicheln uns, Mrs Pitt. Es ist doch Mrs? Ich hoffe, dass ich keinen entsetzlichen Fehler begangen habe.«

»Machen Sie sich in dieser Hinsicht keine Sorgen, Miss Lawless«, gab Charlotte zurück. »Es ist weit von einem entsetzlichen Fehler entfernt, und wäre es einer, was nicht der Fall ist, ließe sich der ganz leicht wiedergutmachen. Es wäre wunderbar, wenn man alle Fehler so einfach aus der Welt schaffen könnte.«

»Ach je«, heuchelte Talulla Bestürzung. »Wie viel aufregender Ihr Leben in London sein muss als unseres hier. Ich finde das faszinierend.«

Nach kurzem Zögern entschloss sich Charlotte mitzuspielen. »Ich weiß, dass die Menschen dazu neigen, bei anderen alles für besser zu halten als bei sich selbst. Nach dem gestrigen Theaterabend habe ich mir vorgestellt, hierzulande sei jeder Mensch von Leidenschaften und Untergangsstimmung erfüllt. Sagen Sie mir bitte nicht, dass es sich dabei lediglich um den Ausfluss der blühenden Fantasie eines Dramatikers handelt. Damit würden Sie den Ruf Irlands im Ausland ganz und gar zugrunde richten.«

»Mir war gar nicht bekannt, dass Sie so großen Einfluss haben«, gab Talulla trocken zurück. »Da sollte ich wohl besser auf meine Worte achten.« Auf ihren Zügen mischten sich Spott und Ärger.

Charlotte senkte den Blick zu Boden. »Anscheinend habe ich etwas Unpassendes gesagt und dabei eine empfindliche Stelle getroffen. Das tut mir leid, und ich versichere Ihnen, dass es nicht meiner Absicht entsprach.«

»Ich habe ganz den Eindruck, dass vieles von dem, was Sie tun, unabsichtlich geschieht und anderen Schmerzen verursacht«, blaffte Talulla.

Seide raschelte, als zwei andere Damen unbehaglich berührt herübersahen. Eine von ihnen holte Luft, als wolle sie sich dazu äußern, dann aber sah sie lediglich schweigend zu Talulla hin.

»Ja, und bei Ihnen verhält es sich genau umgekehrt, Miss Lawless«, gab Charlotte zurück. »Ich will gern glauben, dass hinter jedem Wort, dass Sie sagen, eine bestimmte Absicht steckt.«

Man hörte, wie eine der Damen die Luft noch schärfer einsog. Eine andere kicherte nervös.

»Noch eine Tasse Tee, Mrs Pitt?«, erkundigte sich Dolina Pearse mit leicht zitternder Stimme. Es war unmöglich zu sagen, ob sie ein Lachen oder Tränen unterdrückte.

Charlotte hielt ihr die Tasse hin. »Vielen Dank. Das ist sehr freundlich von Ihnen.«

»Seien Sie nicht albern«, sagte Talulla mit Schärfe. »Das ist doch bloß Tee!«

»Die Engländer haben auf alles eine Antwort«, sagte Dolina Pearse. »Nicht wahr, Mrs Pitt?«

»Sie würden sich wundern, was man mit Tee alles anstellen kann, wenn er heiß genug ist«, gab Charlotte zurück und sah ihr dabei in die Augen.

»Am besten siedend heiß«, murmelte Dolina.

Nach dem Abendessen erstattete Charlotte Narraway Bericht über den Verlauf der Teegesellschaft. Sie saßen allein in Mrs Hogans Salon, dessen Türen zu dem kleinen Garten hin offen standen. Der Abend war mild, und die Wolken, die am nahezu vollen Mond vorüberzogen, warfen dunkle Schatten. In wortlosem Einverständnis standen sie auf und traten in die laue Luft hinaus unter die Bäume.

»Mehr habe ich nicht erfahren«, erklärte sie schließlich. »Außer, dass man uns nach wie vor nicht ausstehen kann. Aber wie könnten wir auch etwas anderes erwarten? Im Theater hat mir Mr McDaid etwas über O'Neil gesagt. Ich denke, es wäre an der Zeit, die Karten offen auf den Tisch zu legen – nicht, weil ich wissen *möchte*, was geschehen ist, sondern, weil ich es wissen *muss*.«

Er schwieg lange. Sie spürte deutlich seine Nähe, wie er da halb im Schatten eines Baumes einen Schritt weit von ihr entfernt stand. Obwohl schlank und nur wenig größer als sie, vermittelte er den Eindruck von großer Körperkraft, als bestehe er ausschließlich aus Muskeln, Sehnen und Knochen und als sei alles Weiche im Laufe der Jahre von ihm abgefallen. Sie unterließ es, ihm ins Gesicht zu sehen, teils, um nicht in seine Privatsphäre einzudringen, teils, weil sie den Ausdruck darauf lieber nicht sehen wollte. Das würde es ihnen beiden einfacher machen und es ihnen ermöglichen, nach der

Intimität im Modegeschäft und anschließend auf der Straße wieder einen gewissen Abstand herzustellen.

»Ich kann dir nicht alles sagen«, begann er schließlich. »Die Iren hatten einen ziemlich weitreichenden Aufstand geplant, den wir verhindern mussten.«

»Und auf welche Weise?«, fragte sie ohne Umschweife.

Wieder gab er keine Antwort. Sie fragte sich, wie weit seine Geheimnistuerei damit zusammenhing, dass er sie schützen wollte, und wie weit damit, dass er sich der Rolle schämte, die er bei der Sache gespielt hatte, ganz gleich, ob er Grund dazu hatte oder nicht.

Warum nur stand sie zitternd hier unter den Bäumen? Wovor hatte sie denn Angst? Etwa vor Victor Narraway? Sie war bisher noch nicht auf den Gedanken gekommen, dass er sie verletzen könnte, sondern hatte eher die umgekehrte Befürchtung. Vielleicht war das lachhaft. Sofern er Kate O'Neil wirklich geliebt hatte und dennoch fähig gewesen war, sie seinem Land zuliebe zu opfern, würde er etwas Ähnliches bei Charlotte ohne weiteres ebenfalls fertigbringen. Es war denkbar, dass sie eins der zufälligen Opfer wurde, von denen Fiachra McDaid gesprochen hatte – ein Teil des Preises, der zu zahlen war. Sie war Pitts Gattin, und Narraway hatte auf seine Weise zu Pitt gehalten. Inzwischen war sie fest davon überzeugt, dass er in sie verliebt war. Wie aber konnte sie nur so naiv sein anzunehmen, das werde in seinen Augen an der Sache, der er diente, auch nur das Geringste ändern?

Wie Kate O'Neil wohl ausgesehen haben mochte? Wie alt war sie gewesen? Hatte sie Narraway geliebt und damit nicht nur ihr Land verraten, sondern auch ihren Mann betrogen? Wie verzweifelt sie in dem Fall geliebt haben musste! Eigentlich hätte Charlotte sie dafür verachten müssen, doch empfand sie nichts als Mitleid und die Überzeugung, dass auch sie in eine vergleichbare Situation hätte geraten können. Hätte sie

Pitt nicht geliebt, hätte sie sich ohne weiteres vorstellen können, etwas für Narraway zu empfinden.

Was für törichte Vorstellungen das waren!

»Du hast dich Kate O'Neils für deine Zwecke bedient, nicht wahr?«, fragte sie.

»Ja.« Seine Stimme war kaum lauter als das leise Rascheln des Nachtwinds im Laub, so dass sie das Wort kaum hören konnte. Sie zweifelte nicht im Geringsten daran, dass er sich seiner Handlungsweise schämte, und trotzdem hatte er sich nicht davon abhalten lassen. Zum Glück hatte er sie jetzt wenigstens nicht belogen.

Aber war dieser lange zurückliegende Fall tatsächlich der Grund für den konstruierten Vorwurf, den man ihm jetzt machte, er habe Geld unterschlagen?

Was war ihnen bei ihren Beobachtungen entgangen?

Was tat Pitt in Frankreich?

Hatte es seine Ordnung, dass sie und Narraway jetzt in Irland waren? Oder hatte jemand, der die Verletzlichkeit des Mannes nur allzu gut kannte, diesen stets so brillant intrigierenden Ränkeschmied überlistet – ging es in Wahrheit um etwas gänzlich anderes?

Sie wandte sich wortlos um und ging die wenigen Schritte zurück in Mrs Hogans Salon. Es gab nichts mehr zu sagen, jedenfalls nicht dort im sanften Nachtwind, der die Düfte des Gartens mit sich trug.

KAPITEL 6

Pitt machte sich Sorgen. Er stand im Sonnenschein an der Brüstung der Stadtmauer hoch über Saint Malo und sah von dort auf das blaue Wasser des Ärmelkanals hinaus. Das auf den Wellen tanzende Licht blendete so sehr, dass er die Augen zusammenkneifen musste. In der Bucht fiel das Segel eines Bootes schlaff, weil der Mann an der Pinne ein Wendemanöver durchführte.

Die alte und schöne Stadt Saint Malo hätte er bei anderer Gelegenheit sicherlich interessant gefunden. Wäre er mit seiner Familie hier gewesen, um Ferien zu machen, wäre er begeistert durch die mittelalterlichen Straßen und Gassen gestreift und hätte sich bemüht, mehr über die dramatische Geschichte des Ortes zu erfahren.

Aber so ließ ihn der Gedanke nicht los, dass er und Gower nur ihre Zeit vergeudeten. Sie beobachteten Frobishers Haus jetzt seit nahezu einer Woche, ohne etwas zu sehen, was ihnen den geringsten Hinweis darauf geliefert hätte, um welchen Geheimnisses willen Wrexham den zu Informationen an den Sicherheitsdienst bereiten West umgebracht haben könnte. Besucher kamen und gingen, Männer und Frauen. Weder Pieter Linsky noch Jacob Meister war ein zweites Mal aufgetaucht, wohl aber hatte es Abendgesellschaften mit mindestens einem Dutzend Gästen gegeben. Körbe voller Miesmuscheln, Austern und Hummer, für die jene Gegend berühmt war, waren ins Haus gebracht worden, aber das war bei den anderen großen Häuser in der näheren Umgebung ebenso.

Gower, dessen Gesicht einen kräftigen Sonnenbrand aufwies, schlenderte über den Rundweg. Seine Haare wehten im Wind. Er blieb ein oder zwei Schritte von Pitt entfernt stehen und beugte sich dann ebenfalls über die Brüstung, als beobachte er das Segelboot.

»Wohin ist er?«, erkundigte sich Pitt leise, ohne ihn anzusehen.

»Ins selbe Café wie immer«, gab Gower zur Antwort. Gemeint war Wrexham, den sie abwechselnd Tag für Tag beschatteten. »Ich bin nicht reingegangen, weil ich nicht gesehen werden wollte. Derselbe dürre Mann wie beim vorigen Mal ist auch reingegangen und nach etwa einer halben Stunde wieder rausgekommen.«

Er sprach etwas rascher, und seine Stimme hob sich, als er fortfuhr: »Ich hab so getan, als ob ich auf jemand wartete, und die beiden eine Weile durch das offene Fenster beobachtet. Sie haben darüber geredet, dass noch mehr Leute kommen, ziemlich viele sogar. Es sah so aus, als ob sie die auf einer Liste abhaken. Die haben auf jeden Fall was vor.«

Pitt hätte gern die gleiche Erregung empfunden, wie sie sein Untergebener an den Tag legte, aber was sie im Laufe der vergangenen Woche erlebt hatten, schien ihm zu unergiebig. Er sah darin nichts, was bedeutende politische Veränderungen ankündigte. Seit langem beschäftigen er und Narraway sich gründlich mit Revolutionären, Anarchisten, Aufwieglern und Unruhestiftern aller Art. Was hier stattfand, wirkte viel zu beschaulich, es schien das harmlose Gerede von Leuten zu sein, die zu keinen wirklichen Risiken bereit waren. Gower war jung und hatte, womöglich unbewusst, den Eindruck, dass sie die gleiche Begeisterung, das gleiche innere Feuer hatten wie er selbst. Pitt lächelte, als er daran dachte, wie Gower gemeinsam mit ihrer Wirtin lachte, wenn er ihr Komplimente wegen ihrer Speisen machte und sich von ihr deren Zubereitung erklären ließ, woraufhin er ihr über Lieblingsgerichte von Engländern berichtete, beispielsweise Fleischpastete mit Nieren, Plumpudding oder Aal sauer. Es war ihr anzumerken, dass sie nicht wusste, ob sie ihm glauben durfte oder nicht.

»Die Leute haben sich noch mehr Austern kommen lassen«, bemerkte Pitt. »Wahrscheinlich gibt es da wieder eine große Gesellschaft. Ganz gleich, wie Frobishers politische Ansichten in Bezug auf die Veränderung der Lebensumstände der Armen aussehen, er scheint sich oder seinen Gästen auf keinen Fall etwas versagen zu wollen.«

»Er dürfte kaum rumziehen und lauthals aller Welt verkünden, was er vorhat … Sir«, gab Gower rasch zurück. »Solange man ihn für einen reichen harmlosen Idealisten hält, der nicht im Traum daran denkt, nach seiner Theorie zu leben, wenn er sich Freunde einlädt, wird ihn niemand ernst nehmen. Wahrscheinlich gibt es für ihn keine bessere Tarnung.«

Pitt dachte eine Weile darüber nach. Zweifellos hatte Gower mit dieser Annahme Recht. Trotzdem war ihm unbehaglich zumute. Er war immer mehr überzeugt, dass sie dort in Saint Malo ihre Zeit vertrödelten, doch konnte er kein einziges rationales Argument dafür finden. Alles stützte sich auf seinen durch lange Erfahrung geschulten Instinkt.

»Und was ist mit all den anderen, die ständig kommen und gehen?«, fragte er und wandte sich Gower zu, der lächelnd den Sonnenschein auf seinem Gesicht genoss. Unter ihm überquerte eine Frau in einem modischen roten Kleid mit Puffärmeln und einem weiten Rock den kleinen Platz und verschwand in dem schmalen Gässchen, das nach Westen führte. Zufrieden nickend, blickte Gower ihr nach.

Dann wandte er sich mit einem Gesicht, auf dem ein Ausdruck von Ratlosigkeit lag, Pitt zu. »Das sind etwa ein Dutzend. Halten Sie die wirklich für harmlos, Sir? Natürlich abgesehen von Wrexham.«

»Meinen Sie, dass es sich um lauter wilde Revolutionäre handelt, die sich mit Erfolg bemühen, den Eindruck biederer Bürger mit einem langweiligen und friedlichen Leben zu erwecken?«, erkundigte sich Pitt.

Lange schwieg Gower, als müsse er sorgfältig überlegen, was er darauf erwidern wollte. Er wandte sich um, lehnte sich gegen die Mauerbrüstung und sah auf das Wasser. »Bestimmt hatte Wrexham einen Grund, West umzubringen«, sagte er bedächtig. »Er selbst war nicht gefährdet, wenn man davon absieht, dass man ihn als Anarchisten – oder wie auch immer er sich selbst nennt – ansehen konnte. Vielleicht will er gar kein allgemeines Durcheinander, sondern eine bestimmte Gesellschaftsordnung, die er für gerechter hält und in der die Menschen weniger ungleich behandelt werden als jetzt. Es kann aber auch sein, dass er eine radikale Reform des Regierungssystems anstrebt. Was die Sozialisten genau wollen, gehört zu den Dingen, die wir in Erfahrung bringen müssen. Die können Dutzende unterschiedlicher Ziele verfolgen …«

»Das tun sie auch«, fiel ihm Pitt ins Wort. »Ihnen allen aber ist gemeinsam, dass sie nicht bereit sind, auf Reformen zu warten, die in allgemeiner Übereinstimmung durchgeführt werden. Sie wollen sie dem Volk aufnötigen und ihre Durchsetzung notfalls mit Gewalt erzwingen.«

»Und wie lange würde es dauern, bis jemand freiwillig Reformen einführt?«, fragte Gower mit einem Anflug von Sarkasmus. »Wer hat je seine Macht aufgegeben, ohne dazu gezwungen zu werden?«

Pitt ging in Gedanken seine Geschichtskenntnisse durch. »Da fällt mir nichts ein«, gab er zu. »Deswegen nimmt das normalerweise eine ganze Weile in Anspruch. Aber auf jeden Fall hat man die Sklaverei auf gewaltlosem Weg und ohne Revolution durch das Parlament abgeschafft.«

»Ich bin nicht sicher, dass die ehemaligen Sklaven dieser Einschätzung zustimmen würden«, sagte Gower mit einer Stimme, in der Bitterkeit mitschwang. »Vielleicht möchte Wrexham gern die Nachfolge des Menschenfreundes und Sklavenbefreiers William Wilberforce antreten?«

Pitt sah ihn von der Seite an und schämte sich ein bisschen wegen seiner wenig durchdachten und unausgegorenen Äußerung über die Sklaverei.

»Ich denke, es ist an der Zeit, dass wir genauer feststellen, was hier eigentlich gespielt wird«, sagte er. Es klang endgültig.

Gower richtete sich auf. »Wenn wir uns offen erkundigen, bekommt er mit Sicherheit Wind davon und nimmt sich sehr viel mehr in Acht. Unser einziger Vorteil, Sir, besteht darin, dass er von der Beschattung durch uns nichts weiß. Können wir es uns leisten, diesen Vorteil aufzugeben?« Er zog die Brauen zusammen und machte ein besorgtes Gesicht.

»Ich habe bereits ein paar Erkundigungen eingezogen«, sagte Pitt.

»Was?« Mit einem Mal lag leichter Ärger in Gowers Stimme.

Pitt war überrascht. Er gewann den Eindruck, dass sich hinter dem nach außen hin entspannt wirkenden Verhalten des Mannes eine innere Anteilnahme verbarg, die ihm bisher entgangen war. Das hätte ihm unbedingt auffallen müssen. Immerhin hatten sie auch vor Beginn der überraschenden Jagd, die sie nach Saint Malo geführt hatte, schon zwei Monate lang zusammengearbeitet.

»Ja, und zwar um herauszufinden, von wem ich unauffällig Informationen bekommen kann«, gab er mit gleichmütiger Stimme zurück.

»Und von wem?«, fragte Gower rasch.

»Einem gewissen John McIver, ebenfalls Engländer, der seit zwanzig Jahren hier lebt. Er ist mit einer Französin verheiratet.«

»Und Sie sind sicher, dass man dem Mann vertrauen kann, Sir?« Gower war nach wie vor skeptisch. »Ein einziges unbedachtes Wort, eine hingeworfene Bemerkung genügt, und Frobisher weiß, dass er überwacht wird. Dann könnten uns die wichtigen Leute wie Linsky und Meister durch die Lappen gehen.«

»Ich habe McIver nicht aufs Geratewohl herausgepickt«, sagte Pitt. Er verschwieg, dass er den Mann von einem gänzlich anders gelagerten Fall her kannte.

Gower holte tief Luft und stieß sie langsam wieder aus. »Ja, Sir. Ich bleibe hier und behalte Wrexham im Auge, dann sehen wir ja, mit wem er zusammentrifft.« Mit einem plötzlichen Lächeln fügte er hinzu: »Vielleicht geh ich sogar runter zum Platz, seh die hübsche junge Frau mit dem schönen Kleid wieder und gönn mir ein Glas Wein.«

Während Pitt den Kopf schüttelte, spürte er, wie seine Anspannung nachließ. »Ich vermute, dass Ihr Nachmittag angenehmer wird als meiner«, sagte er bedauernd.

McIver wohnte rund acht Kilometer von Saint Malo entfernt auf dem Land. Er war von Pitts Besuch geradezu begeistert. Ganz offensichtlich schien er sich danach zu sehnen, mit jemandem in seiner Muttersprache reden zu können und aus erster Hand die letzten Neuigkeiten aus London zu erfahren.

»Natürlich vermisse ich London, aber verstehen Sie mich nicht falsch, Sir«, sagte er, während er sich, behaglich in seinen Gartenstuhl zurückgelehnt, von der Sonne bescheinen ließ. Er hatte Pitt Wein und Kekse angeboten und – nachdem dieser erklärt hatte, er esse nicht gern Süßes – frisches, knuspriges Brot mit Camembert, was Pitt gern akzeptierte.

Jetzt wartete er darauf, dass McIver fortfuhr.

»Es gefällt mir hier. Die Franzosen sind möglicherweise das zivilisierteste Volk auf Erden – natürlich abgesehen von den Italienern. Sie verstehen wirklich zu leben und tun das auf eine Weise, die selbst alltägliche Dinge elegant erscheinen lässt. Doch manche Annehmlichkeit des Lebens in England fehlt mir durchaus. So habe ich schon seit Jahren keine anständige Orangenmarmelade mehr gegessen. Sie wissen schon – kräftig, aromatisch und ein wenig bitter.« Er seufzte, während die Erinnerung seine Züge verklärte. »Die *Times* am frühen Morgen, eine schöne Tasse Tee und einen Diener, den buchstäblich nichts aus der Ruhe bringt. Ich hatte mal einen, der den Engel der Apokalypse mit der gleichen Gelassenheit hätte ankündigen können, mit der er das Eintreffen der Herzogin von Malmsbury gemeldet hat.«

Pitt lächelte und verzehrte eine Scheibe Brot, zu der er einen Schluck Wein trank, bevor er auf den Zweck seines Besuchs zu sprechen kam.

»Ich muss unauffällig Erkundigungen einziehen. Im Auftrag der Regierung, Sie verstehen?«

»Selbstverständlich.« McIver nickte. »Was kann ich Ihnen sagen?«

»Frobisher. Einer unserer Landsleute, der in Saint Malo lebt. Wäre er der richtige Mann, wenn es um einen kleinen Dienst an seiner alten Heimat ginge? Seien Sie bitte offen. Es ist … wichtig. Sie verstehen doch?«

»Durchaus – durchaus.« McIver beugte sich leicht vor. »Ich würde Ihnen empfehlen, sich das gut zu überlegen, Sir. Ich kenne Ihren Auftrag nicht, Sir, aber Frobisher ist dafür kaum der Richtige.« Er machte eine kleine abschätzige Bewegung. »Er verkehrt mit einigen äußerst sonderbaren Gestalten. Er behauptet, Sozialist zu sein, ein Mann des Volkes. Aber unter uns gesagt halte ich das für eine Fassade. Mit Hilfe von Unordnung und einer gewissen Nachlässigkeit gaukelt er seinen Mitmenschen vor, er sei ein einfacher Mann, dessen finanzielle Mittel beschränkt sind.« Er schüttelte den Kopf. »Er werkelt an diesem und jenem herum und gebärdet sich als Handwerker, der von seiner Hände Arbeit leben muss, verfügt aber in Wahrheit über beträchtliche Mittel und denkt nicht im Traum daran, sein Geld mit anderen zu teilen, das dürfen Sie mir glauben.«

Zwar hatte Pitt sich zu fragen begonnen, ob hinter Frobisher mehr steckte als das behagliche Leben, das er zu führen schien, doch war er bitter enttäuscht von McIvers Worten. Wenn die Informationen, die West ihnen hätte zukommen lassen und um derentwillen Wrexham ihn umgebracht hatte, nichts mit Frobisher zu tun hatten – was tat Wrexham dann noch in Saint Malo? Warum hatten Leute wie Linsky und Meister Frobishers Haus aufgesucht?

»Sind Sie sicher?«, fragte er.

»So sicher, wie man nur sein kann«, gab McIvers zurück. »Er stolziert prahlerisch herum, aber es steckt nichts dahinter. Es ist wie das Radschlagen eines Pfaus. Er hat in seinem Leben noch keinen Handschlag getan.«

»Bei ihm waren einige Besucher, die dafür bekannt sind, dass sie mit gewalttätigen Kreisen in Verbindung stehen«, blieb Pitt beharrlich bei der Sache. Er war nicht ohne weiteres bereit, sich einzugestehen, dass er und Gower sich für nichts und wieder nichts knapp eine Woche in Saint Malo aufgehalten hatten. Erst recht konnte er sich nicht vorstellen, dass man West ohne jeden Grund aus dem Weg geräumt hatte.

»Haben Sie die selbst gesehen?«, erkundigte sich McIver.

»Ja. Einer von denen ist unverkennbar«, teilte ihm Pitt mit. Noch während er das sagte, ging ihm auf, wie einfach es war, einen so auffällig aussehenden Mann wie Linsky nachzuahmen. Er hatte ihn bislang nur auf Fotos gesehen, die aus einer gewissen Entfernung aus aufgenommen waren. Es dürfte nicht besonders schwerfallen, jemanden mit scharf geschnittenen Gesichtszügen und fettigem Haar aufzutreiben, der den Mann verkörpern konnte – und Jacob Meister hatte ein Allerweltsgesicht.

Aber welcher Zweck steckte hinter all dem? Warum wurde diese Scharade gespielt?

Mit einem Schlag ging ihm auf: um ihn und Gower von ihrer eigentlichen Aufgabe fortzulocken. Bis zu diesem Augenblick war das den Leuten glänzend gelungen. Noch jetzt war Pitt verwirrt und bemühte sich, einen Sinn in dem Ganzen zu sehen, ohne zu wissen, was er als Nächstes tun sollte.

»Tut mir leid«, sagte McIver betrübt, »aber Frobisher ist ein Maulheld und Schaumschläger. Etwas anderes kann ich nicht über ihn sagen. Es wäre töricht, ihm in wichtigen Dingen zu vertrauen. Und ich kann mir kaum vorstellen, dass Sie den weiten Weg wegen irgendwelcher Kinkerlitzchen gemacht haben. Ich bin nicht mehr der Jüngste und komme nicht mehr oft in die Stadt, aber falls ich etwas für Sie tun kann, brauchen Sie es nur zu sagen.«

Pitt zwang sich zu einem Lächeln. »Vielen Dank, aber es müsste schon jemand sein, der in Saint Malo wohnt. Auf jeden Fall bin ich Ihnen dankbar, dass Sie mich vor einem schlimmen Fehler bewahrt haben.«

»Nichts zu danken«, tat McIver das mit einer Handbewegung ab. »Nehmen Sie doch noch etwas Käse. Niemand macht so guten Käse wie die Franzosen – wenn man einmal von einem guten Wensleydale oder einem Caerphilly absieht, wie man sie in England bekommt.«

Pitt lächelte. »Mir ist ein vollfetter Gloucester am liebsten.«

»Ach ja«, stimmte McIver zu. »Hab ich ganz vergessen. Nun, sagen wir, die Käse-Partie zwischen England und Frankreich steht unentschieden. Aber gegen einen guten französischen Wein kommt nichts an.«

»Da haben Sie Recht«, gab Pitt zu.

McIver goss beiden noch einmal nach und lehnte sich wieder auf seinem Stuhl zurück. »Was sind die letzten Cricket-Ergebnisse? Ich höre hier so gut wie nie etwas darüber, und wenn, dann nur mit großer Verspätung. Wie steht Somerset zur Zeit da?«

Kurz vor Sonnenuntergang kehrte Pitt auf der leicht gewundenen Straße zurück. In der Luft hing ein blasser Goldschimmer von der Art, der die Gemälde alter Meister so unwirklich erscheinen lässt, dass sie aussehen wie erdachte Landschaften. Von Scheunen und Stallungen umgebene behäbige Bauernhäuser lagen am Weg. Die Bäume standen um diese frühe Jahreszeit noch nicht in vollem Laub, aber in den dicht an dicht sitzenden Blüten, die wie später Schnee wirkten, spiegelte sich der Schein der schwindenden Sonne. Es war windstill, man hörte keinen Laut, und nichts regte sich, wenn man davon absah, dass hin und wieder eine grasende Kuh den Kopf hob.

Im Osten kündigte sich die bevorstehende Dunkelheit lediglich durch ein leichtes Verblassen des Himmels hinter den über ihn hinwegziehenden Wolken an.

Sorgfältig ging Pitt in Gedanken alles durch, was sie wussten, versuchte einzuordnen, was er selbst gesehen oder gehört hatte, und verglich es mit allem, was Gower berichtet hatte.

Nichts davon ergab einen Sinn, also musste etwas fehlen – oder hatten sie etwas falsch bewertet?

Als ein Fuhrwerk vorüberkam, dessen Räder Staubwolken aufwirbelten, stieg Pitt der angenehme Geruch von Pferdeschweiß und frisch gepflügter Erde in die Nase. Der Fuhrmann sagte etwas auf Französisch, und Pitt antwortete, so gut er konnte, auf das, wovon er vermutete, dass es ein Gruß war.

Inzwischen sank die Sonne rascher, und die Farben des Himmels wurden lebhafter. Eine leichte Brise strich durch das Gras und das frische Laub der Weiden, die stets als erste Bäume den Frühling verkündeten. Mit rauschendem Flügelschlag stieg ein Vogelschwarm von einer rund hundert Schritt entfernten Baumgruppe auf, flog eine Runde und verschwand gleich darauf am Himmel.

Nach dem, was Pitt und Gower gesehen hatten, waren sie der Ansicht gewesen, es lohne sich, Frobishers Haus im Auge zu behalten. Falls sie Wrexham jetzt festnahmen, wäre das für alle Beteiligten ein unübersehbarer Hinweis darauf, dass der Sicherheitsdienst ihre Pläne kannte, und sie würden sie umgehend ändern.

Sie hätten den Mann gleich in London festnehmen sollen. Zwar hätte er ihnen nichts gesagt, aber sie hatten auch so nichts in Erfahrung gebracht, sondern lediglich kostbare Zeit vergeudet.

Wie hatte er das nur zulassen können? West hatte ihnen wichtige Informationen versprochen und das Treffen mit ihnen vereinbart. Pitt sah den Brief noch vor sich, die in fehlerhafter Rechtschreibung und vielleicht vor Angst schief und eilig hingekritzelten Wörter, die Tintenkleckse auf dem Papier.

Niemand außer Gower und ihm hatte davon gewusst. Auf welche Weise also hatte Wrexham davon erfahren? Wer hatte West verraten? Es konnte nur einer von denen gewesen sein, die an der Planung dessen beteiligt waren, was ihnen der arme West hatte enthüllen wollen.

Wieso hatte West Fersengeld gegeben, als sich Pitt und Gower dem vereinbarten Treffpunkt genähert hatten? Sie hatten sich sofort an seine Verfolgung gemacht und hätten es sehen müssen, wenn noch jemand gerannt wäre. Der Mann, der ihn umgebracht hatte, musste auf ihn gewartet haben. Woher aber hatte er gewusst, wohin sich West wenden würde? Es konnte nur ein großer Zufall sein, denn ebenso gut hätte West in jede beliebige andere Richtung fliehen können.

Ob das stimmte? War es ein entsetzlicher Zufall gewesen, dass West auf Wrexham gestoßen war?

Noch einmal ging Pitt in Gedanken den Weg, den sie genommen hatten. Er kannte Londons Straßen und Gassen gut genug, um sie vor seinem inneren Auge wie auf einem Stadtplan zu sehen und ihnen Schritt für Schritt zu folgen. Außer ihnen war niemand aus der Menschenmenge gerannt. West war um eine Ecke geeilt und aus Pitts Blickfeld verschwunden. Gower war ihm gefolgt und hatte einen Arm ausgestreckt, um Pitt die Richtung anzuzeigen, in die es ging. Pitt hatte in der langen, schattigen Gasse vielen Menschen ausweichen müssen, und dann hatte die nächste Hauptstraße schon vor ihnen gelegen, als Gower bei dem Versuch, West zu schnappen, gestrauchelt, gegen eine Mauer geprallt und stehen geblieben war.

Pitt hatte West eine ganze Weile allein weiterverfolgt und schließlich aus den Augen verloren – und dann war Gower unvermittelt aus einer Seitenstraße zu ihm gestoßen und hatte ihn mit sich gezogen. Er hatte genau gewusst, welchen Weg sie weiter nehmen mussten, und Pitt geradewegs zu Wests Leichnam geführt.

Pitt stolperte und blieb stehen. Mit einem Mal war ihm alles klar: Gower war ein glänzender Läufer. Er hätte, nachdem er gegen die Mauer geprallt war und einen Moment innegehalten hatte, Pitt und West in einigem Abstand folgen und dann, während Pitt die Fährte verloren hatte, mit etwas mehr Glück West auf den Fersen bleiben und ihn auf Höhe der Ziegelei einholen können. Damit hätte er Gelegenheit gehabt, West eigenhändig zu töten und danach zu Pitt umzukehren. Er hätte in die Seitenstraße schlüpfen, im Schatten einer Mauer warten und erst wieder herauskommen können, als Pitt eintraf. Ja, er hatte West getötet, nicht Wrexham. Wests Blut war ja bereits über die Steine des Ziegeleihofs gelaufen, als sie ihn erreichten. Jetzt konnte Pitt die Szene ganz deutlich vor sich sehen: West war nicht vor Wrexham geflohen, sondern vor Gower. Wrexham war harmlos und hatte lediglich als Köder gedient, der Pitt nach Saint Malo locken und dort festhalten sollte – während anderswo ein teuflischer Plan ins Werk gesetzt wurde.

Dies »anderswo« konnte nur London sein, weil es andernfalls sinnlos gewesen wäre, Pitt von dort wegzulocken.

Gower also. In einer Viertelstunde oder zwanzig Minuten würde Pitt wieder in Saint Malo sein. Gower würde höchstwahrscheinlich schon in ihrer Pension auf ihn warten. Mit einem Mal sah Pitt ihn nicht mehr als den umgänglichen und ehrgeizigen jungen Mann, als der er ihm noch am Vormittag erschienen war, sondern als einen gerissenen und äußerst gefährlichen Fremden, den er nur oberflächlich kannte. Er wusste von Gower, dass er einen tiefen Schlaf hatte, leicht Sonnenbrand bekam, gern Schokoladenkuchen aß, sich gelegentlich beim Rasieren schnitt, auf dunkelhaarige Frauen flog und recht gut singen konnte. Er hatte aber nicht die geringste Vorstellung davon, woher der Mann kam, woran er glaubte oder auf wessen Seite er stand – kurz, von all den Dingen, auf die es ankam und die seine Handlungsweise in dem Augenblick bestimmen würden, da man ihm die Maske vom Gesicht riss.

Jetzt sah sich Pitt mit einem Mal genötigt, selbst eine Maske zu tragen, denn sein Leben konnte davon abhängen, dass er Gower etwas vorspielte. Mit einem Frösteln dachte er daran, wie gekonnt dieser West mit einem einzigen Schnitt die Kehle durchtrennt und ihn auf den Steinen hatte liegenlassen, wo er verblutet war. Der kleinste Fehler, und Pitt konnte auf dieselbe Weise enden. Wer in Saint Malo würde darin mehr sehen als ein schreckliches Verbrechen durch einen Straßenmörder? Zweifellos würde Gower dann wieder als Erster auf der Bildfläche erscheinen, um Entsetzen und Bestürzung zu heucheln.

Pitt hatte niemanden, an den er sich wenden konnte. In Frankreich wusste man nicht, wer er war, und von London konnte er vor Ort keinerlei Unterstützung erwarten. Ebenso gut hätte Saint Malo in einer anderen Welt liegen können. Selbst wenn er ein Telegramm an Narraway schickte, würde das nichts bewirken. Gower würde einfach irgendwohin verschwinden – Europa war groß.

Er ging weiter. Die Sonne hatte jetzt den Horizont erreicht und würde binnen weniger Minuten nicht mehr zu sehen sein. Bis er die Stadt erreichte, würde es so gut wie dunkel sein. Bis er an ihrer Pension ankam, blieb etwa eine Viertelstunde, sich zu entscheiden, was er tun wollte. Ein winziger Fehler, ein falsches Wort konnte sein Ende bedeuten.

Er dachte an die wilde Jagd durch das East End, in deren Verlauf sie schließlich den Bahnhof erreicht hatten. Selbstkritisch gestand er sich ein, dass er es Gower äußerst leicht gemacht hatte, ihn an der Nase herumzuführen. Immer wieder hatte Gower es verstanden, zu erreichen, dass sie Wrexhams Fährte nicht vollständig verloren, und die Sache dennoch als echte Verfolgungsjagd darzustellen. Wann immer sie den Mann kurz aus den Augen verloren hatten, war es stets Gower gewesen, der die Spur wiedergefunden hatte. Er hatte Pitt mit dem Hinweis, wie nützlich es sein könne, Wrexham zu beschatten, um mehr zu erfahren, daran gehindert, ihn festzunehmen. Auch hatte Gower genug Geld in der Tasche gehabt, um für sich selbst die Überfahrt mit der Fähre zu bezahlen.

Und hatte nicht auch Gower gesagt, er habe Linsky und Meister gesehen – und Pitt hatte ihm geglaubt?

War Wrexham in den Plan eingeweiht gewesen, Pitt aus London wegzulocken? Hatte er genau gewusst, was er tat, und die Gründe dafür gekannt? Warum aber hatte er dann nicht auch West getötet? War seine Angst, waren seine Bedenken zu groß gewesen? Hatte man ihm nicht genug dafür geboten?

Ganz offensichtlich musste Pitt umgehend nach London zurück. Die Frage war nur, was er Gower sagen, welchen Grund er dafür angeben sollte. Gower würde wissen, dass keine Mitteilung aus Lisson Grove gekommen war, denn die hätte man ihnen ins Haus gebracht. Pitt konnte auch nicht so tun, als habe er sie am Postamt abgeholt, denn Gower brauchte lediglich dort nachzufragen, um festzustellen, dass das nicht der Wahrheit entsprach.

Die Sonne stand jetzt als leuchtender orangefarbener Halbkreis über dem lila flammenden Horizont. Die Schatten, die auf die Straße fielen, wurden allmählich dunkler.

Sollte Pitt versuchen, Gower zu entkommen, indem er einfach zum Hafen ging und dort die nächste Fähre nach Southampton nahm? Die kam aber möglicherweise erst am nächsten Morgen. Bis dahin würde Gower begreifen, was geschehen war, und irgendwann in der Nacht nach ihm suchen. Außerdem trug Pitt wegen des warmen Nachmittags nur ein leichtes Jackett; seine warmen Sachen waren in der Pension.

Der Gedanke, an Ort und Stelle den Kampf gegen Gower aufzunehmen, war abwegig. Sogar wenn es ihm gelang, ihn zu besiegen – und das war äußerst zweifelhaft, denn Gower war jünger und außerordentlich gestählt –, was würde er dann mit ihm tun? Er hatte keine Möglichkeit, ihn festzunehmen. Würde er ihn gefesselt und geknebelt im Zimmer liegenlassen und dann die Flucht antreten können – vorausgesetzt, er konnte ihn trotz allem überwinden?

Aber sicherlich verfügte Gower am Ort über Helfer. Dieser Gedanke ernüchterte Pitt wie ein Guss kalten Wassers. Wie viele der Menschen in Frobishers Haus waren in den Plan eingeweiht? Die einzige Möglichkeit, die Pitt hatte, bestand darin, Gower zu täuschen, ihn in dem Glauben zu lassen, er hege keinerlei Verdacht. Das aber würde alles andere als einfach sein. Die geringste Änderung in seinem Verhalten würde ihn verraten. Eine leichte Befangenheit, ein Zögern, ein zu sorgfältig gewählter Ausdruck, und Gower würde merken, dass Pitt ihn und seine Machenschaften durchschaut hatte.

Wie nur konnte er begründen, dass sie nach London zurückkehren mussten? Welcher Vorwand würde Gower glaubhaft erscheinen?

Oder sollte er sagen, er werde allein zurückkehren und Gower solle am Ort bleiben, um weiterhin Frobisher und Wrexham zu beschatten, für den Fall, dass etwas an der Sache war? Für den Fall, dass Meister oder Linsky zurückkehrten? Oder einer der anderen, den Gower erkennen konnte? Dieser Einfall erleichterte ihn unaussprechlich. Es kam ihm vor, als befände er sich schon auf der Flucht in die Freiheit. Er würde allein und in Sicherheit sein, während Gower in Frankreich bliebe.

Im nächsten Augenblick verachtete er sich wegen seiner Feigheit. Als er in jungen Jahren angefangen hatte, auf den Straßen Londons Streife zu gehen, war er auf ein gewisses Maß an Gewalttätigkeit gefasst gewesen und damit auch tatsächlich hin und wieder in Berührung gekommen. Es hatte eine Reihe wilder Verfolgungsjagden gegeben, an deren Ende es oft zu körperlichen Auseinandersetzungen gekommen war. Doch nach seiner Beförderung zum Leiter der Wache in der Bow Street hatte er als Angehöriger der Kriminalpolizei in gehobener

Position nahezu ausschließlich seinen Verstand eingesetzt. Es hatte lange Tage und noch längere Nächte gegeben, in denen die seelische Belastung gewaltig gewesen war, der Druck, einen Fall zu lösen, bevor ein Mörder erneut zuschlug, die Öffentlichkeit sich empörte und die Polizei als unfähig hingestellt wurde. Auf die Festnahme war dann die Aussage bei der Gerichtsverhandlung gefolgt. Am schlimmsten von allem aber war die Besorgnis gewesen, nicht den wahren Täter gefasst zu haben. Diese Unsicherheit hatte ihn so manche Nacht nicht schlafen lassen. Was, wenn er sich geirrt, eine falsche Schlussfolgerung gezogen, etwas übersehen hatte, einer Lüge aufgesessen war, mit dem Ergebnis, dass man den falschen Mann oder die falsche Frau dem Henker überantwortete?

All das hatte aber nichts mit körperlicher Gewalttätigkeit zu tun gehabt, und die geistige Auseinandersetzung hatte sein eigenes Leben nicht bedroht.

Als es vollends dunkel wurde, erhob sich eine frische Brise. Ihn fröstelte, und zugleich brach ihm der Schweiß aus. Er musste sich beherrschen. Gower würde es merken, wenn er nervös war; er würde sicherlich auf solche Anzeichen achten. Dann wäre es für ihn das Nächstliegende zu vermuten, dass Pitt ihn durchschaut hatte.

Er musste sich jetzt jedes Wort genau überlegen, das er sagen würde, durfte sich nicht den geringsten Fehler erlauben.

Gower war bereits zu Hause, als Pitt eintrat. Er saß in einem behaglichen Sessel, ein Glas Wein auf dem Tischchen neben sich, und las in einer französischen Zeitung. Trotzdem sah er sehr englisch aus, was wohl auch an seinem unübersehbaren Sonnenbrand lag. Bei Pitts Eintreten hob er den Blick, lächelte, als er dessen schmutzige Stiefel sah, und stand auf.

»Kann ich Ihnen ein Glas Wein anbieten?«, fragte er. »Ich nehme an, Sie haben Hunger.«

Sogleich überfielen Pitt Zweifel. War seine Annahme lachhaft, dieser Mann habe blitzschnell und brutal West getötet und sich dann mit Unschuldsmiene daran gemacht, gemeinsam mit Pitt Wrexham bis Southampton und über den Ärmelkanal bis hierher in die Bretagne zu verfolgen?

Er durfte nicht zögern. Gower erwartete eine Antwort auf seine Frage, und sie musste natürlich und unbefangen klingen.

»Ja«, sagte er mit schiefem Lächeln, während er sich in den anderen Sessel fallen ließ. Dabei merkte er erst richtig, wie erschöpft er war. »Eine so lange Strecke bin ich schon lange nicht mehr marschiert.«

»Sind wohl an die fünfzehn Kilometer?« Gower hob die Brauen. Er stellte Pitt den Wein hin. »Haben Sie überhaupt etwas zu Mittag gehabt?« Er nahm wieder Platz und sah neugierig zu Pitt her.

»Brot mit Käse und ein gutes Glas Wein«, gab Pitt zurück. »Ich bin zwar nicht sicher, ob Rotwein und Käse gut miteinander harmonieren, aber es hat gut geschmeckt, wenn es auch kein Stilton war«, fügte er rasch hinzu für den Fall, dass Gower annahm, er wisse nicht, dass ein Herr zum Portwein ein wenig Stilton zu nehmen pflegte. Sie saßen wie Freunde beim Wein zusammen und unterhielten sich über Fragen der Etikette, als habe es keinen Toten gegeben und als stünden sie beide auf derselben Seite. Er musste sorgfältig darauf achten, sich durch diese absurde Situation auf keinen Fall von der tödlichen Wirklichkeit ablenken zu lassen.

»Und war es der Mühe wert?«, erkundigte sich Gower. In seiner Stimme lag nicht der kleinste verräterische Hinweis, und seine sehnige Hand, die das Glas hielt, zitterte nicht im Geringsten.

»Durchaus«, sagte Pitt. »Der Mann hat meine Vermutung bestätigt. Er hält Frobisher für einen Maulhelden und Schaumschläger. Er sagt, er führe seit Jahren große Reden über radikale Gesellschaftsreformen, gebe sich selbst aber nach wie vor dem Wohlleben hin. Gelegentlich soll er für wohltätige Zwecke spenden – aber das tut fast jeder, der Geld hat. Damit, dass er die Leute erschreckt, indem er davon spricht, man müsse etwas tun, wolle er lediglich Aufmerksamkeit erregen, ohne von seinem Luxusleben zu lassen.«

»Und Wrexham?«, fragte Gower.

Einen Augenblick lang trat Schweigen ein. Von draußen hörte man Hundegebell, irgendwo sang jemand, und Gelächter erscholl.

»Bei ihm scheint die Sache anders auszusehen«, gab Pitt zurück. »Das wissen wir ja aus leidvoller Erfahrung selbst. Allerdings habe ich keine Ahnung, was er hier treibt. Ich hatte angenommen, ihm sei unbekannt, dass wir hinter ihm her sind, aber da habe ich mich vielleicht getäuscht.« Die Schlussfolgerung, die sich daraus ergab, ließ er unausgesprochen.

»Wir haben uns vorgesehen«, sagte Gower und tat, als überlege er. »Aber warum hält er sich hier bei Frobisher auf, wenn er nichts anderes im Sinn hat, als uns zu entkommen? Er könnte doch nach Paris weiterfahren oder sonstwohin?« Er stellte sein Glas auf das Tischchen und sah Pitt an. »Günstigstenfalls ist er ein Revolutionär und schlimmstenfalls ein Anarchist, der jede Ordnung umstoßen und Chaos an ihre Stelle setzen will.« In seiner Stimme lag beißende Verachtung. Sofern die gespielt war, fand Pitt, gehörte der Mann unbedingt auf die Bühne.

Er überdachte seinen Plan erneut. »Vielleicht wartet er hier auf jemanden und fühlt sich so sicher, dass er gar nicht auf uns achtet«, gab er zu bedenken.

»Wie wäre es, wenn derjenige, der erwartet wird, so wichtig ist, dass Wrexham das Risiko eingehen muss?«, hielt Gower dagegen.

»Damit haben Sie wohl Recht.« Pitt setzte sich bequemer hin. »Aber das kann dauern. Möglicherweise würden wir es nicht einmal merken, wenn es so weit ist. Ich denke, dass wir noch viel mehr Informationen brauchen.«

»Etwa von der französischen Polizei?«, fragte Gower in zweifelndem Ton. Auch er veränderte seine Haltung, wirkte aber eher ein wenig angespannt, als wolle er jeden Augenblick aufstehen.

Pitt zwang sich, es ihm nicht gleichzutun. Er musste unbedingt den Eindruck völliger Gelöstheit erwecken.

»Die haben unter Umständen andere Interessen als wir«, fuhr Gower fort. »Trauen Sie denen überhaupt, Sir? Wollen Sie denen tatsächlich sagen, was wir über Wrexham wissen und warum wir hier sind?« Sein Ausdruck war besorgt, seine Stimme klang kritisch, so, als hindere ihn lediglich seine untergeordnete Stellung daran, sich deutlicher auszudrücken.

Pitt zwang sich zu einem Lächeln. »Natürlich nicht. Wir haben weder eine Vorstellung davon, was die Leute wissen, noch eine Möglichkeit, auf seinen Wahrheitsgehalt hin zu überprüfen, was sie uns vielleicht sagen. Außerdem decken sich unsere Interessen womöglich in der Tat nicht mit den ihren. Vor allem aber möchte ich nicht, dass sie wissen, wer wir sind – da bin ich mit Ihnen ganz und gar einig.«

Gower zwinkerte rasch. »Und was schlagen Sie vor, Sir?«

Das war die einzige Chance, die Pitt haben würde. Er wäre gern aufgestanden, um reagieren zu können, falls ihn Gower plötzlich angriff. Doch er zwang seine Muskeln, sich zu entspannen, und blieb scheinbar bequem sitzen. Er ließ sich ein wenig weiter nach vorn gleiten und streckte die Beine, als sei er müde – was ihm nach seinem langen Fußmarsch nicht schwerfiel. Gott sei Dank hatte er gute Stiefel, auch wenn sie jetzt staubig und abgestoßen waren.

»Ich denke, dass ich nach London fahre und mich erkundige, was es in Lisson Grove Neues gibt«, sagte er. »Unter Umständen haben die da inzwischen eine ganze Reihe von Informationen, die sie uns nicht weitergegeben haben. Sie halten hier die Stellung bis zu meiner Rückkehr und achten weiterhin auf jede Bewegung Frobishers und Wrexhams. Mir ist bewusst, dass diese Aufgabe für einen Einzelnen unmäßig schwierig ist, aber uns ist bisher noch nie aufgefallen, dass die Leute nach Einbruch der Dunkelheit etwas anderes getan hätten, als Gäste zu empfangen.« Er wollte noch etwas hinzufügen, die Sache weiter erklären, begriff aber rechtzeitig, dass er damit nur Verdacht erregen würde. Als Gowers Vorgesetzter hatte er es nicht nötig, sich zu rechtfertigen.

»Ja, Sir, wenn Sie das für das Beste halten. Wann werden Sie zurück sein? Soll ich Ihr Zimmer für Sie freihalten?«, erkundigte sich Gower.

»Ja – bitte. Ich kann mir nicht vorstellen, dass ich länger als zwei, höchstens drei Tage bleiben werde. Ich habe den Eindruck, dass wir im Augenblick im Dunkeln tappen.«

»In Ordnung, Sir. Wie wäre es jetzt mit Abendessen? Ich habe heute ein neues Gasthaus entdeckt. Da gibt es die beste Muschelsuppe, die Sie je gegessen haben.«

»Guter Gedanke.« Pitt stand ein wenig steif auf. »Ich nehme gleich morgen früh die erste Fähre.«

Der nächste Tag war diesig und deutlich kühler. Pitt hatte sich mit voller Absicht für die erste Fähre entschieden, um nicht gemeinsam mit Gower frühstücken zu müssen. Er fürchtete, in der scheinbar entspannten Atmosphäre einen Fehler zu begehen, der diesem sicher sofort auffallen würde. Ob Gower bereits etwas argwöhnte? War ihm bewusst, dass Pitt seine Tarnung durchschaut hatte? Während er durch die ihm inzwischen vertrauten Straßen dem Hafen entgegenstrebte, fiel es ihm schwer, sich nicht umzusehen, ob man ihm folgte. Würde er hinter sich die blonde Mähne Gowers sehen, der die meisten Männer überragte? Oder hatte er bereits sein Aussehen verändert und folgte ihm mit wenigen Schritten Abstand, ohne dass er etwas davon ahnte?

Doch das wäre gar nicht nötig, denn zu seinen Verbündeten, Frobishers oder Wrexhams Leuten, konnte jeder Beliebige gehören. Wie wäre es beispielsweise mit dem Hafenarbeiter im Seemannspullover, der in einem Hauseingang die erste Zigarette des Tages rauchte, dem Mann, der auf einem Fahrrad über die Pflastersteine schaukelte, wenn nicht gar mit der jungen Frau mit dem Wäschekorb? Wieso nahm er an, dass Gower ihm selbst folgen würde? Wieso nahm er überhaupt an, dass er etwas gemerkt hatte? Dieser neue Gedanke vertrieb beinahe alle anderen Erwägungen. Wie ichbezogen war es von ihm, zu vermuten, dass Gower nichts Wichtigeres zu tun hatte, als hinter seine Gedanken zu kommen! Vielleicht ließen Pitt und was er wusste oder zu wissen glaubte, ihn ohnehin völlig kalt.

Während er den Schritt beschleunigte, kam er an einer Gruppe von Reisenden mit prall gefüllten Koffern und schweren Reisetaschen vorüber. Am Hafen sah er sich um, als suche er einen Bekannten, und war erleichtert, ausschließlich unbekannte Gesichter zu sehen. Er merkte, dass der Wind aufgefrischt hatte und den Geruch von Salz mit sich brachte.

Zweimal musste er sich in eine Schlange einreihen – vor dem Fahrkartenschalter und an der Landungsbrücke. Sobald er das leichte Schwanken des Decks unter seinen Füßen spürte, fühlte er sich in Sicherheit.

Pitt stand an der Reling und hielt den Blick auf die Landungsbrücke und den Kai gerichtet. Über ihm schossen kreischend die Möwen durch die Luft. Er hoffte, dass er aussah wie jemand, der voll angenehmer Erinnerungen einen letzten

Blick zurück auf die Stadt wirft, in der er angenehme Ferien verbracht hatte, vielleicht bei Freunden, die er möglicherweise ein ganzes Jahr lang nicht wiedersehen würde. In Wahrheit achtete er auf die Menschen dort, um zu sehen, ob in der Menge ein bekanntes Gesicht auftauchte, einer der Männer, die er Frobishers Haus hatte betreten und verlassen sehen, wenn nicht gar Gower selbst.

Zweimal glaubte er, ihn entdeckt zu haben, doch beide Male war es ein Fremder. Es hatte einfach an den hellen Haaren gelegen oder an der Art, wie der Betreffende den Kopf hielt. Pitt schalt sich töricht wegen der Angst, die er empfand, während in Wahrheit womöglich keinerlei Gefahr bestand. Vielleicht reichte diese Angst so tief, weil ihm am Vortag auf dem Rückweg in die Stadt zum ersten Mal der Gedanke gekommen war, dass Gower der Mörder Wests war und es sich bei Wrexham lediglich um einen Mitwisser, wenn nicht gar um einen gänzlich Unschuldigen, handelte. Er konnte ohne weiteres jemand sein, der sich als Sozialist ausgab und sich ähnlich wie Frobisher als Fanatiker aufspielte. Was Pitt bestürzt hatte, war das Entsetzen, mit dem ihm aufgegangen war, wie blind und dumm er gewesen war, wie wenig er andere Möglichkeiten in Erwägung gezogen hatte. Er würde sich schämen, wenn er Narraway davon berichtete, aber ihm würde nichts anderes übrigbleiben. Um dies Eingeständnis würde er nicht herumkommen.

Endlich wurde der Anker gelichtet, und die Fähre lief aus. Pitt blieb an der Reling stehen und sah zu, wie die Türme und Mauern der Stadt kleiner wurden. Auf dem Wasser tanzte glitzernd das Sonnenlicht. An der Ausfahrt des Hafens schwappte und schlug das auflaufende Wasser gegen den Fuß der dortigen Befestigungsanlage. So früh am Vormittag sah man nur wenige Segelboote: Fischer, die in aller Herrgottsfrühe hinausgefahren waren, um ihre Hummerkörbe einzuholen.

Er versuchte, sich das Bild einzuprägen, um Charlotte berichten zu können, wie schön das alles war. Er würde ihr schildern, was er gesehen, gehört und geschmeckt hatte, seinen Eindruck, in frühere Zeiten zurückversetzt worden zu sein. Er nahm sich vor, eines Tages mit ihr dorthin zu fahren und mit ihr in einem der Gasthöfe zu essen, wo es so herrliche Muschelgerichte, Austern und Hummer gab. Charlotte kam so gut wie nie aus London heraus, von Auslandsreisen ganz zu schweigen. Bestimmt würde sie das freuen; es wäre einmal etwas anderes. So lebhaft stellte er sich vor, sie wiederzusehen, dass er den Duft ihres Haares zu riechen und den Klang ihrer Stimme zu hören glaubte. Er würde sich nicht lange bei dem aufhalten, was ihn nach Frankreich geführt hatte, sondern ihr nur die guten Dinge berichten.

Jemand stieß ihn an, und er reagierte nicht sogleich. Dann überlief ihn ein Schauder, als er merkte, wie unaufmerksam er gewesen war.

Der Mann entschuldigte sich.

Nur mit Mühe gelang es Pitt zu sprechen. Sein Mund war völlig ausgetrocknet. »Nicht weiter schlimm.«

Der Mann lächelte. »Es hat mich von den Beinen gehauen. Bin nicht an den Seegang gewöhnt.«

Pitt nickte, trat aber von der Reling zurück und suchte den Salon auf. Dort blieb er während der ganzen Überfahrt, trank Tee und frühstückte: frisches Brot, Käse und einige Scheiben Schinken. Er gab sich Mühe, den Eindruck zu erwecken, als fühle er sich wohl.

Als er mit dem kleinen Koffer, den er in Saint Malo gekauft hatte, in Southampton an Land ging, sah er aus wie ein beliebiger Reisender, der aus den Ferien zurückkehrte. Es war Mittag. Im Hafen wimmelte es von Menschen.

Er suchte unverzüglich den Bahnhof auf, um den ersten Zug nach London zu nehmen. Dort würde er als Erstes nach

Hause gehen, um sich zu waschen und umzuziehen. Mit etwas Glück würde er sogar noch rechtzeitig nach Lisson Grove kommen, um Narraway dort zu treffen, bevor dieser Feierabend machte. Falls nicht, würde er ihn zumindest anrufen, um sich mit ihm irgendwo zu verabreden. Angesichts dessen, was er ihm über Gower mitzuteilen hatte, dürfte ein Treffen bei Narraway zu Hause wohl am besten ein. Wie gut, dass es Telefone gab!

Inzwischen fühlte er sich besser. Frankreich schien in weiter Ferne zu liegen, und er hatte auf der Fähre keine Spur von Gower gesehen. Seine Erklärung hatte ihm wohl eingeleuchtet.

Der Bahnhof war voller Menschen, die alle ziemlich schlecht gelaunt zu sein schienen. Den Grund dafür erfuhr er, als er seine Fahrkarte nach London löste.

»Tut mir leid, Sir«, sagte der Mann hinter dem Schalter. »Wir haben in Shoreham-by-Sea eine technische Störung. Sie müssen mit Verspätung rechnen.«

»Wie lang wird die sein?«

»Das kann ich nicht sagen, Sir. Vielleicht eine Stunde oder länger.«

»Aber der Zug fährt doch?«, fragte Pitt nach. Mit einem Mal konnte er es nicht abwarten, Southampton zu verlassen, als schwebe er nach wie vor in Gefahr.

»Ja, Sir. Wollen Sie jetzt die Fahrkarte oder nicht?«

»Ja. Es gibt ja wohl keine andere Möglichkeit, nach London zu kommen, oder?«

»Nein, Sir. Es sei denn, Sie wollen eine andere Strecke fahren. Manche tun das, aber es ist ein Umweg und kostet mehr. Ich denke, dass die Schwierigkeit bald behoben ist.«

»Danke. Geben Sie mir bitte eine Fahrkarte nach London.«

»Hin und zurück, Sir? Erste, zweite oder dritte Klasse?«

»Nur Hinfahrt und bitte zweite Klasse.«

Er bezahlte und ging auf den Bahnsteig, der sich mit immer mehr Menschen füllte. Das Gedränge war so dicht, dass er nicht einmal auf und ab gehen konnte, um seine Anspannung abzubauen. Anderen schien es ähnlich zu gehen. Frauen versuchten quengelnde Kinder zu beruhigen, Geschäftsleute zogen immer wieder prüfend die Uhr aus der Westentasche. Pitt sah sich fortwährend um, aber es gab keinen Hinweis auf Gower, obwohl er nicht sicher war, dass er ihn in der immer mehr anwachsenden Menschenmenge erkennen würde.

Als es auch um zwei Uhr nach wie vor keinen Hinweis auf eine bevorstehende Abfahrt gab, kaufte er ein belegtes Brot und ein großes Glas Apfelwein. Um drei Uhr stieg er schließlich in einen Zug nach Worthing, in der Hoffnung, von dort auf einer anderen Strecke nach London zu kommen. Zumindest hatte er die Illusion, dass es voranging. Während er im letzten Waggon einen freien Platz suchte, hatte er wieder den Eindruck, entkommen zu sein.

Mit Glück fand er in dem recht vollen Waggon einen Sitzplatz. Alle Fahrgäste hatten schon ziemlich lange gewartet; sie waren müde, besorgt und freuten sich darauf, nach Hause zu kommen. Eine Frau hielt ein etwa zwei Jahre altes weinendes Mädchen tröstend in den Armen. Während sich die Kleine schniefend die Augen rieb, musste Pitt unwillkürlich an Jemima denken. Wie lange es zurücklag, dass sie in jenem Alter gewesen war! Pitt nahm an, dass die Frau Ferien gemacht hatte und jetzt nicht wusste, wie es weitergehen sollte. Aus Mitgefühl unterhielt er sich zwei Stationen lang mit ihr. Als die schaukelnden Bewegungen des Zuges die Kleine in den Schlaf gewiegt hatte, entspannte sich schließlich auch die Mutter.

Manche Fahrgäste stiegen schon in Bognor Regis aus und noch mehr in Angmering. Als der Zug in Worthing einlief, befanden sich nur noch etwa ein halbes Dutzend Personen in Pitts Waggon.

»Tut mir leid«, sagte der Schaffner, schob die Mütze ein wenig hoch und kratzte sich am Kopf. »Weiter geht es nicht, solange das Gleis bei Shoreham nicht geräumt ist.«

Es gab einiges Murren unter den wenigen Fahrgästen, doch alle stiegen aus. Sie wanderten unruhig auf dem Bahnsteig auf und ab, gingen den Gepäckträgern und dem Schaffner mit Fragen auf die Nerven, die niemand beantworten konnte, oder suchten den Wartesaal auf, wo schon Fahrgäste aus den anderen Waggons saßen.

Pitt nahm eine Zeitung zur Hand, die jemand hatte liegen lassen, und überflog die Schlagzeilen. Nichts Besonderes lenkte seine Aufmerksamkeit auf sich, und jedes Mal, wenn jemand vorüberkam, hob er den Blick in der Hoffnung, man werde die bevorstehende Abfahrt des Zuges ankündigen.

Während sich der Nachmittag scheinbar endlos in die Länge zog, stand er ein oder zwei Mal auf und ging den ganzen Bahnsteig auf und ab. Er nahm sich zusammen, um den Schaffner nicht mit Fragen zu behelligen, da ihm klar war, dass der Arme die Sache vermutlich ebenso unerfreulich fand wie alle anderen Wartenden und ihnen die erhoffte Mitteilung nur allzu gern gemacht hätte.

Als sich die Sonne dem Horizont entgegenneigte, konnten sie endlich in einen bereitgestellten Zug steigen, der langsam aus dem Bahnhof dampfte. Es war erstaunlich, wie erleichtert alle waren. Dabei hatte niemand von ihnen Entbehrungen leiden müssen oder in Gefahr geschwebt. Dennoch lächelten alle, redeten miteinander, und einige lachten sogar glücklich.

Der nächste Bahnhof war Shoreham-by-Sea, der Ort, an dem das Gleis unterbrochen gewesen war, dann kam Hove. Inzwischen war es bald dunkel, und das letzte Sonnenlicht warf scharfe Schatten. In Pitts Augen war diese Abendstunde von ganz besonderer Schönheit. Sie erfüllte ihn mit einem Hauch von Wehmut. Noch stärker empfand er das im Herbst, wenn die abgeernteten Felder gelblich schimmerten und auf den Äckern die zusammengesetzten Garben wie Überreste eines vergessenen Zeitalters aufragten, das noch keine Industrialisierung berührt hatte. Es erinnerte ihn jedes Mal an seine Kindheit auf dem großen Gut, auf dem seine Eltern gearbeitet hatten, an die Wälder und Felder, und er empfand ein sonderbares Gefühl der Zugehörigkeit.

Da er sich mit einem Mal durch das Abteil beengt fühlte, stand er auf, ging ans Ende des Waggons und trat auf die kleine Plattform dort hinaus. Auf diesen Plattformen rauchten gewöhnlich Männer ihre Zigarren, um Mitreisende nicht zu belästigen. Es war schön, dort zu stehen, den Fahrtwind zu spüren und den Geruch frisch gepflügter Erde und feuchter Wälder in sich aufzunehmen. Nicht viele Züge hatten solche Plattformen. Irgendwo hatte er gehört, dass diese Einrichtung aus Amerika stammte. Sie gefiel ihm sehr.

Auch wenn es draußen recht kühl war, empfand er die Atmosphäre als angenehm und blieb dort stehen, während es rasch immer dunkler wurde. Dicke Wolken zogen von Norden heran. Wahrscheinlich würde es irgendwann in der Nacht regnen.

Er überlegte, was er Narraway über die Verfolgung Wrexhams sagen wollte, die sie nach Frankreich geführt hatte und die er inzwischen als vollständigen Fehlschlag einschätzte. Auch musste er sich darüber klarwerden, wie er ihm die Schlussfolgerungen erklären wollte, zu denen er in Bezug auf Gower gelangt war, und seine Blindheit, die ihn daran gehindert hatte, von Anfang an die wirklichen Zusammenhänge zu erkennen. Als Nächstes malte er sich voll Vorfreude das Wiedersehen mit Charlotte aus. Wie schön es sein würde, wieder zu Hause zu sein, wo er nur den Blick zu heben brauchte, um zu sehen, wie sie ihm zulächelte. Sofern sie der Ansicht war, dass er sich töricht verhalten hatte, würde sie das auf keinen Fall sagen – jedenfalls nicht gleich. Sie würde warten, bis er selbst darauf zu sprechen kam, und ihm dann betrübt zustimmen. Das würde die Sache für ihn weit weniger unangenehm machen.

Inzwischen war es praktisch Nacht; wegen der Wolken war die Dunkelheit rascher als gewöhnlich hereingebrochen.

Mit einem Mal spürte er, dass jemand hinter ihm stand. Wegen des Räderratterns hatte er nicht gehört, wie sich die Tür zum Waggon öffnete. Er wandte sich halb um, doch es war zu spät. Jemand umklammerte von hinten seinen rechten Arm mit eisernem Griff und drängte ihn so fest gegen das Geländer der Plattform, dass sein eigener Körper seinen linken Arm einquetschte.

Er versuchte, dem Mann kräftig auf den Fuß zu treten, um ihn durch den Schmerz dazu zu bewegen, seinen Griff zu lockern. Zwar merkte er, dass der Mann zusammenzuckte, dann aber schob dieser ihn immer weiter nach vorn, mit dem Oberkörper über das Geländer. So scharf schnitt Pitt das Metall in den linken Arm, dass er vor Schmerz nach Luft rang. Inzwischen hatte ihn der Angreifer so weit vornüber gedrückt, dass sich sein Kopf dem vorbeifliegenden Boden immer mehr näherte. Der kalte Wind fuhr ihm durch das Gesicht, und Rußflocken von der Lokomotive bissen in seine Haut. Es würde nicht mehr lange dauern, bis er das Gleichgewicht verlor, von der Plattform stürzte und auf den Bahndamm prallte. Das würde bei der hohen Geschwindigkeit des Zuges mit großer Wahrscheinlichkeit seinen Tod bedeuten. Der ausgesprochen kräftige und massige Mann presste ihm geradezu alle Luft aus dem Brustkorb, und Pitt hatte nicht die geringste Möglichkeit, sich zu wehren. Er konnte nicht mehr lange Widerstand leisten, in wenigen Sekunden würde es vorüber sein.

Da hörte er, wie eine Tür zugeschlagen wurde, und ein wilder Schrei ertönte. Der Druck gegen seinen Rücken wurde noch stärker und presste ihm die letzte Luft aus der Lunge. Dann löste sich sein Angreifer von ihm, und Pitt, der sich keuchend am Geländer festhielt, drehte sich um. Der Angreifer kämpfte jetzt gegen einen anderen Mann. In der Dunkelheit vermochte Pitt lediglich schattenhafte Umrisse zu erkennen, sah aber, dass der Mann, der ihn gerettet hatte, wohlbeleibt und stämmig war und dass der Hut des Mannes davonflog. In diesem Kampf zog er unübersehbar den Kürzeren und wurde immer mehr zum gegenüberliegenden Geländer der Plattform gedrängt. Einen kurzen Augenblick lang fiel ein Lichtschein aus der Tür, und Pitt sah, dass sich Entsetzen auf dem vor Wut verzerrten Gesicht des Mannes auszubreiten begann, da er merkte, dass er nicht gewinnen konnte. Pitt richtete sich auf, stürmte mit bloßen Fäusten auf seinen Angreifer los und rammte sie ihm, so fest er konnte, in die kurzen Rippen, in der Hoffnung, ihm auf diese Weise die Luft zu nehmen. Er hörte ihn aufstöhnen und drang weiter auf ihn ein, aber nur einen Schritt weit. Der Dicke warf sich beiseite und auf ein Knie. Auf diese Weise konnte er verhindern, dass er das Gleichgewicht verlor und über das Geländer stürzte.

Pitt wandte sich weiter gegen seinen Angreifer, doch der musste damit gerechnet haben. Er ließ sich ebenfalls auf die Knie fallen, so dass ihn Pitts Schlag lediglich an der Schulter traf und diese nach hinten riss, und dann griff er Pitt mit gesenktem Kopf an und traf ihn so hart in die Magengrube, dass Pitt zu Boden stürzte. Die Waggontür schlug auf und zu.

Inzwischen hatte sich der Dicke wieder aufgerafft und stürmte auf den Mann los, der Pitt angegriffen hatte, wobei er etwas brüllte, was in den Geräuschen des Windes und des Zuges unterging. Der Angreifer tat einen Schritt beiseite, fuhr rasch herum, packte den Dicken, richtete sich hoch auf und schob ihn über das Geländer, so dass er mit hilflos rudernden Armen ins Leere stürzte.

Einen Augenblick lang war Pitt vor Entsetzen starr, dann wandte er sich dem Angreifer zu, den er im Dunkeln lediglich umrisshaft sehen konnte und von dem er trotzdem wusste, wer er war.

»Wie sind Sie mir eigentlich auf die Schliche gekommen?«, fragte Gower neugierig mit einer Stimme, die nahezu so klang wie immer.

Pitts Atem ging pfeifend, seine Lunge und Rippen schmerzten, wo ihn Gower gegen das Geländer gedrückt hatte, doch er konnte nur an den Mann denken, der ihn zu retten versucht hatte und jetzt mit zerschmetterten Gliedern auf dem Bahndamm lag.

Gower trat auf ihn zu. »Was hat Ihnen der Mann gesagt, den Sie gestern außerhalb der Stadt aufgesucht haben?«

»Nichts weiter, als dass man Frobisher nicht ernst nehmen darf«, gab Pitt zurück. Seine Gedanken jagten sich. »Um das zu merken, kann Wrexham unmöglich eine ganze Woche gebraucht haben. Also hat er es wahrscheinlich schon immer gewusst. Dann ist mir der Gedanke gekommen, dass auch Wrexham nicht der war, als den Sie ihn hingestellt haben. Zwar hatte ich zu sehen geglaubt, dass er West die Kehle durchgeschnitten hat, doch als ich die Sache in aller Ruhe Schritt für Schritt überdacht habe, ist mir aufgegangen, dass er es nicht gewesen sein konnte, denn vor West war schon eine Blutlache am Boden, als wir eintrafen. Sie waren bei der Verfolgung immer an der Spitze, bis hin zur Fähre. Ich hatte Sie damals für besonders klug gehalten, doch dann ist mir aufgegangen, wie einfach das alles war. Immer haben Sie den Mann angeblich wieder aufgespürt, wenn wir seine Fährte verloren hatten, und immer wieder darauf bestanden, ihn nicht festzunehmen.

Diese ganze angebliche Verfolgungsjagd hatte keinen anderen Zweck als den, mich aus London fortzulocken.«

Gower lachte kurz auf. »Der berühmte Pitt, auf den Narraway so große Stücke hält. Sie haben eine volle Woche gebraucht, um dahinterzukommen! Sie werden allmählich langsam – wenn Sie es nicht schon immer waren und bis jetzt einfach Glück hatten.«

Unvermittelt stürzte er sich mit ausgestreckten Armen und gespreizten Fingern auf Pitt, um dessen Kehle zu umkrallen. Diesmal aber war Pitt auf den Angriff vorbereitet. Geduckt stürmte er mit dem Kopf voran auf Gower los und traf ihn unmittelbar über der Gürtellinie so heftig in den Bauch, dass er keuchen musste. Dann streckte er seine Beine, so dass Gower vom Boden emporgehoben wurde und, von seinem eigenen Schwung getragen, über das Geländer in der Dunkelheit verschwand. Auch wenn Pitt den Aufprall nicht hörte, war ihm mit tiefem Bedauern bewusst, dass Gower sofort tot sein musste. Niemand konnte einen solchen Sturz überleben.

Langsam richtete er sich auf, am ganzen Leibe zitternd. Fast hätten seine Beine unter ihm nachgegeben, so dass er sich am Geländer festhalten musste.

Wieder schlug die Waggontür zu, dann öffnete sie sich. Der Schaffner stand mit vor Entsetzen weit aufgerissenen Augen da, die Laterne in der Hand. Hinter ihm leuchteten gelblich die Lampen im Waggon.

»Se sind ja wahnsinnig!«, schrie er mit sich überschlagender Stimme.

»Er wollte mich umbringen!«, begehrte Pitt auf und tat einen Schritt auf den Schaffner zu.

Dieser riss seine Laterne wie einen Schild vor sich hoch und stieß mit vor Entsetzen schriller Stimme hervor: »Rühr'n Se mich ja nich' an! Ich hab hier 'n halbes Dutzend starker Männer, die mit Ihn'n fertig werd'n. Se sind ja total verrückt. Se ham auch den arm'n Mr Summers umgebracht, der rausgegang'n war, um dem ander'n Mann zu helf'n.«

»Ich habe nichts dergleichen ...«, setzte Pitt an, brachte den Satz aber nicht zu Ende. Zwei kräftig gebaute Männer waren hinter dem Schaffner aufgebaut. Der eine schwang drohend einen Knotenstock, während der andere einen Regenschirm mit scharfer Metallspitze wie eine Waffe vor sich hielt.

»Wir sperr'n Se im Packwag'n ein«, fuhr der Schaffner fort. »Un' wenn wir Se dafür bewusstlos schlag'n müss'n. Se müss'n 's nur sag'n. Ich konnte Mr Summers gut leiden. Er war 'n anständiger Kerl.«

Pitt dachte nicht daran, es mit diesen dreien aufzunehmen, und so ging er benommen und voll Entsetzen über das, was er getan hatte, widerstandslos mit ihnen.

KAPITEL 7

»Du kannst nicht mitkommen«, sagte Charlotte mit Nachdruck. Es war früher Nachmittag, und sie stand in ihrem besten Frühjahrskostüm, zu dem sie die herrliche neue Bluse angezogen hatte, im Speiseraum von Mrs Hogans Pension. Es war ihr fast nicht recht, zu sehen, wie gut ihr die Bluse stand. Zusammen mit einem einfachen dunklen Rock wirkte sie schlicht gesagt hinreißend. »Da kennt dich bestimmt jemand«, fügte sie hinzu.

Narraway hatte sich ganz offensichtlich ebenfalls die größte Mühe gegeben. Sein Hemd war makellos, seine Krawatte saß einwandfrei, und sein dichtes Haar war tadellos gekämmt.

»Es geht nicht anders«, gab er zurück. »Ich muss unbedingt mit Talulla Lawless sprechen. Das kann ich nur an einem sozusagen öffentlichen Ort, weil sie mich sonst bezichtigen würde, mich an ihr vergangen zu haben. Das hat sie früher schon einmal versucht und mir klargemacht, dass sie es wieder tun würde, wenn ich es wagen sollte, mit ihr unter vier Augen zusammenzutreffen. Ich weiß, dass sie heute Nachmittag zu dem Konzert gehen will. Bei den vielen Menschen dort wird man nicht sonderlich auf uns achten.«

»Es genügt, wenn dich nur ein Einziger erkennt, denn der würde es sofort allen anderen sagen«, gab sie zu bedenken.

»Was kann ich dann noch Sinnvolles erreichen? Man würde hinter allem, was ich sage, sofort den wahren Grund erkennen.«

»Ich gehe nicht mit dir zusammen. Die Scharade, dass du meine Schwester bist, ist ausschließlich für Mrs Hogan bestimmt.« Er lächelte trübselig. »Ich gehe allein, dich hingegen wird Fiachra McDaid begleiten. Er wird dich …«, er warf einen Blick auf die Kaminuhr, »… in etwa zehn Minuten hier abholen. Mir bleibt wirklich keine Wahl. Meiner festen Überzeugung nach ist Talullas Rolle in dieser Angelegenheit von entscheidender Bedeutung. Bei allem, was ich herausbekommen habe, führt die Fährte immer wieder zu ihr. Sie ist das Bindeglied zwischen allen anderen.«

»Wer sind denn diese anderen?«, fragte sie. »Kann ich die Sache nicht übernehmen?«

Er lächelte flüchtig. »Diesmal nicht, meine Teure.«

Obwohl ihr klar war, dass er ihr nicht die ganze Wahrheit gesagt hatte, gab sie den Versuch auf, ihn von seinem Vorhaben abzubringen. Vermutlich hatte er Recht mit seinem Hinweis, dass es töricht gewesen wäre, herzukommen, wenn sie nicht bereit waren, Risiken einzugehen. Sie erwiderte sein Lächeln kurz und nickte. »Aber sei vorsichtig.«

Der Blick seiner Augen wurde weicher. Er schien im Begriff, etwas Spöttisches zu erwidern, doch da klopfte es an die Tür. Mrs Hogan, deren Frisur wie üblich halb aufgelöst war, kam in ihrer gestärkten weißen Schürze herein.

»Mr McDaid möchte Sie abholen, Mrs Pitt.« Ihrem Gesichtsausdruck ließ sich unmöglich entnehmen, was sie dachte, wohl aber, dass es ihr offenkundig schwerfiel, ihre Gesichtszüge zu beherrschen.

»Danke, Mrs Hogan«, sagte Charlotte höflich. »Ich gehe gleich hin.« Sie sah Narraway an. »Bitte sei vorsichtig«, wiederholte sie, raffte, bevor er etwas erwidern konnte, ihren

Rock, damit er nicht über den Boden schleifte, und rauschte durch die Tür hinaus, die ihr Mrs Hogan aufhielt.

Fiachra McDaid stand im Vestibül neben der Standuhr, die gegenüber der im Esszimmer fünf Minuten vorging. Obwohl er modisch gekleidet war, reichte er nicht an Narraways lässige Eleganz heran.

»Guten Tag, Mrs Pitt«, sagte er in herzlichem Ton. »Ich hoffe, dass Ihnen die Musik gefallen wird. Nun werden Sie einen anderen Teil Dublins kennenlernen, und es ist ein herrlicher Tag dafür, übrigens auch genau richtig für eine Besichtigung der näheren Umgebung. Wie wäre es beispielsweise mit einer Fahrt nach Drogheda und zu den Ruinen von Mellifont, der ältesten Abtei Irlands, die 1142 auf Betreiben des heiligen Malachias erbaut wurde? Sofern Ihnen das zu nahe an der Gegenwart sein sollte, könnte ich Ihnen den Hügel von Tara empfehlen. Er war zur Zeit unserer Hochkönige das politische Zentrum Irlands, denn dort stand deren Burg, bis das Christentum kam und ihrer Macht ein Ende bereitete.«

»Das klingt eindrucksvoll«, sagte sie mit so viel Begeisterung, wie sie aufbringen konnte, nahm seinen Arm und ging mit ihm zur Haustür. Sie drehte sich nicht um, um zu sehen, ob Narraway sie beobachtete. »Liegen diese Orte weit von Dublin entfernt?«

»Es ist eine gewisse Strecke, aber die Fahrt lohnt sich unbedingt«, gab McDaid zurück. »Irland ist sehr viel mehr als Dublin, müssen Sie wissen.«

»Das kann ich mir denken. Ich weiß die Großzügigkeit zu schätzen, mit der Sie mich an der Schönheit Ihres Landes teilhaben lassen. Bitte berichten Sie mir mehr über diese Orte.«

Dazu war er gern bereit, und sie hörte ihm auf der kurzen Fahrt zum Konzertsaal mit aufmerksamer Miene zu. Zu jeder anderen Zeit wäre sie sogar wirklich so interessiert gewesen, wie zu sein sie den Anschein erweckte. Der Stolz in McDaids Stimme war ebenso unverkennbar wie die Liebe zu seinem Volk und dessen Geschichte. Außerdem legte er ein bemerkenswertes Mitgefühl für die Armen und Entrechteten an den Tag, das sie aufrichtig bewunderte.

An den Türen des Konzertsaals drängten sich die Menschen bereits, und sie mussten sich beeilen, um gute Plätze in einer der vorderen Reihen zu finden. Das war Charlotte ganz recht, weil sie auf diese Weise einen möglichst großen Abstand von Narraway halten konnte und niemand den Eindruck gewann, sie könnten zueinander gehören – außer natürlich McDaid, auf dessen Diskretion sie sich verlassen musste.

Die anderen Damen waren ausgesprochen modisch gekleidet, doch in ihrer schwarz und bronzefarben gestreiften Bluse fühlte sie sich ihnen allen gleichwertig, auch wenn sie nach wie vor das schlechte Gewissen peinigte, weil sie zugelassen hatte, dass Narraway dafür bezahlte, und sie noch nicht wusste, auf welche Weise sie Pitt diesen kostbaren Besitz erklären wollte. Im Augenblick aber genoss sie es, dass Männer wie Frauen sie aufmerksam musterten und dann ein zweites Mal hersahen, sei es bewundernd, sei es neidvoll. Sie lächelte ein wenig, nur gerade so viel, dass man es ihr nicht als selbstgefällig auslegen konnte, und mit dem gleichen Lächeln erwiderte sie das Nicken, mit dem Menschen sie begrüßten, die sie bei früheren Gelegenheiten kennengelernt hatte.

Als sie Plätze gefunden hatten, setzte sie sich mit durchgedrücktem Rücken hin und musterte scheinbar interessiert die noch leeren Stühle der Musiker auf dem Podium.

Dann sah sie sich diskret um und erkannte Dolina Pearse. Im letzten Augenblick vermied sie es, sie anzusehen. Neben Dolina ließ Talulla Lawless betont unauffällig ihren Blick durch den Saal wandern. Offensichtlich suchte sie jemanden. Charlotte, die der Richtung ihrer Blicke zu folgen versuchte, spürte, wie ihr der Atem stockte, als sie Narraway eintreten sah. Einen Augenblick brach sich das Licht in den silberfarbenen Haaren an seinen Schläfen, während er sich vorbeugte, um dem zuzuhören, was ihm jemand sagte. Talulla erstarrte, ihr Gesicht wurde zur Maske. Dann wandte sie sich mit einem gekünstelten Lächeln dem Mann neben ihr zu. Es dauerte einen Augenblick, bis Charlotte in ihm Phelim O'Conor erkannte. Er verließ sie gleich darauf, um seinen Platz einzunehmen, und Talulla suchte ihren eigenen auf.

Der Zeremonienmeister trat auf das Podium, um den Beginn des Konzerts anzukündigen, und sogleich verstummte das Stimmengewirr. Etwas mehr als eine Stunde lauschten die Besucher angespannt den Klängen der Musik und gaben sich den Empfindungen hin, die sie in ihnen weckte. Sie waren so angenehm, dass Charlotte lächeln musste. Es kostete sie nicht die geringste Mühe, den Anschein zu erwecken, als sei sie wunschlos glücklich.

Doch kaum war der Applaus nach dem Ende des Musikstücks vorüber, als ihre Gedanken zum Anlass ihrer Anwesenheit zurückkehrten. Vor allem aber wollte sie wissen, wo sich Narraway aufhielt. Unwillkürlich musste sie an den Ausdruck auf Talullas Gesicht denken. Möglicherweise hatte das, was Charlotte für Narraway tun konnte, absolut nichts mit Cormac O'Neil zu tun, und es war wichtiger, ihm beizustehen, falls Talulla auf den Gedanken kam, ihm eine Szene zu machen.

Sie warf McDaid ein flüchtiges Lächeln zu, stand auf und ging dorthin, wo Talulla saß, wobei sie überlegte, was sie ihr sagen konnte, ganz gleich, ob es der Wahrheit entsprach oder nicht. Sie erreichte Talulla gerade in dem Augenblick, als diese ihren Platz verlassen wollte. Dabei stießen sie so heftig zusammen, dass Charlotte beinahe umgefallen wäre. Talulla sah sie verblüfft an.

»Das tut mir aufrichtig leid«, entschuldigte sich Charlotte, obwohl Talulla sie angestoßen hatte. »Meine Begeisterung hat mich wohl unaufmerksam sein lassen.«

»Sie sind begeistert?«, fragte Talulla kalt. Auf ihren Zügen lag unverhüllte Ungläubigkeit.

»Ja, von der Harfenistin«, sagte Charlotte rasch. »Ich habe noch nie beeindruckendere Musik gehört.« Sie suchte verzweifelt nach etwas, was sie sagen konnte.

»Dann will ich Sie nicht daran hindern, mit ihr zu sprechen«, gab Talulla zurück. »Sie finden sie bestimmt sehr angenehm.«

»Kennen Sie sie?«, fragte Charlotte eifrig.

»Nur dem Namen nach. Ehrlich gesagt habe ich auch nicht die Absicht, sie zu belästigen«, gab Talulla scharf zurück. »Bestimmt gibt es viele Leute, die unbedingt mit ihr sprechen wollen.«

»Ich wäre Ihnen aufrichtig dankbar, wenn Sie mich ihr vorstellen könnten«, fuhr Charlotte fort, indem sie die Zurückweisung einfach überging.

»Ich bedaure, Ihnen dabei nicht behilflich sein zu können.« Talulla gab sich keinerlei Mühe, ihre Ungehaltenheit zu verbergen. »Wie gesagt, ich kenne sie nicht. Wenn es Ihnen also nichts ausmacht ...«

»Ach je«, sagte Charlotte in enttäuschtem Ton. »Aber Sie haben doch gesagt, ich würde sie angenehm finden«, gab sie herausfordernd zurück. Sie wagte nicht, den Blick auf die Stelle zu richten, an der sie Narraway im Gespräch mit Ardal Barralet erkannt hatte.

»Ja, aber nur aus reiner Höflichkeit«, blaffte Talulla sie an. »Und jetzt, Mrs Pitt, muss ich gehen, damit ich die Leute nicht verpasse, mit denen ich dringend zu reden habe. Sie entschuldigen mich wohl.« Mit diesen Worten schob sie Charlotte förmlich aus dem Weg, so dass sie beiseitetreten musste, um nicht den Eindruck zu erwecken, sie wolle sie am Fortgehen hindern.

Narraway stand nach wie vor am anderen Ende des Saals und unterhielt sich mit Barralet. Als Charlotte sah, dass Talulla genau in diese Richtung strebte, folgte sie ihr mit einigen Schritten Abstand. Ungefähr in der Mitte des Ganges zwischen den Stuhlreihen blieb Talulla unvermittelt stehen, was Charlotte ebenfalls dazu nötigte.

Dann sah sie, warum Talulla nicht weitergegangen war. Eine kleine Menschentraube hatte sich dort gebildet, wo Narraway, der sich wohl inzwischen von Ardal Barralet verabschiedet hatte, Cormac O'Neil gegenüberstand. Phelim O'Conor sah von einem zum anderen, Bridget Tyrone stand rechts von ihm.

Einige Augenblicke rührte sich keiner der beiden Männer, dann holte Cormac tief Luft und stieß zwischen den Zähnen hervor: »Ich hätte nicht gedacht, dass Sie so unverfroren sein könnten, sich noch einmal in Irland zu zeigen.« Dabei sah er Narraway unverwandt an. »Wen wollen Sie diesmal ins Unglück stürzen? Mulhare ist tot – haben Sie das etwa nicht gewusst?« Seine Worte waren kaum zu verstehen, denn seine Stimme bebte, und er zitterte am ganzen Leibe.

Heftige Gefühle erfüllten die Menschen um die beiden herum. Es war, als fege der Wind durch ein Getreidefeld.

»Doch, das ist mir bekannt«, sagte Narraway, der keinen Schritt zurückwich, obwohl Cormac dicht vor ihm stand. »Jemand hat das Geld unterschlagen, das er bekommen sollte, damit er irgendwo im Ausland untertauchen und ein neues Leben anfangen konnte.«

»Jemand?«, höhnte Cormac. »Und vermutlich haben Sie keine Ahnung, wer das war?«

»Bisher nicht«, gab Narraway zurück, der sich nach wie vor nicht rührte, obwohl Cormac nur noch gut einen halben

Meter von ihm entfernt war. »Ich bin aber auf dem besten Weg, das festzustellen.«

Cormac verdrehte die Augen. »Wenn ich nicht genau im Bilde über Sie wäre, würde ich die Geschichte glauben. So aber bin ich sicher, dass Sie selbst das Geld gestohlen haben, Sie haben Mulhare ebenso verraten wie uns alle.«

Narraways Gesicht war jetzt kreideweiß. Seine Augen blitzten. »Damals herrschte Krieg, Cormac. Sie haben verloren, das ist alles ...«

»Das ist eben nicht alles!«, stieß Cormac mit vor Hass verzerrtem Gesicht aus. »Ich habe dabei nicht nur meinen Bruder und meine Schwägerin verloren, sondern auch mein Land. Und jetzt kommen Sie her und sagen kaltschnäuzig: ›Das ist alles‹ ...«

Gemurmel erhob sich in der Gruppe um ihn herum. Charlotte biss die Zähne zusammen. Sie wusste, was Narraway mit seiner Aussage gemeint hatte, aber er hatte wohl die Situation nicht recht bedacht und seine Worte nicht besonders glücklich gewählt. Dabei musste er doch wissen, dass die Menschen im Lande gegen ihn aufgebracht waren und er nichts beweisen konnte. Von London konnte er keine Unterstützung mehr erwarten; er war auf sich allein gestellt, und es sah ganz so aus, als werde er die Partie verlieren.

»Es können nun einmal nicht beide Seiten gewinnen«, sagte Narraway, der mit Mühe seine Selbstbeherrschung wiederfand. »Damals hatte ich Erfolg. Sofern Sie gewonnen hätten, hätten Sie bestimmt nicht ›Verrat‹ geschrien!«

»Es geht um mein verdammtes Land, Sie überheblicher Affe!«, fuhr ihn Cormac an. »Wie viele von uns Iren müssen denn noch ausgeplündert, betrogen und ermordet werden, bis Ihr endlich ein schlechtes Gewissen bekommt und von unserer Insel verschwindet?«

»Ich gehe, sobald ich den Beweis dafür habe, wer das für Mulhare bestimmte Geld veruntreut hat«, sagte Narraway.

»Haben Sie den Mann geopfert, um sich an mir zu rächen? Wissen Sie deshalb von der Sache?«

»Jeder weiß davon«, knurrte Cormac. »Seine Leiche wurde am Ufer des Hafens von Dublin angetrieben. Der Teufel soll Euch holen!«

»Nicht ich habe ihn verraten«, gab Narraway mit bebender Stimme zurück. Trotz seiner Mühe, sich zu beherrschen, war er lauter geworden. »Ich hätte mich mit Sicherheit nicht so amateurhaft verhalten und das Geld auf mein eigenes Konto geleitet, damit man es da finden kann. Ganz gleich, was Sie von mir halten, Cormac, Sie wissen genau, dass ich kein Dummkopf bin.«

Cormac schwieg einen Augenblick lang. Er schien fassungslos zu sein.

Inzwischen hatte auch Talulla die Gruppe erreicht und stellte sich Narraway so gegenüber, dass sie Cormac den Rücken zukehrte. Ihr Gesicht war so bleich, dass sogar ihre Lippen jede Farbe verloren hatten, und ihre Augen sahen aus wie schwarze Löcher.

»Und ob Sie ein Dummkopf sind!«, stieß sie hervor. »Ein hochnäsiger englischer Dummkopf, der überzeugt ist, dass wir nie die Oberhand über Euch gewinnen werden. Nun, einer von uns hat es diesmal geschafft. Sie sagen, Sie haben das Geld nicht auf Ihr eigenes Konto überwiesen? Offensichtlich hat es aber jemand getan, und dafür müssen Sie jetzt geradestehen. Ihre eigenen Leute halten Sie für einen Dieb, und da Ihnen hier in Irland niemand je wieder eine Information liefern wird, sind sie für London jetzt wertlos. Dafür dürfen Sie sich bei Cormac O'Neil bedanken.«

Sie holte tief Luft und fuhr fort: »Sagt Ihr Engländer nicht: ›Wer zuletzt lacht, lacht am besten‹? Nun, wir werden noch lachen, wenn Sie ein gebrochener alter Mann sind, der seine Anstellung verloren hat und an dem niemandem liegt! Den-

ken Sie immer daran: Das hat ein O'Neil getan, Narraway!«
Sie stieß ein kurzes wildes Lachen aus. Dann wandte sie sich ab und verschwand durch die Menge.

Charlotte sah zuerst auf Cormac, dann auf Phelim O'Conor und schließlich auf Narraway. Alle standen bleich und wortlos da. Schließlich ergriff Ardal Barralet das Wort und sagte trocken: »Höchst bedauerlich. Es sieht so aus, als wärest du besser nicht gekommen, Victor. Alte Erinnerungen haben ein zähes Leben. Nach allem, was wir gerade gehört haben, sieht es ganz so aus, als ob du diesmal die Schlacht verloren hättest. Nimm deine Niederlage mit so viel Anstand hin, wie du es von uns erwartet hast, und reise ab, solange es dafür nicht zu spät ist.«

Narraway sah mit keinem Blick zu Charlotte hin, um sie nicht mit in die peinliche Situation hineinzuziehen. Mit einer steifen Verbeugung sagte er: »Entschuldigung«, wandte sich ab und ging.

McDaid nahm Charlottes Arm mit überraschend festem Griff. Sie hatte nicht einmal gemerkt, dass er in der Nähe war. Jetzt blieb ihr nichts anderes übrig, als gemeinsam mit ihm fortzugehen.

»Talulla hat Recht – er ist wirklich ein Dummkopf«, sagte McDaid bitter, als sie weit genug von den anderen entfernt waren, so dass ihn niemand hören konnte. »Er kann unmöglich angenommen haben, irgendjemand hier würde je sein Gesicht vergessen.«

Sie wusste, dass er Recht hatte; trotzdem ärgerte sie, was er da sagte. Sie kannte keine Einzelheiten der Verwicklung Narraways in die alte Geschichte, wusste nicht, ob er Kate O'Neil geliebt oder benutzt hatte, wenn nicht sogar beides, aber für sie stand fest, dass diesmal er der Verratene war – und zwar nicht durch die Wahrheit, sondern mit Hilfe einer Lüge.

Statt ihren Verstand zu benutzen, ließ sie sich in ihrem Urteil von Gefühlen und Empfindungen leiten. Vielleicht glaubte sie auch deshalb an ihn, weil er einst so unverbrüchlich zu Pitt gehalten hatte. Pitt war nicht da, konnte weder helfen noch raten, und so musste sie das an seiner Stelle tun. An dieser Notwendigkeit konnte es nicht den geringsten Zweifel geben.

Dann kam ihr, so deutlich wie ein Blitz, der durch schwarze Gewitterwolken zuckt, eine Erinnerung. Talulla hatte gesagt, das für Mulhare bestimmte Geld sei zurück auf Narraways eigenes Konto überwiesen worden, und daher werde ihm jetzt niemand in London mehr trauen. Hatte sie nahe genug an Cormac gestanden, um zu hören, wie Narraway das diesem vorgeworfen hatte? Falls nein – woher konnte sie etwas von dieser Intrige wissen, ohne selbst daran beteiligt gewesen zu sein? Sie war schätzungsweise Ende zwanzig, dürfte also zu der Zeit, als Kate und Sean O'Neil den Tod gefunden hatten, etwa sieben oder acht Jahre alt gewesen sein.

War Narraway gekommen, um sie zu diesem Akt der Selbstentblößung herauszufordern? Das wäre in der Tat ein verzweifelter Schritt gewesen.

Sie versuchte, ihren Arm mit einem scharfen Ruck aus McDaids Griff zu befreien, doch er ließ nicht locker.

»Sie folgen ihm nicht«, sagte er mit fester Stimme. »Zumindest in einem Punkt hat er sich anständig verhalten: Er hat Sie nicht mit in die Sache hineingezogen. Was Talulla betrifft, gibt es zwischen Ihnen und ihm nicht die geringste Beziehung. Sie sollten es besser dabei belassen.«

Mit diesen Worten machte er alles nur schlimmer, vergrößerte ihre Schuld Narraway gegenüber. Ihn zu verleugnen wäre sinnlos und ausgesprochen unanständig. Erneut versuchte sie sich loszureißen, und diesmal ließ er es geschehen.

»Ich wollte ihm nicht nach«, sagte sie wütend. »Ich will nach Hause.«

»Nach London?«, fragte er ungläubig.

»In unsere Pension in der Molesworth Street«, fuhr sie ihn an. »Hätten Sie die Güte, mich dort hinzubringen, damit ich keinen Pferdeomnibus nehmen muss? Ich weiß weder, wo ich bin, noch, wohin ich fahren müsste.«

»Das ist mir bekannt«, stimmte er mit trübseliger Miene zu.

Als sie vor Mrs Hogans Pension ausgestiegen war, wartete sie lediglich, bis seine Kutsche um die nächste Ecke verschwunden war, ging dann entschlossen in die Gegenrichtung und hielt die erste Droschke an, die sie sah. Von Narraway wusste sie, wo Cormac O'Neil wohnte, und so nannte sie dem Kutscher diese Adresse. Sofern O'Neil nicht inzwischen schon zu Hause war, würde sie so lange warten, bis er zurückkehrte.

Kurz nach Einbruch der Dämmerung sah sie ihn in etwa hundert Schritt Entfernung aus einer Droschke steigen. Mit unsicher wirkenden Schritten näherte er sich auf dem schmalen Weg, der von der Gartenpforte zu seinem Haus führte.

Sie trat aus dem Schatten. »Mr O'Neil?«

Er blieb stehen und sah sie an.

»Mr O'Neil«, wiederholte sie. »Dürfte ich wohl kurz mit Ihnen sprechen? Es ist sehr wichtig.«

»Ein anderes Mal«, sagte er mit kaum verständlicher Stimme. »Es ist schon spät.« Er machte Anstalten, an ihr vorüber zur Haustür zu gehen, doch sie vertrat ihm den Weg.

»Nein, es ist nicht spät. Es ist kaum Abendessenszeit, und die Sache ist wirklich dringend. Dürfte ich bitte?«

Er sah sie an. »Sie sehen tatsächlich gut aus«, sagte er freundlich, »aber ich bin nicht interessiert.«

Mit einem Mal begriff sie, dass er sie für eine Straßendirne hielt. Dieser Gedanke war so aberwitzig, dass sie sich nicht gekränkt fühlen konnte. Doch wenn sie jetzt lachte, klang das womöglich hysterisch. So unterdrückte sie den Impuls und bemühte sich, ihre Nervenanspannung zu beherrschen, die ihr fast die Stimme nahm. »Mr O'Neil«, begann sie. Sie hatte sich gut überlegt, was sie sagen wollte. Sie sah keine andere Möglichkeit zu erreichen, dass er ihr vielleicht die Wahrheit sagte. »Ich möchte Sie etwas im Zusammenhang mit Mr Narraway fragen ...«

O'Neil blieb ruckartig stehen, fuhr herum und sah sie scharf an.

»Mir ist bekannt, was er Mitgliedern Ihrer Familie angetan hat«, fuhr sie mit einem Anflug von Verzweiflung fort. »Jedenfalls glaube ich das zu wissen. Ich war heute Nachmittag bei dem Konzert und habe gehört, was Sie und Miss Lawless gesagt haben.«

»Was wollen Sie hier?«, fragte er. »Sie sind Engländerin, das höre ich an Ihrer Stimme. Versuchen Sie also gar nicht, mir Mitleid vorzugaukeln«, sagte er so scharf wie verachtungsvoll.

Sie hielt ebenso hart dagegen. »Und Sie meinen also, dass die Iren als einziges Volk auf der Welt Opfer sind?«, fragte sie. »Auch mein Mann hat gelitten. Vielleicht gäbe es mir eine Möglichkeit, etwas zu unternehmen, wenn ich die Wahrheit wüsste.«

»Was könnte das schon sein?«, fragte er in schneidendem Ton.

Ihr war klar, dass das, was sie ihm weismachen wollte, unbedingt glaubwürdig klingen musste. Das Unrecht, das sie schildern wollte, musste so schreiend sein, dass er in ihr ein ebensolches Opfer sah, wie er es war. Innerlich tat sie Narraway Abbitte. »Aus dem Sicherheitsdienst ist Narraway bereits entlassen«, sagte sie. »Und zwar wegen des für Mulhare bestimmten Geldes. Aber abgesehen von seiner Stellung als Leiter dieser Abteilung hat er alles, was man für ein angenehmes

Leben in London braucht: ein Haus und Freunde. Meiner Familie hingegen ist nichts geblieben, mit Ausnahme einiger weniger Freunde, die ihn so gut kennen wie ich und vielleicht auch Sie. Ich muss unbedingt die Wahrheit wissen ...«

Er zögerte einen Augenblick, dann suchte er, als ob er sich ergeben in etwas schicke, in seiner Tasche nach dem Schlüssel, steckte ihn unsicher ins Schloss, öffnete und hielt ihr die Haustür auf.

Ein großer Hund – wohl ein irischer Wolfshund – begrüßte seinen Herrn schwanzwedelnd nach einem flüchtigen Blick auf Charlotte. Er drängte sich dicht an ihn und verlangte nach seiner Aufmerksamkeit.

Mit leisen Worten tätschelte O'Neil dem Tier den Kopf und ging dann ins Wohnzimmer, um Licht zu machen, wobei ihm der Hund auf dem Fuß folgte. Im Schein der Gasflammen sah Charlotte einen sauberen behaglichen Raum, dessen großes Fenster auf den Vorgarten und die Straße ging. O'Neil schloss die Vorhänge, wohl eher, damit niemand hereinsehen konnte, als um die Abendkühle draußen zu halten, und forderte Charlotte auf, Platz zu nehmen.

Sie dankte ihm und wartete, bis er sich gefasst hatte, bevor sie ihm ihre Fragen stellte. Ihr war bewusst, dass ihn eine einzige ungeschickte Bemerkung oder falsche Reaktion gegen sie aufbringen konnte und sie keine Gelegenheit für einen zweiten Versuch bekommen würde.

»Die Sache liegt über zwanzig Jahre zurück«, sagte er und sah sie mit ernster Miene an. Er saß ihr gegenüber, der Hund lag ihm zu Füßen am Boden. Im Schein der Gaslampen konnte sie deutlich sehen, dass sich O'Neil bemühte, seine Gefühle zu beherrschen, die sicherlich durch die unvermittelte Begegnung mit Narraway wieder an die Oberfläche gespült worden waren. Seine Augen waren rot gerändert, sein Gesicht verhärmt. Die Haare standen ihm wirr um den Kopf, als sei er mehrfach mit den Fingern hindurchgefahren. Es war unübersehbar, dass er getrunken hatte, aber der Gram, an dem er litt, war nicht von der Art, die sich leicht ertränken ließ.

»Ich weiß, Mr O'Neil«, sagte sie leise. Es gab keinen Grund, in diesem stillen Haus die Stimme zu heben, im Gegenteil verlangte die Tragödie, um die es hier ging, eine gewisse Ehrfurcht. »Haben Sie den Eindruck, dass die Zeit Wunden heilt? Ich würde das gern denken, sehe aber keinen Hinweis darauf.« Sie stand im Begriff, für sich selbst eine völlig neue Situation zu erfinden, wobei ihr zugleich schmerzlich bewusst war, dass Pitts Schicksal, das sie da in ihrer Vorstellung heraufbeschwor, Wirklichkeit werden konnte, falls es Narraway nicht gelang, seine Position im Sicherheitsdienst zurückzuerobern, und der Mann, der ihm diese Schmach bereitet hatte, ihn endgültig verdrängte – wer auch immer das sein mochte.

Sie setzte sich ein wenig bequemer hin und wartete auf seine Antwort.

»Ob die Zeit Wunden heilt?«, fragte er nachdenklich. »Nein. Vielleicht lässt sie etwas darüber wachsen, was die Wunden verschließt, aber darunter bluten sie auf alle Zeiten weiter.« Er sah sie fragend an. »Was hat er Ihnen angetan?«

Sie sprang in die Zukunft, auf die sich ihr Blick sorgenvoll richtete, und malte sich das Schlimmste aus.

»Auch mein Mann war im Sicherheitsdienst tätig«, erklärte sie. »Mit Irland hatte er nie etwas zu tun, sondern ausschließlich mit dem Kampf gegen Anarchisten in England, Bombenwerfer, die harmlose Frauen und Kinder umbrachten, alte Leute, meistens Arme.«

O'Neil zuckte zusammen, unterbrach sie aber nicht.

»Narraway hat ihm einen gefährlichen Auftrag gegeben, und als die Sache bedenklich wurde und mein Mann weit von zu Hause entfernt war, hat er erkannt, dass er die Situation falsch eingeschätzt hatte, und die Schuld an diesem Fehler, den er selbst begangen hatte, meinem Mann in die Schuhe geschoben. Natürlich hat man ihn daraufhin sofort entlassen. Aber damit ist die Geschichte noch nicht zu Ende. Da man auch ihn des Diebstahls bezichtigt hat, findet er nirgendwo eine neue Anstellung. Er hat außer seinem Beruf nichts gelernt, und wer erst einmal über die vierzig ist, dem fällt es schwer, etwas Neues zu lernen. Man würde ihn höchstens als Handlanger beschäftigen, wenn überhaupt. Aber er ist solche Arbeiten nicht gewohnt und körperlich dafür auch nicht robust genug.« Sie hörte, wie erstickt ihre Stimme klang, als müsse sie mit den Tränen kämpfen. Der wahre Grund dafür war ihre Angst, doch es klang wie Kummer, Sorge und vielleicht auch Empörung über eine ungerechte Behandlung.

»Und inwiefern könnte Ihnen meine Geschichte helfen?«, fragte O'Neil.

»Selbstverständlich streitet Narraway die Sache von A bis Z ab«, sagte sie. »Aber da er Sie ebenfalls verraten hat, bekommt die Sache ein anderes Gesicht. Sagen Sie mir bitte, was geschehen ist?«

»Er ist vor zwanzig Jahren hier aufgetaucht«, begann er langsam, »und hat uns Mitgefühl vorgegaukelt. Damit ist es ihm gelungen, so manchen zu täuschen. Er hat es ausgenutzt, dass er wie ein Ire aussieht, unsere Kultur, unsere Träume und unsere Geschichte kennt. Doch nicht alle von uns haben sich davon hinters Licht führen lassen. Man wird als Ire geboren oder man ist keiner. Aber wir haben so getan, als spielten wir mit – mein Bruder Sean, seine Frau Kate und ich.« Er hielt inne. Seine Augen waren verhangen, als sehe er aus diesem stillen Zimmer im Jahre 1895 etwas, was in weiter Ferne lag. Für ihn war die Vergangenheit ebenso gegenwärtig wie die Gesichter der Toten und die unverheilten Wunden.

Da sie nicht recht wusste, ob sie etwas Bestätigendes sagen sollte oder ob ihn das eher ablenken würde, schwieg sie.

»Wir haben durchschaut, wes Geistes Kind er war«, fuhr O'Neil fort. »Damals planten wir einen weitreichenden Aufstand und wollten ihn benutzen, indem wir ihm falsche Informationen zuspielten und auf diese Weise den Spieß umdrehten. Wir hatten allerlei Träume. Sean war der Anführer, aber Kate war diejenige, die uns alle mit ihrer Leidenschaft befeuert hat. Sie war schön wie das Sonnenlicht, das auf dem Herbstlaub tanzt, schön wie der Wind und der Schatten. Es war die Art von Schönheit, die man nicht halten kann. Sie war so lebendig wie keine andere Frau jemals.« Erneut hielt er inne, tief in seine Erinnerungen versunken. Der Schmerz, den er empfand, stand ihm unübersehbar ins Gesicht geschrieben.

»Sie haben sie geliebt«, sagte sie mit freundlicher Stimme.

»Wie alle anderen Männer auch«, bestätigte er und sah ihr kurz in die Augen, als sei ihm ihre Anwesenheit gerade erst wieder eingefallen. »Sie erinnern mich ein bisschen an sie. Ihre Haare hatten etwa die gleiche Farbe wie Ihre. Aber Sie sind natürlicher, wie die Erde. Unerschütterlich.«

Charlotte war nicht sicher, ob sie sich gekränkt fühlen sollte. Ohnehin war jetzt nicht der richtige Zeitpunkt dafür, aber sie würde später darüber nachdenken.

»Sprechen Sie weiter«, ermunterte sie ihn. Bisher hatte er ihr nichts gesagt, womit sie etwas anfangen konnte, außer dass er in die Frau seines Bruders verliebt gewesen war. War das der wahre Grund für seinen Hass auf Narraway?

Als hätte er ihren Gedanken gelesen, fuhr er fort: »Natürlich hat auch Narraway gemerkt, wie lebendig sie war. Wie wir alle war er von ihr fasziniert, und wir haben beschlossen, uns das zunutze zu machen. Wir hatten ihm weiß Gott so gut wie nichts entgegenzusetzen. Er war gerissen. Viele Iren halten die Engländer für dumm, und manche sind es sicher auch, aber von denen war Narraway keiner, der bestimmt nicht.«

»Sie haben sich also entschieden, sich seine Gefühle für Kate zunutze zu machen?«

»Ja. Warum auch nicht?«, fragte er und verteidigte mit vor Zorn sprühenden Augen die vor so vielen Jahren getroffene Entscheidung. »Wir haben für unser Land gekämpft, für unser Recht, uns selbst zu regieren. Und Kate war einverstanden. Sie hätte für Irland alles getan.« Seine Stimme versagte einen Augenblick, so dass er nicht weitersprechen konnte.

Sie wartete. Von draußen war nicht das leiseste Geräusch zu hören, weder Wind noch Regen, keine Schritte, kein Hufgeklapper auf der Straße. Selbst der Hund zu Cormacs Füßen rührte sich nicht. Das Haus hätte ebenso gut weit draußen auf dem Lande stehen können, viele Kilometer vom nächsten Nachbarn entfernt. Die Gegenwart hatte sich vollständig aufgelöst und war verschwunden.

»Kate und Narraway wurden ein Liebespaar«, sagte Cormac mit Bitterkeit in der Stimme. »Sie hat uns gesagt, was er plante, er und die anderen Engländer. Zumindest hat sie behauptet, dass es so war.« Der Kummer war seiner Stimme deutlich anzuhören.

»Hat es denn nicht gestimmt?«, fragte sie, als er nicht weitersprach.

»Er hat sie belogen. Durch sie wusste er, was wir vorhatten. Irgendwo muss sie einen Fehler begangen haben.« Die Tränen liefen ihm über die Wangen, und er machte sich nicht die Mühe, sie wegzuwischen. »Er hat uns lauter Lügen aufgetischt, und wir haben ihm geglaubt. Der Aufstand wurde verraten. Eine furchtbare Dummheit. Man hat Kate die Schuld daran gegeben!« Er schluckte, sah auf die Wand, als könne er dort alle an jener Tragödie Beteiligten vor sich sehen.

»Die Leute sind dahintergekommen, dass sie uns belogen hatte«, fuhr er fort. »Natürlich war das Narraways Schuld; er hatte sie gegen ihr eigenes Volk eingesetzt. Dafür möchte ich ihn in der Hölle schmoren sehen. Aber er soll auch hier auf der Erde schon leiden, wo ich das mitbekomme. Können Sie dazu beitragen, Mrs Pitt? Um Kates willen?«

Die tiefe Wut, die aus ihm sprach, erschütterte sie. Er schien körperlich darunter zu leiden wie unter einer Krankheit. Seine Haut war fleckig, sein Gesicht wirkte aufgequollen. Früher musste er einmal gut ausgesehen haben.

»Was ist mit ihr geschehen?« Es war grausam, diese Frage zu stellen, aber es war Charlotte klar, dass die Geschichte damit nicht zu Ende war, und sie musste sie aus seinem Mund hören, nicht nur von Narraway.

»Man hat sie umgebracht, erwürgt«, sagte er. »Die schöne Kate.«

»Das tut mir sehr leid.« Es war ihr ernst damit. Sie versuchte sich die Frau vorzustellen, die Cormac beschrieben hatte, mit ihrer Leidenschaft, ihren Träumen, doch vergebens: Das Bild war die Erinnerung eines Mannes, der einen Schatten aus der Vergangenheit liebte. Kate hatte aufgehört zu atmen und zu lachen, sie konnte nicht mehr wachen und schlafen wie andere Menschen, nicht mehr verletzt werden und keine Fehler mehr begehen.

»Es hieß, Sean hätte sie umgebracht«, fuhr er fort. »Aber das kann nicht sein. Er kannte sie gut genug, um zu wissen, dass sie unsere Sache nie im Leben verraten hätte. Auch das war wieder Narraways Werk. Er hat sie umgebracht, damit sie unseren Leuten nicht sagen konnte, was er getan hatte, denn dann hätte er Irland nie und nimmer lebend verlassen.« Er sah Charlotte verzweifelt an, Tränen quollen ihm aus den Augen. Offensichtlich wartete er auf ihre Reaktion.

Sie zwang sich zu sprechen. »Warum hätte er das tun sollen? Und haben Sie Beweise dafür?«, fragte sie. »Ich meine, können Sie mir irgendetwas in die Hand geben, was ich nach

London mitnehmen kann, um zu erreichen, dass man mir zuhört?« Ein Frösteln überlief sie aus Furcht vor dem, was O'Neil sagen mochte. Und wenn er tatsächlich Beweise hatte? Was würde sie dann tun? Ihr war klar, dass Narraway selbstverständlich Entschuldigungsgründe finden und sagen würde, er habe sie töten müssen, damit sie ihn nicht an die Iren verriet, womit der Aufstand möglicherweise gelungen wäre. Entsprach das womöglich sogar den Tatsachen? Trotzdem war es erschreckend widerlich. Es war und blieb Mord.

»Er hat sie umgebracht, weil sie nicht bereit war, ihm zu sagen, was er von ihr erfahren wollte. Aber glauben Sie, dass er noch am Leben wäre, wenn ich solche Beweise hätte?«, fragte Cormac scharf. »In dem Fall wäre der arme Sean nicht gehängt worden, und die arme Talulla wäre nicht als Waisenkind aufgewachsen.«

Entgeistert stieß Charlotte hervor: »Talulla?«

»Ja, sie ist Kates und Seans Tochter«, sagte er schlicht. »Wussten Sie das nicht? Nach dem Tod der beiden hat sich eine Kusine um sie gekümmert und sich bemüht, sie so gut es ging vor dem Hass zu bewahren, den man ihrer Mutter allgemein entgegenbrachte. Das arme Kind.«

Die entsetzliche Tragödie überwältigte Charlotte. Sie wollte etwas sagen, was dem Verlust angemessen war, doch alles, was ihr einfiel, war banal.

»Das tut mir leid«, sagte sie. »Ich …«

Er hob den Blick zu ihr. »Und Sie fahren jetzt also nach London, um das jemandem zu berichten?«

»Ja … das werde ich tun.«

»Dann seien Sie vorsichtig«, mahnte er sie. »Narraway lässt sich nicht so leicht unterkriegen. Wenn es ihm für sein Überleben nötig erscheint, würde er auch Sie umbringen.«

»Ich werde vorsichtig sein«, versprach sie. »Ich denke, ich muss noch ein wenig mehr in Erfahrung bringen, aber ich verspreche Ihnen, dass ich … vorsichtig sein werde.« Sie stand auf und fühlte sich unbehaglich. Es gab nichts zu sagen, womit man das Gespräch gleichsam hätte abschließen können, denn welche Worte hätten auszudrücken vermocht, was beide empfanden? So sagte sie ernst: »Danke, Mr O'Neil.«

Er begleitete sie zur Tür und hielt sie ihr auf, bot ihr aber nicht an, für sie nach einer Droschke Ausschau zu halten. Es war, als habe sie für ihn in dem Augenblick aufgehört, wirklich zu sein, da sie den Fuß auf den Weg zur Gartenpforte setzte.

»Wo warst du so lange?«, wollte Narraway wissen, als sie in Mrs Hogans Salon trat. Er hatte am Fenster gestanden, war unter Umständen sogar unruhig auf und ab gegangen. Er wirkte erschöpft und angespannt, wie von einer großen Furcht befallen. »Ist alles in Ordnung? Wer hat dich herbegleitet? Wo ist er jetzt?«

»Ja, mit mir ist alles in Ordnung«, gab sie zurück. »Niemand hat mich herbegleitet.«

»Du warst allein unterwegs?« Seine Stimme klang unsicher. »Allein in der Dunkelheit auf der Straße? Um Gottes willen, Charlotte, was ist mit dir los? Da hätte dir wer weiß was zustoßen können, und ich hätte womöglich nicht einmal etwas davon erfahren!« Er fasste nach ihrem Arm. Sie spürte die Kraft seiner Hand und fragte sich, ob ihm wohl bewusst war, wie fest er sie hielt.

»Mir ist aber nichts zugestoßen, Victor. Ich war nicht weit weg. Außerdem ist es noch gar nicht spät. Draußen sind viele Leute unterwegs«, versicherte sie ihm.

»Du hättest dich verlaufen können …«

»Dann hätte ich nach dem Weg gefragt«, gab sie zurück. »Bitte … du hast keinen Grund, dich zu beunruhigen. Ein kleiner Umweg hierher schadet mir nicht.«

»Du hättest …«, setzte er an, sprach aber nicht weiter, vielleicht weil ihm bewusst geworden war, wie sehr er es mit seiner Besorgnis übertrieb. Er ließ sie los. »Entschuldige. Ich …«

Sie sah ihn an. Das war ein Fehler. Einen Moment lang war in seinen Augen unverhüllt zu sehen, was er empfand. Es wäre ihr lieber gewesen, nicht zu wissen, dass ihm so viel an ihr lag. Künftig würde es ihnen beiden unmöglich sein, sich weiterhin ahnungslos zu stellen; sie konnte nicht mehr so tun, als sei ihr nicht bewusst, dass er sie liebte.

Sie wandte sich ab und spürte, wie ihre Wangen brannten. Es gab keine Worte, mit denen sie die Wahrheit nicht bagatellisiert hätte.

Er stand reglos da.

Nach einer Weile sagte sie: »Ich war bei Cormac O'Neil.«

»Was?«

»Es war ganz harmlos. Ich wollte einfach aus seinem Munde hören, was damals genau geschehen ist, oder zumindest, was er glaubt, was damals geschehen ist.«

»Und was hat er gesagt?«, fragte Narraway rasch mit einer Stimme, in der unüberhörbar Anspannung lag.

Sie wollte ihn nicht ansehen, sich nicht in alten Kummer hineindrängen, der offensichtlich noch ganz frisch war. Doch es wäre feige gewesen, auszuweichen. Sie sah ihm in die Augen, teilte ihm mit, dass Talulla Kates Tochter war, und wiederholte, was Cormac sonst noch gesagt hatte.

»Wahrscheinlich sieht er das tatsächlich so«, sagte Narraway, nachdem sie geendet hatte. »Gut möglich, dass er es nicht fertigbringt, mit der Wahrheit zu leben. Kate war wirklich schön.« Als er das sagte, trat ein flüchtiges Lächeln auf seine Züge. In jenem Augenblick konnte sie sich vorstellen, wie er zwanzig Jahre zuvor gewesen war: jünger, männlicher, vielleicht weniger weise.

»Kaum ein Mann konnte ihr widerstehen«, fuhr er fort. »Ich habe es gar nicht erst versucht. Mir war bewusst, dass die Iren sie dazu benutzten, mich zu ködern. Sie war tapfer und leidenschaftlich ...« Er lächelte. »Vielleicht eine Spur humorlos, aber bedeutend klüger, als den Leuten auf der anderen Seite bewusst war. Das ist bei schönen Frauen manchmal so. Die Leute sehen dann nur das Äußere, vor allem Männer. Der Mensch sieht, was er sehen möchte, das ist die unbequeme Wahrheit.«

Charlotte runzelte die Brauen, während sie an Kate dachte. Andere hatten sie als Spielfigur eingesetzt, wenngleich als eine, um die sie kämpften, die sie begehrten. »Wieso sagst du, dass sie klug war?«, fragte sie.

»Wir haben uns unterhalten – über die Sache der Iren, deren Pläne. Ich habe sie davon überzeugt, dass sich deren Vorhaben für die irische Seite als Bumerang erweisen würde. Das entsprach der Wahrheit – es hätte eine Unzahl von Toten gegeben, und sie wären auf grausame Weise umgekommen. Aufstände dieser Art drängen den Gegner nicht in die Defensive und bringen ihn auch nicht dazu, sich zu ergeben. Sie haben genau die gegenteilige Wirkung. Mit einem Erfolg hätten die Iren lediglich die verschiedenen Lager in England gegen die Aufständischen geeinigt und überdies sämtliche Sympathien in allen Ländern Europas eingebüßt, wenn nicht gar bei einigen ihrer eigenen Leute. Kate hat mir in Einzelheiten berichtet, was sie planten, damit ich der Sache Einhalt gebieten konnte.«

Charlotte versuchte sich die Situation vorzustellen, den Kummer, den Preis, den so viele Menschen dafür hatten zahlen müssen.

»Wer hat sie umgebracht?«, fragte sie. Sie empfand einen Verlust, als habe sie Kate persönlich gekannt und nicht nur als Namen und in ihrer Vorstellung.

»Sean«, gab er zurück. »Ich weiß nicht, ob er es getan hat, weil sie Irland verraten hat, wie er das sah, oder weil sie ihn betrogen hat.«

»Mit dir?«

Narraway wurde rot, wandte den Blick aber nicht ab. »Ja.«

»Weißt du genau, dass er es war? Gibt es daran keinerlei Zweifel?«

»Ich weiß es ganz genau«, sagte er mit halberstickter Stimme. »Ich habe ihre Leiche gefunden. Ich bin überzeugt, dass er das wollte.«

Sie konnte sich jetzt kein Mitleid mit ihm leisten. »Und wieso bist du so sicher, dass er der Täter war?« Sie musste Gewissheit haben, damit sie den Zweifel für immer ausräumen konnte. Falls Narraway selbst Kate getötet hatte, mochte das im Licht einer verdrehten politischen Logik gleichsam seine Pflicht gewesen sein und dazu gedient haben, größeres Blutvergießen zu verhindern. Während sie ihn ansah, verstand sie mit einem Mal deutlicher, welches Gewicht auf ihm lastete, und sie empfand Trauer darüber, was ihn das gekostet hatte.

»Wieso glaubst du so sicher zu wissen, dass Sean sie getötet hat?«, wiederholte sie ihre Frage.

Er sah sie unverwandt an. »In Wirklichkeit willst du wissen, ob ich beweisen kann, dass ich es nicht selbst war.«

Sie spürte die Schamröte auf ihrem Gesicht. Auf keinen Fall wollte sie ihn belügen. »Ja.«

Weder machte er ihr für diesen Gedanken Vorhaltungen, noch schob er die Frage einfach beiseite.

»Sie war schon kalt, als ich sie gefunden habe«, gab er zur Antwort. »Er hat versucht, mir die Schuld an ihrem Tod zu geben. Die Polizei hätte sich dieser Theorie nur allzu gern angeschlossen, aber zur Zeit ihrer Ermordung war ich zusammen mit dem Vizekönig in dessen Residenz im Phoenix Park.

Dort haben mich ein halbes Dutzend Bedienstete gesehen, ganz abgesehen vom Vizekönig selbst und dem dorthin zum Wachdienst abkommandierten Polizeibeamten. Sie wussten zwar nicht, wer ich war, hätten mich aber bei einer Gegenüberstellung in einer Gerichtsverhandlung nötigenfalls identifizieren können. Schon bei der Anfangsuntersuchung des Falles wurde deutlich, dass ich mich zur Tatzeit unmöglich in der Nähe des Tatorts aufgehalten haben konnte. Damit war gleichzeitig bewiesen, dass Sean mit seiner Aussage, er habe mich dort gesehen, nicht nur gelogen, sondern zugleich zugegeben hatte, dass er selbst dort gewesen war.« Er zögerte. »Wenn du unbedingt willst, kannst du diese Angaben nachprüfen.« Ein Lächeln trat auf sein Gesicht und verschwand gleich wieder. »Meinst du etwa, die Iren hätten mich nicht liebend gern gehängt, wenn sie auch nur den Hauch einer Gelegenheit dazu gehabt hätten?«

»Doch«, stimmte sie zu und spürte, wie eine Last von ihr wich. Seelenschmerz war eine Sache, aber wenn keine Schuld dazukam, handelte es sich um eine Wunde, die wieder heilen würde. »Es ... es tut mir leid, dass ich das fragen musste. Vielleicht hätte ich wissen müssen, dass du das nie getan hättest.«

»Es wäre mir lieb, wenn du gut von mir dächtest, Charlotte«, sagte er ruhig. »Aber ebenso sehr liegt mir daran, dass du mich als wirklichen Menschen ansiehst, der zum Guten wie zum Schlechten gleichermaßen fähig ist, der Mitleid und auch Scham empfinden kann ...«

»Viktor ... bitte ...«

Er wandte sich langsam ab und sah ins Kaminfeuer. »Entschuldigung. Es wird nicht wieder vorkommen.«

Leise verließ sie den Raum und ging nach oben in ihr Zimmer. Sie musste allein sein, und was auch immer sie oder er sagen konnte, es würde die Sache nur verschlimmern.

Am nächsten Morgen trafen sie einander beim Frühstück. Nach einer schlechten Nacht hatte Charlotte leichte Kopfschmerzen; er war zwar müde, barst aber so vor Tatendrang, dass man die Ereignisse des Vortages für einen bösen Traum hätte halten können, für etwas, was nie geschehen war.

Während Charlotte Toast mit Orangenmarmelade bestrich, kam Mrs Hogan mit einem Brief für Narraway herein, den ein Bote abgegeben hatte. Narraway dankte ihr und öffnete den Brief.

Charlotte sah ihn aufmerksam an, konnte aber auf seinem Gesicht nichts anderes als einen Ausdruck von Überraschung sehen. Als er den Blick hob, merkte er, dass sie ihn erwartungsvoll ansah.

»Von Cormac. Ich soll ihn gegen Mittag aufsuchen. Er will mir sagen, was geschehen ist, und mir Beweise liefern.« Sie war verwirrt, dachte an den Hass des Mannes, den Schmerz, der ebenso stark zu sein schien, wie er wohl an jenem Tag in der fernen Vergangenheit gewesen war. Sie beugte sich vor. »Du solltest besser nicht hingehen, nicht wahr?«

Er legte den Brief auf den Tisch. »Ich bin gekommen, um die Wahrheit zu erfahren, Charlotte. Vielleicht höre ich sie aus seinem eigenen Munde, selbst wenn das nicht seine Absicht sein sollte. Ich muss unbedingt hin.«

»Aber er hasst dich nach wie vor aus tiefster Seele«, gab sie zu bedenken.

»Das ist mir bewusst«, versicherte er ihr, berührte mit seiner sehnigen Hand flüchtig ihren Arm und zog sie gleich wieder zurück. »Aber ich kann es mir nicht leisten, diese Gelegenheit ungenutzt vorübergehen zu lassen. Auch ich habe nichts zu verlieren. Falls Cormac hinter dem Verrat an Mulhare steckt, muss ich wissen, wie er das angestellt hat, und eine Möglichkeit finden, es Croxdale zu beweisen.« Sein Gesicht spannte sich erneut an. »Vor allem aber muss ich dahinterkommen, wer der Halunke in Lisson Grove ist. Ich kann die Sache keinesfalls auf sich beruhen lassen.«

Wortlos nickte sie, fest entschlossen, ihm zu folgen und ihn nicht aus den Augen zu lassen.

Er verließ das Haus mit gemächlichem Schritt, so, als wolle er sich nur ein wenig die Beine vertreten. Doch als sie, in ein Umschlagtuch gehüllt, aus der Haustür kam, sah sie, wie er dem Ende der Straße so eilig entgegenstrebte, dass ihr kaum Zeit blieb, die Tür hinter sich zu schließen. Ein kleines Stück musste sie sogar im Laufschritt zurücklegen, um den Abstand nicht zu groß werden zu lassen. Sie hatte ihr Ridikül mitgenommen, mit genug Geld darin, um bei Bedarf auch eine lange Droschkenfahrt bezahlen zu können.

Er bog um die Ecke in die Hauptstraße. Wenn sie ihn nicht aus den Augen verlieren wollte, musste sie den Schritt beschleunigen. Ganz wie sie vermutet hatte, trat er auf die erste der wartenden Droschken zu und stieg ein, nachdem er einige Worte mit dem Kutscher gewechselt hatte.

Rasch drehte sie sich um und tat so, als musterte sie die Auslage eines Geschäfts. Sobald die Droschke vorübergerollt war, hielt sie Ausschau nach der nächsten und nannte dem Kutscher Cormac O'Neils Adresse, wobei sie ihn zugleich aufforderte, so schnell wie möglich zu fahren.

»Sie bekommen einen Shilling zusätzlich, wenn es Ihnen gelingt, Ihren Kollegen einzuholen, der vor einer Weile hier abgefahren ist«, versprach sie.

Sie beugte sich vor und spähte angespannt hinaus, während die Droschke über das Pflaster rumpelte. Nachdem eine Straßenecke umrundet war, trieb der Kutscher die Pferde erneut zu einer schnelleren Gangart an. Sie hatte nicht die geringste Vorstellung davon, wo sie sich befanden, und obwohl die Fahrt kaum länger als eine Viertelstunde dauerte, kam sie ihr endlos vor. Schließlich hielt die Droschke vor dem Haus an, das sie am Vorabend aufgesucht hatte.

Als sie ausgestiegen war, dauerte es einen Moment, bis sie wieder fest auf den Beinen stand. Sie dankte dem Kutscher, gab ihm mehr, als er verlangt hatte, und legte den versprochenen Shilling noch dazu.

Dann strebte sie erneut über den schmalen Weg, den sie am Vorabend im Dunkeln gegangen war, auf das Haus zu. Jetzt, in der Helligkeit des Tages, schien er ihr länger zu sein, kamen ihr die Büsche zu beiden Seiten beengender vor. Vielleicht lag das daran, dass die Kronen der Bäume über ihr das Sonnenlicht nicht durchließen.

Sie hatte die Haustür noch nicht ganz erreicht, als sie ein wütendes Kläffen hörte. Konnte das derselbe Hund sein, der am Vorabend so friedlich mit dem Kopf auf den Pfoten zu O'Neils Füßen gelegen und sie so gut wie gar nicht zur Kenntnis genommen hatte? Es überraschte sie, dass sich Cormac nicht um das Bellen zu kümmern schien. Er konnte es unmöglich nicht gehört haben.

Die Haustür gab schon bei einer leichten Berührung ihrer Finger nach und öffnete sich.

Narraway stand in der Diele und fuhr herum, als von draußen Licht hereinfiel. Einen Augenblick lang war er verblüfft, fasste sich aber sogleich wieder.

»Ich hätte es mir denken müssen«, sagte er mit finsterer Miene. »Warte hier.«

Inzwischen hatte sich das wütende Gebell des Hundes noch gesteigert. Es klang, als werde er jeden zerreißen, der in seine Nähe kam, sobald man die Tür des Zimmers öffnete, in dem er sich befand.

Charlotte dachte nicht daran, Narraway allein zu lassen. Sie trat näher und sah sich suchend nach dem Schirmständer um, den sie am Vorabend gesehen hatte. Sie nahm einen schwarzen Schirm mit einer scharfen Stahlspitze heraus und hielt ihn wie einen Stockdegen vor sich.

Narraway trat auf die Tür des Wohnzimmers zu, rechts von dem sich der Hund hörbar gegen die Tür zu einem anderen Raum warf, wobei er nun auf eine Weise knurrte, als habe er einen Feind oder Beute gewittert.

Narraway öffnete die Tür und blieb sofort reglos stehen. An seiner Schulter vorüber sah Charlotte, dass Cormac O'Neil rücklings auf dem Boden lag. Um die Überreste seines Kopfes herum bildete sich eine Blutlache.

Sie musste unwillkürlich schlucken und gab sich große Mühe, die in ihr aufsteigende Übelkeit zu unterdrücken. Noch am Vortag hatte ihr dieser Mann lebend gegenübergesessen, hatte gewütet und Tränen wegen seines Grams vergossen. Jetzt war von ihm nichts übrig als ein toter Körper, der darauf wartete, von Menschen gefunden zu werden, denen möglicherweise nicht das Geringste an ihm lag.

Narraway trat zu Cormac, beugte sich vor und berührte dessen Wange mit den Fingerspitzen.

»Er ist noch warm«, sagte er und sah sich zu Charlotte um. Er musste laut sprechen, um das Gebell des Hundes zu übertönen. »Wir müssen die Polizei rufen.«

Kaum hatte er das gesagt, als sie hörten, wie die Haustür gegen die Wand schlug. Dann folgten Schritte.

Schon im nächsten Augenblick schrie eine Frau mit schriller Stimme auf. Charlotte sah sich um und erkannte Talulla Lawless. Sie war aschfahl, hatte die Hand vor den Mund geschlagen und starrte mit ihren wilden schwarzen Augen an Charlotte und Narraway vorbei zu dem am Boden liegenden Cormac hin.

Ein Polizeibeamter, der ihr auf dem Fuß gefolgt war, hielt hörbar den Atem an, als er das Bild sah, das sich ihm bot.

Am ganzen Leibe zitternd, stieß Talulla hervor, wobei sie wilde Blicke auf Narraway warf: »Ich habe meinen Onkel gewarnt. Nach dem, was gestern passiert ist, war mir klar, dass Sie ihn umbringen würden. Aber er wollte nicht auf mich hören. Ich habe es ihm gesagt! Ich habe es ihm gesagt!« Ihre Stimme wurde immer schriller, bis sie sich überschlug.

Der Polizist trat vor und fragte mit einem Blick zu Charlotte und Narraway: »Was ist hier vorgefallen?«

»Er hat meinen Onkel umgebracht, sehen Sie das nicht?«, kreischte Talulla. »Hören Sie doch, wie der arme Hund bellt! Lassen Sie den bloß nicht raus, sonst reißt er den Mörder in Stücke! Sein unaufhörliches Gebell hat mich überhaupt erst aufmerksam gemacht.«

»Er war schon tot, als wir hier ankamen«, schrie Charlotte sie an. »Wir wissen ebenso wenig wie Sie, was hier passiert ist.«

Narraway trat auf den Polizeibeamten zu. »Ich bin als Erster hereingekommen«, sagte er. »Die Dame hat draußen gewartet. Sie hat nichts mit der Sache zu tun. Sie kannte Mr O'Neil erst seit ganz kurzer Zeit; ich hingegen kenne ihn seit zwanzig Jahren. Bitte lassen Sie sie gehen.«

Talulla stieß ihre Hand vor und wies mit dem Finger auf den Boden. »Da liegt die Pistole! Gleich neben ihm. Dieser Mann hatte nicht mal die Zeit, sie fortzunehmen.«

»Natürlich nicht«, gab Charlotte zurück. »Wir sind schließlich gerade erst angekommen. Wenn Sie den ...«

»Nicht, Charlotte«, sagte Narraway mit solchem Nachdruck, dass sie den Mund sogleich schloss. Erneut sah er den Polizisten an. »Ich bin als Erster ins Haus gekommen. Bitte lassen Sie die Dame gehen. Wie ich schon gesagt habe, kannte sie Mr O'Neil nur flüchtig und erst seit kurzer Zeit, ich hingegen schon seit vielen Jahren. Zwischen uns bestand eine alte Feindschaft, die erneut aufgebrochen ist. Das stimmt doch, Miss Lawless?«

»Ja!«, sagte diese mit Nachdruck. »Als der Hund angefangen hat zu bellen, konnte ich das von meinem Haus aus hören. Ich wohne nur ein paar Schritte von hier, gleich da drüben. Wenn das ein anderer getan hätte, hätte das Tier schon viel früher gebellt. Da können Sie alle fragen.«

Der Beamte ließ den Blick zwischen der Leiche, Narraway, dessen Schuhspitzen von Blut bedeckt waren, und Charlotte hin und her wandern, die mit kalkweißem Gesicht an der Tür stand. Der Hund bellte nach wie vor wie rasend und bemühte sich offenbar verzweifelt, aus dem Raum hinauszugelangen, in den ihn wohl jemand gesperrt hatte.

»Ich bedaure, aber Sie werden mitkommen müssen. Es wäre für alle das Beste, wenn Sie keine Schwierigkeiten machten.«

»Ich habe nicht die geringste Absicht, Ihnen Schwierigkeiten zu machen«, teilte ihm Narraway mit. »Sie können schließlich nichts dazu. Gestatten Sie mir, dass ich der Dame etwas Geld gebe, damit sie für den Heimweg eine Droschke nehmen kann? Das muss für sie ein entsetzlicher Schock gewesen sein.«

Der Polizeibeamte sah verwirrt drein. »Sie war mit Ihnen zusammen, Sir«, sagte er.

»Nein«, korrigierte ihn Narraway. »Sie ist nach mir eingetroffen. Sie war nicht hier, als ich ins Haus gekommen bin. Gleich nach meinem Eintreten hat O'Neil Streit angefangen, mich angegriffen, und mir blieb nichts anderes übrig, als mich zu verteidigen.«

»Sie sind gekommen, weil Sie ihn umbringen wollten!«, stieß Talulla hervor. »Er hat Sie als den Lügner und Betrüger bloßgestellt, der Sie sind, und dafür gesorgt, dass Sie Ihre Anstellung verlieren. Dafür wollten Sie sich rächen. Sie sind mit der Absicht gekommen, ihn zu erschießen.« Sie sah zu Charlotte hin. »Können Sie das bestreiten?«

»Ja, das kann ich«, gab Charlotte hitzig zurück. »Zwar stimmt es, dass ich erst nach Mr Narraway hier angekommen bin, aber zwischen unserem Eintritt lagen nur wenige Sekunden. Er befand sich erst in der Diele, als ich hereinkam. Die Tür zum Wohnzimmer war geschlossen. Wir haben Mr O'Neils Leiche im selben Augenblick entdeckt.«

»Lüge!«, schrie Talulla wieder. »Sie sind seine Geliebte und würden alles decken, was er sagt.«

Charlotte keuchte.

Ein belustigter und zugleich schmerzvoller Blick trat in Narraways Augen. Er wandte sich dem Polizisten zu: »Das stimmt nicht. Lassen Sie sie bitte gehen. Sofern Sie den Droschkenkutscher ausfindig machen können, mit dem Mrs Pitt gekommen ist, wird er Ihnen bestätigen, dass sie nach mir eingetroffen ist, und er muss auch gesehen haben, dass sie allein ins Haus gegangen ist. Wie Sie selbst bemerkt haben, ist O'Neil erschossen worden. Fragen Sie den Kutscher, ob er einen Schuss gehört hat.«

Der Beamte nickte. »Sie haben Recht, Sir.« Zu Talulla sagte er: »Und Sie gehen bitte nach Hause, Ma'am. Ich kümmere mich um die Angelegenheit.« Dann sah er zu Charlotte hin und erklärte: »Sie können gehen. Aber bleiben Sie bitte auf jeden Fall in Dublin. Wir müssen später noch mit Ihnen sprechen. Wo wohnen Sie?«

»Molesworth Street Nummer 7.«

»Danke, Ma'am. Das ist alles. Und jetzt lassen Sie mich bitte meine Arbeit tun.«

Es blieb Charlotte nichts anderes übrig, als hilflos mit anzusehen, wie ein zweiter Beamter, der inzwischen hereingekommen war, Narraway Handfesseln anlegte und ihn zu Talullas unübersehbarer Befriedigung hinausführte.

Benommen und schrecklich allein lief sie über den schmalen Gartenweg zur Straße.

KAPITEL 8

Ohne sich zu wehren, ließ sich Pitt von den beiden kräftigen Polizeibeamten abführen. Widerstand zu leisten wäre ebenso sinnlos gewesen wie der Versuch, die Zusammenhänge erklären zu wollen. Aufgrund der Aussage des Schaffners waren die beiden fest überzeugt, dass sie es mit einem gewalttätigen Geistesgestörten zu tun hatten, der zwei ihm möglicherweise völlig unbekannte Männer von der Plattform eines schnell fahrenden Zuges in den Tod gestoßen hatte.

Die zugleich erbosten und verängstigten Fahrgäste hatten nur undeutlich mitbekommen, was auf der Plattform geschehen war.

»Ich weiß genau, was ich gesehen hab!«, sagte einer von ihnen mit vor Entsetzen noch bleichem Gesicht und trat auf dem Bahnsteig so weit wie möglich von Pitt fort. »Er hat sie beide runtergeschubst. Passen Sie ja auf, dass er Sie nicht auch noch umbringt! Er ist verrückt! Hat die beiden einfach von der Plattform geschubst, erst den einen und dann den anderen.«

»Er hat mich angegriffen, und ich musste mich zur Wehr setzen«, betonte Pitt.

»Welcher, Sir?«, fragte ihn einer der Beamten. »Der Erste, oder der Zweite?«

»Der Zweite«, gab Pitt zur Antwort. Er hörte selbst, wie verzweifelt seine Stimme klang, und sogar ihm kam diese Erklärung lächerlich vor.

»Vielleicht gefiel ihm nicht, dass Sie den ersten Mann von der Plattform gestoßen hatten«, gab der Beamte zu bedenken. »Er wollte Sie festnehmen, ganz, wie es die Pflicht eines guten Bürgers ist.«

»Er hat mich zuerst angegriffen«, versuchte Pitt zu erklären. »Der andere wollte mir helfen und ist im Kampf gegen ihn unterlegen.«

»Aber als der Zweite Sie angegriffen hat, sind Sie siegreich geblieben, nicht wahr?«, fragte der Beamte unüberhörbar ungläubig.

»Das muss wohl so sein, sonst wäre ich nicht hier«, sagte Pitt ungeduldig. »Wenn Sie mir die Fesseln abnehmen, zeige ich Ihnen meine Dienstmarke. Ich arbeite für den Sicherheitsdienst.«

»Klar, Sir«, gab der Beamte sarkastisch zurück. »Und der hat nichts Besseres zu tun, als Leute aus Zügen zu werfen. Eine ausgesprochen sichere Angelegenheit.«

Nur mühsam brachte Pitt es fertig, die in ihm aufsteigende Wut zu beherrschen. »Sehen Sie in der Innentasche meines Jacketts nach«, stieß er zwischen den Zähnen hervor, »da finden Sie sie.«

Die beiden Männer sahen einander an. »Tatsächlich? Und welchen Grund haben Sie da, Leute aus Zügen zu werfen, Sir?«

»Der Mann hat mich angegriffen«, gab Pitt erneut zurück. »Er war ein gefährliches Individuum, das Gewalttaten geplant hatte.« Noch während er das sagte, war ihm klar, wie absurd diese Behauptung angesichts dessen klang, dass Gower tot irgendwo am Bahndamm lag, während er hier auf dem Bahnsteig stand, unverletzt, abgesehen von einigen blauen Flecken, die für Außenstehende nicht sichtbar waren.

»Ich erkläre es Ihnen noch mal«, setzte er erneut an. »Der Mann heißt Gower. Er hat mich angegriffen. Der Fremde wollte mir helfen, aber da Gower stärker war, konnte er nichts gegen ihn ausrichten. Ich hatte keine Möglichkeit, ihn zu retten. Dann hat Gower mich noch einmal angegriffen, aber diesmal war ich darauf gefasst und habe ihn überwältigt. Sehen Sie nach meiner Dienstmarke, dann wissen Sie, wer ich bin.«

Erneut sahen die beiden Beamten einander zweifelnd an. Schließlich trat einer äußerst vorsichtig zu Pitt, hielt dessen Jackett mit einer Hand auf und tastete mit der anderen in seiner Innentasche.

»Da is' nix, Sir«, sagte er und zog die Hand rasch fort.

»In der Tasche befinden sich meine Dienstmarke und mein Pass«, gab Pitt zurück, während allmählich Panik in ihm aufstieg. Das konnte gar nicht anders sein, denn als er den Zug in Shoreham bestiegen hatte, waren beide noch da gewesen. Er erinnerte sich genau, dass er sie in die Tasche gesteckt hatte.

»Nein, Sir«, wiederholte der Beamte. »Ihre Tasche is' völlig leer. Da is' überhaupt nix drin. Warum komm'n Se nich einfach ruhig mit? Hat doch kein'n Sinn, hier großes Theater zu mach'n. Das schad't Ihn'n nur, Sir.« Er wandte sich dem anderen Fahrgast zu. »Viel'n Dank für Ihre Mühe, Sir. Wir ham Ihr'n Nam'n un' Ihre Anschrift notiert un' meld'n uns, wenn wir Se noch mal bemüh'n müss'n.«

Pitt holte Luft, um sich erneut zu verteidigen, sah dann aber die Sinnlosigkeit eines solchen Versuches ein. Allem Anschein nach war ihm sein Pass mitsamt der Dienstmarke während des Kampfes aus der Tasche gefallen, auch wenn er sich das nicht recht vorstellen konnte, denn es war eine tiefe Tasche. Ob Gower beides rasch herausgezogen hatte, als er ihn gegen das Geländer gedrängt hatte? Er hatte nicht weiter darauf geachtet, weil er sich verzweifelt gegen den Angriff gewehrt hatte. Er wandte sich einem der beiden Beamten zu.

»Ich bin über Southampton aus Frankreich gekommen«, sagte er mit plötzlich aufkeimender Hoffnung. »Da muss ich meinen Pass ja wohl bei mir gehabt haben, sonst hätte man mich gar nicht ins Land gelassen. Meine Dienstmarke war in derselben Tasche. Das beweist doch wohl, dass man mich bestohlen hat.«

Kopfschüttelnd sah ihn der Beamte an. »Ich weiß nur, dass Sie in dem Zug war'n, Sir. Ich hab keine Ahnung, wo Se eingestieg'n sind oder wo Se vorher war'n. Komm'n Se einfach mit, un' wir klär'n alles auf der Wache. Mach'n Se uns kein'n Ärger, Sir, Sie sitz'n auch so schon tief genug in der Tinte.«

»Haben Sie ein Telefon auf der Wache?«, erkundigte sich Pitt, während er sich abführen ließ. Weiter zu argumentieren hatte keinen Sinn. Dabei würde er nur den Kürzeren ziehen, und außerdem wäre das entwürdigend. Inzwischen hatte sich um die kleine Gruppe eine beträchtliche Menschenmenge angesammelt. In diesem Augenblick war es ihm unmöglich, Bedauern über Gowers Tod zu empfinden, wohl aber schmerzte und bekümmerte ihn der Tod des Mannes, der ihm zu Hilfe gekommen war.

»Haben Sie ein Telefon auf der Wache?«, fragte er erneut.

»Selbstverständlich, Sir. Falls Sie Angehörigen Bescheid sag'n woll'n, ruf'n wir die gerne an, damit die wiss'n, wo Se sind«, versprach er.

»Vielen Dank.«

Auf der Polizeiwache wurde Pitt sogleich in eine Zelle geführt und die Tür hinter ihm verschlossen.

»Mein Telefonat!«, sagte er mit fordernder Stimme.

»Das erledig'n wir für Sie, Sir. Wen soll'n wir anruf'n?«

Pitt hatte hin und her überlegt. Falls er zu Hause anrief, würde sich Charlotte ängstigen und Sorgen machen, ohne dass sie etwas hätte tun können. Da war es weit klüger, Narraway anzurufen, der das entsetzliche Durcheinander entwirren würde und Charlotte anschließend beruhigen konnte. Daher sagte er: »Victor Narraway.«

»Is' das 'n Verwandter?«, fragte der Beamte misstrauisch

»Mein Schwager«, log Pitt rasch. Er nannte ihnen die Nummer der Dienststelle in Lisson Grove. »Das ist sein Büro. Entweder ist er da, oder die Leute wissen, wo man ihn finden kann.«

»So spät noch, Sir?«

»Das Büro ist Tag und Nacht besetzt. Rufen Sie bitte einfach an.«

»Wie Se wünschen.«

»Danke.« Pitt setzte sich auf die harte hölzerne Pritsche und wartete. Er durfte auf keinen Fall die Ruhe verlieren. Alles würde sich binnen weniger Minuten aufklären. Dann wäre dieser Teil des Alptraums vorüber. Danach würde er sich mit dem Verrat Gowers beschäftigen müssen, der jetzt tot war. In der Stille seiner Zelle hatte er Gelegenheit, gründlich über alles nachzudenken.

Es hätte ihn nicht überraschen dürfen, dass Gower ihm gefolgt war. Zwar hatte das angenehme, freundliche Gesicht, das der Mann in Frankreich und eigentlich während der ganzen Zeit ihrer Zusammenarbeit gezeigt hatte, zu dessen Naturell gehört, und trotzdem war es nichts als eine Fassade gewesen, hinter der sich ein gänzlich anders gearteter Mann verborgen hatte.

Pitt dachte an Gowers Humor, an die Art, wie er der jungen Frau mit dem schwingenden Rock ihres roten Kleides nachgesehen und sich vorgestellt hatte, wie es sein würde, sie kennenzulernen. Auch musste er daran denken, wie gern Gower frisches Brot gegessen und seinen Kaffee schwarz getrunken hatte. Zwar hatte er jedes Mal über dessen bittern Geschmack das Gesicht verzogen, sich aber trotzdem nachgießen lassen. Er sah ihn vor seinem inneren Auge, wie er lächelnd das Gesicht in die Sonne hielt, den Segelbooten in der Bucht zusah, ihm die französischen Bezeichnungen für allerlei Meeresfrüchte nannte.

Menschen setzten sich aus allen möglichen Gründen für diese oder jene Sache ein. Unter Umständen hatte Gower ebenso fest an das von ihm verfolgte Ziel geglaubt wie Pitt an das seine – sie waren einfach von äußerst unterschiedlichem Charakter gewesen. Eigentlich hatte er den Mann gut leiden können und sich in dessen Gesellschaft wohl gefühlt. Wieso nur war ihm die Bedenkenlosigkeit nicht vorher aufgefallen, die es Gower ermöglicht hatte, West zu töten und sich später leichthin gegen ihn, Pitt, zu wenden.

Und wenn es ihm in Wahrheit gar nicht leichtgefallen war? Vielleicht hatte er die ganze Nacht wach gelegen, sich mit allen möglichen Gedanken gequält, nach einem anderen Weg gesucht und keinen gefunden? Das würde er jetzt nie erfahren. Es war schmerzlich, sich darüber klarzuwerden, dass so vieles anders sein konnte, als man angenommen hatte, und seine eigene Einschätzung des Mannes so deutlich von der Wirklichkeit abgewichen war. Er konnte sich gut vorstellen, was Narraway dazu sagen würde.

Der Beamte kam zurück und blieb einen Schritt von den Gitterstäben entfernt stehen. Als Pitt sah, dass er keinen Schlüssel in der Hand hielt, sank ihm der Mut. Mit einem Mal fühlte er sich entsetzlich verloren.

»Tut mir leid, Sir«, sagte der Beamte unbeholfen. »Ich hab die Nummer angeruf'n. Das war zwar 'ne Polizeidienststelle, aber die ham gesagt, dass es da kein'n Narraway gibt un' man Ihn'n nich' helf'n kann.«

»Das ist völlig unmöglich!«, sagte Pitt verzweifelt. »Natürlich ist Narraway da. Er ist Leiter des Sicherheitsdienstes! Rufen Sie noch einmal an. Wahrscheinlich hat man Sie falsch verbunden.«

»Nein, die Nummer war schon richtig, Sir«, gab der Beamte unerschütterlich zurück. »Es war der Sicherheitsdienst, ganz, wie Se gesagt ham. Aber die ham mir gesagt, dass es da kein'n Victor Narraway gibt. Ich hab noch nachgefragt, Sir, un' die ham ganz höflich gesagt, dass se sicher wär'n. Da gibt's kein'n Victor Narraway. Un' jetz' seh'n Se zu, dass Se sich 'n bissch'n ausruh'n könn'n. Morg'n früh seh'n wir dann weiter. Soll ich Ihn'n 'ne Tasse Tee un' vielleicht auch 'n belegtes Brot bring'n?«

Alles schien sich um Pitt herum zu drehen. Der Alptraum wurde immer schlimmer. In seiner Vorstellung zeichneten sich die fürchterlichsten Schreckensbilder ab. Was war mit Narraway geschehen? Wie weit reichte die Verschwörung? Vielleicht hätte er an die Möglichkeit denken müssen, dass die Leute, die ihn zu einem vergeblichen Unternehmen nach Frankreich gelockt hatten, auch Narraway aus dem Weg räumen würden, denn sonst wäre ein solches Manöver nicht sinnvoll gewesen. Pitt stand lediglich im zweiten Glied. Er mochte Narraways rechte Hand sein, war aber auf keinen Fall mehr als das. Eine wirkliche Bedrohung für jene Leute ging ausschließlich von Narraway aus.

»Woll'n Se jetz' 'ne Tasse Tee, Sir?«, wiederholte der Polizeibeamte sein Angebot. »Se seh'n 'n bissch'n mitgenomm'n aus. Un' 'n belegtes Brot?«

»Ach ja, bitte ...«, sagte Pitt müde. Er war dem Mann dankbar für seine Menschlichkeit, doch ließ sie ihm die ganze Situation nur noch grotesker erscheinen. »Vielen Dank.«

»Seh'n Se zu, dass Se sich ausruh'n, Sir. Quäl'n Se sich nich' so. Ich besorg Ihn'n 'n belegtes Brot. Wär's Ihn'n recht mit Schink'n?«

»Ja, sehr gern, danke.« Zum Zeichen dafür, dass er den Beamten keine Schwierigkeiten machen wollte, setzte er sich wieder auf die Pritsche. Ohnehin fühlte er sich ziemlich mitgenommen. Zwar wusste er nicht einmal, wer seine Gegner waren, doch der Beamte da, der sich um einen Gefangenen bemühte, von dem er vermutete, dass er einen Doppelmord auf dem Gewissen hatte, gehörte auf keinen Fall dazu.

Es war eine lange und quälende Nacht. Er schlief nur wenig, und sobald er einnickte, suchten ihn Angstträume heim, in denen Finsternis mit Lärm und plötzlich hereinbrechender Gewalttat abwechselten. Am nächsten Morgen erwachte er mit Kopfschmerzen, blauen Flecken und Schmerzen am ganzen Leib. Es kostete ihn große Mühe aufzustehen, als der Beamte erneut mit einer Tasse Tee zu ihm trat.

»Wir bring'n Se nachher zum Untersuchungsrichter«, sagte er, während er Pitt aufmerksam musterte. »Se seh'n entsetzlich aus.«

Pitt versuchte zu lächeln. »So fühle ich mich auch. Ich muss mich dringend waschen und rasieren, und mein Aufzug ist verheerend, weil ich in meinen Kleidern geschlafen habe.«

»So is' das nun mal im Polizeigewahrsam, Sir. Hier, trink'n Se den Tee. Der hilft Ihn'n auf de Beine.«

»Das hoffe ich.« Er trat einen Schritt von der Tür zurück, damit der Beamte die Tasse hinstellen konnte, ohne einen Angriff von ihm befürchten zu müssen. Aus seiner Zeit im Polizeidienst wusste er, dass dies Verhalten üblich war.

Der Beamte sah ihn fragend an. »Se war'n wohl früher schon mal eingesperrt?«, bemerkte er.

»Nein«, gab Pitt zurück. »Aber ich habe das oft genug von außen mit angesehen. Ich habe Ihnen doch gesagt, dass ich selbst Polizeibeamter bin. Sie könnten noch eine andere Nummer anrufen, nachdem Mr Narraway nicht in seinem Büro zu sein scheint. Bitte. Ich muss unbedingt jemanden über meine Situation informieren, zumindest meine Angehörigen.«

»Un' wer is' das, Sir?« Der Beamte stellte die Tasse ab, verließ die Zelle rückwärts und schloss sie wieder ab. »Sag'n Se mir die Nummer, un' ich ruf' da an. Darauf hat jeder 'n Anspruch.«

»Lady Vespasia Cumming-Gould«, teilte ihm Pitt mit. »Ich schreibe Ihnen die Nummer auf, wenn Sie mir einen Bleistift geben.«

»Sag'n Se se mir einfach, Sir. Ich schreib se schon auf.«

Widerspruch war zwecklos, und so nannte ihm Pitt die Nummer.

Zehn Minuten später kehrte der Mann mit vor Staunen weit aufgerissenen Augen und ein wenig bleich im Gesicht zurück.

»Se sagt, dass se Se kennt, Sir. Hat Se ganz genau beschrieb'n un' gesagt, dass Se einer von 'n best'n Polizeibeamt'n in ganz London sind un' Mr Narraway genau das is', was Se gesagt ham, dass dem aber was passiert is'. Se schickt 'n Abgeordnet'n aus'm Unterhaus her, der Se hier raushol'n soll. Außerdem hat se noch gesagt, wir sollt'n Se ja anständig behandeln, sonst müsste se mal 'n ernstes Wörtch'n mi'm Polizeipräsident' red'n. Ich weiß ja nich', ob das alles so stimmt, Sir. Se versteh'n hoffentlich, dass ich Se hier drin behalt'n muss, bis der Mann aus London kommt und beweis'n kann, wer er is'. Es könnte ja sons' jemand sein, un' immerhin gibt es da zwei Leich'n an der Bahnstrecke.«

»Natürlich«, sagte Pitt matt. Er sagte ihm lieber nicht, dass es sich bei Gower ebenfalls um einen Mitarbeiter des Sicherheitsdienstes gehandelt hatte und er erst am Vortag hinter dessen Ränkespiel gekommen war. »Selbstverständlich warte ich hier«, sagte er. »Es wäre mir aber lieb, wenn Sie mich erst dann vor den Untersuchungsrichter führten, wenn der Mann hier ist, den Lady Vespasia schickt.«

»Ja, Sir, ich denke, das könn'n wir einricht'n.« Er seufzte. »Is' wohl auch besser so. Wenn Se noch mal von Southampton komm'n, Sir, wär's mir lieb, wenn Se über 'ne and're Strecke fahr'n würd'n.«

Pitt brachte ein schiefes Lächeln zustande. »Die hier ist mir eigentlich ganz recht. Angesichts der Umstände haben Sie sich ausgesprochen einwandfrei verhalten.«

Der Beamte wusste nicht, was er sagen sollte, schien zu überlegen, brachte aber nichts heraus.

Nahezu zwei Stunden später schlenderte der elegant gekleidete Unterhausabgeordnete Somerset Carlisle in die Polizeiwache. Auf seinem Gesicht mischten sich Neugier, Belustigung und Mitgefühl. Vor vielen Jahren hatte er in London ganz bewusst eine Reihe von Skandalen ausgelöst, um damit auf eine eklatante Ungerechtigkeit aufmerksam zu machen, gegen die er auf andere Weise nichts hätte unternehmen können. Pitt war damals mit der Untersuchung des Falles beauftragt gewesen. Nachdem der Mord aufgeklärt worden war, um den es ging, hatte Pitt es nicht für erforderlich gehalten, Carlisle, der ihn auf so merkwürdige Weise ins Bewusstsein der Öffentlichkeit gerückt hatte, zu belangen. Das hatte dieser zu schätzen gewusst und ihm seither in mehreren Fällen beigestanden.

Da sich Carlisle anhand mitgebrachter Dokumente ausweisen und zweifelsfrei belegen konnte, dass er ein hohes Regierungsamt bekleidete, war Pitt binnen zehn Minuten in Freiheit. Er tat die Entschuldigungen der Polizeibeamten ab und versicherte ihnen, dass sie ihre Pflicht in beispielhafter Weise erfüllt hatten und er an ihnen nicht das Geringste auszusetzen habe.

»Was zum Teufel wird hier eigentlich gespielt?«, fragte Carlisle, während sie im Sonnenschein dem Bahnhof entgegenstrebten. »Vespasia hat mich heute Morgen angerufen und mir gesagt, dass man Sie eines Doppelmordes beschuldigt! Sie war ganz aufgeregt, was gar nicht ihre Art ist. Sie sehen grauenhaft aus, Mann, wenn ich das sagen darf. Brauchen Sie einen Arzt?« Zwar klang seine Stimme belustigt, aber in seinen Augen lag unverhüllte Besorgnis.

»Es war ein Kampf auf Leben und Tod«, sagte Pitt knapp. Es fiel ihm schwer, normal zu gehen. Ihm war noch gar nicht richtig zu Bewusstsein gekommen, welche Verletzungen er davongetragen hatte. »Auf der hinteren Plattform eines Eisenbahnwaggons in einem schnell fahrenden Zug.« Kurz berichtete er von dem Vorfall und dessen Hintergründen.

Carlisle nickte. »Eine äußerst undurchsichtige Angelegenheit. Ich bin nicht über alles informiert, wäre aber an Ihrer Stelle äußerst vorsichtig, Pitt. Vespasia hat mir gesagt, ich soll Sie nicht nach Lisson Grove bringen, sondern zu ihr. Am besten dürfte es sein, wenn Sie sich von Lisson Grove erst einmal fernhalten.«

Ein Schauer überlief Pitt. Die im Sonnenschein daliegende Straße, der Verkehrslärm um ihn herum, kamen ihm unwirklich vor. »Was ist mit Narraway?«

»Das weiß ich nicht. Ich habe dies und jenes gehört, habe aber nicht die geringste Ahnung, was da gespielt wird. Falls es überhaupt jemand weiß, dann Vespasia. Aber vorher nehme ich Sie erst einmal mit zu mir, damit Sie sich ein bisschen frisch machen können. Sie sehen aus, als hätten Sie die Nacht im Gefängnis verbracht.«

Pitt würdigte diese Bemerkung keiner Antwort.

Zwei Stunden später stieg Pitt vor Lady Vespasias Haus aus der Droschke. Er hatte sich nicht nur gewaschen und rasiert, sondern auch ihm von Carlisle zur Verfügung gestellte frische Wäsche, Socken und ein sauberes Hemd angezogen. Lady Vespasia, die zu einem silbergrauen Kleid eine lange Perlenkette trug, erwartete ihn bereits und geleitete ihn in den kleinen Salon, ihren Lieblingsraum, von dem aus der Blick auf den Garten fiel. Auf dem Tisch stand eine Schale mit frischen Narzissen, deren Duft den ganzen Raum erfüllte. Vor dem Fenster bewegte eine leichte Brise das junge Laub an den Bäumen.

Nach wie vor beeindruckte ihn Lady Vespasias Schönheit. Auch wenn sie wie immer gefasst war, kannte er sie gut genug, um tiefe Besorgnis in ihren Augen zu erkennen. Er war zu müde, um die Unruhe zu unterdrücken, die er dabei empfand.

Sie musterte ihn von Kopf bis Fuß. »Aha, Somerset hat dir also ein Hemd und eine Krawatte geliehen«, bemerkte sie mit feinem Lächeln.

»Sieht man das so deutlich?«, fragte er.

»Selbstverständlich. Du würdest dir nie im Leben ein Hemd in dieser Farbe oder eine Krawatte mit Bordeauxtönen kaufen. Beides steht dir aber wirklich gut. Setz dich doch bitte. Es ist lästig, wenn ich den Kopf in den Nacken legen muss, um dich anzusehen.«

Er war froh, im Sessel ihr gegenüber Platz nehmen zu können, denn langes Stehen strengte ihn an. Nachdem die Förmlichkeiten vorüber waren, wandte sie sich sogleich den drängenden Fragen zu, die beiden zu schaffen machten.

»Wo hast du nur gesteckt?«, fragte sie, ohne auch nur einen Gedanken an die Möglichkeit zu verschwenden, dass er die Frage nicht beantworten würde, weil es um eine vertrauliche Angelegenheit ging. Immerhin wusste sie mehr über die Macht und Gefahr von Geheimnissen als die meisten Kabinettsminister.

»In Saint Malo«, gab er zur Antwort. Es war ihm ausgesprochen peinlich, die ihm gestellte Falle erst so spät erkannt zu haben, doch er wich ihrem Blick nicht aus und berichtete das Abenteuer in allen Einzelheiten. So erfuhr sie, wem er mit Gower durch die Straßen nachgejagt war, wie Gower kurz zurückgeblieben war und Pitt nach ihrem erneuten Zusammentreffen zu der Ziegelei gelotst hatte, wo sie gesehen hatten, wie sich Wrexham über Wests Leiche beugte, dem man die Kehle durchgeschnitten hatte und dessen Blut die Steine des Ziegeleihofs bedeckte.

Lady Vespasia zuckte bei dieser drastischen Schilderung zusammen, unterbrach ihn aber nicht.

Als Nächstes beschrieb er, wie sie Wrexham erst ins East End, dann mit dem Zug bis Southampton und schließlich per Fähre bis nach Saint Malo verfolgt hatten. Er erklärte so ausführlich, warum sie ihn nicht gleich festgenommen hatten, dass er nach einer Weile den Eindruck hatte, es klinge wie eine Ausrede.

Tröstend sagte sie: »Dem gesunden Menschenverstand würde deine Handlungsweise gerechtfertigt erscheinen, denn damals konntest du es nicht anders wissen. Du darfst dir also von mir aus weitere Einzelheiten sparen. Du hattest Grund, eine sozialistische Verschwörung zu vermuten, und warst überzeugt, dass die wichtiger war als ein Mord in London. Was hast du in Saint Malo herausbekommen?«

»Herzlich wenig«, gab er zur Antwort. »Wir haben in den ersten Tagen einen oder zwei bekannte sozialistische Agitatoren gesehen ... jedenfalls nehme ich das an.«

»Was meinst du mit ›Ich nehme das an‹?«, fragte sie.

Er erklärte ihr, dass Gower die Männer identifiziert und er sich damit zufriedengegeben hatte.

»Ich verstehe. Und wer waren die?«

Gerade als er sagen wollte, dass ihr die Namen kaum bekannt sein dürften, fiel ihm die Rolle ein, die sie um die Mitte des Jahrhunderts in den in großen Teilen Europas mit Ausnahme Großbritanniens ausgebrochenen Revolutionen gespielt hatte. In jener kurzen Zeit der Hoffnung auf eine neue Freiheit war sie in Italien selbst auf die Barrikaden gestiegen. Es war also durchaus möglich, dass sie nicht alles Interesse an diesen Dingen verloren hatte. »Jacob Meister und Pieter Linsky«, sagte er. »Aber sie sind nicht noch einmal gekommen.«

Sie runzelte die Brauen. Ihre Anspannung ließ sich an der Haltung ihrer Schultern erkennen und daran, wie sie die Hände im Schoß ineinanderschlang.

»Weißt du etwa, um wen es sich bei denen handelt?«

»Selbstverständlich«, sagte sie knapp. »Und auch von vielen anderen. Die Leute sind äußerst gefährlich, Thomas. Auf dem Kontinent erhebt ein neuer Radikalismus sein Haupt, und die nächsten Aufstände werden nicht wie die von 1848 ausgehen. Wir haben es mit einem ganz anderen Menschenschlag zu tun. Es wird mehr Gewalttaten geben, wahrscheinlich sogar sehr viel mehr. Wenn der Zar nicht lernt, dass er sich den Zeiten anpassen muss, wird die Monarchie dort nicht mehr von langer Dauer sein. Die Art, wie die Menschen in Russland unterdrückt werden, ist entsetzlich, und es herrscht eine erschreckende Armut. Ich habe noch einige alte Bekannte dort, die mir gelegentlich schreiben und mir schildern, wie es im Lande aussieht. Der Zar hat, wie auch seine sämtlichen Minister und Berater, jeden Bezug zur Wirklichkeit und zu seinem Volk verloren. So tief ist die Kluft zwischen denen, die einen geradezu obszönen Reichtum zur Schau stellen, und denen, die buchstäblich verhungern, dass sie sie schließlich alle miteinander verschlingen wird. Das Einzige, was wir nicht wissen, ist, wann es so weit sein wird.«

Diese Vorstellung ließ ihn erschauern, aber er sagte nichts und stellte ihre Voraussage auch nicht in Frage.

»Bedauerlicherweise kann ich dir auch von hier nichts Gutes berichten – einen Teil weißt du ja schon.«

»Nur dass Narraway nicht mehr in Lisson Grove ist«, gab er zur Antwort. »Carlisle hat mir aber weder gesagt, warum, noch, was genau geschehen ist.«

»Ich kenne die Hintergründe«, sagte sie mit einem tiefen Seufzer, und er sah die Trauer in ihren Augen. Sie war bleich und sah müde aus. »Man legt ihm zur Last, einen ansehnlichen Geldbetrag unterschlagen zu haben, der …«

»Wie bitte?« Der bloße Gedanke war widersinnig. Normalerweise hätte er nicht im Traum daran gedacht, ihr ins Wort zu fallen – ein so rüpelhaftes Verhalten war für ihn unvorstellbar –, aber was sie gesagt hatte, war so unerhört, dass er sich nicht beherrschen konnte.

Ein Anflug von Belustigung funkelte in ihren Augen und verschwand gleich wieder. »Selbstverständlich ist mir die Absurdität dieses Vorwurfs bewusst, Thomas. Victor hat durchaus seine Schwächen, aber Übergriffe auf das Eigentum anderer gehören nicht dazu.«

»Du sagtest, ein ansehnlicher Betrag?«

»Ja, so ansehnlich, dass es sich durchaus lohnen würde, ihn zu stehlen. Es hat einen Mann das Leben gekostet, dass er diesen Betrag nicht zur Verfügung hatte. Falls Victor überhaupt seine Stellung im Sicherheitsdienst mit einem Diebstahl aufs Spiel setzen würde, müssten es schon die Kronjuwelen oder etwas Vergleichbares sein. Jemand hat die Sache mit außerordentlicher Gerissenheit eingefädelt. Ich habe zwar einen Verdacht, wer das sein könnte, aber er gründet sich auf nichts Greifbares, und möglicherweise gehe ich mit dieser Vermutung auch vollständig in die Irre.«

»Und wo ist Narraway?«, fragte er.

»In Irland.«

»Etwa im Gefängnis?«, fragte er. »Aber wieso in Irland?« Das musste er genauer erkunden. Er hatte ihn in London vermutet.

»Soweit ich weiß, ist er aus eigenem Entschluss dort hingereist, weil er überzeugt ist, dass Iren hinter diesem Manöver stecken und er die Lösung des Falles dort finden wird.« Sie biss sich leicht auf die Lippe. Er konnte sich nicht erinnern, sie je so tief besorgt gesehen zu haben.

»Tante Vespasia?« Er beugte sich ein wenig vor.

»Er war sicher, dass es da um eine persönliche Abrechnung geht«, fuhr sie fort. »Einen Akt der Rache für eine lange zurückliegende Verletzung. Ursprünglich hatte ich angenommen, dass er damit Recht haben könnte, auch wenn das für diese Art von Selbstjustiz eine lange Zeit ist und die Iren nie besonders geduldig waren, schon gar nicht, wenn es um Rache geht. Ich hatte angenommen, dass neu eingetretene Umstände ...«

»Du sagst, du hast das ursprünglich angenommen – heißt das, dass du deine Meinung geändert hast?«, fragte er.

»Nach allem, was du mir über deine Erlebnisse in Frankreich und deinen Mitarbeiter Gower gesagt hast, den weder du noch sonst jemand im Sicherheitsdienst verdächtigt zu haben scheint, vermute ich, dass sich Victor geirrt hat«, sagte sie. »Ich nehme an, dass das Ganze überhaupt nichts mit persönlicher Rache zu tun hat, sondern lediglich dem Zweck dient, ihn aus seinem Amt in London zu boxen und es jemandem mit weit geringeren Fähigkeiten zuzuschanzen – wenn nicht gar, schlimmer noch, jemandem, der mit den Sozialisten unter einer Decke steckt oder zumindest mit ihnen sympathisiert. Auch würde ich denken, dass man dich aus demselben Grund nach Frankreich gelockt hat.«

Ein bitteres Lächeln trat auf seine Züge. »Ich verfüge weder über Narraways Erfahrung noch über seine Macht«, teilte er ihr offen mit. »Daher lohnt es sich für die Leute nicht, mich wegzulocken.«

»Du bist zu bescheiden, mein Lieber.« Sie sah ihn freundlich an. »Wahrscheinlich hättest du dich mit Zähnen und Klauen für Victor eingesetzt. Ich denke, du kannst ihn gut leiden, und selbst wenn diese Einschätzung nicht zutreffen sollte, bist du ihm auf jeden Fall verpflichtet. Immerhin hat er dich beim Sicherheitsdienst untergebracht, als dich die Londoner Polizei entlassen hat und klar war, dass du auf keinen Fall je wieder dorthin zurückkehren könntest, weil du dort zu viele Feinde hast. Das war für ihn nicht ganz ungefährlich, denn er hat sich damit selbst weitere Feinde geschaffen. Es gibt durchaus Kreise, die seine damalige Handlungsweise nicht schätzen. Die meisten dieser Männer befinden sich inzwischen nicht mehr im Amt, aber damals war das durchaus gefährlich. Du hast das Vertrauen, das er in dich gesetzt hat, mehr als gerechtfertigt, und jetzt kannst du ihm seinen Mut vergelten. Ich nehme nicht an, dass du das anders siehst.«

Sie sah ihn fest an. »Ganz davon abgesehen sind auch dir viele im Sicherheitsdienst feindlich gesonnen, weil er dir diesen Gefallen erwiesen hat und du auch ziemlich schnell aufgestiegen bist. Jetzt, wo er nicht mehr da ist, ist die Frage durchaus offen, wie lange du dich dort noch halten kannst. Selbst wenn du Glück hättest und man dich nicht sofort entlässt, müsstest du dich ständig absichern und auf das Schlimmste gefasst sein. Falls du das nicht wissen solltest, wärest du ein weit argloseres Gemüt, als ich bisher angenommen habe.«

»Die Treue, die ich ihm schulde, hätte genügt«, erwiderte er ihr. »Aber natürlich hast du Recht. Mir ist klar, dass meine Stellung dort ohne Narraways Schutz auf die Dauer unhaltbar wäre.«

Mit sanfter Stimme fuhr sie fort: »Mein Lieber, es ist aus mehreren Gründen unerlässlich, dass wir alles tun, was wir können, um Victors guten Namen wiederherzustellen. Ich freue mich, dass du das so deutlich siehst.«

Mit einem Mal empfand er ein sonderbares Gefühl, eine Art Frösteln, das wie eine Warnung war.

Sie neigte den Kopf leicht zur Seite und fuhr fort: »Dann wirst du auch verstehen, warum Charlotte mit ihm nach Irland gereist ist, um ihn dort auf jede erdenkliche Weise zu unterstützen. Es wird für ihn, jetzt so auf sich gestellt, schwer genug sein. Unter Umständen ist es ihr möglich, sich an Orten umzusehen oder umzuhören, die er keinesfalls aufsuchen kann.«

Einen Augenblick lang verstand er nicht, was sie gesagt hatte, als habe sie in einer fremden Sprache gesprochen. Die Schlüsselwörter waren deutlich genug – Charlotte, Narraway und Irland –, aber das Ganze ergab keinen Sinn.

»Charlotte ist in Irland?«, fragte er fassungslos. »Das ist doch nicht möglich! Was könnte sie dort ausrichten? Sie kennt das Land nicht und weiß mit Sicherheit weder etwas über Narraways Vergangenheit noch über seine früheren Fälle oder andere Angehörige des Sicherheitsdienstes.« Fast hätte er ihr gesagt, sie müsse etwas missverstanden haben. Das wäre zwar unhöflich von ihm gewesen, aber es gab keine andere Erklärung.

»Thomas«, sagte sie mit bedeutungsvoller Stimme. »Die Lage ist außerordentlich ernst. Victor ist in einer prekären Situation, denn man hat ihm jeden Zugang zu seinem Büro verwehrt, womit ihm keins der Mittel des Sicherheitsdienstes mehr zur Verfügung steht. Wir wissen, dass zumindest eine Person, die dort eine hohe Position bekleidet, ein Betrüger und Verräter sein muss, aber nicht, wer das ist. Charles Austwick hat Narraways Posten übernommen ...«

»Austwick?«

»Ja. Siehst du jetzt, wie besorgniserregend das Ganze ist? Glaubst du wirklich, Victor Narraway könnte den Verräter ohne Hilfe aufspüren? Ganz offensichtlich hat keiner von euch etwas von Gowers Verrat gewusst, nicht einmal Victor. Wer weiß, wie viele dich noch hintergehen würden? Charlotte ist sich zumindest teilweise der Gefahr bewusst, auch der, die dir persönlich droht. Begleitet hat sie Victor teils aus Loyalität zu ihm, in erster Linie aber, um ihm zu helfen, sein Amt zu bewahren, weil ihr nur allzu klar ist, dass auch deine Anstellung davon abhängt. Es gibt zudem einen weiteren Punkt, über den nachzudenken du möglicherweise noch keine Zeit hattest. Nachdem es den Leuten gelungen ist, den Eindruck zu erwecken, Victor habe ein Eigentumsdelikt begangen, dürfte es ihnen kaum schwerfallen, dich als mitschuldig hinzustellen.«

Der bloße Gedanke entsetzte Pitt. Er war erschöpft und litt noch unter dem Schock der Enttäuschung und dem Entsetzen über die von ihm am Vortag verübte Gewalttat. Er war so müde, dass er in dem bequemen Sessel, in dem er saß, hätte einschlafen können. Zugleich aber verkrampften sich sein Rücken, seine Schultern und sein Nacken vor Angst, ihn schwindelte geradezu. Was ihm Lady Vespasia da eröffnet hatte, machte alles nur noch schlimmer. Er bemühte sich, die Dinge in die richtige Perspektive zu rücken.

»Ist Charlotte dort, wo sie sich befindet, wenigstens in Sicherheit?« Ihm ging durch den Kopf, dass »Sicherheit« angesichts dessen, dass sie sich mit Narraway in Irland aufhielt, wohl das falsche Wort war.

»Thomas, Victor ist bei ihr. Er wird nicht zulassen, dass ihr etwas zustößt, sofern er es verhindern kann«, versuchte sie ihn zu beruhigen.

Obwohl Pitt wusste, dass Narraway eine Schwäche für Charlotte hatte, begehrte er auf. »Wenn ihm etwas an ihr läge, hätte er nicht ...«, setzte er an.

»Du meinst: zugelassen, dass sie mit ihm dorthin reist?«, beendete sie den Satz für ihn. »Thomas, ihr Motiv war nicht nur Freundestreue, sondern vor allem der Wunsch, deine berufliche Zukunft und damit die finanzielle Sicherheit eurer Familie zu gewährleisten. Was hätte er deiner Ansicht nach sagen oder tun können, um sie daran zu hindern?«

»Er hätte ihr ja nicht zu sagen brauchen, dass er dahin wollte!«, stieß er hervor.

»Ist das dein Ernst?« Sie hob ihre silbergrauen Brauen. »Hätte er sie auch im Unklaren darüber lassen sollen, warum du nicht nach Hause gekommen bist, nachdem du deinen Informanten durch die Straßen Londons verfolgt hattest? An jenem Abend und während der ganzen darauf folgenden Woche? Natürlich hätte sie, wenn sie sich lange genug geängstigt hätte, irgendwann in Lisson Grove nachfragen können – nur, um dort zu erfahren, dass er nicht mehr da war und angeblich niemand wusste, wo du dich aufhieltest. Hättest du das lieber gesehen?«

»Nein ...« Er kam sich töricht vor und war zugleich von Panik erfüllt. Was sollte er nur tun? Am liebsten wäre er spornstreichs nach Irland aufgebrochen, um sich zu vergewissern, dass es Charlotte gutging. Doch er brauchte nicht lange zu überlegen, um zu erkennen, dass er damit unter Umständen ebenso viel Schaden anrichten wie Gutes bewirken konnte. Außerdem lag das Kernproblem nicht dort, sondern in London. Nicht nur hatte er keine Vorstellung davon, um welchen alten Fall Narraways es sich handelte, denn davon gab es eine ganze Reihe – es sah inzwischen auch ganz so aus, als habe jemand mit einem Ablenkungsmanöver auch Narraway auf eine falsche Fährte gelockt, ganz so wie ihn mit der angeblich nötigen Verfolgung Wrexhams nach Frankreich. Sollten die Dinge tatsächlich so liegen, würde er den Leuten geradezu in die Hände spielen, wenn er nun ohne nachzudenken blind reagierte. Er verwarf diesen Impuls als verantwortungslos.

»Dann gehe ich jetzt nach Hause und kümmere mich um die Kinder«, sagte er etwas ruhiger. »Nach einer ganzen Woche allein mit Mrs Waterman sind sie bestimmt froh, von ihr erlöst zu werden. Mit der Frau ist nicht immer gut Kirschen essen. Ich muss unbedingt mit Charlotte darüber sprechen, sobald sie zurück ist.«

»Du brauchst dir keine Sorgen zu machen«, begann Lady Vespasia.

»Du kennst sie nicht ...«, hielt er dagegen.

»Das ist völlig unerheblich«, teilte ihm Lady Vespasia mit. »Sie ist gegangen.«

»Wie bitte? Dann ...«

Lady Vespasia hob die Hand. »Das ist der andere Punkt, über den ich dich in Kenntnis setzen wollte. Charlotte hat statt ihrer eine junge Frau eingestellt, die Gracie ihr empfohlen hat. Diese Minnie Maude scheint mir sehr tüchtig zu sein. Darüber hinaus schaut Gracie jeden Tag bei euch im Haus vorbei. Ich war ebenfalls schon zweimal dort und habe festgestellt, dass alles zum Besten steht. Übrigens gefällt mir diese Minnie Maude sehr; die Frau hat Charakter.«

Pitt schwirrte der Kopf. Alles um ihn herum schien sich zu verändern. Kaum sah er hin, war es nicht mehr wie zuvor, so, als habe jemand ein Kaleidoskop ein Stückchen weiter gedreht und alle Glasstückchen darin hätten sich zu einem völlig neuen Bild geordnet.

»Minnie Maude?«, fragte er stockend, »wie alt ist die um Gottes willen?« In seinen Augen war Gracie kaum mehr als ein Kind. Das hing nicht nur damit zusammen – was ihm durchaus bewusst war –, dass er sie kannte, seit sie dreizehn Jahre alt gewesen war, sondern auch damit, dass sie nach wie vor so klein war. Ihre beachtlichen Fähigkeiten und ihre bemerkenswerte Tapferkeit kannte er aus Erfahrung. Wer mochte diese Minnie Maude sein, der man seine Kinder anvertraut hatte?

»Um die zwanzig«, gab ihm Lady Vespasia Auskunft. »Gracie kennt sie seit ihrem achten Lebensjahr. Sie ist mutig und vernünftig. Du brauchst dir wirklich keinerlei Sorgen zu machen, Thomas. Wie gesagt, ich war selbst dort, und es gab keinen Grund zur Klage. Ich kann dir auch versichern, dass Daniel und Jemima wunderbar mit ihr auskommen. Glaubst du etwa, ich hätte nichts unternommen, wenn es anders wäre?«

Jetzt kam er sich schwerfällig und zutiefst undankbar vor. »Nein, natürlich nicht.« Ihm war klar, dass er sie um Verzeihung bitten musste. Von reiner Sorge hatte er sich zu törichten und ungehörigen Äußerungen verleiten lassen. »Bitte entschuldige, ich …« Er suchte nach Worten.

Sie lächelte auf eine Weise, die ihr Gesicht aufleuchten ließ und all die Schönheit zum Vorschein brachte, für die sie einst berühmt gewesen war. »Ich würde dich weniger schätzen, wenn du das für selbstverständlich hieltest«, sagte sie. »Möchtest du eine Tasse Tee trinken, bevor du gehst? Und hast du Hunger? In dem Fall solltest du mir sagen, was du gern hättest – ich lasse es dir dann machen. Inzwischen können wir miteinander besprechen, was als Nächstes zu tun ist. Jetzt dürfte es wohl an dir sein, festzustellen, was es mit dieser hinterhältigen Geschichte auf sich hat, und nach Möglichkeit zu ermitteln, wer der Verräter in Lisson Grove ist.«

Ihre Worte ernüchterten ihn mit einem Schlag. Es sah ihr ähnlich, bei einer Tasse Tee im Salon über Revolutionen, Mord und Hochverrat zu sprechen. Das rückte alles zurecht, und die Welt kam ihm nicht mehr wie ein Irrenhaus vor. Zumindest ein Teil dieser Welt war noch so, wie es sich gehörte. Er holte tief Luft, atmete langsam aus und fasste sich.

»Danke. Ja, ich hätte gern einen Schluck Tee. Die Polizeiwache in Shoreham war nicht besonders gut auf solche Dinge eingerichtet. Und auch ein belegtes Brot wäre mir sehr recht.«

Als Pitt am frühen Nachmittag sein Haus in der Keppel Street erreichte, waren Daniel und Jemima noch in der Schule. Statt aufzuschließen, klopfte er an, um jene Minnie Maude, zu der Tante Vespasia so großes Zutrauen zu haben schien, nicht unnötig zu erschrecken.

Während er auf der Schwelle von einem Fuß auf den anderen trat, überlegte er, welche Veränderungen er wohl vorfinden würde. Was war unerledigt geblieben, und was an seinem vertrauten Heim hatte sich so verändert, dass er es nicht wiedererkennen würde? Vor allem hätte Charlotte da sein müssen, denn ohne sie war das Ganze nur eine leere Hülle.

Eine schlanke junge Frau öffnete und sah ihn zurückhaltend an.

»Was kann ich für Se tun, Sir?«, fragte sie höflich, wobei sie mitten im Türrahmen stehenblieb, damit er nicht einfach an ihr vorbei eintreten konnte. Sie war nicht hübsch, hatte aber schöne leuchtende Locken. Außerdem war ihr Gesicht voller Sommersprossen. Sie war deutlich größer als Gracie, doch ihr Blick war genauso offen und fast ebenso herausfordernd wie ihrer.

»Sind Sie Minnie Maude?«, fragte er.

»Entschuldigung, Sir, aber das geht Sie nichts an«, gab sie zur Antwort. »Wenn Sie mit dem Hausherrn sprechen wollen, geben Sie mir einfach Ihre Karte. Ich sag ihm dann, dass er sich bei Ihnen melden soll.«

Unwillkürlich musste er lächeln. »Dann gebe ich Ihnen in Gottes Namen meine Karte.« Er nahm eine aus der Tasche und hielt sie ihr hin, wobei er sich fragte, ob sie wohl lesen könne. Von Gracie wusste er, dass sie diese Kunst beherrschte, denn Charlotte hatte es ihr beigebracht.

Minnie Maude warf einen Blick auf die Karte, sah dann zu ihm hin und erneut auf die Karte.

Er lächelte.

Sie errötete bis an die Haarwurzeln. »Entschuldigung, Sir«, sagte sie stockend. »Ich hab Se ja nich' gekannt.«

»Kein Grund, sich zu entschuldigen«, sagte er rasch. »Es war völlig richtig, niemanden einzulassen, von dem Sie nicht wussten, wer er ist.«

Sie tat einen Schritt zurück und ließ ihn eintreten. Kaum stand er in der vertrauten Diele, nahm er den Lavendelgeruch des frisch gebohnerten Fußbodens wahr. Der Spiegel an der Wand war fleckenlos, nirgendwo lag das kleinste Stäubchen, und Jemimas Schuhe standen ordentlich und sauber geputzt unter der Flurgarderobe.

Als Nächstes sah er sich in der Küche um. Alles war, wie es sein sollte: im Herd brannte ein Feuer, ohne dass der Raum überheizt gewesen wäre, die blau-weißen Teller und Untertassen waren säuberlich ins Tellerbord der Anrichte eingeräumt, das Kupfergeschirr hing blankgeputzt an der Wand, und der Küchentisch war blitzsauber. Der Geruch von frisch gebackenem Brot stieg ihm ebenso in die Nase wie jener der Wäsche, die zum Trocknen auf dem Gestell unter der Decke hing. Er war wieder daheim. Alles war, wie es sich gehörte, mit Ausnahme dessen, dass seine Frau und seine Kinder nicht da waren. Doch wusste er immerhin, wo sich Charlotte aufhielt, und die Kinder waren in der Schule.

»Möcht'n Se 'ne Tasse Tee, Sir?«, fragte Minnie Maude zögernd.

Zwar war das so kurz nach seinem Besuch bei Lady Vespasia nicht erforderlich, aber er hatte den Eindruck, dass sich die junge Frau nützlich machen wollte.

»Danke«, nahm er das Angebot an. »Ich muss anschließend noch einmal in die Stadt und weiß nicht, ob ich zum Abendessen zurück sein werde. Falls ja, genügt eine kalte Mahlzeit.« Dann wies er auf den in Frankreich gekauften kleinen Koffer, in dem er die Dinge des täglichen Bedarfs mitgebracht hatte, die er dort ebenfalls hatte kaufen müssen. »Außerdem ist hier drin etwas Wäsche, die gewaschen werden muss.«

»Ja, Sir. Und möcht'n Se sonst kalt'n Lammbrat'n mit heißem Eintopf aus Kohl un' Kartoffeln? Das krieg'n Daniel un' Jemima heute Abend, weil se das gerne ess'n. Se mög'n auch Eier dazu.«

»Eier sind genau das Richtige, vielen Dank.« Es war ihm ernst damit. Was sie gesagt hatte, klang vertraut, versprach Behaglichkeit, und sicher würde es ihm schmecken.

Zwar hatte ihn Lady Vespasia gemahnt, sich von Lisson Grove fernzuhalten, doch blieb ihm seiner Ansicht nach nichts anderes übrig, als hinzugehen. Zumindest würde ein Besuch im Hauptquartier des Sicherheitsdienstes ihm einen gewissen Überblick über die Lage dort verschaffen. Nur an Ort und Stelle konnte er in Erfahrung bringen, was wirklich hinter dem Ablenkungsmanöver steckte, das ihn nach Frankreich gelockt und so lange dort festgehalten hatte. Er war nach wie vor aufgebracht und zugleich peinlich berührt, weil er sich auf so plumpe Weise hatte hinters Licht führen lassen.

Auch um für Narraway – und damit automatisch für Charlotte – etwas tun zu können, war er dringend auf Informationen angewiesen, die er nirgendwo anders als in Lisson Grove bekommen konnte.

Hinzu kam, dass er unbedingt die Sache mit Gower aufklären musste. Er hatte keine Vorstellung davon, wie sehr ihn der Sturz aus dem Zug entstellt hatte, doch würde die Polizei sicherlich alles tun, um ihn zu identifizieren und damit zweifellos früher oder später Erfolg haben. Es war nicht auszuschließen, dass man in Lisson Grove bereits Bescheid wusste, wenn er dort eintraf.

Was sollte er den Kollegen sagen? Einen wie großen Teil der Wahrheit konnte er enthüllen? Er wusste nicht, wer seine Feinde waren, sie hingegen kannten ihn nur allzu gut. Instinktiv neigte er dazu, sich so unwissend wie möglich zu stellen. Je weniger man in ihm einen ernst zu nehmenden Gegner sah, desto weniger musste er damit rechnen, dass man ihn aus dem Weg zu räumen versuchte. Diese vorgetäuschte Unwissenheit konnte ihm zumindest für eine Weile als Tarnung dienen.

Was den Angriff im Zug auf ihn anging, dürfte es das Beste sein, die Sache nicht zu verschweigen, da die Polizei den Fall bereits kannte. Nur war es sicher besser, zu erklären, er habe keine Vorstellung, wer der Angreifer war – das würde durchaus glaubwürdig klingen.

In Bezug auf Gower würde er sagen, er habe ihn zuletzt in Saint Malo gesehen, als sie gemeinsam beschlossen hatten, Pitt solle nach London zurückkehren, um sich zu erkundigen, was man in Lisson Grove über eine mögliche Verschwörung wusste, während Gower in Frankreich die Stellung halten und Frobisher, Wrexham und andere mögliche Verdächtige nicht aus den Augen lassen sollte. Selbstverständlich musste er so tun, als wisse er nicht das Geringste über die Sache mit Narraway, und auf jeden Fall würde er sich über die Ungeheuerlichkeit von dessen Handlungsweise entsetzt zeigen müssen, wenn man ihm die Zusammenhänge mitteilte.

Er traf kurz vor vier Uhr im Hauptquartier ein, ging an der Wache vorbei ins Haus und bat darum, mit Narraway sprechen zu können.

Man forderte ihn auf zu warten. Damit hatte er gerechnet und war umso erstaunter, dass Charles Austwick bereits nach vergleichsweise kurzer Zeit nach unten kam und ihn in sein Büro führte. Pitt sah auf den ersten Blick, dass dort nichts mehr auf Narraway hinwies: seine Bilder waren ebenso von den Wänden verschwunden wie das Foto seiner Mutter von dem Bücherregal. Auch Narraways Bücher, überwiegend Gedichtbände und Lebenserinnerungen bedeutender Persönlichkeiten, wie auch die gravierte Messingschale aus dessen Militärdienstzeit in Afrika hatte man entfernt.

Er sah Austwick betont verwirrt an.

»Nehmen Sie Platz, Pitt.« Der neue Leiter des Sicherheitsdienstes wies auf den Stuhl vor seinem Schreibtisch. »Ich verstehe gut, dass Sie sich fragen, was zum Teufel hier passiert ist. Zu meinem großen Bedauern muss ich Ihnen eine Eröffnung machen, die Sie vermutlich bestürzen wird.«

Pitt zwang sich, beunruhigt dreinzublicken, als könne er sich keinen Reim auf die Situation machen. »Ist Mr Narraway etwas zugestoßen? Ist er verletzt? Oder krank?«

»In gewisser Weise ist es schlimmer als das«, teilte ihm Austwick mit düsterer Miene mit. »Es besteht Grund zu der Annahme, dass er eine beträchtliche Geldsumme unrechtmäßig an sich gebracht hat. Als man ihn mit diesem Verdacht konfrontiert hat, ist er verschwunden. Niemand weiß, wo er sich aufhält. Selbstverständlich hat man ihn sofort seines Amtes enthoben, und ich habe – jedenfalls einstweilen – seine Aufgabe übernommen. Bis ein offizieller Nachfolger ernannt wird, unterstehen Sie also mir. Mir ist klar, dass das für Sie ein schwerer Schlag sein muss. Offen gestanden war es das für uns alle. Wohl niemand hat sich vorstellen können, dass ausgerechnet Narraway dieser Art von Versuchung erliegen würde.«

Pitts Gedanken jagten sich. Wie sollte er auf diese Eröffnung reagieren? Er hatte geglaubt, sich alles zurechtgelegt zu haben, doch als er jetzt in Narraways einstigem Büro saß, an dem man eigentlich nur wenig verändert hatte, das aber gleichwohl vollständig anders wirkte, überfiel ihn erneut Unsicherheit. Ob Austwick der Judas war, der Narraway ausgebootet hatte? In dem Fall musste der Mann weit klüger sein, als Pitt angenommen hatte. Ohne zu ahnen, dass es im Sicherheitsdienst einen Verräter gab, hatte er Gower rückhaltlos vertraut, mit dem bekannten Ergebnis. Inwieweit konnte er sich auf sein Urteilsvermögen verlassen?

»Ich sehe, dass Sie sprachlos sind«, sagte Austwick verständnisvoll. »Wir hatten hier inzwischen Gelegenheit, uns mit der Vorstellung und der veränderten Situation vertraut zu machen. Die Unterschlagung ist unmittelbar nach Ihrem Weggang aufgeflogen. Wo ist übrigens Gower?«

Pitt holte tief Luft und stürzte sich in die Geschichte, die er sich zurechtgelegt hatte. »In Frankreich, in Saint Malo.« Während er das sagte, achtete er möglichst unauffällig auf Austwicks Gesichtsausdruck und versuchte an dessen Augen und

Reaktionen zu erkennen, ob er wusste, dass es sich dabei um alles andere als die reine Wahrheit handelte.

Austwick sprach betont langsam, als wäge er jedes seiner Worte ab, und schien Pitt dabei ebenso aufmerksam zu mustern wie dieser ihn. Ob ihm womöglich Somerset Carlisles erstklassig geschnittenes Hemd oder dessen Krawatte mit den Bordeauxtönen aufgefallen war?

Pitt wiederholte genau, was – seinem damaligen Kenntnisstand nach – zu dem Zeitpunkt geschehen war, als er Narraway von der Notwendigkeit unterrichtet hatte, in Frankreich zu bleiben. Er hatte zu keinem Zeitpunkt schriftlich Bericht erstattet, weil er weder der Briefpost noch einem Telegramm Einzelheiten anvertrauen wollte. Eine solche Mitteilung wäre zu vielen Menschen zugänglich gewesen, und das hätte selbst dann gefährlich sein können, wenn er die Begriffe vorsichtig umschrieben hätte. Alles, was er inzwischen über Gower wusste, verschwieg er.

Austwick schien konzentriert zuzuhören. Seinem Gesichtsausdruck ließ sich nicht entnehmen, ob er die wirklichen Hintergründe kannte.

»Aha«, sagte er schließlich und trommelte auf der Tischplatte herum. »Sie haben also Gower in Frankreich gelassen, weil Sie hofften, dass es da noch etwas Lohnendes zu beobachten gibt?«

»Ja, Sir ...« Es kostete ihn Mühe, das Wort »Sir« über die Lippen zu bringen. In ihm wuchs die Wut darüber, dass jener Mann dort an Narraways Schreibtisch auf dem Stuhl seines einstigen Vorgesetzten saß. War auch Austwick in dieser Partie nur eine Spielfigur – oder war er derjenige, der die Figuren führte?

»Halten Sie das für wahrscheinlich?«, fragte er Pitt. »Sie sagen, dass Ihnen nichts mehr aufgefallen ist, seit Sie die beiden Männer gesehen haben ... wer war das noch mal? Meister und Linsky?«

»Ja. In Frobishers Haus herrschte ein ständiges Kommen und Gehen, aber außer den beiden haben wir keinen der Gäste dort erkannt. Möglicherweise war es ein Zufall, dass Meister und Linsky da aufgetaucht sind, aber andererseits muss man bedenken, dass West brutal und offen ermordet worden ist und der Täter Zuflucht in dem Haus gesucht hat. Dafür muss es einen Grund geben.«

Austwick schien eine Weile darüber nachzudenken. Schließlich hob er den Kopf und sagte mit geschürzten Lippen: »Sie haben Recht. Bestimmt ist da etwas im Gange, und selbst wenn die Sache von Frankreich ausgeht, kann sie ohne weiteres mit der Planung von Gewalttaten hier im Lande zusammenhängen. Wir müssen auch an unsere Verbündeten denken und daran, welchen Einfluss es auf unsere Beziehungen zu ihnen hat, wenn wir es nicht fertigbringen, sie rechtzeitig auf solche Umtriebe hinzuweisen. Ich jedenfalls würde mich hintergangen fühlen, wenn unsere Verbündeten von einer Bedrohung unseres Landes Wind bekämen, ohne uns etwas darüber mitzuteilen.«

»Ja, Sir«, stimmte Pitt zu, obwohl er die Worte nur mühsam herausbrachte. Er stand auf. »Sie werden mich bitte entschuldigen, ich habe noch Verschiedenes zu erledigen.«

»Natürlich.« Austwick wirkte gelassen, geradezu beruhigt. Pitt zitterte vor Wut, als er den Raum verließ, und es kostete ihn große Mühe, die Tür leise zu schließen.

Am Abend suchte er den für den Sicherheitsdienst zuständigen Minister Sir Gerald Croxdale auf. Dieser hatte ihn aufgefordert, zu ihm nach Hause zu kommen, da es, wie er gesagt hatte, angesichts der privaten Art und der Dringlichkeit von Pitts Anliegen das Beste sein dürfte, wenn niemand von ihrem Zusammentreffen erfuhr.

Croxdale bewohnte ein schönes altes Haus in Hampstead am Rande der Heide. Die Bäume zeigten erstes Laub, und die Vögel sangen.

Der Butler führte Pitt in die Bibliothek. Dort stand Croxdale an den Fenstertüren, die auf den Garten hinausführten, allem Anschein nach in den Anblick des blassen Abendhimmels im letzten Licht des Tages versunken. Bei Pitts Eintritt drehte er sich um und hielt ihm die Hand hin.

»Scheußlich«, sagte er voll Mitgefühl. »War für uns alle ein harter Schlag. Ich kenne Narraway seit vielen Jahren. Kein einfacher Mann, eher ein Einzelgänger als jemand, der sich in eine Mannschaft einfügt, aber ein glänzender Kopf. Hatte ihn immer für absolut zuverlässig gehalten. Man könnte glauben, dass niemand je vollständig den Schatten seiner Vergangenheit entkommt.« Er wies auf einen der Sessel am Kamin. »Setzen Sie sich doch, und berichten Sie, was in Saint Malo vorgefallen ist. Haben Sie überhaupt schon zu Abend gegessen?«

Überrascht merkte Pitt, dass er Hunger hatte. So intensiv war er damit beschäftigt gewesen, die verschiedenen Möglichkeiten durchzugehen, so sehr hatte ihn die Sorge im Griff gehabt, dass ihm das überhaupt nicht aufgefallen war. Jetzt suchte er nach einer höflichen Antwort.

»Vielleicht belegte Brote?«, bot Croxdale an. »Wie wäre es mit Roastbeef?«

Da Pitt aus bitterer Erfahrung wusste, wie schwer es fällt, auf leeren Magen vernünftige Gedanken zu fassen, sagte er: »Ja, bitte, Sir.«

Croxdale klingelte nach dem Butler und bestellte Whisky sowie mit Roastbeef belegte Brote.

Als der Mann gegangen war, setzte sich Croxdale bequem hin, nickte Pitt zu und sagte: »Wie war das also in Saint Malo?«

Pitt machte ihm dieselben Angaben wie Austwick. Noch war er nicht bereit, jemandem die ganze Wahrheit anzuvertrauen. Narraway kannte Croxdale weit länger als Pitt. Wenn der Minister bereit war zu glauben, dass Narraway Geld unterschlagen hatte, warum sollte er dann von Pitt als Narraways Schützling und engstem Verbündeten eine höhere Meinung haben?

Der Butler brachte die Brote, die Pitt köstlich mundeten. Dazu ließ er sich entgegen seiner Gewohnheit ein Glas Whisky aufnötigen, lehnte aber das zweite höflich ab. Das Feuer in den Adern zu spüren, zu merken, dass sein Herz etwas schneller schlug, war zwar ein angenehmes Gefühl, doch konnte es katastrophale Folgen haben, sich vom Alkohol benebeln zu lassen.

Croxdale dachte eine Weile schweigend nach, bevor er auf Pitts Darlegungen antwortete.

»Ich bin überzeugt, dass Sie richtig gehandelt haben«, sagte er schließlich. »Offensichtlich erfordert die Situation dort eine gründliche Überwachung, doch auf der anderen Seite können wir Sie im Augenblick in Lisson Grove nicht entbehren. Die entsetzliche Geschichte mit Narraway hat dort das reinste Chaos angerichtet.«

Pitt fiel auf, dass Croxdale ihn sehr viel aufmerksamer musterte, als man auf den ersten Blick hätte annehmen können. Er wartete respektvoll mit besorgtem Gesicht, als kenne er noch nicht alle Einzelheiten.

Mit einem Seufzer fuhr Croxdale fort: »Ich nehme an, dass diese Sache Sie ebenso entsetzt hat wie mich. Vielleicht hätten wir das voraussehen müssen, aber offen gestanden habe ich mit dieser Möglichkeit nicht gerechnet. Natürlich ist uns bewusst, dass die Mehrzahl der Menschen auf ihren finanziellen Vorteil bedacht ist – es wäre ein schwerer Fehler, wenn wir das bei unseren Erwägungen nicht berücksichtigten. Soweit wir wissen, ist Narraway nicht unbedingt auf Geld angewiesen, und die Geschichte mit O'Neil liegt lange zurück, zwanzig

Jahre oder mehr.« Er sah mit zusammengezogenen Brauen zu Pitt hin. »Hat er Ihnen irgendwann einmal etwas darüber gesagt?«

»Nein, Sir.«

»Lange zurückliegender Fall. Hässliche Geschichte. Hatte ich ehrlich gesagt für erledigt gehalten, wie alle anderen auch. Narraway war vor Jahren für kurze Zeit nach Irland abgeordnet, weil der Dienst annahm, dass es da Ärger geben würde. Genauso war es auch. Hat die Sache so erfolgreich abgebogen, dass öffentlich nie etwas davon bekanntgeworden ist. Um welchen Preis, hat man erst später erfahren.«

Pitts Unwissenheit war jetzt echt und auch seine immer mehr zunehmende Angst.

Mit kaum wahrnehmbarem Kopfschütteln sagte Croxdale, wobei er betrübt das Gesicht verzog: »Hat eine Irin gegen ihre eigenen Leute eingesetzt, eine gewisse Kate O'Neil. Einzelheiten sind mir nicht bekannt. Ist mir auch lieber so. Jedenfalls hat ihr Mann sie auf ziemlich üble Weise umgebracht, wofür er gehängt worden ist.«

Pitt war wie vor den Kopf geschlagen. Welches Ausmaß an Schuld und Kummer! War Narraway tatsächlich so grausam und skrupellos, wie es nach Croxdales Worten den Anschein hatte? Er rief sich in Erinnerung, wie Narraways Gesicht unter den verschiedensten Umständen ausgesehen hatte, in Zeiten des Erfolgs wie solchen des Fehlschlags; wenn er erschöpft war, besorgt, enttäuscht, am Ende Dutzender gewonnener oder verlorener Kämpfe. Das Vertrauensverhältnis, das sich im Laufe der Zeit zwischen ihnen herausgebildet hatte, beruhte auf Instinkt, entzog sich jeglicher auf den Verstand gegründeten Analyse. Es fiel Pitt schwer, seine Empfindungen zu verbergen, und er bemühte sich, verwirrt dreinzublicken.

»Wenn all das zwanzig Jahre zurückliegt, was hat sich dann jetzt geändert?«, erkundigte er sich.

Croxdale zeigte sich von dieser Frage nur einen kurzen Augenblick lang verblüfft. »Das wissen wir nicht«, gab er zurück. »Vermutlich hat es mit O'Neils Situation zu tun.«

»Ich dachte, den hat man gehängt?«

»Das war Sean O'Neil, der Ehemann jener Kate. Aber sein Bruder Cormac lebt noch. Die beiden haben einander selbst für irische Verhältnisse ungewöhnlich nahegestanden«, erläuterte Croxdale.

»Und warum hat dieser Cormac dann mit seiner Rache zwanzig Jahre lang gewartet? Wenn ich Sie richtig verstanden habe, hat Narraway das Geld doch in irgendeinem Zusammenhang mit diesem O'Neil an sich genommen.«

Croxdale zögerte und sah Pitt wachsam an. »Offen gestanden ahne ich das nicht. Augenscheinlich müssen wir noch eine Menge mehr in Erfahrung bringen, als wir zur Zeit wissen. Meine Vermutung, dass die Sache mit O'Neil zu tun haben könnte, hängt damit zusammen, dass Narraway nahezu unmittelbar nach seiner Enttarnung nach Irland aufgebrochen ist. Entweder hat er viele Feinde dort und schwebt in höchster Gefahr, oder er hat neue Verbündete gefunden, indem er Mulhare die Flucht verunmöglicht hat, und beabsichtigt nun, mit ihnen in Irland gegen uns zu arbeiten.«

Pitt fühlte sich, als habe ihn jemand mit einem Sandsack niedergeschlagen. In dem Versuch, die Wirklichkeit nicht aus den Augen zu verlieren, sah er benommen zu Croxdale hin, dessen Gesicht vor seinen Augen zu verschwimmen begann. Der Raum schien sich um ihn zu drehen.

»Tut mir außerordentlich leid«, sagte Croxdale. »Ich kann mir denken, wie sehr Sie das mitnimmt. Natürlich konnten Sie von diesem Wesenszug Narraways nichts wissen. Ich muss zugeben, dass auch ich nichts davon geahnt habe. Es kommt mir jetzt geradezu sträflich vor, dass ich einen solchen Mann in unserer empfindlichsten Abteilung an so exponierter Stelle beschäftigt habe. Dank seiner unbestreitbar beachtlichen Fähigkeiten ist es ihm gelungen, diesen finsteren und offenkundig äußerst gewalttätigen Teil seines Wesens vollständig verborgen zu halten.«

Pitt war nicht bereit zu glauben, was er da gehört hatte, zum Teil allein schon deshalb, weil ihm die Vorstellung unerträglich war. Immerhin befand sich Charlotte mit Narraway in Irland. Was war mit ihr? Wie konnte er Croxdale danach fragen, ohne preiszugeben, dass er im Bilde war? Er dachte nicht im Traum daran, Lady Vespasia mit in die Sache hineinzuziehen. Schließlich war sie für ihn ein Posten auf seiner Habenseite – möglicherweise der einzige.

Croxdale sprach mit gedämpfter Stimme weiter, als befürchte er, ein Dienstbote könne ihn belauschen.

»Pitt, die Sache ist äußerst schwerwiegend. Ich bin froh, dass Sie das sofort begriffen haben. Um mit dieser katastrophalen Situation fertigzuwerden, müssen wir unsere Kräfte neu gruppieren. Sieht ganz so aus, als ob um uns herum lauter Verschwörungen lauerten. Meiner Überzeugung nach gehört das, was Sie und Gower ermittelt haben, zu einem umfassenden und möglicherweise äußerst gefährlichen Plan. Wir alle wissen, dass die Welle des Sozialismus in Europa schon seit längerer Zeit immer höher schwappt. Aus Gründen, die ich nicht zu erläutern brauche, konnte ich Narraway unmöglich länger im Amt lassen. Auf diesem Posten brauche ich den besten Mann, den ich finden kann. Er muss in jeder Hinsicht vertrauenswürdig sein, und in seiner Vergangenheit darf es keinen dunklen Punkt geben, nichts, was unsere gegenwärtigen Bemühungen um die Sicherheit unseres Landes gefährden könnte.«

Pitt zwinkerte. »Das versteht sich von selbst.« Wollte Croxdale mit diesen Worten durchblicken lassen, dass er Austwick für den Judas hielt? Dieser Frage war Pitt bisher bewusst ausgewichen und hatte abgewartet, bis Croxdale darauf zu sprechen kam. Er war erleichtert. Der Mann war klug und vertrauenswürdiger, als er angenommen hatte. Doch wie konnte er dann von Narraway denken, was er Pitt vorgetragen hatte?

Im nächsten Augenblick fragte sich Pitt, ob er sich auf seine eigene Urteilskraft verlassen konnte. Immerhin hatte er auch Gower vertraut.

Croxdale sah ihn nach wie vor unverwandt an.

Pitt wusste nicht, was er hätte sagen können.

»Wir brauchen einen Mann, der weiß, was Narraway getan hat, und die Zügel da wieder aufnehmen kann, wo dieser sie hat fallen lassen«, fuhr Croxdale fort. »Der einzige Mann, auf den all das zutrifft, sind Sie, Pitt. Mir ist klar, dass ich damit eine Menge von Ihnen verlange, aber es gibt keinen anderen. Ich bin überzeugt, dass Narraways Urteil über Ihre Fähigkeiten und Ihre Integrität voll und ganz zutrifft.«

»Aber ... Austwick ...«, stotterte Pitt. »Er ...«

»Als Lückenbüßer ganz in Ordnung«, sagte Croxdale kühl, »aber in Zeiten wie diesen nicht der richtige Mann für die Aufgabe. Ehrlich gesagt besitzt er weder die nötigen Führungsqualitäten, noch ist er imstande, Entscheidungen dieser Größenordnung zu treffen. Als einstweiliger Stellvertreter war er durchaus brauchbar.«

Pitt wurde schwindelig. Weder hatte er bei seiner bisherigen Tätigkeit im Sicherheitsdienst Entscheidungen treffen müssen, noch verfügte er über Erfahrungen mit den politischen Dimensionen der Stellung als dessen Leiter. Ganz davon abgesehen war er auch nicht so sehr von sich selbst überzeugt, dass er seine eigene Urteilskraft höher einschätzte als die anderer. Ihm war klar, dass er auf keinen Fall imstande wäre, schwierige Situationen so rasch, unauffällig und machtvoll zu lösen, wie Narraway das getan hatte. Erst in diesem Augenblick, während er Croxdale benommen ansah, ging ihm auf, eine wie umfassende Verantwortung mit Narraways Aufgabe verbunden war.

»Auch ich besitze nicht die erforderlichen Fähigkeiten«, sagte er schließlich. »Und ich bin auch noch nicht lange genug dabei, als dass mir die anderen Mitarbeiter rückhaltloses Vertrauen entgegenbringen würden. Ich werde Austwick bereitwillig nach Kräften unterstützen, fühle mich aber der Führungsposition nicht gewachsen.«

Croxdale lächelte. »Mit Ihrer Bescheidenheit habe ich mehr oder weniger gerechnet. Es ist eine positive Eigenschaft, denn aus Überheblichkeit entstehen Fehler. Ich bin überzeugt, dass Sie bei anderen Rat suchen und ihn auch befolgen werden – jedenfalls in der Mehrzahl der Fälle. Soweit mir bekannt ist, hat Sie bisher weder Ihre Urteilskraft im Stich gelassen noch Ihnen der Mut gefehlt, Ihren Überzeugungen entsprechend zu handeln. Ihre früheren Leistungen sind mir bekannt, Pitt. Glauben Sie wirklich, dass die unbemerkt geblieben sind?« Er fragte das mit einer Stimme, in der ein Anflug von Belustigung lag.

»Schon möglich«, räumte Pitt ein. »Sicher wissen Sie eine ganze Menge über Leute, die Sie in Dienst nehmen. Aber ...«

»In Ihrem Fall war das anders«, widersprach ihm Croxdale, »denn Narraway hat Sie eingestellt. Aber ich habe Sie von Anfang an ganz bewusst im Auge behalten. Ihr Land braucht Sie, Pitt. Narraway hat unser Vertrauen auf die schändlichste Weise missbraucht. Sie waren seine rechte Hand, und so ist es für Sie nicht nur eine Ehre, die Ihnen angetragene Aufgabe zu übernehmen, sondern auch Ihre Pflicht.« Er hielt ihm die Hand hin.

Pitt wusste nicht, was er sagen sollte. Er empfand weder Freude noch das Gefühl, einer hohen Ehre teilhaftig zu werden, wohl aber überfielen ihn Trauer um Narraway und Angst um Charlotte. Überdies bedrückte ihn das Bewusstsein, dass man ihm hier ein Gewicht aufbürdete, ihm eine Macht im Guten oder Schlechten übertrug, die er nicht wollte. Es entsprach nicht seinem Wesen, in Situationen, die weder schwarz noch weiß, sondern grau waren und in denen Menschenleben auf dem Spiel standen, klare Entscheidungen zu treffen.

»Wir zählen auf Sie, Pitt«, sagte Croxdale. »Lassen Sie Ihr Land nicht im Stich, Mann!«

»Nein, Sir«, sagte Pitt unglücklich. »Ich werde tun, was ich kann, Sir …«

»Gut.« Croxdale lächelte. »Ich habe ja gleich gewusst, dass ich mich auf Sie verlassen kann. In dieser Hinsicht hatte Narraway Recht. Ich werde die entsprechenden Stellen von der Veränderung in Kenntnis setzen, unter anderem natürlich auch den Premierminister. Danke, Pitt, Sie haben uns eine große Last von der Seele genommen.«

Ihm blieb keine Wahl, als anzunehmen. Sogleich machte sich Croxdale daran, seinen künftigen Aufgabenbereich zu umreißen, ihm seine Vollmachten zu erklären und ihm mitzuteilen, welche Gegenleistungen er dafür erwarten durfte.

Es war Mitternacht, als Pitt in die von Laternen erhellte Nacht hinaustrat. Auf der Straße stand Croxdales Kutsche bereit, die ihn nach Hause bringen sollte.

KAPITEL 9

Als Charlotte Cormac O'Neils Haus so gefasst wie möglich verließ, fürchtete sie, jeder könne ihr die Angst, Verwirrung und hilflose Wut ansehen, die sie empfand. Ihr war bewusst, dass Narraway auf keinen Fall Cormac O'Neil getötet hatte, was auch immer er sonst auf dem Kerbholz haben mochte – und das war möglicherweise eine ganze Menge. Er hatte das Haus praktisch unmittelbar vor ihr betreten, gleich darauf hatte sie gehört, wie der Hund zu bellen begonnen und seine Lautstärke immer mehr gesteigert hatte. Ging das lediglich darauf zurück, dass er Narraways Eintreten gemerkt hatte, oder hatte es womöglich auch damit zu tun, dass er den Tod seines Herrn mitbekommen hatte?

Hatte O'Neil geschrien? Hatte er seinen Mörder gesehen, oder war er von hinten erschossen worden? Charlotte hatte keinen Schuss gehört. Das war der springende Punkt, natürlich! Sie hatte ausschließlich das Bellen des Hundes gehört. Es hatte Narraway gegolten, nicht aber demjenigen, der den Schuss abgefeuert hatte, wer auch immer das gewesen sein mochte.

Als ihr das aufging, blieb sie wie angewurzelt mitten auf der Straße stehen. Narraway konnte Cormac unmöglich erschossen haben. Diese Gewissheit gründete sich nicht darauf, dass sie an ihn geglaubt hätte, sondern auf die Umstände: Die Tatsachen ließen keinen anderen Schluss zu. Sie machte auf dem Absatz kehrt und eilte mit großen Schritten zurück zu O'Neils Haus. Dann blieb sie ebenso unvermittelt wie zuvor stehen. Warum sollte man ihr glauben? Zwar wusste sie, dass, was sie sagte, der Wahrheit entsprach, aber wer würde das bestätigen oder untermauern?

Niemand – natürlich nicht! Talulla Lawless würde ihr mit Sicherheit allein schon wegen ihres blinden Hasses auf Narraway widersprechen. Es würde sie freuen, wenn man ihn für den Mord an Cormac an den Galgen brachte. In ihren Augen wäre das ein Sieg der Gerechtigkeit – und sie würde es besonders genießen, weil sie so lange darauf hatte warten müssen. Zweifellos war ihr bewusst, dass er nicht schuldig war, denn sie hatte sich nahe genug am Ort des Geschehens aufgehalten, um selbst zu hören, wann der Hund angefangen hatte zu bellen. Doch zugleich wäre sie die Letzte, die das zugeben würde.

Das dürfte Narraway bewusst sein. Charlotte erinnerte sich an den Ausdruck seines Gesichts in dem Augenblick, als er zuließ, dass ihn der Polizeibeamte fesselte. Er hatte ihr lediglich einen kurzen Blick zugeworfen, in dem alles lag, was er zu sagen hatte. Es war unerlässlich, dass sie ihn verstand. Außerdem musste sie unbedingt einen kühlen Kopf bewahren und die Situation in allen Einzelheiten gründlich durchdenken. Handeln durfte sie erst, wenn sie sich ihrer Sache vollständig sicher war. Es genügte nicht, die Wahrheit zu kennen, sie musste auch die Möglichkeit haben, unwiderlegliche Beweise dafür vorzubringen. Es war äußerst schwierig, jemanden von etwas zu überzeugen, was dessen Empfindungen widerstrebte. Das galt in diesem Fall besonders, denn hier ging es um einen vor vielen Jahren aufgerissenen tiefen Graben zwischen Freund und Feind, um Überzeugungen, für die Menschen mit Blut und schweren Verlusten bezahlt hatten.

Sie stand nach wie vor reglos da. Inzwischen hatte sich vor dem etwa hundert Schritt entfernten Haus wegen der dort begangenen Gewalttat eine kleine Menschenmenge angesammelt. Man sah zu ihr her. Vermutlich fragten sich die Leute, warum sie dort stand.

Sie schluckte, strich sich den Rock glatt, wandte sich erneut um und machte sich auf den Weg zu einer Stelle, von der sie annahm, dass sie dort am ehesten eine Droschke zurück zur Molesworth Street finden konnte. Es galt, eine ganze Reihe praktischer Gesichtspunkte sorgfältig zu erwägen. Sie war jetzt völlig auf sich allein gestellt. In der ganzen Stadt gab es niemanden, dem sie trauen konnte. Sie musste überlegen, ob sie in Mrs Hogans Pension bleiben sollte oder ob es sicherer wäre, sich eine andere Unterkunft zu suchen, von der niemand etwas wusste. Schließlich hatte es sich inzwischen herumgesprochen, dass sie angeblich Narraways Halbschwester war.

Aber wohin könnte sie sich wenden? Wie lange würde es dauern, bis man sie in einer Stadt von der Größe Dublins aufspürte? Sie war dort fremd, eine auf sich allein gestellte Engländerin. Außer den Menschen, denen sie durch Narraways Vermittlung vorgestellt worden war, kannte sie niemanden. Sicher würde es nur Stunden dauern, bis man sie entdeckt hätte. Dann würde es lächerlich wirken, dass sie das Quartier gewechselt hatte, und den Eindruck erwecken, als habe sie einen Grund, sich zu verstecken.

Sie schritt rasch aus und versuchte so zu tun, als kenne sie ihr Ziel und wisse, was sie dort wollte. Ersteres stimmte sogar. Sie sah eine Droschke, die einen Fahrgast absetzte. Wenn sie schnell genug war, konnte sie sich von ihr in die Molesworth Street fahren lassen. Sie erreichte sie gerade in dem Augenblick, als der Kutscher sein Pferd antrieb, um zu wenden.

»Kutscher!«, rief sie. »Würden Sie mich in die Molesworth Street bringen?«

»Selbstverständlich gern«, gab er zur Antwort, beendete das Wendemanöver und ließ sie einsteigen. Erleichtert und dankbar nahm sie Platz. Sie wandte sich nicht um, während die Droschke davonfuhr. Sie konnte sich die Szene deutlich genug vorstellen. Narraway, der sich, gefesselt wie ein gefährlicher Verbrecher, in jenem Haus befand, musste sich entsetzlich einsam fühlen. Ob er Angst hatte? Sicherlich würde er das nie zeigen. Vermutlich verheimlichte er diese Angst, wenn er sie empfand, wie alle anderen Empfindungen, die ihn verletzlich machten und die er nach außen hinter seinem spöttischen Humor versteckte.

Sie mahnte sich, weniger an sich selbst zu denken. Pitt war irgendwo in Frankreich, fest überzeugt, dass Narraway nach wie vor Lisson Grove leitete, während er in Wahrheit niemanden hatte, auf den er sich stützen konnte. Nicht einmal in seinen schlimmsten Träumen würde er annehmen, dass man seinen Vorgesetzten in Irland unter Mordverdacht festhielt und das Hauptquartier des Sicherheitsdienstes sich – zumindest teilweise – in den Händen von Hochverrätern befand. Angesichts dieser Situation waren ihre eigenen Gefühle unerheblich. Wichtig war jetzt einzig und allein die Rettung Narraways, und dazu musste sie sich bemühen, die Wahrheit nicht nur zu erkunden, sondern auch zu beweisen.

Als Täter kam ausschließlich jemand in Frage, bei dessen Betreten des Hauses der Hund nicht anschlagen würde. Es musste also jemand sein, den er kannte, jemand, der dort ein und aus ging. Damit fiel der Verdacht automatisch auf Talulla. Ihr Onkel Cormac lebte allein, das hatte er am Vorabend zu Charlotte gesagt, als sie ihn gefragt hatte. Vermutlich kam von Zeit zu Zeit eine Zugehfrau zum Putzen und Waschen, doch selbst wenn man annahm, dass sie gerade jetzt dort gewesen war – welchen Grund hätte sie haben sollen, ihren Arbeitgeber zu töten? Woher hätte sie überhaupt eine Schusswaffe?

Warum also sollte ihn ausgerechnet seine Nichte Talulla getötet haben? Aus Pitts früheren Fällen war Charlotte bekannt, dass Morde ausgesprochen häufig von Angehörigen oder anderen dem Opfer nahestehenden Menschen begangen wurden. Natürlich bestand die Möglichkeit eines Raubüberfalls, doch hätte der Hund sofort angeschlagen, wenn ein Einbrecher ins Haus gekommen wäre.

Aus welchem Grund mochte Talulla ihn getötet haben – und warum gerade jetzt? Womöglich, um Narraway die Schuld daran zu geben? Doch woher hätte sie wissen können, dass er dort sein würde?

Die Antwort auf diese Frage lag auf der Hand: Der Brief, der Narraway dorthin gelockt hatte, stammte von Talulla und nicht von Cormac. Es dürfte ihr nicht schwergefallen sein, die Handschrift ihres Onkels nachzuahmen. Zwar mochte sich Narraway aus der Zeit vor zwanzig Jahren daran erinnern, wie diese aussah, aber bestimmt nicht in solchen Einzelheiten, dass er eine gute Fälschung als solche erkannt hätte.

Aber auch damit blieb nach wie vor die Frage, warum sie gerade diesen Zeitpunkt gewählt hatte. Cormac und sie waren die beiden einzigen Überlebenden der zwanzig Jahre zurückliegenden Tragödie. Er war kinderlos, und Talullas Eltern lebten nicht mehr. Zweifellos waren beide davon überzeugt, dass Narraway die Schuld an deren Tod trug. Welches Motiv aber hätte Talulla gehabt, Cormac zu töten? Gab es etwas, wovon sie nicht zulassen durfte, dass Narraway es erfuhr, und hatte er womöglich unmittelbar davorgestanden, das herauszubekommen?

Doch auch das ergab keinen Sinn, denn in dem Fall hätte es sich eher angeboten, Narraway zu töten.

Charlotte erinnerte sich an den Ausdruck, der auf Talullas Gesicht getreten war, als sie Narraway an Cormacs Leiche hatte stehen sehen. Sie war nahezu hysterisch gewesen. Sicher besaß sie beachtliche schauspielerische Fähigkeiten, wie an der Wildheit ihres Blicks und der sich überschlagenden Stimme zu erkennen gewesen war – sie dürften aber kaum so weit gehen, dass sie gleichsam auf Kommando Schweißperlen auf der Stirn und der Oberlippe hervorrufen konnte. Sie hatte kaum zu Cormacs Leiche hingesehen. Der Grund dafür konnte sein, dass ihr deren Anblick unerträglich war – aber ebenso gut auch ihr Wissen, welches Bild sie erwartete. Auch war sie nicht zu ihm getreten, um festzustellen, ob man ihm möglicherweise noch helfen konnte. Das konnte nur bedeuten, dass sie bereits im Bilde war. Auf ihrem Gesicht hatte weder der Ausdruck von Kummer gelegen, noch war dort der Wunsch zu erkennen gewesen, sich der Realität zu verschließen, sondern ausschließlich glühender Hass.

Während der Droschkenfahrt nahm Charlotte nicht das Geringste von der Schönheit der Stadt Dublin um sich herum wahr. Lediglich als ihr kalter Regen auf Gesicht und Schulter fiel, reagierte sie einen Augenblick lang auf ihre Umwelt und schloss das Fenster.

Welchen Anteil hatte Talulla an der ganzen Geschichte? Auf welche Weise hing das alles mit Mulhare und dem unterschlagenen Geld zusammen? Unmöglich konnte Talulla die Intrige in die Wege geleitet haben – es sei denn, in Lisson Grove gab es jemanden, der die Leidenschaft der Iren schürte und alte Wunden aufriss, um auf diese Weise jemanden zu finden, der ihnen Narraway vom Halse schaffte. Sofern diese Vermutung zutraf und nicht lediglich ein Produkt von Charlottes überreizter Vorstellungskraft war – wer war daran beteiligt? Wen konnte sie fragen? Gab es unter Narraways angeblichen Freunden jemanden, der bereit war, ihm zu helfen? Oder hatte er jeden einzelnen von ihnen irgendwann so sehr verprellt oder hintergangen, dass sie keinen anderen Wunsch kannten, als sich an ihm zu rächen, wenn der Zeitpunkt dafür günstig war?

Er war jetzt unendlich verletzlich. War es denkbar, dass die im Hauptquartier des Sicherheitsdienstes tätigen Männer dies eine Mal ihre kleinlichen Zänkereien und Eifersüchteleien begraben hatten, um sich zu Narraways Untergang miteinander zu verschwören? War ihr Hass stärker als ihr Gefühl für Anstand? Ihr war bewusst, dass Menschen allerlei Rechtfertigungen für ihren Hass fanden und bereit waren, dafür ihre üblichen moralischen Maßstäbe außer Acht zu lassen.

Vielleicht aber fällte sie damit ein oberflächliches Urteil, zu dem sie kein Recht hatte. Was würde sie in der umgekehrten Situation empfinden, wenn beispielsweise die Iren Englands ausländische Zwingherren wären? Würde sie, falls jemand ihre Angehörigen benutzt und verraten hätte, weiterhin an ihren Überzeugungen festhalten, sich dem Anstand und einer vorurteilsfreien Suche nach Gerechtigkeit verpflichtet fühlen? Das war denkbar – aber keineswegs sicher. Auf diese Frage könnte sie höchstens eine so theoretische Antwort geben, dass sie auf keine praktische Situation anwendbar wäre.

So oder so – Narraway hatte keinen Anteil an Cormacs Tod. Während sie sich das sagte, ging ihr auf, dass er ihrer festen Überzeugung nach nur teilweise an Kate O'Neils Untergang schuldig war. Hatten nicht die Angehörigen der Familie O'Neil ihrerseits ihn zu benutzen versucht, indem sie ihn dazu bringen wollten, Verrat an seinem Vaterland zu begehen? Zwar hatten sie allen Grund, sich zu ärgern, weil ihnen das misslungen war, aber gab ihnen das ein Recht, sich dafür an ihm zu rächen?

Sie musste unbedingt jemanden finden, der ihr helfen konnte, denn sofern sie allein auf sich gestellt blieb, konnte sie gleich aufgeben, nach London zurückkehren und Narraway sowie damit letzten Endes auch Pitt seinem Schicksal überlassen. Noch bevor sie in der Molesworth Street ankam und versuchte, Mrs Hogan die Situation zu erklären, was sich nicht vermeiden lassen würde, beschloss sie, Fiachra McDaid um Hilfe zu bitten.

»Was?«, fragte McDaid ungläubig, als sie ihm im Herrenzimmer seines Hauses das Vorgefallene berichtete.

Sie saßen in gewaltigen Ledersesseln, und Charlotte nahm an, dass es in vornehmen Herrenklubs so aussah wie dort: holzgetäfelte Wände, abgewetzte bequeme Polstermöbel und Dekorationsgegenstände aus Messing – nur dass sie bei McDaid aus reinem Silber bestanden, keltische Unikate von unschätzbarem Wert.

»Es tut mir so leid.« Sie schluckte und versuchte, ihre Fassung wiederzugewinnen. Sie hatte geglaubt, sich beherrschen zu können, und merkte jetzt, dass sie weiter davon entfernt war, als sie angenommen hatte. »Wir haben Cormac O'Neil aufgesucht. Genau genommen hatte Victor gesagt, dass er allein hinfahren wolle, aber ich bin ihm ohne sein Wissen sozusagen auf den Fersen gefolgt …«

»Wollen Sie damit sagen, Sie haben eine Droschke gefunden, deren Kutscher imstande war, ihn im Dubliner Verkehr nicht aus den Augen zu verlieren?«, fragte McDaid mit gerunzelter Stirn.

»Das nicht. Ich wusste, wohin er wollte, weil ich gestern Abend selbst dort war …«

»Bei O'Neil?« Er machte ein ungläubiges Gesicht.

»Ja. Hören Sie mir bitte zu.« Ihre Stimme war unwillkürlich lauter geworden, und sie bemühte sich, sie zurückzunehmen. »Ich bin nur wenige Augenblicke nach Victor dort eingetroffen. Kaum dass er ins Haus getreten war, hat der Hund angefangen zu bellen – aber einen Schuss habe ich nicht gehört!«

»Natürlich hat der gebellt.« Die Falten auf seiner Stirn vertieften sich. »Das tut der bei jeder Gelegenheit, außer wenn

Cormac nach Hause kommt oder vielleicht noch Talulla. Sie wohnt nur ein paar Schritte entfernt und kümmert sich um das Tier, wenn er nicht da ist. Das kommt immer mal wieder vor.«

»Nicht die Zugehfrau?«, fragte sie rasch.

»Nein. Die hat vor dem Hund Angst.« Er sah sie aufmerksam und mit ernster Miene an. »Warum fragen Sie das – spielt es eine Rolle?«

Sie zögerte, weil sie nach wie vor nicht sicher war, wie weit sie ihm trauen durfte. Was sie zu sagen hatte, war das Einzige, womit sie Narraway helfen konnte. Vielleicht war es besser, dies Wissen für sich zu behalten.

»Möglicherweise nicht«, sagte sie und sah betont verwirrt drein. Dann teilte sie ihm so zusammenhängend, wie es ihr möglich war, mit, was geschehen war, ohne den Hund noch einmal zu erwähnen. Dabei achtete sie aufmerksam auf die Reaktionen in seinem Gesicht und versuchte die Empfindungen zu deuten, die sich darauf spiegelten, Glaube oder Ungläubigkeit, Verwirrung oder Verständnis, Triumph oder Niedergeschlagenheit.

Er hörte ihr zu, ohne sie zu unterbrechen. »Und die Polizei hält Narraway für den Täter? Warum in drei Teufels Namen hätte er Cormac erschießen sollen?«

»Um sich dafür zu rächen, dass dieser ihn in London unmöglich gemacht hat«, gab sie zurück. »Jedenfalls hat Talulla das gesagt. Es klingt ja auch irgendwie sinnvoll.«

»Und glauben Sie, dass das so abgelaufen ist?«, fragte er.

Beinahe hätte sie gesagt, dass sie das Gegenteil mit Sicherheit wisse, doch fiel ihr gerade noch rechtzeitig ein, dass das ein Fehler sein könnte. »Eigentlich nicht«, sagte sie zurückhaltend. »Ich habe unmittelbar hinter ihm das Haus betreten und keinen Schuss gehört. Ganz davon abgesehen, glaube ich auch nicht, dass Victor so etwas tun würde. Es ergibt keinen Sinn.«

Er schüttelte den Kopf. »Doch, es ergibt einen Sinn. Er hat an seiner Arbeit gehangen. In gewisser Weise war sie geradezu sein Daseinszweck.« Er sah gequält drein, die Empfindungen wechselten sich auf seinem Gesicht ab. »Ich bedaure, das sagen zu müssen, und es soll nicht heißen, dass Sie ihm nicht wichtig seien, aber nach allem, was er gesagt hat, nehme ich an, dass Sie beide einander nicht besonders oft sehen.«

Jetzt war sie wütend. Sie spürte, wie der Zorn in ihr aufstieg, sich ihr Magen verkrampfte. Ihre Hände zitterten, während sie mit einer Stimme, die klang, als sei sie leicht beschwipst, sagte: »Damit haben Sie Recht. Aber Sie kennen Victor schon seit vielen Jahren. Hat er sich je wie ein Dummkopf aufgeführt?«

»Nein. Er hat so manches getan, was nicht unbedingt immer besonders anständig war, aber dumm war es nie«, gab er zu.

»Hat er je hitzköpfig oder gedankenlos gegen seine eigenen Interessen gehandelt?« Sie konnte es sich nicht vorstellen, nicht von dem Mann, den sie kannte. War er womöglich früher von dieser Art unbeherrschter Leidenschaftlichkeit gewesen? War seine übermäßige Selbstbeherrschung nichts als eine Maske? Sie fand den Gedanken sonderbar abwegig, hatte den Eindruck, als zerstöre sie damit einen Teil von ihm, den sie auf keinen Fall anders sehen wollte, als sie ihn bisher gesehen hatte.

McDaid stieß ein freudloses Lachen aus. »Nein. Er hat nie vergessen, wofür er sich eingesetzt hat. Er hätte sich unter keinen Umständen von etwas ablenken lassen, und wenn es noch so außergewöhnlich gewesen wäre. Warum fragen Sie?«

»Nun ja, sofern er wirklich geglaubt haben sollte, dass Cormac O'Neil die Sache in London eingefädelt und dafür gesorgt hat, dass man ihn der Unterschlagung bezichtigt, hätte er nie und nimmer gewollt, dass Cormac umkam«, gab sie zurück. »In dem Fall hätte er ihm ja nicht mehr sagen können, wer seine Helfershelfer waren, auf welche Weise das Ganze durchgeführt wurde oder wo sich die Beweise dafür finden lassen. Es wäre ...«

»Ich verstehe«, unterbrach er sie. »Ich verstehe. Sie haben Recht. Victor würde eine Rache nie über den Versuch stellen, seine Position wiederzuerringen, zumal in diesem Fall die beste Rache darin bestehen würde, zu zeigen, dass man ihm Unrecht getan hatte.«

»Dann muss jemand anders Cormac umgebracht und dafür gesorgt haben, dass es so aussieht, als sei er der Täter«, schloss sie. »Damit hätten sich diese Leute an ihm gerächt.«

»Ja«, stimmte er zu. Seine Augen leuchteten, seine Hände waren vollständig entspannt.

»Wären Sie bereit, mir zu helfen, festzustellen, wer der Täter war?«, fragte sie.

Er beugte sich in seinem Klubsessel ein wenig vor. »Haben Sie denn bereits eine Vorstellung, wer das gewesen sein könnte?«

Ihre Gedanken jagten sich. Was sollte sie antworten, einen wie großen Teil der Wahrheit preisgeben? Würde er sie überhaupt unterstützen können, wenn sie ihm nicht die ganze Wahrheit sagte?

»Ich habe mehrere Denkmodelle entwickelt, die aber alle keinen rechten Sinn ergeben«, wich sie aus. »Ich weiß zwar, wer Victor hasst, nicht aber, wer Cormac gehasst hat.«

Ein Ausdruck von Belustigung trat auf seine Züge und verschwand gleich wieder. Es sah aus, als verspotte er sich selbst.

»Ich nehme an, dass auch Sie es nicht wissen«, fuhr sie fort. »Sonst hätten Sie ihn wohl gewarnt. Aber vielleicht gibt es Dinge, die Sie im Rückblick besser einordnen können. Talulla ist Seans und Kates Tochter, die nach dem Tod ihrer Eltern außerhalb Dublins aufgezogen worden ist.« An seinem Blick sah sie sogleich, dass er das wusste.

»Ja, das arme Kind«, stimmte er zu.

»Das haben Sie Victor aber nicht gesagt, nicht wahr?« Es klang deutlicher wie ein Vorwurf, als sie beabsichtigt hatte.

Einen Augenblick lang senkte er den Blick, dann sah er sie wieder an. »Nein. Ich war der Ansicht, dass sie deswegen schon genug gelitten hat.«

»Ein weiteres Ihrer unschuldigen Zufallsopfer«, bemerkte sie in Anspielung auf das, was er während ihrer Kutschfahrt im Dunkeln gesagt hatte. Irgendetwas an dieser Äußerung hatte sie gestört, eine Resignation, die sie sich nicht zu eigen machen konnte. Alle Opfer gingen ihr nahe, allerdings führte ihr eigenes Land auch keinen Unabhängigkeitskampf, war nicht von einem fremden Volk besetzt, das teils Freund und teils Feind war.

»Ich fälle keine Urteile darüber, wer schuldig und wer schuldlos ist, Mrs Pitt, sondern entscheide lediglich, was nötig ist, und das auch nur dann, wenn mir keine Wahl bleibt.«

»Talulla war ein Kind.«

»Kinder werden erwachsen.«

Wusste oder erriet er, ob Talulla die Tat begangen hatte? Sie sah ihn unverwandt an und merkte, wie eine leise Angst sie dabei beschlich. Es erschreckte sie zu sehen, wie sehr er die Situation durchschaute und zugleich fähig war zu spotten. Doch dieser Spott, das erkannte sie jetzt, bezog sich nicht etwa auf ihn selbst, sondern galt ihr und ihrer Arglosigkeit. Offensichtlich war er ihr die ganze Zeit schon um einen Gedanken voraus gewesen. Sie hatte bereits zu viel gesagt, und ihm war klar, dass sie von Talullas Täterschaft überzeugt war.

»Und was wird aus solchen Kindern, wenn sie erwachsen sind?«, fragte sie jetzt. »Beispielsweise eine Frau, die bereit ist, ihrem Onkel ein Loch in den Kopf zu schießen, um sich an dem Mann zu rächen, von dem sie annimmt, dass er ihre Mutter verraten hat?«

Das überraschte ihn, wenn auch nur einen kurzen Augenblick lang, dann verschwand der Ausdruck von seinem Gesicht. »Natürlich denkt sie das«, gab er zur Antwort. »Sie kann sich nicht gut vorstellen, dass Kate freiwillig mit ihm gegangen ist, obwohl sie ihm möglicherweise sogar nach England gefolgt wäre, wenn er sie dazu aufgefordert hätte, wer weiß?«

»Sie?«, fragte sie sofort.

»Ich?« Seine Brauen hoben sich. »Ich habe nicht die geringste Ahnung.«

»Und hat Sean sie tatsächlich deshalb umgebracht?«

»Auch davon habe ich nicht die geringste Ahnung.«

Sie wusste nicht, ob sie ihm glauben durfte oder nicht. Er hatte sich ihr gegenüber reizend verhalten, hatte ihr großzügig seine Zeit geopfert, sie begleitet, war ihr aber trotz allem hinter der lächelnden Fassade vollständig fremd. Sie hatte keine Vorstellung von dem, was er dachte, hätte nicht sagen können, ob das abwegige und unerträgliche Sachen waren.

»Lauter Dinge, zu denen es ganz zufällig gekommen ist«, sagte sie. »Kate, Sean, Talulla, Cormac. Und was ist die Hauptsache, um die es dabei geht, Mr McDaid? Irlands Freiheit?«

»Könnte es für uns Iren eine bessere Sache geben, Mrs Pitt?«, fragte er in liebenswürdigem Ton. »Man kann doch sicher verstehen, dass Talulla sich das wünscht? Hat sie nicht schon genug dafür bezahlt?«

Doch das ergab keinen Sinn, erklärte die Sache jedenfalls nicht vollständig. Wer steckte hinter der Rückbuchung des für Mulhare bestimmten Geldes auf Narraways Konto? Hatte sie lediglich bewirken sollen, ihn für diese Rache nach Irland zu locken? Aber warum so kompliziert? Hätte sich Talullas Rachedurst nicht auch dadurch befriedigen lassen, dass sie Narraway selbst tötete? Warum um Himmels willen musste sie dafür den armen Cormac opfern? War das nicht unnötig verwickelt und letzten Endes auch ziemlich sinnlos? Wenn sie wollte, dass er litt, hätte sie auf eine besonders empfindliche Stelle seines Körpers zielen können, so dass er bewegungsunfähig und verstümmelt seinem langsamen Tod entgegengesiecht wäre. Da gab es viele Möglichkeiten.

Das konnte durchaus ein Teil des Bildes sein, war aber mit Sicherheit nicht alles.

»Und warum ausgerechnet jetzt? Dafür muss es doch einen Grund geben.«

McDaid sah sie nach wie vor abwartend an.

»Ich denke schon, dass sie genug dafür bezahlt hat«, beantwortete sie seine Frage. »Aber gilt das nicht auch für Cormac?«

»Ach ja ... der arme Cormac«, sagte McDaid leise. »Sie müssen wissen, dass er Kate geliebt hat. Deshalb konnte er Narraway auch nicht verzeihen. Kate konnte Cormac gut leiden, hätte ihn aber nie geliebt ... In erster Linie wohl, weil er Seans Bruder war. Ich habe immer Cormac für den Besseren der beiden gehalten. Vielleicht hat Kate am Ende ebenso gedacht.«

»Das würde aber nicht erklären, warum ihn Talulla erschossen hat«, gab Charlotte zu bedenken.

»Da haben Sie Recht. Natürlich nicht ...«

»Auch so ein Zufallsopfer, gleichsam nebenbei?«, fragte sie mit einem Anflug von Bitterkeit. »Wessen Freiheit wollen Sie um einen so hohen Preis erringen? Wird dabei nicht auf die Dauer zu viel Kummer angehäuft?«

Einen Augenblick lang blitzte es in seinen Augen auf, dann war der Ärger verflogen. Aber er war unübersehbar gewesen.

»Auch Cormac hatte sich schuldig gemacht«, sagte er finster.

»Und worin bestand seine Schuld? Darin, dass er überlebt hat?«

»Ja, aber das war nicht alles. Er hat sich keine sonderlich große Mühe gegeben, Sean zu retten. Ehrlich gesagt hat er es kaum versucht. Wenn er die Wahrheit gesagt hätte, wäre Sean jetzt ein Held und nicht ein Verbrecher, der seine Frau in einem Anfall rasender Eifersucht umgebracht hat.«

»Vielleicht hat aber Cormac in ihm genau das gesehen«, gab sie zu bedenken. »Gramgebeugte Menschen reagieren mitunter langsam. Es dauert eine Weile, bis die Benommenheit von ihnen weicht. Vielleicht war er zu entsetzt, als dass er etwas Vernünftiges hätte unternehmen können. Welche Möglichkeiten hätte er denn überhaupt gehabt? Hat Sean nicht selbst gesagt, warum er Kate umgebracht hatte?«

»Er hat so gut wie nichts gesagt«, sagte McDaid und hielt diesmal den Blick auf den Boden gerichtet, statt Charlotte anzusehen.

»Auch er war wohl zu benommen«, sagte sie. »Aber jemand muss Talulla gesagt haben, dass Cormac ihren Vater hätte retten können, und das hat sie geglaubt. Es ist leichter, im eigenen Vater einen verratenen Helden zu sehen als einen eifersüchtigen Ehemann, der seine Frau umgebracht hat, weil sie ihm zusammen mit seinem Feind, noch dazu einem Engländer, Hörner aufgesetzt hat.«

McDaid sah sie mit erneut aufflammendem Zorn an, beherrschte seine Züge aber gleich darauf wieder so vollständig, dass sie geneigt war anzunehmen, sie habe sich das eingebildet.

»So sieht es aus«, stimmte er zu. »Aber wie können wir irgendeinen dieser Punkte beweisen?«

Sie spürte, wie Kälte in ihr hochkroch. »Das weiß ich nicht. Ich versuche es mir zu überlegen.«

»Seien Sie auf der Hut, Mrs Pitt«, mahnte er sie freundlich. »Ich fände es ausgesprochen bedauerlich, wenn auch Sie gleichsam nebenbei zum Opfer würden.«

Sie brachte es fertig zu lächeln, so, als könne sie sich nicht vorstellen, dass seine Worte ebenso sehr eine Drohung wie eine Mahnung enthielten. Sein Gesicht kam ihr vor wie eine geisterhafte Maske, die sie zu durchschauen vermochte. »Danke. Es ist sehr zuvorkommend von Ihnen, sich um mich Sorgen zu machen, und ich verspreche Ihnen, dass ich mich vorsehen werde.« Sie stand auf und bemühte sich, fest auf den Beinen zu stehen. »Jetzt sollte ich wohl besser gehen. Es war ein ... ein entsetzlicher Tag.«

Als sie in der Molesworth Street eintraf, trat Mrs Hogan sogleich auf sie zu. Sie sah verlegen drein und verdrehte ihre Schürze in den Händen.

Charlotte sprach das Thema an, bevor Mrs Hogan nach Worten suchen konnte.

»Offensichtlich haben Sie bereits von der entsetzlichen Sache mit Mr O'Neil gehört«, sagte sie. »Ich hoffe sehr, dass Mr Narraway imstande ist, der Polizei bei ihren Nachforschungen behilflich zu sein. Er hat mit solchen Tragödien eine gewisse Erfahrung. Selbstverständlich hätte ich Verständnis dafür, wenn Sie es lieber sähen, dass ich unterdessen bei Ihnen ausziehe. Natürlich müsste ich eine Übergangslösung finden, bis ich nach Hause zurückkehren kann. Ich nehme an, dass das einen oder zwei Tage dauern wird. Also werde ich die Sachen meines Bruders zusammenpacken und zunächst bei mir unterbringen, damit Sie sein Zimmer weitervermieten können. Soweit ich weiß, sind die nächsten Nächte bereits bezahlt?«

Wenn der Himmel wollte, würde sich der Fortgang der Angelegenheit in zwei Tagen entschieden haben, und zumindest ein weiterer Mensch in Dublin würde mit Sicherheit wissen, dass Narraway die Tat nicht begangen hatte.

Mrs Hogan war peinlich berührt. Mit diesen Worten hatte ihr Charlotte die Sache aus den Händen genommen, und jetzt wusste sie nicht, was sie tun sollte. Ganz wie von Charlotte erhofft, stimmte sie dem vorgeschlagenen Kompromiss zu. »Danke, Ma'am. Das wäre sehr freundlich von Ihnen.«

»Wenn Sie mir den Schlüssel für das Zimmer meines Bruders geben könnten, werde ich das gleich erledigen.« Mit diesen Worten hielt Charlotte ihr die Hand hin.

Zögernd händigte ihr Mrs Hogan den Schlüssel aus.

Charlotte schloss Narraways Zimmer auf und ging hinein. Als sie die Tür hinter sich geschlossen hatte, kam sie sich wie ein Eindringling vor. Sie würde seine Habe einpacken und darum bitten, dass man ihr den großen Koffer trug, wenn sie es nicht schaffte, ihn selbst hinüber in ihr Zimmer zu schleifen.

Wichtiger als seine Hemden, Socken und Wäsche waren Papiere. Hatte er womöglich irgendetwas schriftlich festgehalten? Falls ja – war es so abgefasst, dass sie es verstehen konnte? Könnte sie doch wenigstens Thomas um Rat fragen! Er hatte ihr noch nie so sehr gefehlt wie jetzt. Andererseits war ihr bewusst: wenn er hier wäre, befände sie sich jetzt in ihrem Haus in London, statt verzweifelt zu versuchen, eine Aufgabe auszuführen, für die sie sich so wenig eignete. Hier ging es nicht um ein alltägliches Verbrechen, für das sich die Beweise in aller Ruhe Stück für Stück zusammentragen ließen. Sie befand sich in einem fremden Land, von dessen Träumen und Vorstellungen sie so gut wie nichts wusste und in dem sie niemanden so recht kannte. Vor allem aber wurde sie dort als Feindin wahrgenommen, und das mit Grund, denn das Gewicht von Jahrhunderten der Geschichte stand gegen sie.

Sie öffnete Narraways Koffer, ging an den Kleiderschrank, nahm seine Anzüge und Hemden heraus, faltete alles ordentlich zusammen und packte es ein. Dann zog sie die Kommodenschubladen auf, wobei sie sich vorkam, als stecke sie ihre Nase in Angelegenheiten, die sie nichts angingen, nahm seine Leibwäsche heraus und packte sie ebenfalls ein. Auch den Schlafanzug unter dem Kopfkissen vergaß sie nicht. Sein zweites Paar Schuhe wickelte sie in ein Tuch, damit sie keine Schmutzspuren auf den Kleidungsstücken hinterließen, und legte sie zu dem Übrigen.

Als Nächstes wandte sie sich den Toilettenartikeln zu, wobei sie einige lange schwarze und graue Haare aus seiner Haarbürste entfernte. Was für ein persönlicher Gegenstand so eine Haarbürste doch war! Ihr folgten die Zahnbürste, sein Rasierzeug und eine kleine Kleiderbürste. Dabei kam ihr der Gedanke, wie entsetzlich sich dieser stets wie aus dem Ei gepellt auftretende Mann in einer Gefängniszelle fühlen musste, in der man sich wohl so gut wie nicht waschen konnte und keinerlei Privatsphäre hatte.

Seine wenigen Papiere fand sie in der obersten Schublade, zum Glück nicht in einer verschlossenen Dokumentenmappe. Allerdings konnte das nur bedeuten, dass sie einem Außenstehenden nichts sagen würden.

Nachdem sie seinen Koffer in ihrem Zimmer in eine Ecke gestellt hatte, ging sie die wenigen Notizen durch, die er sich gemacht hatte. Sie waren ein sonderbares Spiegelbild seines Wesens, zeigten eine Seite von ihm, von der sie nichts geahnt hatte. Meist waren es kleine, geradezu winzige Zeichnungen, doch ausgesprochen gut ausgeführt, auch wenn es nur Strichmännchen waren. Sie zeigten charakteristische Merkmale auf so lebendige Weise, dass sie sogleich wusste, wen sie darstellen sollten.

Neben einem kleinen Mann in einer gestreiften Hose, in dessen Hutband ein Geldschein steckte, stand eine Frau mit wirrem Haar und hinter ihm eine weitere, noch schlankere Frau, bei deren Armen und Beinen die Knochen durch die Haut zu stoßen schienen.

Obwohl Arme und Beine nur angedeutet waren, wusste Charlotte sogleich, dass es sich dabei um John und Bridget Tyrone handeln musste. Die andere Frau wirkte so ungebärdig, dass ihr sogleich Talulla in den Sinn kam. Neben sie hatte Narraway ein Fragezeichen gemacht.

Außer einem Mann, von dem man lediglich die obere Hälfte sehen konnte, als stecke er bis zu seinen Armen in etwas, war das alles. Sie sah eine ganze Weile hin, bis ihr mit Entsetzen die Erleuchtung kam. Es war Mulhare, der ertränkt worden war, weil ihn das Geld nicht erreicht hatte.

Die kleine Zeichnung wies auf eine Verbindung zwischen Talulla und John Tyrone hin. Charlotte wusste, dass er Bankier war, und die Art der Darstellung ließ darauf schließen, dass das sein entscheidendes Merkmal war. In dem Fall dürfte er in der Angelegenheit eine entscheidende Rolle gespielt haben. Lief der Kontakt nach London über ihn? Hatte er aufgrund seines Berufs die Möglichkeit gehabt, Geld von Dublin nach London zu verschieben und mit Hilfe eines Mitwissers oder Mittäters in Lisson Grove dafür zu sorgen, dass es erneut auf Narraways Konto landete?

In dem Fall stellte sich die Frage, wer sein Kontaktmann in Lisson Grove war und aus welchem Grund dieser auf so infame Weise gehandelt hatte. Das würde ihr niemand außer Tyrone sagen können.

Ob es sinnlos oder gar gefährlich sein würde, ihn aufzusuchen? Sie wusste nicht, an wen sie sich sonst hätte wenden können, da ihr nicht bekannt war, wer außer ihm mit der Sache zu tun hatte. Auf keinen Fall konnte sie McDaid noch einmal aufsuchen, denn in ihr festigte sich immer mehr die Gewissheit, dass seine Äußerungen über Unschuldige, die »zufällig nebenbei« Opfer wurden, einerseits Ausdruck seiner Weltanschauung waren, ihr aber auch zur Warnung dienen sollten. Er kam ihr vor wie eine Urgewalt, die sich ihren Weg ohne Rücksicht auf Hindernisse bahnt.

War Talulla die treibende Kraft hinter Cormacs Tod oder nur das Werkzeug in den Händen eines anderen gewesen? Dafür käme sicher jemand wie John Tyrone infrage, der so harmlos wirkte, aber in Dublin und London eine gewisse Macht verkörperte, die ausreichte, um einen Verräter in Lisson Grove zu lenken, wenn nicht gar jemanden dazu zu machen.

Sie sah zwei Möglichkeiten: Entweder ging sie zu Tyrone, oder sie gab auf, kehrte nach London zurück und überließ es Narraway, sich der Anklage zu stellen, immer vorausgesetzt, dass er bei der Gerichtsverhandlung noch lebte. Würde man ihm einen Prozess gemäß den gesetzlichen Vorschriften machen? Das war nicht unbedingt sicher. Die alten Wunden waren noch nicht verheilt, und der englische Sicherheitsdienst würde sich nicht auf seine Seite schlagen. Bei Licht besehen blieb ihr keine andere Möglichkeit, als Tyrone aufzusuchen.

Das Mädchen, das auf ihr Klopfen geöffnet hatte, ließ sie mit unübersehbarem Zögern eintreten.

»Ich muss dringend mit Mr Tyrone sprechen«, sagte Charlotte, kaum, dass sie in dem hohen Vestibül stand. »Es hat mit dem Mord an Mr Mulhare und an dem armen Mr O'Neil zu tun.«

»Ich sage es ihm«, gab das Mädchen zurück. »Wen darf ich melden?«

»Mrs Charlotte Pitt.« Sie zögerte nur einen kleinen Augenblick. »Victor Narraways Schwester.«

»Sehr wohl, Ma'am.« Sie ging davon und klopfte an eine Tür auf der gegenüberliegenden Seite des Vestibüls. Sie wurde geöffnet, das Mädchen sagte etwas, kehrte zurück und bat Charlotte, ihr zu folgen.

Das Mädchen klopfte erneut an die Tür.

»Herein.« Tyrones Stimme klang schroff.

Das Mädchen öffnete und ließ Charlotte eintreten. Offenkundig war Tyrone bei der Arbeit. Zahlreiche Papiere lagen auf seinem großen Schreibtisch verstreut.

Er erhob sich zu ihrer Begrüßung, ohne ein Hehl daraus zu machen, dass er sich gestört fühlte.

»Ich bitte um Entschuldigung«, sagte sie. »Ich weiß, dass es spät ist und ich Sie überdies in Ihrem Hause aufsuche, ohne eingeladen worden zu sein. Aber die Sache duldet keinen Aufschub. Schon morgen würde es unter Umständen keine Möglichkeit mehr geben, etwas zu retten, sofern sich überhaupt noch etwas retten lässt.«

Mit erkennbarer Ungeduld trat er von einem Fuß auf den anderen. »Ich bedaure zutiefst, Mrs Pitt, dass ich nicht weiß, auf welche Weise ich Ihnen behilflich sein könnte. Ich denke, ich werde dem Mädchen sagen, dass sie meine Frau dazuholt.« Das klang mehr nach einer Ausflucht als nach einem ernstgemeinten Vorschlag. »Sie hält sich bei einer Nachbarin auf und kann gleich hier sein.«

»Ich muss aber Sie sprechen«, teilte sie ihm mit. »Vielleicht sollten Sie, um Ihren Ruf zu wahren, das Mädchen hereinbitten, auch wenn das, was ich mit Ihnen zu besprechen habe, vertraulich ist.«

»In dem Fall dürfte es das Beste sein, wenn Sie mich während der Geschäftszeiten in meinem Büro aufsuchten.«

Sie lächelte knapp und förmlich. »Die Vertraulichkeit betrifft ausschließlich Sie, Mr Tyrone. Das ist auch der Grund, warum ich gekommen bin.«

»Ich weiß nicht, wovon Sie reden.«

Ihre Vermutung gründete sich ausschließlich auf Narraways Zeichnung, denn außer ihr hatte sie nichts in der Hand.

Entschlossen wagte sie den Sprung ins kalte Wasser. »Es geht um das für Mulhare bestimmte Geld, das Sie auf das Londoner Konto meines Bruders zurücküberwiesen haben. Das Ergebnis dieser Transaktion war der Tod Mulhares und der berufliche Ruin meines Bruders, Mr Tyrone.«

Möglicherweise hatte er die Absicht, die Anschuldigung abzustreiten, doch eine unwillkürliche Veränderung bestätigte die Richtigkeit ihrer Vermutung: Alles Blut war aus seinem Gesicht gewichen, so dass seine Haut fast grau aussah. Er holte tief Luft, überlegte es sich dann aber offenbar anders und sagte nichts. Seine Augen funkelten, und einen Augenblick lang fragte sich Charlotte, ob er jemanden herbeiklingeln und sie auf die Straße setzen lassen wollte. Zwar würde vermutlich kein Dienstbote gegen sie handgreiflich werden, doch sollte sich einer der in die Angelegenheit verwickelten Mittäter im Hause befinden, würde das die Gefahr nur vergrößern, in der sie schwebte. McDaid hatte sie gewarnt.

Oder nahm Tyrone womöglich an, sie sei auf die eine oder andere Weise an Cormac O'Neils Ermordung beteiligt?

Jetzt zitterte ihre eigene Stimme. »Zu viele Menschen sind bereits zu Schaden gekommen. Sicher wissen Sie auch, dass man den armen Cormac O'Neil heute Morgen ermordet hat. Es ist an der Zeit, diesen Dingen ein Ende zu bereiten. Ich will gern glauben, dass Sie keine Vorstellung davon hatten, was für Tragödien sich aus jener Geldüberweisung ergeben würden, und habe auch volles Verständnis für Ihren Hass auf jene, die ein Land besetzen, das von Rechts wegen Ihnen gehört. Aber durch Mord und Verrat lässt sich nichts gewinnen. Sie führen lediglich zu weiteren Tragödien unter denen, die darin verwickelt sind. Falls Sie an der Wahrheit meiner Worte zweifeln sollten, brauchen Sie sich nur anzusehen, was geschehen ist: Alle O'Neils sind tot. Sogar das, was sie einst miteinander verband, ist zerstört, denn sowohl Kate als auch Cormac sind von denen ermordet worden, die sie geliebt haben.«

»Ihr Bruder hat Cormac getötet«, sagte er schließlich.

»Nein. Er war bereits tot, als wir sein Haus erreichten.«

Er war verblüfft. »Sie sagen ›wir‹? Waren Sie denn ebenfalls dort?«

»Unmittelbar hinter ihm, aber nur wenige Sekunden später als er ...«

»Dann konnte er ihn umgebracht haben, bevor Sie ins Haus getreten sind.«

»Nein. Ich bin ihm praktisch auf den Fersen gefolgt und hätte einen Schuss hören müssen. Ich habe lediglich gehört, dass der Hund angefangen hat zu bellen, als Victor das Haus betreten hat.«

Er stieß einen tiefen Seufzer aus, als hätten sich vor seinem inneren Auge plötzlich die Bestandteile des Puzzles zu einem finsteren Bild zusammengefügt, das er trotz aller Widerwärtigkeit erkennen konnte. Auf sein Gesicht trat der Ausdruck tiefen Schmerzes.

»Kommen Sie bitte mit in mein Arbeitszimmer«, sagte er matt. »Ich weiß nicht, was Sie jetzt noch an der Sache ändern könnten. Die Polizei ist von Narraways Täterschaft überzeugt, weil sie das glauben möchte. Ihm schlägt hier ein tief verwurzelter Hass entgegen, der weit in die Vergangenheit reicht. Man hat ihn sozusagen auf frischer Tat ertappt und wird sich keine Mühe geben, nach etwas zu suchen, was ihn entlasten könnte. Sie wären gut beraten, wenn Sie nach London zurückkehrten, solange Sie noch die Möglichkeit dazu haben.«

Er führte sie durch den Raum zu seinem Arbeitszimmer und schloss die Tür hinter ihnen. Dort bot er ihr einen Stuhl an und nahm ebenfalls Platz.

»Ich weiß nicht, was ich Ihrer Ansicht nach tun könnte, um etwas an der Situation zu ändern.« In seiner tonlosen Stimme lag der Ausdruck von Hoffnungslosigkeit.

»Erklären Sie mir genau, wie die Geldtransaktion abgelaufen ist«, forderte sie ihn auf.

»Inwiefern könnte das von Nutzen sein?«

»Insofern, als man dann beim Sicherheitsdienst in London wüsste, dass nicht Victor das Geld an sich genommen hat.«

Sie musste unbedingt daran denken, ihn stets beim Vornamen zu nennen. Wenn sie nur ein einziges Mal aus Versehen »Mr Narraway« sagte, würde sie sich und damit auch ihn ins Unglück stürzen.

Er lachte spöttisch auf. »Und was nützt ihm das, wenn man ihn hier in Dublin wegen Mordes an O'Neil hängt? Das Ganze hat etwas von poetischer Gerechtigkeit. Auch wenn Sie auf eine logische Erklärung hinauswollen, wird es Ihnen nichts helfen, dass er das Geld nicht an sich genommen hat. O'Neil hatte nicht das Geringste mit der Sache zu tun, aber das hat Ihr Bruder nicht gewusst.«

»Doch, das war ihm klar!«, gab sie sofort zurück. »Was glauben Sie, woher ich das weiß?«

Damit hatte er nicht gerechnet, das sah sie sogleich in seinen Augen.

»Und was soll ich Ihnen jetzt sagen?«, fragte er.

»Wer außer Ihnen daran beteiligt war. Irgendjemand in Lisson Grove muss Ihnen die Kontendaten mitgeteilt haben, damit Sie die Sache in die Wege leiten konnten. Diesen Leuten lag nicht daran, Ihnen zu helfen, sondern sie waren darauf aus, Victor aus dem Sicherheitsdienst hinauszudrängen. Man hat sich zu diesem Zweck Ihrer als Werkzeug bedient.« Sie hatte sich nicht überlegt, was sie sagen würde, bis ihr die Worte über die Lippen gekommen waren. War sie wirklich überzeugt, dass Charles Austwick dahintersteckte? Das musste nicht unbedingt der Fall sein. Ebenso gut hätten es ein Dutzend andere aus einem Dutzend verschiedener Gründe tun können, und sei es nur, weil man sie dafür bezahlt hatte. Aber auch dann wiesen die Spuren nach Irland. Wer wäre in dem Fall der Geldgeber gewesen? Und welche Gründe hätte er gehabt? Ging es nur um Rache, oder war ein Feind darauf aus gewesen, Narraways Position seinem eigenen Mann zuzuschanzen? Es gab so viele denkbare Möglichkeiten. Steckte einfach persönlicher Ehrgeiz hinter diesem Manöver, oder hatte gar jemand, den Narraway des Diebstahls oder Verrats zu verdächtigen Grund hatte, diesen Schlag aus dem Hinterhalt geführt, damit er ihn nicht überführen und entlarven konnte?

Sie sah Tyrone abwartend an, der abzuschätzen versuchte, wie viel sie wissen mochte. Allerdings meinte sie in seinen Augen noch etwas anderes zu erkennen. Er schien sich in einer Weise verletzt zu fühlen, die sie nicht mit dieser alten Rachegeschichte in Verbindung zu bringen vermochte.

»Austwick?«, riet sie, bevor der Augenblick vorüber war.

»Ja«, sagte er leise.

»Hat er Sie bezahlt?« Es war ihr unmöglich, die Verachtung aus ihrer Stimme herauszuhalten.

Ruckartig hob er den Kopf. »Nein! Ich habe das aus Hass auf Narraway, Mulhare und alle anderen Verräter an Irland getan.«

»Victor ist kein Verräter an Irland!«, gab sie zu bedenken.

»Er ist genau so englisch wie ich. Sie sagen mir bewusst die Unwahrheit.« Einer Eingebung folgend, fügte sie aufs Geratewohl hinzu: »Hatte er womöglich nicht nur eine Affäre mit Kate O'Neil, sondern auch mit Ihrer Frau?«

Tyrones Gesicht wurde flammend rot, und er erhob sich halb. »Wenn Sie nicht wollen, dass ich Sie hinauswerfe, werden Sie sich sofort dafür entschuldigen, dass Sie den Namen meiner Frau mit Ihrer verdorbenen Fantasie in den Schmutz gezogen haben. Aber ich nehme an, dass Sie Ihren Bruder sehr viel besser kennen als ich. Ist er überhaupt Ihr Bruder?«

Jetzt war es an Charlotte zu erröten. »Vielleicht sind Sie derjenige, der eine verdorbene Fantasie hat, Mr Tyrone«, sagte sie mit einer Stimme, die unter anderem deshalb bebte, weil sie wusste, was Narraway für sie empfand.

Da ihr keine Möglichkeit einfiel, sich zu verteidigen, ging sie zum Angriff über. »Warum tun Sie das für Charles Austwick? Was bedeutet er Ihnen? Er ist Engländer und jemand, der Macht und ein hohes Amt in eben dem Geheimdienst anstrebt, der ins Leben gerufen wurde, um Irlands Hoffnungen auf Selbstbestimmung zu zerschlagen.« Ihr war bewusst, dass sie damit übertrieb. In Wahrheit hatte man den Sicherheitsdienst zum Kampf gegen die Bomben- und Mordanschläge gegründet, mit denen interessierte Kreise in Großbritannien Terror verbreiten wollten, um zu erreichen, dass man den Iren die Selbstbestimmung gewährte. Doch diese Unterscheidung erschien ihr pedantisch und in der gegenwärtigen Situation ihrer Ansicht nach unerheblich.

Mit wütender Stimme zischte Tyrone: »Es kümmert mich einen Dreck, wer an der Spitze Ihrer verdammten Dienste steht, ob geheim oder nicht. Mir ging es um die Gelegenheit, Narraway aus dem Weg zu räumen. Verglichen mit ihm ist Austwick ein Dummkopf.«

»Sie kennen ihn also doch genauer?« Sie klammerte sich an den einzigen Bestandteil seiner Aussage, der eine Möglichkeit zu enthalten schien, ihn anzugreifen, und sei es auch nur kurzfristig.

Hinter ihr ertönte ein leises Geräusch, es klang wie Stoff, der den Türrahmen streifte.

Sie wandte sich um und sah Bridget Tyrone nur einen Schritt von sich entfernt stehen. Mit einem Mal wurde sie von tiefer Angst erfasst. Wenn man ihr etwas antäte, könnte sie sich die Lunge herausschreien, ohne dass jemand sie hörte ... oder sich dafür interessierte. Es kostete sie alle Kraft, ruhig stehen zu bleiben und mit – zumindest annähernd – ruhiger Stimme weiterzusprechen.

Es war sinnlos, so zu tun, als habe Tyrones Frau das Gespräch nicht mit angehört.

Charlotte saß in der Falle, das war ihr klar. Die blinde Wut in Bridgets Gesicht war unverkennbar. Beide Frauen traten im selben Augenblick einen Schritt vor. Noch nie im Leben hatte Charlotte eine andere Frau geschlagen, doch als sie sich umsah, als wolle sie etwas zu Tyrone sagen, und merkte, dass auch er auf sie zukam, holte sie mit dem Arm aus, so weit sie konnte, und legte ihr ganzes Gewicht in den Schlag, mit dem sie Bridget am Kopf traf.

Diese fiel zur Seite und stieß gegen ein Tischchen voller Bücher, das unter dem Anprall umfiel. Sie schrie laut auf, ebenso sehr vor Schmerz wie vor Wut. Das lenkte ihren Mann ab, der daraufhin zu ihr eilte, um ihr auf die Beine zu helfen. Diese Gelegenheit nutzte Charlotte dazu, den Raum zu verlassen und mit schnellem Schritt durch das Vestibül der Haustür entgegenzueilen. Sie riss sie auf und stürmte auf die Straße hinaus, ohne sich auch nur ein einziges Mal umzusehen. Mit beiden Händen ihre Röcke raffend, um nicht zu stolpern, rannte sie bis zur nächsten Hauptstraße. Dort kam sie so außer Atem an, dass sie keinen Schritt mehr gehen konnte. Sie ließ die Röcke los und begann, nachdem sie wieder zu Atem gekommen war, so würdevoll, wie sie konnte, die schwach beleuchtete Straße entlangzugehen. Dabei hielt sie Ausschau nach einer Kutschenlaterne, in der Hoffnung, möglichst bald eine Droschke zu finden, die sie in ihre Pension bringen würde. Sie wollte diese Gegend so rasch wie möglich hinter sich lassen.

Als sie endlich eine Droschke anhalten konnte, nannte sie dem Kutscher die Adresse und stieg ein. Unterwegs versuchte sie ihre Gedanken zu ordnen.

Noch hatte sie nicht alle Zusammenhänge durchschaut, kannte lediglich einzelne Elemente, die nur teilweise zueinander passten. Talulla war Seans und Kates Tochter. Wann hatte sie, und sei es auch nur in groben Zügen, erfahren, was wirklich geschehen war? Noch wichtiger aber war unter Umständen die Frage, wer sie über die Hintergründe aufgeklärt hatte.

Hatte man ihr das in dem Bewusstsein mitgeteilt, dass sie gewaltsam darauf reagieren würde? Kannten diese Leute sie so gut, hatten sie sich ihre Einsamkeit, ihr Gefühl, ungerecht behandelt worden zu sein, mit voller Absicht zunutze gemacht, um zu erreichen, dass sie Cormac ermordete und Narraway die Schuld daran gab? Ihr mochte das als gerechtfertigte Rache für die Zerstörung ihrer Familie erscheinen. Mitunter war Wut das einfachste Ventil für einen unerträglichen Schmerz. Das hatte Charlotte nur allzu oft erlebt, war sogar selbst vor langer Zeit beim Tod ihrer Schwester Sarah davon betroffen gewesen, hatte die damit verbundene Angst und Enttäuschung kennengelernt. Es entsprach dem Wesen des Menschen, anzunehmen, dass irgendjemand ja für alle Ungerechtigkeiten verantwortlich sein müsse und folglich dafür zu bezahlen hätte.

Wer aber mochte Talulla auf diese Weise benutzt haben? Und warum? Hatte es Cormac lediglich »zufällig getroffen«, wie Fiachra McDaid zu sagen pflegte, in einem Kampf, der einem höheren Ziel diente? War in Wirklichkeit Narraway das eigentliche Opfer, um das es demjenigen ging? Wenn man Narraway für einen Mord hängte, den er nicht begangen hatte, wäre das in Talullas Augen in der Tat eine Art poetische Gerechtigkeit. Da sie überzeugt war, dass er die Schuld am Tod ihrer Mutter trug und ihr Vater nichts damit zu tun hatte, musste sich das für sie als elegante und geradezu vollkommene Lösung darstellen.

Aber wer steckte dahinter? Wer hatte sie dazu angestiftet, ihr die nötigen Informationen geliefert, ihre Leidenschaft angestachelt und damit gleichsam ihre Hand geführt? Und aus welchem Grund? Cormac dürfte es kaum gewesen sein und auch nicht John Tyrone, denn der schien nichts davon zu wissen, und Charlotte glaubte ihm das. Seine Frau Bridget? Möglich. Auf jeden Fall hatte sie mit der Sache zu tun. Die Art, wie sie an jenem ersten Abend spontan auf Charlotte reagiert hatte, war zu heftig gewesen, als dass dahinter Unwissenheit stehen konnte. Im Rückblick fragte Charlotte sich, ob Bridget wohl mehr gewusst hatte als ihr Mann.

Von wem? War auch Tyrone, zumindest teilweise, ein weiteres beiläufiges Zufallsopfer? Hatte sich jemand seiner bedienen können, weil er verletzlich war, seine Frau mehr liebte als sie ihn und er als Bankier Zugang zu den erforderlichen Geldmitteln hatte?

Auf all diese Fragen gab es eine Antwort, der sie sich endlich stellen musste: Niemand anders konnte dahinterstecken als Fiachra McDaid. Auch wenn er mit der Vergangenheit nicht das Geringste zu tun gehabt haben und in keiner Weise in die Tragödie verwickelt gewesen sein mochte, so hatte er sich die ganze Geschichte doch zunutze gemacht. Für ihn bedeutete das Ziel alles und die Mittel, die ihm dazu dienten, es zu erreichen, nicht das Geringste. Das galt auch für die Opfer, die dabei auf der Strecke blieben, ob schuldig oder nicht.

Doch inwiefern konnte es der Sache Irlands dienen, dass man Narraway aus dem Sicherheitsdienst entfernte? Man würde einen anderen an seine Stelle setzen. War es das? Wollte man einen von den Iren gekauften und bezahlten Verräter einsetzen? Noch während sie diesem Gedanken nachhing, hielt die Droschke vor Mrs Hogans Pension. Sie hatte der Wirtin versprochen, am nächsten oder übernächsten Tag auszuziehen. Neben der Notwendigkeit, außer ihrem eigenen Gepäck auch das Narraways fortschaffen zu lassen, gab es andere Schwierigkeiten zu bedenken. Im Vordergrund stand das Bewusstsein, dass ihr Geld nicht für einen längeren Aufenthalt reichen würde, zumal sie noch ihre Fahrscheine für die Fähre und den Zug kaufen musste.

Wenn sie alles recht bedachte, blieb ihr eigentlich keine andere Wahl, als am nächsten Morgen zur Polizei zu gehen und dort ihre Sicht der Dinge darzulegen. Allerdings hatte sie für keine ihrer Annahmen Beweise. Das Einzige, was sie unter Umständen würde beweisen können, war, dass sie Cormacs Haus unmittelbar nach Narraway betreten hatte und kein Schuss zu hören gewesen war. Lediglich der Hund hatte angefangen zu bellen.

Man würde sie fragen, warum sie das nicht gleich gesagt hatte. Sollte sie zugeben, dass sie angenommen hatte, man werde ihr nicht glauben? Würde sich ein schuldloser Mensch so verhalten?

Sie fiel in einen unruhigen Schlaf und wurde immer wieder wach, wobei sie jedes Mal daran denken musste, dass das Problem nach wie vor ungelöst war.

In der Haftzelle der nur gut einen Kilometer von Cormac O'Neils Haus entfernten Polizeiwache saß Narraway auf seiner Pritsche. Nach außen hin war er völlig reglos, doch seine Gedanken jagten sich. Er musste nachdenken, planen. Wenn man ihn ins Zentralgefängnis der Stadt verlegte, wäre das für ihn das Ende. Immer vorausgesetzt, er überlebte die Haft dort überhaupt so lange, würden sich bei der Hauptverhandlung Zeugen nur verschwommen erinnern, würde man sie dazu gebracht haben, Dinge anders einzuschätzen, als es der Wirklichkeit entsprach, oder gar dazu, sie zu vergessen. Weit schlimmer aber erschien es ihm, dass die unsichtbaren Mächte, die ihn nach Irland und Pitt nach Frankreich gelockt hatten, ihr Vorhaben, worin auch immer es bestehen mochte, inzwischen ausgeführt haben würden und man das Rad nicht mehr würde zurückdrehen können.

Länger als zwei Stunden saß er da, ohne sich zu rühren. Niemand kam, der das Wort an ihn gerichtet, ihm etwas zu essen oder zu trinken gebracht hätte. Mit der Zeit gewann in seinem Kopf ein verzweifelter Plan Gestalt. Mit dessen Ausführung hätte er gern bis zum Einbruch der Dunkelheit gewartet, doch durfte er nicht das Risiko eingehen, dass man ihn bis dahin schon ins Zentralgefängnis gebracht hätte. Im Tageslicht wäre die Verwirklichung seines Vorhabens zwar weit gefährlicher, aber möglicherweise war es sogar nötig, dass man ihn sah. Auf jeden Fall, davon war er überzeugt, gab es für ihn nur diese eine Gelegenheit.

Aufmerksam lauschte er auf die leisesten Geräusche jenseits der Zellentür, achtete auf die kleinste Bewegung. Er hatte sich genau überlegt, was er zu tun hatte, wenn es so weit war.

Als ein Beamter den schweren Schlüssel im Schloss drehte und die Tür aufstieß, sah er, dass Narraways schönes weißes Hemd zerrissen an den Gitterstäben des Fensters hing und der Gefangene in einer Stellung am Boden lag, als habe er sich das Genick gebrochen.

»He, Flaherty!«, rief der Beamte. »Komm, schnell! Der blöde Mistkerl hat sich aufgehängt.« Er trat zu Narraway und beugte sich über ihn, um nach seinem Puls zu fühlen. »Heilige Mutter Gottes, ich glaub, der is' tot!«, sagte er vor sich hin. »Flaherty, wo zum Teufel bleibst du?«

Bevor Flaherty kommen konnte, sprang Narraway auf und traf den Mann so heftig am Kinn, dass dessen Kopf nach hinten ruckte. Narraway versetzte ihm erneut einen Hieb, mit dem er ihn bewusstlos schlagen, aber auf keinen Fall töten wollte. Der Mann sollte höchstens fünfzehn oder zwanzig Minuten lang ohnmächtig sein, denn er brauchte ihn lebend und gehfähig. Er legte ihn dorthin, wo er selbst gelegen hatte, zerrte ihm den Uniformrock vom Leibe und nahm ihm die Schlüssel ab. Ihm blieb gerade noch Zeit, sich hinter die Tür zu stellen, als Flaherty eintrat.

Besorgt hielt er den Atem an für den Fall, dass Flaherty etwas witterte und die Geistesgegenwart besaß, die Tür hinter sich abzuschließen oder, schlimmer, sie sogleich zuzuschlagen und den Schlüssel von außen herumzudrehen. Aber der Anblick des Kollegen am Boden brachte ihn zu sehr aus der Fassung, als dass er einen klaren Gedanken hätte fassen können. Er eilte auf den Mann zu, wobei er dessen Namen rief. Narraway nutzte diese einzige Gelegenheit, die er hatte. Er schlüpfte aus der Zelle, zog die Tür hinter sich zu und drehte den Schlüssel um. Im nächsten Augenblick hörte er Flaherty rufen. Gut so. Man würde den Mann nach wenigen Minuten befreien. Für seinen Plan war es wichtig, dass man ihn verfolgte.

Beim Verlassen der Wache achtete er sorgfältig darauf, dass ihn niemand sah, und blieb zweimal regungslos stehen, bis die Schritte der den Kollegen zu Hilfe eilenden Beamten verhallt waren.

Draußen auf der Straße hingegen rannte er mit voller Absicht. Er wollte auffallen, wollte, dass sich die Leute an ihn erinnerten, damit jemand den Verfolgern sagen konnte, in welche Richtung er sich gewandt hatte, falls sie nicht von selbst darauf kamen. Dazu aber müssten sie die Zusammenhänge kennen.

Es regnete. Schon bald war er durchnässt, und die Haare klebten ihm am Kopf. Die Passanten sahen ihn verblüfft an, wie er ohne Hemd unter der Jacke an ihnen vorüberrannte, aber niemand trat ihm in den Weg. Vermutlich hielten sie ihn für betrunken.

Für den Fall, dass noch Polizeibeamte Cormacs Haus bewachten, musste er sich außer Sichtweite halten. Unter keinen Umständen durfte er sich jetzt gleich fassen lassen. Er verlangsamte den Schritt und ging auf die andere Straßenseite. Als niemand zu sehen war, überquerte er vor Talullas Haus die Straße erneut. Falls sie nicht an die Tür kam, würde er eine Fensterscheibe einschlagen und sich gewaltsam Zutritt verschaffen müssen. Sein Plan beruhte darauf, dass sie einander gegenüberstanden, wenn ihn die Polizei einholte.

Er klopfte.

Nichts rührte sich. Und wenn sie gar nicht zu Hause war, sondern Bekannte aufgesucht hatte? War das denkbar, so kurz, nachdem sie ihren Onkel ermordet hatte? Sicherlich hatte sie da das Bedürfnis, allein zu sein? Außerdem musste sie sich um den Hund kümmern. Würde sie nicht warten, bis die Polizei abgezogen war, damit sie die von ihrem Onkel aufbewahrten Unterlagen über ihre Eltern aus dessen Haus holen konnte?

Er hämmerte erneut an die Tür.

Nach wie vor geschah nichts.

War sie womöglich schon dort? Er hatte keine Polizeibeamten vor der Tür gesehen. Oder hatte sie sich in ihrem Haus hingelegt, seelisch erschöpft von dem Mord und der endlich vollzogenen Rache?

Er zog die Uniformjacke aus, wickelte sie, während ihm der Regen auf den nackten Oberkörper prasselte, um die Faust und schlug eine Fensterscheibe neben der Tür ein, wobei er sorgfältig darauf achtete, dass es nicht klirrte. Dann öffnete er das Fenster und kletterte hindurch. Er zog die Jacke wieder an und ging leise von Zimmer zu Zimmer, um zu sehen, wo sich Talulla aufhielt.

Das Haus war verlassen. Er hatte nicht angenommen, dass ein Dienstmädchen da sein würde, denn bestimmt hatte Talulla ihr den Tag freigegeben. Sie sollte nichts mitbekommen, weder Schüsse noch das Bellen des Hundes hören.

Er verließ das Haus durch die Hintertür und eilte mit raschen Schritten auf Cormacs Haus zu. Die Zeit wurde knapp. Seine Verfolger konnten jeden Augenblick eintreffen. Vorwärts! Vorwärts!

Er hielt sich nicht mit Anklopfen auf. Ihm blieb keine Zeit zu warten, und ohnehin war es nicht wahrscheinlich, dass Talulla jetzt jemandem öffnen würde.

Erneut zog er die Jacke aus. Inzwischen zitterte er vor Kälte, vielleicht auch vor Furcht. Wieder schlug er ein Fenster ein und war binnen Sekunden im Haus. Sogleich fing der Hund wild zu bellen an.

Er sah sich suchend um und trat in einen Raum, der aussah wie eine Speisekammer. Er musste unbedingt die Küche erreichen, bevor Talulla sich ihm in den Weg stellte. Wenn sie den Hund auf ihn hetzte, musste er bereit sein. Was sollte sie daran hindern? Schließlich war er in das Haus eingedrungen und wurde bereits des Mordes an Cormac verdächtigt. Da hatte sie jede Rechtfertigung, die sie brauchte.

Rasch öffnete er die Tür und fand sich in der Spülküche, die unmittelbar neben der Küche lag. Kaum hatte er einen hölzernen Schemel ergriffen, als Talulla die Tür von der Küche aus öffnete. Im selben Augenblick stürmte der Hund wild bellend auf ihn los.

Bei Narraways Anblick blieb Talulla verblüfft stehen. Er hob den Schemel so, dass dessen dünne spitze Beine auf den Hund wiesen.

»Ich möchte dem Tier nichts tun«, sagte er. Er musste laut sprechen, um das Bellen zu übertönen. »Rufen Sie ihn zurück.«

»Damit Sie mich auch umbringen können?«, rief sie ihm entgegen.

»Stellen Sie sich nicht dumm!« Er hörte die Wut in seiner eigenen Stimme, die er kaum noch beherrschen konnte. »Sie haben Ihren Onkel selbst umgebracht, um sich endlich zu rächen.«

Ein hartes, kaltes Lächeln voller Hass trat auf ihre Züge. »Sicher – aber hängen werden Sie dafür, Victor Narraway, und der Geist meines Vaters wird frohlocken. Ich werde da sein, um zuzusehen – das schwöre ich.« Sie wandte sich dem Hund zu. »Ruhig, ruhig«, gebot sie. »Lass ihn zufrieden. Ich will, dass er vor Gericht kommt und zum Tode verurteilt wird. Wenn du ihm jetzt die Kehle zerfetzt, ginge das zu schnell und wäre zu einfach.« Sie richtete den Blick wieder auf Narraway.

Irgendetwas lenkte den Hund ab, er fuhr in Richtung Haustür herum und knurrte drohend.

»Zu einfach?« Narraway hörte den Unterton von Verzweiflung in seiner Stimme. Auch ihr dürfte das nicht entgehen.

Das tat es in der Tat nicht, und ihr Lächeln wurde breiter. »Ich will Sie hängen sehen, will das Entsetzen mitbekommen, wenn man Ihnen die Schlinge um den Hals legt und Sie keuchend nach Atem ringen, Ihre Zunge sich verfärbt und aus dem Mund quillt. Dann werden Sie keinen Frauen mehr schön tun, nicht wahr? Macht man sich in die Hose, wenn man aufgehängt wird? Verliert man dann alle Beherrschung und Würde?« Sie kreischte jetzt mit verzerrtem Gesicht.

»Genaugenommen sollen die Schlinge und die Falltür dafür sorgen, dass man sich das Genick bricht, und zwar sofort«, sagte er. »Man soll gleich tot sein. Vermindert das Ihre Vorfreude?«

Schwer atmend sah sie ihn an. Mit zurückgezogenen Lefzen konzentrierte sich der Hund vollständig auf das, was er an der Haustür hörte, und das Knurren, das aus seiner Kehle drang, wurde lauter.

Sofern Talulla merkte, dass jemand dort war – und er hoffte, dass es die Polizei war –, würde sie aufhören zu reden und vielleicht sogar behaupten, Narraway habe sie angegriffen. Aber sie schien nicht darauf zu achten. Sie kostete ihren Triumph aus, weil sie endlich die Möglichkeit hatte, ihm zu sagen, auf welche Weise sie ihn in die Falle gelockt hatte.

Er machte eine plötzliche Bewegung auf sie zu.

Der Hund fuhr zu ihm herum und bellte erneut. Er hob ihm den Schemel entgegen für den Fall, dass er ihn anspringen würde.

»Jetzt haben Sie wohl Angst?«, sagte sie mit unüberhörbarer Befriedigung.

Er bemühte sich, mit ruhiger Stimme zu sprechen, während er sagte: »McDaid hat Sie angestiftet, nicht wahr? Was hat er Ihnen gesagt? Und warum gerade jetzt? Er war einmal mein Freund.«

»Seien Sie nicht albern!«, stieß sie mit einer Stimme hervor, der anzuhören war, dass sie fast an ihren Worten erstickte. »Er hasst Sie genauso wie wir alle.«

»Was hat er Ihnen gesagt?«, ließ er nicht locker.

»Wie Sie meine Mutter, diese Hure, verführt und dann preisgegeben haben. Sie sind Schuld an ihrem Tod und haben zugelassen, dass mein Vater dafür gehängt wurde!« Jetzt schluchzte sie.

»Aber warum mussten Sie den armen Cormac umbringen, um mir einen Mord anhängen zu können?«, fragte er. »War Ihr Onkel Ihnen so wenig wert? Die Tat können nur Sie begangen haben. Sie waren der einzige Mensch, bei dessen Eintreten ins Haus der Hund nicht bellen würde, denn Sie haben ihn gefüttert, wenn Cormac nicht da war. Er ist an Ihre Anwesenheit gewöhnt. Wenn ich der Täter gewesen wäre, hätte er die ganze Nachbarschaft zusammengekläfft.«

»Sehr klug«, stimmte sie zu. »Aber beim Prozess wird das niemand wissen, und niemand wird Ihrer Schwester glauben, wenn sie überhaupt Ihre Schwester ist, weil alle als selbstverständlich voraussetzen, dass sie zu Ihnen hält.«

»Haben Sie Cormac wirklich nur umgebracht, um mich auf diese Weise zu erledigen?«, fragte er erneut.

»Nein, wohl aber dafür, dass er nichts getan hat, um meinen Vater zu retten! Keinen Handschlag, absolut nichts!«

»Sie waren damals erst sechs oder sieben Jahre alt.«

»McDaid hat mir das gesagt!«, schluchzte sie.

»Ach ja, McDaid – der irische Freiheitsheld, der die Gesellschaftsordnung in ganz Europa durch eine Revolution umgestalten will. Das Alte soll zerstört werden, damit das Neue aufgebaut werden kann. Glauben Sie etwa, das würde Irland die Freiheit bringen? Für McDaid sind Sie eine entbehrliche Nebenfigur, ebenso wie ich, Ihre Eltern oder jeder andere Mensch.«

In diesem Augenblick ließ sie das Halsband des Hundes los und hetzte ihn auf Narraway. Während ihm dieser den Schemel entgegenhielt und halb auf dem Rücken landete, als der Hund dagegen sprang, kamen zwei Polizeibeamte durch die Diele hereingestürmt. Einer von ihnen riss den Hund so heftig am Halsband zurück, dass er ihm fast die Luft abgedrückt hätte, während der andere Talulla festhielt.

Narraway stand mühsam auf und versuchte hustend und keuchend Luft zu bekommen.

»Danke«, sagte er mit heiserer Stimme. »Ich hoffe, Sie waren lange genug hier, um zu hören, was sie gesagt hat.«

»Das waren wir«, gab der ältere der beiden zur Antwort. »Aber für Sie bleibt trotzdem noch der eine oder andere Anklagepunkt übrig. Da wäre beispielsweise der tätliche Angriff auf einen Polizeibeamten in Ausübung seines Dienstes sowie Flucht aus dem Polizeigewahrsam. Ich an Ihrer Stelle würde die Beine in die Hand nehmen, als wenn der Teufel hinter mir her wäre, und dafür sorgen, dass ich nie wieder einen Fuß auf irischen Boden setzte.«

»Ein glänzender Ratschlag.« Narraway stand stramm, machte eine zackige Ehrenbezeigung, wandte sich dann um und lief davon, ganz wie es ihm der Beamte geraten hatte.

Am nächsten Morgen verabschiedete sich Charlotte nach einem rasch eingenommenen Frühstück von Mrs Hogan und ließ eine Droschke kommen, die sie mit allem Gepäck zu der Polizeiwache bringen sollte, auf der Narraway festgehalten wurde.

Ihr war elend zumute. Als einzige Lösung war ihr eingefallen, den Beamten mitzuteilen, dass sie eine Aussage zum Tod Cormac O'Neils zu machen habe. Hoffentlich gab es auf der Wache einen einflussreichen Beamten mit klarem Verstand, der bereit war, sich ihren Bericht anzuhören.

Je näher sie ihrem Ziel kam, desto aussichtsloser erschien ihr, was sie sich vorgenommen hatte.

Der Gedanke, sich mit mehr Gepäck, als sie tragen konnte, einfach dort absetzen zu lassen, ängstigte sie ebenso sehr wie die Vorstellung, dass niemand ihre Geschichte glauben würde. Etwa hundert Schritt von der Wache entfernt hielt der Kutscher urplötzlich an und beugte sich nach unten, um mit jemandem zu sprechen, den Charlotte nicht sehen konnte.

»Wir sind noch nicht da!«, sagte sie verzweifelt. »Bitte fahren Sie noch ein Stück weiter. Ich kann das Gepäck unmöglich so weit tragen. Genau genommen kann ich es überhaupt nicht tragen.«

»Bedaure«, sagte der Kutscher in einem Ton, als empfinde er aufrichtiges Mitgefühl. »Das war einer von der Polizei. Er hat gesagt, dass ein gefährlicher Gefangener ausgebrochen ist und sie einen Aufruhr in der Bevölkerung fürchten. Sie haben die Straße ab hier gesperrt.«

»Ein Gefangener?«

»Ja. Engländer. Schrecklich brisant soll die Sache sein. Er ist gestern noch vor Tagesende einfach verschwunden. Wie sie in seiner Zelle nachgesehen haben, war er weg. Sie lassen keinen mehr zur Wache durch.«

Charlotte sah ihn an, als verstehe sie nicht, was er sagte, während sich ihre Gedanken überschlugen. Geflohen? Gestern? Ein Engländer? Das konnte nur Narraway sein, oder nicht? Vermutlich war ihm noch deutlicher bewusst als ihr, wie viele Menschen ihn hassten, wie leicht es ihnen fallen würde, dafür zu sorgen, dass die Beweise in einer Gerichtsverhandlung nach ihren Vorstellungen manipuliert wurden. Wem würde man glauben – etwa ihm, einem Engländer, mit seiner Vergangenheit? Oder Talulla Lawless, die obendrein Sean O'Neils und, was vielleicht noch wichtiger war, Kates Tochter war? Wer würde bereit sein, auch nur in Gedanken zu erwägen, sie könne Cormac erschossen haben?

Nach wie vor sah der Kutscher zu Charlotte hin und wartete auf ihre Entscheidung. »Ja dann ...« Sie suchte nach Worten. Sie wollte zwar Narraway nicht allein in Irland zurücklassen, schon gar nicht jetzt, da man nach ihm suchte, aber sie sah keine Möglichkeit, ihm zu helfen. Woher hätte sie wissen sollen, wohin er sich wenden würde? War sein Ziel der Norden oder der Süden, das Landesinnere, oder wollte er sich bis zur Westküste durchschlagen? Auch wusste sie nicht, ob er im Lande jemanden kannte, den er um Hilfe bitten konnte, seien es Freunde oder alte Verbündete.

Dann überfiel sie ein neuer Gedanke und ließ sie erstarren. Bestimmt hatte man ihm bei seiner Festnahme alles abgenommen, auch sein Geld. Wenn er mittellos war, wovon würde er leben, seine Kosten bestreiten? Sie musste ihm helfen, obwohl sie selbst kaum noch Geld hatte.

Wenn er sich nur nicht einem der Menschen anvertraute, die er in Dublin kannte! Sie alle würden ihn an die Polizei ausliefern. Ihnen blieb gar keine andere Möglichkeit, denn sie waren einer wie der andere durch Erinnerungen und Bluttaten miteinander verbunden, durch alten Kummer, der zu tief reichte, als dass man ihn hätte vergessen können.

Mit der Frage »Wohin wollen Sie jetzt?« unterbrach der Kutscher ihren Gedankengang.

Nicht nur hatte Charlotte kein Geld, sie würde Narraway als seine angebliche Schwester auch nichts nützen, sondern ihm eher schaden. Sie konnte nichts für ihn tun. Ihre einzige Hoffnung bestand darin, nach London zurückzukehren und Hilfe bei Pitt oder zumindest bei Tante Vespasia zu finden.

»Fahren Sie mich bitte nach Kingstown zum Fährhafen«, sagte sie, so gefasst sie konnte. »Ich denke, es dürfte das Beste sein, wenn ich das nächste Schiff nach England nehme.«

»Gern.« Er stieg wieder auf den Bock, wendete und trieb sein Pferd an.

Die nicht besonders lange Fahrt kam Charlotte endlos vor. Der Weg führte sie durch Straßen, in denen ohne weiteres sieben oder acht Kutschen nebeneinander fahren konnten, doch sie wirkten verglichen mit den verstopften Straßen Londons nahezu leer. Sie konnte es nicht abwarten, die Insel zu verlassen, doch zugleich war sie von Bedauern erfüllt. Sie würde gern eines Tages als namenlose Besucherin, frei von alten Belastungen, zurückkehren, um deren Schönheiten zu genießen. Jetzt aber beugte sie sich vor, spähte hinaus und zählte die Minuten bis zum Fährhafen. Nachdem ihr Gepäck abgeladen war, sah sie entmutigt die langen Schlangen von Menschen, die darauf warteten, an Bord des Dampfers zu gehen. Das Gedränge war so groß, dass sie immer wieder angestoßen wurde. Es war gar nicht einfach, das Gepäck nicht aus dem Auge zu verlieren und gleichzeitig das Geld aus dem Ridikül zu holen, um gleich eine Fahrkarte zu kaufen. Zweimal hätte man ihr fast den eigenen Koffer entwendet, während sie versuchte, den Narraways von der Stelle zu rücken.

»Darf ich behilflich sein?«, sagte eine Stimme dicht neben ihr.

Gerade wollte sie ablehnen, als sie eine Hand auf der ihren spürte, die nach Narraways Koffer griff. Sie hätte am liebsten vor Verzweiflung geweint, doch sie hob wütend ihren Fuß und trat dem Mann mit dem Absatz auf den Spann.

Er keuchte vor Schmerz auf, ließ aber den Koffer nicht los.

Sie hob den Fuß erneut, um noch fester zuzutreten.

»Charlotte, lass das verdammte Ding doch endlich los«, stieß Narraway zwischen den Zähnen hervor.

Darauf fiel ihr der eigene Koffer aus der Hand. Sie war so aufgebracht, dass sie ihn hätte ohrfeigen können, und zugleich so erleichtert, dass sie spürte, wie ihr die Tränen in die Augen traten und über die Wangen liefen.

»Ich nehme an, dass du kein Geld hast«, sagte sie mit erstickter Stimme.

»Nicht besonders viel«, gab er ihr Recht. »Ich habe mir von O'Casey etwas geborgt, so dass es für die Fähre nach Holyhead reicht. Aber da du mein Gepäck und damit mein Geld mitgebracht hast, schaffen wir die Strecke bis London auch noch. Bleib nicht stehen. Wir müssen Fahrkarten kaufen, und ich möchte unbedingt diese Fähre erreichen. Vielleicht bleibt mir keine Möglichkeit mehr, auf die nächste zu warten. Ich nehme an, dass man mich schon bald hier suchen wird. Ich muss unbedingt nach London, denn ich fürchte, dass da demnächst etwas Entsetzliches geschieht.«

»Es sind schon mehrere entsetzliche Dinge geschehen«, hielt sie dagegen.

»Sicher. Aber wir müssen verhindern, was in unseren Kräften steht.«

»Ich habe herausbekommen, wie die Sache mit dem Geld für Mulhare abgelaufen ist, und bin ziemlich sicher, dass ich weiß, wer dahintersteckt.«

»Tatsächlich?« In seiner Stimme lag unüberhörbar die Begierde, mehr zu erfahren.

»Ich sage es dir, wenn wir an Bord sind. Hast du den Hund gehört?«

»Was für einen Hund?«

»Cormacs Hund.«

»Natürlich. Das arme Vieh hat sich gegen die Tür geworfen, kaum dass ich im Haus war.«

»Und hast du auch den Schuss gehört?«

»Nein. Du etwa?«, fragte er verblüfft.

»Nein«, antwortete sie mit einem Lächeln.

»Ich verstehe.« Sie standen jetzt vor dem Fahrkartenschalter. Auch er lächelte, aber diesmal galt es dem Mann hinter dem Schalter. »Bitte zweimal Holyhead.«

KAPITEL 10

Pitt war sprachlos, als er den wahren Umfang und die ganze Bedeutung seiner neuen Aufgabe erfasste. Es gab weit mehr zu bedenken, als die vergleichsweise unerhebliche Frage, ob die Verschwörung der Sozialisten auf dem europäischen Kontinent ernsthafte Ausmaße annehmen würde oder es sich dabei um nichts weiter als einen erneuten Ausbruch der von Zeit zu Zeit auftretenden Gewaltäußerungen handelte, zu denen es im Lauf der letzten Jahre hier und da gekommen war. Immer vorausgesetzt, dass ein bestimmtes Vorhaben geplant war, dürfte es mit großer Wahrscheinlichkeit nicht auf England abzielen.

Als mit Frankreich verbündete Macht hatte England die Pflicht, alle wichtigen Informationen an die Behörden jenes Landes weiterzuleiten. Doch was hätte er sagen können, was über bloße Spekulationen hinausging? West war umgebracht worden, bevor er ihnen hatte mitteilen können, was er wusste. Im Rückblick lag der Verdacht nahe, dass Gower ein Verräter war. Doch war das alles, oder hatte noch mehr dahintergesteckt? Hatte West Kenntnis davon gehabt, auf welchen der Mitarbeiter außer Gower man sich in Lisson Grove nicht verlassen konnte? Und auf welcher Ebene spielte sich der Verrat ab? Ging es dabei um eine sozialistische Verschwörung? Hatte man die Betreffenden mit Geld oder Macht geködert? Oder steckte Erpressung hinter der Sache, und falls ja, worauf gründete sie sich? Ging es darum, dass man jemanden als Schuldigen hingestellt hatte wie Narraway, und hatte der Betreffende dem Druck nachgegeben, um seine Haut zu retten?

War womöglich auch Narraway bedroht worden, und hatte er sich dagegen zur Wehr gesetzt? Oder hatten man ihn einfach ohne Vorankündigung kaltgestellt, im Bewusstsein dessen, dass ein solcher Versuch sinnlos sein würde?

Während er in Narraways früherem Büro saß, gingen ihm all diese Gedanken durch den Kopf. Würde er der Nächste sein? Er hatte keine Vorstellung davon, welche Bedrohung er nach Ansicht jener unbekannten Kräfte für sie bedeuten konnte. Wohl auf keinen Fall eine so große wie Narraway. Er sah sich in dem Raum um, der ihm von der anderen Seite des Schreibtisches so vertraut gewesen war, dass er sogar jetzt noch, da er mit dem Rücken zur Wand saß, vor seinem inneren Auge die von Narraway dort aufgehängten Bilder sehen konnte. Es waren überwiegend Bleistiftzeichnungen von kahlen Bäumen mit wirrem Geäst, hinter denen der Himmel lediglich angedeutet war. Auf einer der Zeichnungen allerdings war ein alter steinerner Turm am Meer zu sehen, doch auch dort war der Vordergrund genauestens mit Licht und Schatten herausgearbeitet, während die See dahinter lediglich den Eindruck endloser Ferne vermittelte.

Er nahm sich vor, Austwick zu fragen, wo die Bilder jetzt waren, und sie wieder an ihren alten Platz zu hängen. Seiner Ansicht nach gehörten sie dorthin. Außerdem würden sie ihn ständig an Narraway erinnern – ein ebenso tröstender wie betrüblicher Gedanke. Falls man ihn nicht wieder in sein Amt einsetzte, würde Pitt sie ihm zurückgeben, denn sie waren sein Eigentum.

Narraway würde genau wissen, wie all die zum Teil widersprüchlichen Aufgaben in den sich vor Pitt auf dem Schreibtisch türmenden Akten zu erledigen waren. Unter ihnen befanden sich Berichte örtlicher Polizeidienststellen, aber auch solche von Mitarbeitern des Sicherheitsdienstes, die in verschiedenen Teilen des Landes tätig waren, während wieder andere aus Städten aller Länder Europas kamen. Manche dieser Vorgänge waren Pitt bekannt, über andere hingegen wusste er so gut wie nichts, da Narraway sie persönlich bearbeitet hatte.

Gewiss, Austwick hatte ihm Aktennotizen hinterlassen. Aber wie konnte er sich auf etwas von dem verlassen, was dieser Mann gesagt oder geschrieben hatte, ohne dass sich eine vertrauenswürdige Stelle für dessen Richtigkeit verbürgte? Solche Bestätigungen einzuholen würde Zeit in Anspruch nehmen, die er nicht hatte. Und wem durfte er überhaupt trauen? Ihm würde nichts anderes übrigbleiben, als den ganzen Wust durchzuarbeiten. Er würde die dringendsten Fälle zuerst in Angriff nehmen müssen, Angaben miteinander vergleichen, streichen, was ihm unwahrscheinlich erschien, und dann überlegen, was mit dem Rest zu tun war.

Während der Vormittag verging und ein Mitarbeiter nach dem anderen mit weiteren Akten, Lageberichten und schriftlich niedergelegten Einschätzungen hereinkam, wurde ihm schmerzlich bewusst, wie einsam sich Narraway gefühlt haben musste. Auch wenn er sich wohl auf die Ehrlichkeit mancher seiner Untergebenen verlassen durfte, mochte das nicht unbedingt für deren Urteilskraft gelten, jedenfalls nicht in jeder Beziehung. Bei anderen war er überzeugt, ihnen nicht einmal Tatsachenbehauptungen glauben zu dürfen, und so wagte er niemandem zu vertrauen. Jetzt, da er die Führung hatte, gestand ihm niemand Verletzlichkeit oder Unsicherheit zu, und alle waren überzeugt, dass man ihn nicht zu beraten brauchte.

Auf den Gesichtern der meisten seiner Untergebenen erkannte er Höflichkeit und den Respekt, den sie dem Mann an der Spitze schuldeten, doch sah er auf manchen auch Neid und in einzelnen Fällen Wut darüber, dass man ihn, der noch nicht sonderlich lange da war, bei der Beförderung allen anderen vorgezogen hatte. Keiner erwies ihm die Art von Achtung, die er brauchte, um sicher zu sein, dass sie ihm über das der Pflicht geschuldete Maß hinaus loyal sein würden. Eine solche Art von Treuebezeigung musste man sich verdienen.

Er hätte gern den größten Teil dessen, was er besaß, dafür gegeben, dass Narraway wieder an diesem Schreibtisch sitzen konnte. Stets fürchtete er, eine Situation falsch zu beurteilen, die Bedeutung von Informationen nicht richtig einzuschätzen oder auch einfach nicht den nötigen Mut und Verstand aufzubringen, um richtige Entscheidungen zu treffen. Ein einziger größerer Fehler, den er beging, konnte genügen, einen anderen Menschen das Leben zu kosten.

Aber Narraway saß jetzt irgendwo in Irland. Warum nur hatte Charlotte ihn begleitet? Um ihn im Kampf gegen das ihm angetane Unrecht zu unterstützen – oder aus Ergebenheit einem Freund gegenüber, der auf Hilfe angewiesen war? Wie sehr das ihrem Wesen entsprach! Andererseits aber war Narraway Pitts Freund und nicht der ihre. Noch während er über die Situation nachdachte, fielen ihm ein Dutzend kleiner Einzelheiten ein, die ihm gezeigt hatten, dass Narraway schon seit längerem in Charlotte verliebt war.

Er konnte sich genau erinnern, wann er das zum ersten Mal gemerkt hatte. Ihm war aufgefallen, wie sich Narraway in der Küche des Hauses in der Keppel Street umgewandt hatte, um sie anzusehen. Sie hatten es zu jener Zeit mit einem schwierigen Fall zu tun gehabt, und Narraway hatte ihn am späten Abend zu Hause aufgesucht, um mit ihm über einen neu aufgetretenen Aspekt zu sprechen. Charlotte, die ein altes Kleid trug, da es keinen Grund gegeben hatte, mit Besuch zu rechnen, hatte den Kessel aufgesetzt, um Tee zu machen. Das Licht der Lampe war auf eine ihrer Wangen und ihr dunkles Haar gefallen und hatte es aufschimmern lassen. Vor seinem inneren Auge sah Pitt noch, wie sie den Küchenhandschuh genommen hatte, um sich nicht die Finger am Wasserkessel zu verbrennen.

Als Narraway etwas sagte und sie sich zu ihm umwandte und lachte, hatte ihn der Ausdruck seines Gesichts verraten.

Ob ihr bewusst war, was Narraway für sie empfand?

Vor Jahren, ganz zu Anfang ihrer Beziehung, war es Pitt wie eine Ewigkeit vorgekommen, bis sie gemerkt hatte, dass er sie liebte. Seither hatten sie sich alle verändert. Damals war sie ein wenig unbeholfen gewesen, die mittlere von drei Schwestern und die einzige, für die die Mutter so recht keinen passenden Ehemann hatte finden können. Jetzt aber wusste Charlotte doch sicher, dass sie geliebt wurde, etwas anderes war gar nicht möglich. Zwar war denkbar, dass sie nicht wusste, wie sehr Pitt an ihr hing, doch hielt er das für unwahrscheinlich.

Bestimmt war sie entrüstet über die Ungerechtigkeit, mit der man Narraway behandelt hatte. Ganz davon abgesehen war sie ihm nach wie vor dankbar dafür, dass er Pitt zu einer Zeit, als es ihm schlecht ging, in den Sicherheitsdienst übernommen hatte. Ohne diese Anstellung hätte das Leben der Familie Pitt damals eine ausgesprochen trostlose Wendung nehmen können. Sofern ihr bewusst war, was Narraway für sie empfand, würde sie das in ihrem Verantwortungsgefühl ihm gegenüber womöglich noch bestärken. Zwar wäre es lachhaft anzunehmen, sie schulde ihm deswegen etwas – schließlich hatte sie nicht um seine Gunst gebuhlt –, aber Pitt wusste nur allzu gut, wie einfühlsam sie verletzliche Menschen behandelte. Das ging auf einen Beschützerinstinkt zurück, ähnlich wie ihn ein Muttertier mit Jungen hat. Sie würde erst handeln und dann nachdenken. Gerade wegen dieses Wesenszuges liebte er sie. Wäre sie anders, vernunftbetonter und weniger einfühlsam, würde ihm etwas unendlich Wertvolles fehlen. Trotzdem war dies Charaktermerkmal ein gewisser Schwachpunkt.

Obwohl der Papierstapel auf dem Tisch vor ihm dringend bearbeitet werden musste, waren seine Gedanken nach wie vor bei Charlotte.

Wo mochte sie sein? Auf welche Weise ließe sich ihr Aufenthaltsort feststellen, ohne dass er sie dadurch in Gefahr brachte? Wem konnte er bedingungslos vertrauen? Noch vor einer Woche hätte er Gower geschickt und ihm damit unwissentlich und ohne es zu wollen eine Geisel in die Hand gespielt, wie er sich keine bessere hätte wünschen können.

Sollte er Verbindung mit der Polizei in Dublin aufnehmen?

Vielleicht war es das Beste, wenn niemand dort wusste, wer sie war.

Er empfand eine geradezu schmerzliche Hilflosigkeit. Obwohl ihm der gesamte Apparat und sämtliche Mittel des Sicherheitsdienstes zur Verfügung standen, waren ihm die Hände gebunden, da er nicht wusste, wem er trauen durfte.

Es klopfte. Auf sein »Herein« trat Austwick mit weiteren Papieren ein. Er machte eine bedenkliche Miene.

Pitt war froh, in die Gegenwart zurückkehren zu müssen. »Was bringen Sie?«, fragte er.

Austwick setzte sich, ohne dazu aufgefordert worden zu sein. Unwillkürlich kam Pitt der Gedanke, dass er das bei Narraway kaum gewagt haben dürfte. Worauf sich die Überheblichkeit des Mannes wohl gründen mochte?

»Weitere Berichte aus Manchester«, gab Austwick zur Antwort. »Allmählich erweckt die Sache den Anschein, als ob Latimer in Bezug auf die Fabrik in Hyde Recht hat. Die Leute stellen Schusswaffen her, streiten es aber ab. Außerdem ist da die verkorkste Geschichte in Glasgow. Wir müssen die Sache genauer unter die Lupe nehmen, bevor da alles ganz aus dem Ruder läuft.«

»Im letzten Bericht hieß es, dass es da lediglich um junge Leute ging, die demonstrierten«, erinnerte ihn Pitt. »Narraway hatte dazu angemerkt, dass man die Sache am besten auf sich beruhen lassen sollte.«

Austwick verzog angewidert das Gesicht. »Ich nehme an, dass er sich da schon nicht mehr um die Interessen des Landes gekümmert hat. Leider wissen wir nicht, wann seine … Nachlässigkeit begann. Am besten lesen Sie den Bericht selbst. Ich habe die Sache seit seinem Ausscheiden bearbeitet und bin überzeugt, dass er sie in jeder Hinsicht falsch eingeschätzt hat. Außerdem können wir es uns nicht leisten, Schottland einfach zu ignorieren.«

Pitt schluckte die Antwort herunter, die ihm auf der Zunge lag. Er traute Austwick nicht, durfte ihm das aber nicht zeigen. Er hatte den Eindruck, mit dieser Sache nur Zeit zu vergeuden, von der er ohnehin zu wenig hatte.

»Was ist mit den Berichten über die Sozialisten auf dem Kontinent?«, erkundigte er sich. »Ist irgendetwas aus Deutschland gekommen? Und was ist mit den russischen Emigranten in Paris?«

»Nichts Wichtiges«, gab Austwick zurück. »Auch von Gower haben wir nicht das Geringste gehört.« Er sah Pitt mit erkennbarer Unruhe in den Augen an.

So gelassen er konnte, gab Pitt zurück: »Er wird sich vermutlich erst melden, wenn er etwas Bemerkenswertes zu berichten hat. Schließlich ist es nicht ungefährlich, von Saint Malo aus Kontakt mit Lisson Grove aufzunehmen. Immerhin geht da alles durch das örtliche Postamt.«

Austwick schüttelte den Kopf. »Offen gestanden halte ich die Sache für belanglos. Vielleicht hat man West nur deshalb umgebracht, weil die Leute dahintergekommen waren, dass er für uns arbeitete. Ich denke, dass es sich dabei um einen Racheakt gehandelt hat und der Mann uns gar nichts Wichtiges mitzuteilen hatte.«

Er veränderte seine Stellung ein wenig und sah Pitt offen an. »Sie wissen ja, dass seit Jahren Gerüchte über bedeutende

Reformen im Umlauf sind. Manche Leute schwingen große Reden, aber es geschieht nichts Ernsthaftes, jedenfalls nicht hier bei uns in England. Meiner Ansicht nach hat die größte Gefahr vor drei oder vier Jahren bestanden. Damals herrschte im Londoner East End große Unruhe. Ich nehme an, dass Ihnen das bekannt ist, auch wenn Sie erst kurz danach bei uns eingetreten sind.«

Pitt sah den Groll in den Augen des Mannes, während ihn dieser, vermutlich ganz bewusst, daran erinnerte, dass er noch nicht lange beim Sicherheitsdienst tätig war. Einen Augenblick lang fragte sich Pitt, ob gekränkte persönliche Eitelkeit dahintersteckte oder das Ganze mit der politischen Unruhe im Lande zusammenhing. Dann fiel ihm ein, wie sich Gower über den in seinem Blut am Boden liegenden West gebeugt hatte. Entweder hatte Austwick tatsächlich nichts mit der Sache zu tun, oder er verstand es, seine Empfindungen und Gedanken besser zu verbergen, als Pitt annahm. Er musste unbedingt auf der Hut sein.

»Vielleicht geht die Sache ja gut«, sagte er.

Austwick veränderte seine Stellung erneut, so, als sitze er unbequem. »Das hier sind die Berichte aus Liverpool. Sie enthalten Verweise auf die Lage in Irland. Zwar gibt es da bisher nichts Gefährliches, aber es dürfte sich empfehlen, dass wir uns einige der Namen notieren und die Leute im Auge behalten.« Er schob Pitt noch einige Papiere hin, und dieser beugte sich darüber, um sie zu lesen.

Der Nachmittag verlief wie der Vormittag, und weitere mündliche sowie schriftliche Berichte landeten auf Pitts Schreibtisch. Ein Fall von Gewalttätigkeit in einer Stadt in Yorkshire schien auf den ersten Blick einen politischen Hintergrund zu haben, doch dann erwies sich, dass nichts daran war. In London war in Piccadilly auf der Straße ein Minister ausgeraubt worden, der als geheim eingestufte Papiere mit sich geführt hatte. Die Untersuchung des Falles kostete Pitt nicht nur den Rest des Tages, sondern auch noch einen Teil des nächsten Vormittags. Zum Glück war es nicht seine Aufgabe, darüber zu entscheiden, auf welche Weise man den Mann wegen seiner Nachlässigkeit maßregeln würde, wohl aber, welche Art von Straftat man dem Straßenräuber zur Last legen sollte.

Er ging dabei mit äußerster Sorgfalt vor, befragte den Mann persönlich, versuchte festzustellen, ob er gewusst hatte, dass es sich bei seinem Opfer um ein Kabinettsmitglied handelte, und falls ja, ob ihm bekannt gewesen war, dass sich in dessen Aktentasche unter Umständen der Geheimhaltung unterliegende Dokumente befanden. Auch nach mehreren Stunden war er seiner Sache noch nicht sicher. Er musste daran denken, dass Narraway bestimmt niemanden um Rat gefragt hätte. Wenn er einen solchen Fall nicht ohne Hilfe bearbeiten konnte, war er seinem Amt alles andere als gewachsen.

Schließlich kam er zu dem Ergebnis, dass man die Öffentlichkeit nicht wissen lassen durfte, wie einfach es war, einen unaufmerksamen Minister zu bestehlen, und so entschied er sich, Anklage wegen eines geringfügigeren Vergehens erheben zu lassen, statt auf dem Anklagepunkt »Ausspähen von Staatsgeheimnissen« zu beharren.

Am Abend kehrte er müde und mit dem Gefühl, wenig geleistet zu haben, nach Hause zurück. Doch alle Niedergeschlagenheit und Mattigkeit verflogen in dem Augenblick, als er die Haustür öffnete und ihm Daniel durch die Diele entgegengerannt kam. »Papa, Papa, ich hab ein Schiff gemacht! Komm mit und sieh es dir an!« Er fasste seinen Vater an der Hand und zog ihn mit sich.

Lächelnd folgte er dem Jungen bereitwillig in die Küche, aus der es verlockend duftete. In einer großen Kasserolle auf dem Herd brodelte etwas, und auf dem Küchentisch war inmitten von zerfetztem Zeitungspapier eine Schüssel mit einer weißen Masse zu erkennen. Minnie Maude stand mit einer Schere in der Hand davor. Wie gewöhnlich war ihr Haar völlig ungeordnet, weil sie irgendwann die Lust verloren hatte, es immer wieder neu festzustecken. In der Mitte des ganzen Durcheinanders stand ein großes Schiff aus Pappmaché, aus dem zwei Holzstücke als Masten und mehrere dünne Wachskerzen als Rahnock, Bugspriet und Spieren hervorstanden.

Minnie Maude sah Pitt verlegen an. Offensichtlich hatte sie ihn später erwartet.

»Sieh mal!«, sagte Daniel begeistert und wies auf das Schiff. »Minnie Maude hat mir gezeigt, wie man das macht.« Achselzuckend fügte er hinzu: »Und Jemima hat mir ein bisschen ... na ja ... ziemlich viel geholfen.«

Mit einem Mal erfüllte Pitt ein tiefes Gefühl der Wärme. Er sah auf Daniels vor Stolz strahlendes Gesicht und dann auf das Schiff.

»Es ist großartig«, sagte er mit vor Rührung beinahe erstickter Stimme. »Ich habe noch nie so ein schönes Schiff gesehen.« Dann wandte er sich Minnie Maude zu, die ganz offensichtlich damit rechnete, getadelt zu werden, weil sie gespielt hatte, wo sie eigentlich das Abendessen rechtzeitig hätte auf den Tisch bringen sollen.

»Danke«, sagte er aufrichtig. »Stellen Sie es bitte erst weg, wenn sicher ist, dass es dabei nicht zu Schaden kommen kann.«

»Was ... was is mi'm Ab'ndess'n, Sir?«, fragte sie und atmete erleichtert auf.

»Wir räumen das Zeitungspapier und die Masse weg und essen um das Schiff herum«, sagte er. »Wo ist Jemima?«

»Die liest«, gab Daniel sofort zur Antwort. »Sie hat mein *Neues Universum* genommen. Warum liest sie eigentlich keine Mädchenbücher?«

»Weil die langweilig sind«, ertönte von der Tür die Stimme seiner Schwester, die ungehört hereingekommen war. An Pitt vorüber warf sie einen Blick auf den Tisch und das in dessen Mitte stehende Schiff. »Du hast ja die Masten drauf! Toll!« Sie lächelte Pitt strahlend zu. »Hallo, Papa. Sieh mal, was wir gemacht haben.«

»Ja«, sagte er, legte ihr den Arm um die Schulter und fuhr fort: »Es ist einfach großartig.«

»Wie geht es Mama?«, fragte sie mit besorgter Stimme.

»Gut«, gab er im vollen Bewusstsein dessen zurück, dass er die Unwahrheit sagte, und drückte sie ein wenig fester an sich. »Sie hilft einem Freund, der in Schwierigkeiten ist, kommt aber bald wieder. Jetzt wollen wir den Tisch abräumen und essen.«

Als es später im Hause still wurde, setzte er sich allein im Wohnzimmer in einen Sessel. Daniel und Jemima waren zu Bett gegangen, auch Minnie Maude hatte ihr Zimmer aufgesucht, nachdem sie in der Küche Ordnung geschaffen hatte. Im Hause war es so still, dass Pitt jede einzelne Treppenstufe hatte knarren hören. Dass er jetzt weder Geräusche noch Bewegungen im Hause wahrnahm, war alles andere als trostreich und erfüllte ihn erneut mit Gedanken, die ihm wie Nebelschwaden durch den Kopf wirbelten. Tiefe Schatten umgaben die Lichtinseln um die Lampen an der Wand. Er kannte jede einzelne Oberfläche in dem Raum und wusste, dass alles so peinlich sauber war, als sei Charlotte im Hause gewesen, um das neue Mädchen zu überwachen, dessen einziger Fehler es war, nicht Gracie zu sein. Doch, sie war wirklich gut, ihr fehlte lediglich das Altvertraute. Der Gedanke an das Pappmaché-Schiff zauberte ein Lächeln auf Pitts Züge. Das war nichts Banales, sondern sehr wichtig. Mit Minnie Maude Mudway hatten sie ganz offensichtlich einen Treffer gelandet.

Lange dachte er an Jemima, ihren Stolz auf das von ihr gemeinsam mit ihrem Bruder Geleistete und daran, wie glücklich Daniel gewesen war. Schließlich wandte er seine Aufmerksamkeit dem zu, was ihn am kommenden Tag erwartete. Dazu gehörte, dass er Croxdale aufsuchen und ihm die Wahrheit über Gower sowie darüber mitteilen musste, dass der Sicherheitsdienst von Verrat durchseucht war, ohne dass er ihm hätte sagen können, wer dahintersteckte.

Der nächste Tag im Büro brachte das Übliche, unter anderem Berichte aus Paris, die kaum beunruhigend klangen. Zwar hatte man eine gewisse Zunahme der Aktivität von Personen bemerkt, die der Sicherheitsdienst überwachte, ohne aber für den Fall, dass das etwas bedeutete, feststellen zu können, worum es dabei gehen mochte. Pitt tat mehr oder weniger das Gleiche, was er getan hätte, wenn Narraway da gewesen wäre und er seiner eigenen Arbeit nachgegangen wäre. Der Unterschied lag darin, dass er jetzt die Last der Verantwortung auf seinen Schultern spürte und selbst Entscheidungen treffen musste, statt sie nach oben weitergeben zu können. Jetzt kamen alle zu ihm, wenn es galt, Beschlüsse zu fassen. Männer, die zuvor mit ihm auf einer Stufe gestanden hatten, mussten ihm jetzt Bericht erstatten. Sie kamen nicht immer, um Rat zu suchen; oft brachten sie nur Einzelinformationen über Untergrundaktivitäten, aus denen er sich selbst ein Bild über möglichen Verrat und zu verhindernde Gewalttätigkeit machen musste. Es war seine Aufgabe, dafür zu sorgen, dass er Mittel fand, die geeignet waren, die Sicherheit des Reiches und der Regierung zu gewährleisten sowie den Frieden und Wohlstand Großbritanniens zu wahren.

Schließlich gelang es ihm am Vormittag des folgenden Tages, mit Sir Gerald Croxdale einen Gesprächstermin zu vereinbaren. Zwar war er mit seiner Bemühung, das wahre Ausmaß des Verrats zu erkunden, noch keinen Schritt weitergekommen, konnte es aber auf keinen Fall länger hinausschieben, Croxdale von Gowers Tod und dessen näheren Umständen in

Kenntnis zu setzen. Soweit er wusste, war von der Polizei bisher noch kein Bericht darüber eingegangen, doch würde dieser wohl nicht mehr lange auf sich warten lassen.

Am späten Nachmittag traf er, vom Hyde Park kommend, in Whitehall ein. Die Sonne wärmte noch, und die Luft war weich. Auf seinem Weg zu Croxdales Ministerium fuhren offene Kutschen mit Familienwappen auf dem Schlag an ihm vorüber. Die blank geputzten Messingbeschläge der Pferdegeschirre blitzten in der Sonne. In den Kutschen sah er Damen in Musselinkleidern, deren Ärmel im leichten Wind flatterten. Sie trugen breitrandige Hüte, die sie vor den Sonnenstrahlen schützen sollten.

Croxdales Lakai ließ ihn sogleich ein – offensichtlich hatte er genaue Instruktionen bekommen. Im Arbeitszimmer des Ministers musste Pitt nur ganz kurz warten.

Als Croxdale eintrat, schüttelte er Pitt die Hand. »Setzen Sie sich. Wie sieht es in Lisson Grove aus?«

Obwohl er Wärme in seine Stimme legte und beinahe zwanglos mit ihm sprach, merkte Pitt, dass er ihn aufmerksam musterte. Fast war es, als sei ihm bereits bewusst, dass ihm Pitt eine unangenehme Mitteilung zu machen hatte.

Pitt war dankbar für die Frage; sie ersparte es ihm, selbst eine passende Einleitung finden zu müssen.

»Ich hatte gehofft, Ihnen mehr sagen zu können, Sir«, begann er. »Aber die ganze Geschichte, in deren Verlauf West ermordet wurde und wir Wrexham nach Frankreich gefolgt sind, hat sich als weit ernsthafter erwiesen, als ich ursprünglich angenommen hatte.«

Croxdale runzelte die Brauen und richtete sich ein wenig auf. »In welcher Hinsicht? Haben Sie erfahren, was West Ihnen mitteilen wollte?«

»Nein, Sir, das nicht. Aber ich habe eine bestimmte Vorstellung davon, worum es dabei ging, und alles, was ich seit meiner Rückkehr festgestellt habe, stützt diese Vermutung. Leider liefert das aber keine Lösung.«

»Hören Sie auf, um den heißen Brei herumzureden, Mann«, knurrte Croxdale ungeduldig. »Sagen Sie offen, was los ist.«

Pitt holte tief Luft. Er musste das Risiko eingehen. »Es gibt mindestens einen Verräter in Lisson Grove …«

Croxdale erstarrte, sein Blick wurde hart. Mit einem Mal lag seine Rechte so starr auf dem Schreibtisch, als zwinge er sich mit aller Kraft, sie nicht zur Faust zu ballen.

»Ich vermute, dass Sie damit nicht Victor Narraway meinen«, sagte er gefasst.

Pitt traf eine weitere Entscheidung. »Ihn habe ich zu keinem Zeitpunkt für einen Verräter gehalten und tue das auch jetzt nicht, Sir. Ob er Opfer einer Fehleinschätzung geworden ist oder sich eine Nachlässigkeit hat zuschulden kommen lassen, weiß ich noch nicht. Aber so etwas widerfährt leider jedem von uns von Zeit zu Zeit.«

»Raus mit der Sprache!«, stieß Croxdale zwischen den Zähnen hervor. »Wenn es nicht Narraway ist, über den ich mir ein Urteil noch vorbehalte, wer dann?«

»Gower, Sir.«

»Gower?« Croxdale riss förmlich die Augen auf. »Haben Sie ›Gower‹ gesagt?«

»Ja, Sir.« Pitt spürte, wie Zorn in ihm emporstieg. Wie konnte Croxdale Narraway so leichthin für einen Verräter halten und so ungläubig aufnehmen, was Pitt ihm über Gower mitteilte? Was hatte Austwick ihm gesagt? Wie weit reichte dieses Geflecht von Verrat, und wie raffiniert war es angelegt? War Pitt in einer Situation vorgeprescht, in der ein klügerer und erfahrenerer Mann erst einmal vorsichtig das Gelände erkundet hätte? Aber dafür war keine Zeit. Narraway war von seinem Amt suspendiert und in Irland, und der Himmel mochte wissen, wo sich Charlotte dort gerade aufhielt, ob sie sich in Sicherheit befand und wie es um sie stand.

Nein, er konnte es sich weiß Gott nicht erlauben, bei der Suche nach Feinden vorsichtig das Gelände zu erkunden.

Croxdale sah ihn finster an. Sollte er ihm nur über den Mord an West berichten oder die ganze Geschichte, die ihn selbst wie einen Dummkopf dastehen ließ? Aber er war ja in der Tat ein Dummkopf gewesen. Er hatte Gower vertraut, ihn sogar recht gut leiden können. Die Erinnerung an die damalige Situation schmerzte nach wie vor. Er glaubte in diesem Augenblick die Seeluft von Saint Malo zu riechen, die Wärme der Sonne auf seinem Gesicht zu spüren, Gowers Stimme und sein Lachen zu hören.

»Ein bestimmter Vorfall in Frankreich hat mir klargemacht, dass es nur den Anschein hatte, als hätten Gower und ich gemeinsam die Stelle erreicht, an der wir Wrexham über Wests Leiche gebeugt vorgefunden haben«, sagte er. »In Wahrheit war Gower wenige Augenblicke zuvor dort gewesen und hatte West selbst umgebracht …«

»Das ist doch grotesk!«, explodierte Croxdale und fuhr von seinem Sessel auf. »Sie können nicht erwarten, dass ich Ihnen das abnehme! Wieso haben Sie nicht …« Er setzte sich wieder und versuchte mit Mühe, seine Fassung wiederzugewinnen. »Tut mir leid. Das ist für mich ein ziemlicher Schock. Ich … ich kenne Gowers Angehörige. Sind Sie Ihrer Sache sicher? Das kommt mir alles ein wenig … fadenscheinig vor.«

»Ja, Sir. Zu meinem Bedauern muss ich sagen, dass ich meiner Sache sicher bin.« Pitt konnte sich vorstellen, dass Croxdale das hart traf. »Ich habe ihn unter einem Vorwand in Frankreich gelassen und bin allein zurückgekehrt …«

»Sie haben ihn dagelassen?« Wieder war Croxdale verblüfft.

»Es gab für mich keine Möglichkeit, ihn festzunehmen«, gab Pitt zu bedenken. »Ich war unbewaffnet, und er ist jung und sehr kräftig. Auf keinen Fall wollte ich, dass die französischen Behörden erfuhren, wer wir waren und dass wir dort ohne ihr Wissen und ihre Genehmigung französische Staatsbürger überwachten …«

»Natürlich, das verstehe ich. Sprechen Sie weiter.« Croxdale war ganz offensichtlich tief erschüttert. In einer anders gelagerten Situation hätte Pitt wohl Mitgefühl für ihn aufgebracht.

»Ich habe ihn aufgefordert, dazubleiben und Wrexham sowie Frobisher im Auge zu behalten …«

»Wer ist Frobisher?«, wollte Croxdale wissen.

Pitt teilte ihm mit, was er über den Mann wusste, wie auch über die anderen, die sie in dessen Haus hatten ein und aus gehen sehen.

Croxdale nickte. »Dann war also durchaus etwas an dem Verdacht, dass sich dort Sozialisten treffen und eventuell etwas aushecken?«

»Möglicherweise. Bisher haben wir aber keine Bestätigung dafür.«

»Und Gower ist dort geblieben?«

»Das hatte ich angenommen. Aber im Zug von Southampton nach London bin ich zweimal angegriffen und dabei fast getötet worden.«

»Großer Gott, von wem denn?«, fragte Croxdale mit allen Anzeichen des Entsetzens.

»Von Gower, Sir. Beim ersten Mal ist ein mutiger Mann dazwischengetreten, den ich nicht kannte, und hat mit seinem Leben dafür bezahlt, dass er mich retten wollte. Dann hat mich Gower erneut angegriffen, diesmal aber war ich darauf gefasst, und er hat die Partie verloren.«

Croxdale fuhr sich mit der Hand über die Stirn. »Und wie ist es weitergegangen?«

»Er ist auf den Bahndamm gestürzt«, gab Pitt zur Antwort. Bei dieser Erinnerung bildete sich ein Kloß in seiner Kehle, und der Schweiß brach ihm erneut aus. Er beschloss, nichts von seiner Festnahme zu sagen, um nicht erklären zu müssen, auf welche Weise ihn Lady Vespasia befreit hatte. Er wollte sie unbedingt aus der Geschichte heraushalten.

»Er ist ... umgekommen?«, fragte Croxdale.

»Bei der hohen Geschwindigkeit des Zuges kann daran kein Zweifel bestehen, Sir.«

Croxdale lehnte sich wieder zurück. »Wie ganz und gar entsetzlich.« Er stieß langsam den Atem aus. »Offensichtlich haben Sie Recht. Wir hatten einen Verräter in Lisson Grove. Ich bin sehr erleichtert, dass nicht Sie auf dem Bahndamm gelandet sind, sondern er. Warum nur haben Sie mir das nicht gleich nach Ihrer Rückkehr mitgeteilt?«

»Weil ich vorher zu erfahren hoffte, wer Gowers Hintermann war.«

Croxdales Gesicht wurde kreidebleich. »Sie meinen, er hatte einen Hintermann?«, fragte er stockend.

»Ich bin da noch nicht sicher«, gab Pitt zu. »Bisher habe ich nicht herausfinden können, ob Frobisher hinter einem neuen sozialistischen Aufstand steckt, der möglicherweise bald droht, oder lediglich als Sympathisant am Rande der eigentlichen Verschwörung mitläuft.«

»Wir schätzen die Sache keinesfalls als belanglos ein«, sagte Croxdale rasch. »Falls Gower ... Ich kann das immer noch nicht fassen ... aber falls Gower zwei Menschen getötet und auch Ihnen nach dem Leben getrachtet hat, müssen wir diese Gefahr durchaus ernst nehmen.« Er biss sich auf die Lippe. »Ihren Worten entnehme ich, dass Sie Austwick von all dem nichts gesagt haben.«

»So ist es. Meiner festen Überzeugung nach hat jemand Narraway nur eine Unterschlagung unterstellt, um ihn aus dem Weg zu räumen, um ihn so sehr in Misskredit zu bringen, dass ihm niemand Glauben schenkte, was auch immer er dagegen vorbrachte.«

»Wer könnte das sein? Besteht da eine Beziehung zu diesem Frobisher, oder steckt erneut Gower dahinter?«

»Nein, Sir. Keiner der beiden hätte das bewerkstelligen können«, gab Pitt zu bedenken. »Es muss jemand in Lisson Grove sein, dessen Vollmachten es ihm ermöglichten, Einblick in Narraways Bankgeschäfte zu nehmen.«

Croxdale sah ihn mit gequältem Gesicht an. Seine Wangen waren gerötet. »Ich verstehe. Natürlich haben Sie Recht. Wenn die Dinge so liegen, muss diese sozialistische Verschwörung ziemlich weit verzweigt sein. Vielleicht ist jener Frobisher doch so gefährlich, wie Sie zuerst angenommen haben, und man hat den armen West umgebracht, um zu verhindern, dass Sie die Zusammenhänge durchschauten. Zweifellos hat Gower Sie nach Frankreich gelockt, damit Sie zu dem Ergebnis kamen, Frobisher sei harmlos, und diese falsche Information nach London weitergaben.« Einen Augenblick lächelte er trübselig. »Gott sei Dank waren Sie klug genug, das Ganze zu durchschauen, und flink genug, den Angriff auf Sie zu überleben. Sie sind der richtige Mann für die Aufgabe, Pitt. Welchen Dreck Narraway auch immer am Stecken haben mag – damit, dass er Sie in den Sicherheitsdienst eingestellt hat, hat er Weitblick bewiesen.«

Pitt nahm an, er müsse ihm für das Kompliment wie das damit ausgesprochene Vertrauen danken, hatte aber eher das Bedürfnis zu sagen, wie wenig er sich für die Aufgabe eignete. Schließlich neigte er den Kopf, dankte ihm kurz und kam auf die drängenden Aufgaben der Gegenwart zu sprechen.

»Wir müssen unbedingt feststellen, Sir, welche Informationen Gower möglicherweise aus Frankreich nach London geschickt hat und – vor allem – an wen. Ich weiß nicht, wem ich trauen darf.«

»Da haben Sie Recht«, sagte Croxdale nachdenklich und lehnte sich erneut zurück. »Mir geht es genauso. Wir müssen die Sache noch viel genauer unter die Lupe nehmen. Austwick hat mir seit Narraways Suspendierung mindestens dreimal Bericht erstattet. Ich habe die Unterlagen hier. Wir werden alles darin Enthaltene genauestens durchgehen, und Sie sagen mir, was davon stimmt und was nicht, um, wo es nötig ist, noch einmal nachzufassen. Dabei dürfte sich dann ja wohl ein Bild ergeben. Es tut mir sehr leid, aber möglicherweise kann das die halbe Nacht in Anspruch nehmen. Ich werde dafür sogen, dass man uns etwas zu essen holt.« Er schüttelte den Kopf. »Großer Gott, was für eine verfahrene Geschichte.«

Pitt hatte keine Möglichkeit, Einwände zu erheben.

Croxdale hatte nicht nur die Berichte Austwicks im Hause, sondern auch weiter zurückliegende von Narraway. Es kam Pitt merkwürdig vor, die verschiedenen Papiere durchzugehen. Ihm fiel auf, dass Austwicks Berichte wortreich und in einer ordentlichen Handschrift sauber präsentiert waren. Beim Anblick der von Narraway vorgelegten Berichte durchfuhr ihn die Vertrautheit wie ein Stich, und er spürte erneut, wie einsam er sich auf dessen Posten und ohne ihn fühlte. Narraways Schrift war kleiner und fließender als die Austwicks, wie beiläufig hingeworfen, und vor allem machte er weniger Worte als dieser. An keiner Stelle ließ sich das geringste Zögern erkennen. Er hatte sich genau überlegt, was er schreiben wollte, bevor er die Feder aufs Papier setzte, und nicht einmal ansatzweise den Versuch unternommen zu verbergen, dass er Croxdale nur das Allernötigste mitteilte. Beruhte das auf einer Absprache zwischen den beiden, besaß Croxdale die Fähigkeit, zwischen den Zeilen zu lesen? Oder hatte Narraway damit einfach klargemacht, dass er ausschließlich einen Teil dessen zu berichten gedachte, was er wusste?

Pitt musterte Croxdales Gesicht aufmerksam, fand aber dort keine Antwort auf diese Fragen.

Sie gingen alle Berichte sorgfältig durch. Ein Diener brachte ein Tablett mit Toast und Leberpastete sowie Käse und einen Früchtekuchen zusammen mit Brandy, den Pitt aber ebenso höflich wie entschieden ablehnte.

Inzwischen war es draußen vollständig dunkel geworden. Ein leichter Wind hatte sich erhoben und trieb Regentropfen gegen die Scheiben.

Croxdale legte das letzte Blatt zurück. »Offensichtlich war Narraway überzeugt, dass hinter der Sache in Paris zwar etwas steckte, hielt es aber nicht für bedeutend genug, um gleich dagegen vorzugehen. Austwick hingegen sieht darin nichts weiter als Lärm und Großtuerei. Im Unterschied zu Narraway ist er überzeugt, dass uns das hier in England nicht betrifft. Was meinen Sie, Pitt?«

Diese Frage, von der ihm klar gewesen war, dass sie unausweichlich kommen würde, hatte Pitt gefürchtet. Hier gab es keine Möglichkeit, Ausflüchte zu machen, ganz gleich, wie leicht sich diese rechtfertigen ließen. So oder so würde man ihn danach beurteilen, wie zutreffend seine Einschätzung der Lage war. Er hatte ganze Nächte hindurch wachgelegen und alles erwogen, was er wusste, in der Hoffnung, von Croxdale etwas zu erfahren, was die Waage in die eine oder andere Richtung ausschlagen ließ.

Mit kaum wahrnehmbarem Zögern erklärte er: »Ich denke, dass Narraway unmittelbar davorstand, etwas ganz Entscheidendes in Erfahrung zu bringen, und man ihn aus dem Weg geräumt hat, bevor er eine Möglichkeit dazu hatte.«

Croxdale wartete lange mit seiner Antwort. »Ist Ihnen klar, was Sie damit sagen? Für den Fall, dass Sie damit Recht haben, ist Austwick entweder unsagbar unfähig oder, und das wäre weit schlimmer, in diese Vorgänge verwickelt.«

»Ja, Sir, ich fürchte, so verhält es sich in der Tat«, stimmte Pitt zu. »Gower hat jemandem Berichte geliefert, also muss zumindest ein Mitarbeiter des Sicherheitsdienstes ein Verräter sein.«

»Ich arbeite seit Jahren mit Charles Austwick zusammen«, sagte Croxdale leise. »Aber vielleicht kennt man einen Menschen nicht immer so gut, wie man annimmt.« Er seufzte. »Ich habe nach Stoker geschickt. Soweit ich weiß, müsste er heute aus Irland zurückgekehrt sein. Vielleicht kann er etwas Licht auf die Angelegenheit werfen. Vertrauen Sie ihm?«

»Ja. Aber ich habe auch Gower vertraut, und so bin ich nicht sicher, ob das viel wert ist«, sagte Pitt betrübt. »Trauen *Sie* ihm?«

Croxdale lächelte ihm trübselig zu. »Nein. Ich traue niemandem. Mir ist nur allzu bewusst, dass wir uns das auch gar nicht leisten können. Nicht nach dem, was wir mit Narraway und jetzt auch mit Gower erlebt haben. Auf jeden Fall wollen wir uns aber anhören, was Stoker zu sagen hat. Wollen Sie ganz bestimmt keinen Brandy?«

»Nein. Wirklich nicht. Vielen Dank, Sir.«

Es klopfte, und auf Croxdales Aufforderung trat Stoker ein. Er wirkte müde. Tiefe Schatten lagen um seine Augen, und sein Gesicht trug die unübersehbaren Spuren von Erschöpfung. Dennoch stand er stramm, bis ihn Croxdale aufforderte, Platz zu nehmen. Stoker begrüßte auch Pitt, aber lediglich mit einem leichten Nicken, wie es die Höflichkeit erforderte.

»Nach Mr Pitts Überzeugung lässt sich der gegen Narraway erhobene Vorwurf der Unterschlagung nicht halten«, eröffnete Croxdale das Gespräch. »Er vermutet, dass man ihn mit Hilfe gefälschter Beweise beschuldigt hat, um sich seiner zu entledigen, weil er im Begriff stand, wichtige Informationen über eine bedeutende sozialistische Verschwörung zu erlangen, die auch unser Land bedroht.« Ohne im Geringsten auf

Pitt zu achten, hielt er den Blick so aufmerksam auf Stoker gerichtet, als seien sie beide allein im Zimmer.

»Sir?«, sagte Stoker erstaunt, ebenfalls ohne zu Pitt hinzusehen.

»Sie haben mit ihm zusammengearbeitet«, fuhr Croxdale fort. »Halten Sie diese Annahme für wahrscheinlich? Und was können Sie uns aus Irland berichten?«

Mit zusammengepressten Lippen und bleichem Gesicht beugte sich Stoker ein wenig vor, so dass das Licht der Lampe auf ihn fiel. Sein Gesicht war grau. »Es tut mir leid, Sir, aber ich kann keinen Grund erkennen, das Beweismaterial anzuzweifeln. Es ist erstaunlich, wozu sich manche Leute von Geldgier treiben lassen und wie sie deren Blick auf die Dinge zu ändern vermag.«

»Ich verstehe«, sagte Croxdale aufseufzend. »Und wie sieht es gegenwärtig in Dublin aus?«

»Die Polizei hat Mr Narraway festgenommen. Man legt ihm zur Last, Cormac O'Neil ermordet zu haben«, gab Stoker zur Antwort.

»Ermordet?« Croxdale wirkte entsetzt.

Auch Pitt schwirrte der Kopf. Der Narraway, den er kannte, war kein Mörder. Und was war mit Charlotte? War sie jetzt ganz allein und voller Angst? Aber Stoker konnte er danach unmöglich fragen.

»Allem Anschein nach hat Narraway ziemlich öffentlich mit O'Neil gestritten und ihm offen vorgehalten, die treibende Kraft hinter der Verschiebung des Geldes gewesen zu sein, durch die es so aussieht, als habe er das für Mulhare bestimmte Geld unterschlagen. Offen gesagt kann das sogar stimmen, Sir.«

»Tatsächlich?«, fragte Croxdale mit einem Anflug von Hoffnung in der Stimme.

»Soweit ich sehe, wäre es durchaus möglich, Sir. Der einzige Haken an der Sache ist: Über wen hätte O'Neil an die Informationen kommen können, die er brauchte, um das Geld auf Mr Narraways Konto überweisen zu lassen? Ich habe versucht, eine Antwort auf diese Frage zu finden, und denke, ich bekomme das auch noch heraus.«

»Und handelt es sich um jemanden in Lisson Grove?«, fragte Croxdale.

»Nein, Sir«, gab Stoker, ohne mit der Wimper zu zucken, zurück. »Das glaube ich nicht.«

Croxdale kniff die Augen zusammen. »Wer steckt dann dahinter? Wer wäre dazu imstande?«

Ohne das geringste Zögern kam Stokers Antwort. »Sieht ganz so aus, als ob das jemand in Mr Narraways Bank war, Sir. Ich denke, man darf sagen, dass er sich hier und da Feinde gemacht hat. Oder vielleicht war es ja auch einfach jemand, der bereit war, sich dafür bezahlen zu lassen. Es wäre zwar schön, wenn man annehmen dürfte, dass es so etwas nicht gibt, aber das wäre wohl ein bisschen naiv. Immerhin gibt es Menschen, die so viel Geld haben, dass sie so gut wie alles kaufen können.«

»Da können Sie Recht haben«, gab Croxdale zurück. »Vielleicht ist Narraway bereits dahintergekommen? Das würde manches erklären. Was haben Sie noch aus Irland zu berichten?«

Stoker teilte ihm mit, was er über Narraways Verbindungen in Erfahrung gebracht, mit wem er gesprochen und wie diese Leute reagiert hatten. Außerdem berichtete er Einzelheiten von dem Zusammenstoß Narraways mit O'Neil bei dem Nachmittagskonzert. Mit keiner Silbe erwähnte er Charlotte. Was er über Narraway sagte, klang zumindest zum Teil so unwahrscheinlich, dass man annehmen musste, dessen Charakter habe sich von Grund auf verändert.

Ungläubig und mit zunehmendem Ärger hörte sich Pitt an, was Stoker berichtete. Seiner festen Überzeugung nach war alles, was er vortrug, nichts als hinterhältiger Verrat.

»Danke, Stoker«, sagte Croxdale betrübt. »Ein tragisches Ende einer glänzenden Laufbahn. Übergeben Sie Mr Pitt Ihren Bericht über Irland.«

»Ja, Sir.«

Stoker ging, und Croxdale sagte, zu Pitt gewandt: »Ich denke, dass die Sache damit klarer geworden ist. Gower war der Verräter, was zu glauben mir ehrlich gesagt immer noch schwerfällt. Allerdings lässt es sich nach allem, was Sie mir gesagt haben, nicht mehr bestreiten. Möglicherweise ist der Katastrophe jetzt Einhalt geboten, doch dürfen wir unserer Sache noch nicht sicher sein. Gehen Sie der Angelegenheit so gründlich nach, wie Sie können, Pitt, und erstatten Sie mir Bericht. Halten Sie ein wachsames Auge auf die Vorgänge in Europa. Sollte es da etwas geben, was wir den Franzosen mitteilen müssen, werden wir das tun. Darüber hinaus hält uns eine ganze Menge anderer politischer Schwierigkeiten in Atem, aber ich bin sicher, dass Ihnen das bekannt ist.« Er stand auf und hielt ihm die Hand hin. »Seien Sie auf der Hut. Sie haben eine schwierige und gefährliche Aufgabe, und Ihr Land braucht Sie mehr denn je.«

Pitt schüttelte ihm die Hand, dankte ihm und trat hinaus in die Nacht, ohne deren Kühle zu bemerken, denn die Kälte war bereits in ihm. Was Stoker über die Möglichkeit gesagt hatte, dass Narraways Bank in die Affäre verwickelt war, mochte stimmen, auch wenn er es nicht recht glaubte. Alles andere kam ihm vor wie ein sonderbares Sammelsurium von Übertreibungen und Unwahrheiten. Er konnte sich nicht mit der Vorstellung anfreunden, dass sich Narraway so grundlegend geändert haben sollte. Seiner festen Überzeugung nach hatte er weder fremdes Geld an sich gebracht noch die Werte, auf die sich sein ganzes Wesen gründete, so verleugnet, dass er sich auf die Weise hätte verhalten können, die Stoker beschrieben hatte. Hätte der Mann nicht außerdem Charlottes Anwesenheit in Irland zumindest bemerken müssen? War womöglich Stoker der Verräter in Lisson Grove?

Er fühlte sich so hilflos wie jemand, der im Treibsand feststeckte. Keine seiner Einschätzungen stimmte. Er hatte Stoker vertraut, Gower sogar gut leiden können, und er hätte sein Leben bereitwillig in Narraways Hände gelegt … Er gestand sich ein, dass er das nach wie vor tun würde.

Croxdales Kutsche stand bereit, ihn nach Hause zu bringen. Undeutlich erkannte er den Schatten eines Mannes auf dem Gehweg, der auf ihn zukam, achtete aber nicht darauf. Der Kutscher öffnete den Schlag, und er stieg ein. Auf dem ganzen Weg bis zur Keppel Street war ihm elend, und er fror. Nur gut, dass es spät war, so konnte er sich die ungeheure Anstrengung ersparen, die nötig gewesen wäre, seine Enttäuschung vor Daniel und Jemima verbergen zu müssen. Wenn er Glück hatte, schlief auch Minnie Maude bereits.

Am nächsten Morgen überlegte er es sich auf halbem Weg zu seiner Dienststelle anders und suchte Lady Vespasia auf, statt gleich nach Lisson Grove zu gehen. Zwar war es für einen privaten Besuch noch zu früh, doch für den Fall, dass sie noch nicht aufgestanden war, war er gern bereit zu warten. Sein Bedürfnis, mit ihr zu sprechen, war so dringend, dass er dafür alle Regeln von Anstand und Höflichkeit sowie jede Rücksichtnahme in den Wind schlug, in der festen Überzeugung, dass sie den Grund für sein Verhalten verstehen würde.

Es erwies sich, dass sie bereits aufgestanden war. Da sie beim Frühstück war, nahm er ihre Einladung zu einer Tasse Tee an, wollte aber nichts essen.

»Verpflegt euer neues Mädchen dich ordentlich?«, fragte sie mit einem Anflug von Besorgnis.

»Ja«, sagte er und wunderte sich, dass seine Stimme dabei überrascht klang. »Sie ist ausgesprochen tüchtig und auch angenehm im Umgang. Ehrlich gesagt bin ich aber nicht ...« Als er ihr verständnisvolles Lächeln sah, verstummte er.

»Du bist nicht um diese frühe Stunde gekommen, um dir von mir eine Empfehlung für ein neues Mädchen zu holen«, sagte sie. »Was gibt es, Thomas? Du siehst richtig bedrückt aus. Ich vermute, dass sich etwas Neues ergeben hat.«

Er berichtete ihr alles, was seit ihrer letzten Begegnung geschehen war, und teilte ihr auch mit, wie enttäuscht und entsetzt er von Stokers plötzlichem Treubruch war. Ebenso wenig verschwieg er ihr die von diesem berichteten Einzelheiten über Narraways angebliches Verhalten.

»Es kommt mir vor, als wäre ich ganz und gar unfähig, den Charakter anderer Menschen zu beurteilen«, sagte er niedergeschlagen und so wenig selbstironisch, dass er fürchtete, es klänge nach Selbstmitleid.

Sie hörte ihm zu, ohne ihn zu unterbrechen. Als sie ihm eine zweite Tasse Tee eingoss, verzog sie das Gesicht, weil sie merkte, dass er kalt war.

»Das macht nichts«, sagte er rasch. »Ich brauche keinen mehr.«

»Führen wir uns doch einmal ein Gesamtbild der Situation vor Augen«, sagte sie. »Unbestreitbar hast du dich in Bezug auf Gower geirrt. Da es aber allen anderen in Lisson Grove, einschließlich Victor Narraway, ebenso ergangen ist, macht dich das keineswegs zu einem Versager, mein Lieber. Wenn man bedenkt, dass er dein Mitarbeiter war, hattest du allen Grund, von ihm Loyalität zu erwarten. Damals war es nicht deine Aufgabe, Mitarbeiter zu beurteilen und Entscheidungen dieser Art zu treffen – jetzt hingegen schon.«

»Ich habe mich auch in Bezug auf Stoker geirrt«, gab er zu bedenken.

»Möglich. Aber wir sollten keine übereilten Schlüsse ziehen. Das Einzige, was du weißt, ist, dass sein Bericht an Croxdale Victor als schuldig erscheinen lässt und im Hinblick auf anderes offensichtlich nicht stimmt. So hat er, wie du gesagt hast, Charlotte mit keinem Wort erwähnt, obwohl er sie in Irland gesehen haben muss. Zweifellos bist du ihm für diese Unterlassung dankbar.«

»Ja … natürlich. Allerdings wüsste ich gern, ob es ihr gutgeht.« Das war eine Untertreibung, deren Ausmaß wohl niemand besser erfassen konnte als Lady Vespasia.

»Hast du Croxdale gesagt, dass du Austwick verdächtigst?«, fragte sie.

»Nein.« Er erklärte ihr, dass er zögerte, wem auch immer mehr zu vertrauen, als unbedingt nötig war. So hatte er manches für sich behalten, weil er fürchtete, dass Croxdale, der Austwick schon sehr lange kannte, diesem vielleicht mehr trauen würde als ihm.

»Das war sehr klug«, stimmte sie zu. »Und nimmt Croxdale an, dass in Frankreich etwas Schwerwiegendes geplant wird?«

»Er hat lediglich gesagt, dass wir die Sache im Auge behalten sollten«, gab er zurück. »Wie du weißt, hatte nur Gower angeblich Meister und Linsky gesehen. Die Leute haben geredet, aber nicht mehr als sonst. Man hat gerüchteweise gehört, Jean Jaurès werde aus Paris kommen. Das aber hat sich nicht bewahrheitet.«

Lady Vespasia runzelte die Brauen. »Und wer hat gesagt, dass Jean Jaurès kommen würde?«

»Ich glaube, einer der Gastwirte am Ort. Die Männer in der Wirtsstube haben sich darüber unterhalten.«

»Du glaubst? Jemand nennt den Namen Jaurès, und du weißt es nicht?«, sagte sie ungläubig.

Erneut war er von seiner eigenen Torheit überrascht. Wie leicht man ihn hinters Licht führen konnte! Er hatte das nicht selbst gehört, Gower hatte es ihm berichtet. Das teilte er ihr mit.

»Hat er auch Rosa Luxemburg erwähnt?«, fragte sie mit leicht gehobenen Brauen.

»Ja, aber nicht im Zusammenhang mit Saint Malo.«

»Aber ihren Namen hat er genannt?«

»Ja. Warum?«

»Jean Jaurès ist eingefleischter Sozialist, aber ein durchaus umgänglicher und gebildeter Mensch«, erklärte sie. »Er hat sich für Reformen eingesetzt und in seinem Land hohe Ämter bekleidet. Er strebt Veränderungen an, aber keinen Umsturz. Soweit mir bekannt ist, beschränkt er sich mit all seinen Bemühungen auf Frankreich. Bei Rosa Luxemburg sieht die Sache gänzlich anders aus. Sie ist polnischer Herkunft und hat eine internationale Sichtweise. Russische Emigranten, mit denen ich bekannt bin, fürchten, dass sie eines Tages zu Gewalttaten aufrufen wird, und ich habe Sorge, dass etwas in der Art an manchen Orten unmittelbar bevorsteht. Die Unterdrückung in Russland wird zweifellos in einer Tragödie enden.«

»Und könnte sich das auch hier bei uns auswirken?«, fragte er zweifelnd.

»Nein. Doch freilich ist die Welt mitunter kleiner, als wir wahrhaben wollen. Natürlich wird es Flüchtlinge geben. Genau genommen ist London bereits voll von ihnen.«

»Was wohl Gowers Triebfeder gewesen sein mag?«, fuhr er fort. »Warum hat er West umgebracht? Womöglich, weil West mir mitteilen wollte, dass Gower ein Verräter war?«

»Das scheint möglich. Andererseits muss ich zugeben, dass mir nichts von all dem einen rechten Sinn zu ergeben scheint, es sei denn, dahinter steckt sehr viel mehr als die eine oder andere Gesetzesänderung zugunsten der französischen Arbeiterschaft oder eine zunehmende gesellschaftliche Unruhe in Russland. Nichts von all dem ist neu, weshalb sich auch der Sicherheitsdienst darüber keine übermäßigen Sorgen macht.«

»Wäre doch Narraway hier«, sagte er im Brustton der Überzeugung. »Ich weiß für diese Aufgabe einfach nicht genug. Croxdale hätte Austwick auf dem Posten belassen sollen. Oder weiß er womöglich, dass auch er ein Verräter ist?«

»Das scheint mir ohne weiteres denkbar.« Sie war nach wie vor tief in Gedanken versunken. »Für den Fall, dass Victor schuldlos ist, woran ich keine Sekunde zweifle, hat sich jemand einen ausgesprochen raffinierten Plan ausgedacht, um ihn wie dich von London fortzulocken. Warum kommen wir nur nicht dahinter, wer das war und was der Grund dafür war?«

Während Pitt durch die Gänge des Gebäudes in Lisson Grove seinem Büro entgegenstrebte, war ihm bewusst, dass ihn mehrere Männer aufmerksam und abwartend musterten – insbesondere Austwick.

»Guten Morgen«, sagte dieser unter Auslassung des »Sir«, das er bei Narraway hinzugefügt hätte.

»Guten Morgen, Austwick«, gab Pitt mit einer gewissen Schärfe in der Stimme zurück, ohne ihn anzusehen.

Schon als er die Tür zu seinem Dienstzimmer öffnete, hatte er das Empfinden, dass es nach wie vor das Büro Narraways war. Das lag nicht nur daran, dass er immer noch keine persönlichen Gegenstände dort hingeschafft hatte, weder Bilder noch Bücher, sondern ganz im Gegenteil dafür gesorgt hatte, dass Narraways Bilder wieder an den Wänden hingen, als warteten sie darauf, dass dieser in sein angestammtes Reich zurückkehrte. Sofern es dazu kam, würde sich Pitt aufrichtig freuen, und das keineswegs aus reiner Selbstlosigkeit. Liebend gern würde er ihm das Amt wieder überlassen, das er jetzt unwillig an seiner Stelle verwaltete. Es entsprach weder seinem Wesen noch seinen Fähigkeiten, wohingegen er genau wusste, dass Narraway es nicht nur ausfüllte, sondern es geradezu sein Leben war.

Er erledigte die dringendsten Aufgaben zuerst und gab alles, was er nicht selbst zu bearbeiten brauchte, an untergeordnete Mitarbeiter weiter. Nachdem er erklärt hatte, er wolle nicht gestört werden, ging er gründlich alle Unterlagen Narraways über sämtliche Fälle durch, an denen Gower in den letzten acht Monaten mitgewirkt hatte. Er las alle Dokumente und gewann dabei einen gewissen Überblick über die verschiedenen in anderen europäischen Ländern beobachteten Bestrebungen, das Los der Arbeiterschaft zu verbessern. Außerdem las er den neuesten Bericht über die Situation in Paris.

Die darin dargelegten Pläne zu gewalttätigen Ausschreitungen bedrückten ihn, doch zugleich empfand er tiefes Mitgefühl angesichts das Ausmaßes an gesellschaftlicher Ungerechtigkeit, das darin erkennbar wurde. Es bekümmerte ihn, dass man die Menschen dort unterdrückte und ihnen die Möglichkeit, ein menschenwürdiges Leben zu führen, so lange vorenthielt, bis der Vollzug des gesellschaftlichen Wandels eines Tages von einem unmäßig großen Hass begleitet sein würde.

Je weiter er las, desto tragischer erschien es ihm, dass die von hohem Idealismus getragene Revolution des Jahres 1848 einfach niedergeschlagen worden war und diese so gut wie keinen Wandel bewirkt hatte.

Gowers Berichte waren knapp gehalten, so, als habe er bewusst alle Begriffe daraus entfernt, die auf Gefühle schließen lassen konnten. Anfangs hatte Pitt angenommen, es handele sich dabei einfach um einen besonders klaren Stil, doch dann begann er sich zu fragen, ob nicht mehr dahintersteckte. Vielleicht hatte Gower verhindern wollen, dass man durchschaute, was er dachte, dass Narraway irgendwelche Verbindungen oder Auslassungen erkannte oder dass es nicht echt klang.

Als Nächstes nahm Pitt Narraways eigene Unterlagen zur Hand. Die meisten hatte er früher schon einmal gelesen, und mit einigen der Fälle war er ohnehin vertraut, da innerhalb der Abteilung darüber gesprochen worden war. Er wählte drei aus. Es ging darin um sozialistische Umtriebe auf dem europäischen Festland, die in irgendeinem Zusammenhang mit Großbritannien standen, wo es ebenfalls sozialistische Gruppierungen gab, wie beispielsweise die Fabier-Gesellschaft, die allerdings gemäßigte Ansichten vertrat. Er verglich sie mit den Fällen, an denen Gower mitgewirkt hatte, und versuchte in erster Linie festzustellen, ob Narraway möglicherweise Anmerkungen dazu gemacht hatte.

Welche Tatsachen waren ihm persönlich bekannt? Gower hatte West getötet und Wrexham als Täter bezeichnet. War das eine aus dem Augenblick geborene Entscheidung gewesen, oder hatte er von vornherein die Absicht gehabt und Wrexham in seinen Plan eingeweiht und mit einbezogen? Pitt musste an die Verfolgung durch halb London denken und wie ihn Gower bis Southampton und schließlich nach Saint Malo gelockt hatte. Erneut wurde ihm klar, dass alles viel zu einfach gewesen war. Immer dann, wenn es so ausgesehen hatte, als sei ihnen Wrexham entkommen, war Gower, und nicht Pitt, erneut auf die Fährte gestoßen. Das legte die unausweichliche Schlussfolgerung nahe, dass Gower und Wrexham Hand in Hand gearbeitet hatten. Im Rückblick ergab das Ganze nur dann einen Sinn, wenn es ihre Absicht gewesen war, Pitt in Saint Malo festzuhalten – oder genauer gesagt, ihn von London fernzuhalten. Daraus ließ sich folgern, dass sie genau wussten, welch übles Spiel man in Bezug auf Narraway plante.

Doch was steckte dahinter? Hatte es mit bevorstehenden sozialistischen Aufständen zu tun, oder war auch das nur vorgetäuscht?

Wer war Wrexham eigentlich? Er wurde in Gowers Berichten zweimal kurz als junger Mann aus achtbarer Familie erwähnt, der sein Studium der Neueren Geschichte abgebrochen hatte, um durch Europa zu reisen. Gower hatte die Vermutung geäußert, Wrexham habe sich in Deutschland und Russland aufgehalten, doch schien er sich dessen nicht sicher gewesen zu sein. Alles war recht nebulös und stützte sich auf keinerlei irgendwie geartete Beweise. Ganz offensichtlich hatte Narraway es nicht für nötig gehalten, sich näher mit Wrexham zu befassen oder ihn überwachen zu lassen. Vermutlich hatte Gower seine Äußerungen bewusst so formuliert, dass er später behaupten konnte, es gebe Gründe, Wrexham zu verdächtigen.

Je mehr sich Pitt mit dem vorliegenden Material beschäftigte, desto mehr nahm seine Überzeugung zu, dass sich hinter den bisher entdeckten Einzelhandlungen ein größerer Plan verbarg. Keine dieser Einzelheiten rechtfertigte einen Mord, auch nicht in der Summe. Es musste um eine wichtige Sache gehen – aber welche?

Am dringendsten schien ihm die Frage, ob man Narraway mit so großem Aufwand des Diebstahls bezichtigt hatte, um sich an ihm für etwas zu rächen. Oder ob die eigentliche Absicht dahinter gewesen war, zu erreichen, dass er aus seinem Amt entlassen wurde und aus England verschwand. Je länger sich Pitt mit dieser Frage beschäftigte, desto ausgeprägter wurde seine Überzeugung, dass Letzteres der Fall war.

Was hätte Narraway an seiner Stelle den Informationen entnommen? Sicher hätte er das Muster erkannt, das sich dahinter verbarg. Warum konnte Pitt es nicht erkennen? Was entging ihm?

Während er Ereignisse miteinander verglich und nach Querverbindungen und Gemeinsamkeiten suchte, klopfte es an die Tür, obwohl er ausdrücklich darum gebeten hatte, ihn nicht zu stören. Sofern der Mann, wer auch immer es war, nichts wirklich Wichtiges zu melden hatte, würde er ihn dafür büßen lassen.

»Herein«, sagte er schroff.

Die Tür öffnete sich, Stoker trat ein und schloss sie wieder hinter sich.

Pitt sah ihn kalt an.

Ohne sich davon beeindrucken zu lassen, begann Stoker: »Ich wollte gestern Abend noch mit Ihnen sprechen. Ich habe Ihre Gattin in Dublin gesehen. Es ging ihr gut, und Mr Narraway kann von Glück sagen, dass sich eine so mutige Frau für ihn einsetzt, obwohl ich sicher bin, dass sie es nicht um seinetwillen tut.«

Pitt sah ihn aufmerksam an. Der Mann wirkte gänzlich anders als am Vorabend in Croxdales Gegenwart. Worin bestand der Unterschied? Im Respekt, der Loyalität, steckten persönliche Empfindungen dahinter? Oder war es der Unterschied zwischen Wahrheit und Lüge?

»Haben Sie auch Mr Narraway gesehen?«, fragte Pitt.

»Ja, aber ich habe nicht mit ihm gesprochen. Es war der Tag, an dem O'Neil erschossen wurde.«

»Von wem?«

»Das weiß ich nicht. Ich vermute, dass eine gewisse Talulla Lawless die Täterin ist, weiß aber nicht, ob man das je wird beweisen können. Mr Narraway ist in Schwierigkeiten, Mr Pitt. Er hat mächtige Feinde ...«

»Das ist mir bekannt«, fiel ihm Pitt ins Wort. »Wie es scheint, aus der Zeit vor zwanzig Jahren.«

»Die meine ich nicht«, sagte Stoker eindringlich. »Jetzt, hier in Lisson Grove. Derjenige, der ihn in Verruf bringen und aus dem Land haben wollte, hat auch dafür gesorgt, dass man Sie nach Frankreich lockte, in die andere Richtung, damit Sie nicht mitbekamen, was hier gespielt wurde, und Mr Narraway nicht helfen konnten.«

»Sagen Sie mir alles, was Sie über die Vorfälle in Irland wissen«, verlangte Pitt. »Und setzen Sie sich!« Ihm lag weniger an Einzelinformationen als an der Möglichkeit, abzuwägen, was

Stoker sagte, sich ein Bild vom Wahrheitsgehalt seiner Äußerungen zu machen. Nur so konnte er feststellen, auf wessen Seite der Mann stand.

Stoker kam der Aufforderung nach, ohne sich weiter darüber zu äußern. Vermutlich hatte er begriffen, worum es Pitt ging, doch war seinen Zügen nichts anzumerken.

»Ich war nur zwei Tage da«, begann er.

»Wer hat Sie geschickt?«, unterbrach ihn Pitt.

»Niemand. Ich habe es so hingestellt, als hätte mir Mr Narraway vor seiner Abreise den Auftrag dazu erteilt.«

»Warum?«

»Weil ich ihn ebenso wenig für schuldig halte wie Sie«, sagte Stoker voll Bitterkeit. »Auch wenn er manchmal kühl und schroff wirkt, würde er nie sein Land verraten. Man hat ihn aus dem Weg geräumt, weil den Leuten bewusst war, dass Mr Narraway sofort durchschauen würde, was hier gespielt wird, und dann wäre damit schon bald Schluss gewesen. Dieselben Leute waren überzeugt, dass auch Sie ihnen in die Quere kommen würden, auch wenn Sie ihre Machenschaften vielleicht nicht durchschauen würden. Ich will Sie damit nicht kränken, Sir, aber Sie wissen noch nicht genug, um zu erkennen, worum es geht.«

Pitt zuckte zusammen, konnte aber nichts dagegen einwenden. Der Mann hatte nur allzu Recht, so sehr es Pitt schmerzte, sich das einzugestehen.

»Ich hatte den Eindruck, dass Mr Narraway in Dublin zu ermitteln versucht hat, wer dafür gesorgt hat, dass es aussah, als habe er das für Mulhare vorgesehene Geld an sich gebracht. Wahrscheinlich, um auf die Weise allmählich dahinterzukommen, wer hier in London die ganze Sache eingefädelt hat«, fuhr Stoker fort. »Ich weiß nicht, ob ihm das gelungen ist, auf jeden Fall hat man ihm mit dem Mord an O'Neil eine üble Falle gestellt. Das Ganze muss glänzend vorbereitet gewesen sein: Die Leute haben es so eingerichtet, dass es zwischen ihm und O'Neil vor ein paar Dutzend Zeugen zu einem Streit gekommen ist, irgendjemand hat ihn dann allein in O'Neils Haus gelockt und dafür gesorgt, dass dieser unmittelbar vor Mr Narraways Eintreffen dort erschossen wurde.

Ihre Gattin war dicht hinter ihm, aber er hat vor der Polizei geschworen, dass sie mit der Sache nichts zu tun hatte, damit man sie in Ruhe ließ. Sie ist dann in ihre Pension zurückgekehrt. Mehr weiß ich nicht über sie. Man hat Mr Narraway festgenommen. Bestimmt wird man ihn unter Anklage stellen und hängen, wenn wir nichts unternehmen. Bis dahin bleibt uns aber sicher noch eine gute Woche Zeit.« Er sah Pitt fragend an.

Die Notwendigkeit, eine Entscheidung zu treffen, lastete wie ein bleierner Mantel auf Pitts Schultern. An niemanden konnte er sich wenden, niemandes Meinung dazu einholen und gegen seine eigene abwägen. Wer immer es so eingerichtet hatte, dass er, und nicht Narraway, diese Entscheidung zu treffen hatte, musste ungeheuer gerissen sein.

Er entschloss sich, Stoker zu trauen. Der Vorteil, den das versprach, war größer als das Risiko, das er damit einging.

»Das heißt, uns stehen vielleicht zehn Tage zur Verfügung, um Narraway zu retten«, gab er zurück. »Vermutlich ist das den Leuten, die hinter der ganzen Sache stehen, ebenso bewusst wie uns. Also dürfen wir annehmen, dass sie bis dahin das Vorhaben beendet haben, um dessentwillen sie ihn aus dem Weg haben wollten.«

Stoker richtete sich ein wenig auf. »Ja, Sir.«

»Und wir haben keine Vorstellung davon, wer diese Leute sind«, fuhr Pitt fort. »Außer dass sie hier in der Abteilung ein hohes Maß an Macht und Einfluss haben, so dass wir niemandem trauen können. Selbst Sir Gerald scheint diesen Menschen mehr zu trauen als Ihnen oder mir.«

Stoker gestattete sich ein leichtes Lächeln. »Damit haben Sie Recht, Sir. Und das könnte das Ende von allem bedeuten, wahrscheinlich auch von Ihnen und mir und ganz bestimmt von Mr Narraway.«

»Das heißt, Sie und ich sind auf uns allein gestellt, um festzustellen, was hier gespielt wird.« Pitt war zu dem Ergebnis gekommen, dass es ums Ganze ging und er, wenn er Stoker schon trauen wollte, es rückhaltlos tun müsste. Dies war nicht der richtige Zeitpunkt, dem Mann den Eindruck zu vermitteln, als verlasse er sich nur zum Teil auf ihn.

Er holte die Papiere hervor, an denen er gearbeitet hatte, und legte sie so auf den Tisch, dass beide sie einsehen konnten.

»Dieses Muster habe ich bisher erkannt.« Er wies auf Linien, die Fälle von Waffenschmuggel und die Bewegungen von sowohl in Großbritannien als auch auf dem europäischen Kontinent allgemein bekannten Radikalen miteinander verbanden.

»Das ist ehrlich gesagt nichts Besonderes«, sagte Stoker mit finsterer Miene. »Es sieht für mich so aus wie immer.« Er wies auf einzelne Stellen des Planes: »Das da ist Rosa Luxemburg im Osten, aber die ist schon seit Jahren so aktiv. Dann haben wir Jean Jaurès in Frankreich. Der bedeutet aber keine Gefahr, denn er ist nicht auf Revolution aus, sondern auf Gesellschaftsreformen. Er führt zwar ab und zu eine recht scharfe Sprache, ist aber bei Licht besehen ziemlich gemäßigt. Jedenfalls hat das nichts mit uns zu tun. Der Mann ist so französisch wie Froschschenkel.«

»Und hier?« Pitt wies auf eine Linie, die Aktivitäten der Fabier-Gesellschaft in London und Birmingham bezeichnete.

»Die werden ihre Vorhaben letzten Endes durch das Unterhaus bringen«, sagte Stoker. »Keir Hardie wird ein bisschen Lärm schlagen, aber auch darum brauchen wir uns nicht zu kümmern. Ich persönlich wünsche ihm allen Erfolg, denn wir können ein paar Veränderungen gut brauchen. Nein, Sir, ein großer sozialistischer Aufstand ist wohl nicht geplant, und wir wissen immer noch nicht, was wirklich hinter der Sache steckt.«

Pitt gab keine Antwort. Er sah erneut die Berichte an und las den Text noch einmal, sah aufmerksam auf das geografische Muster, das sich vor seinen Augen abzeichnete, und auf die Namen derer, die an den jeweiligen Aktionen beteiligt waren.

Dann erregte etwas seine Aufmerksamkeit. »Ist das Willy Portman?«, fragte er und wies auf einen Bericht über bekannte Agitatoren, die man in Birmingham beobachtet hatte.

»Ja, Sir, sieht ganz so aus. Was hat der hier zu suchen? Das ist ein ziemlich übles Subjekt. Gewalttätig. Wo der sich beteiligt, kommt nichts Gutes dabei heraus.«

»Ich weiß«, gab ihm Pitt Recht. »Aber nicht darauf will ich hinaus. In diesem Bericht hier heißt es, man habe ihn bei einer Versammlung zusammen mit Joe Gallagher gesehen. Es ist aber allgemein bekannt, dass die beiden seit Jahren miteinander verfeindet sind – was könnte die veranlassen, etwas gemeinsam zu unternehmen?«

Stoker sah ihn an. »Das ist noch nicht alles«, sagte er leise. »In Sheffield hat man McLeish zusammen mit Mick Haddon gesehen.«

Pitt kannte auch diese Namen. Es handelte sich um zwei extrem gewalttätige Männer, von denen ebenfalls bekannt war, dass sie einander bis aufs Blut hassten.

»Außerdem Fenner«, fügte er hinzu und wies auf das Blatt, wo der Name stand. »Hinzu kommen Guzman und Scarlatti. Das ist ein durchgehendes Muster. Ganz gleich, worum es sich bei der Sache handelt, sie scheint diesen Erzfeinden so wichtig zu sein, dass sie plötzlich zusammenarbeiten, und das hier in unserem Land.«

Ein Anflug von Besorgnis trat in Stokers Augen. »Ich bin aus einer ganzen Reihe von Gründen durchaus für Reformen, Sir, aber ich möchte nicht, dass dabei gleich alles Gute aufgegeben wird. Außerdem ist Gewalt nicht der richtige Weg, denn einerlei, was man damit bewirkt, es geht dann immer auf die gleiche Art weiter. Wenn man den König hinrichtet, hat man entweder einen religiösen Diktator wie Cromwell am Hals, der das Volk stärker unterdrückt hat, als je vor ihm ein König, und man muss zusehen, wie man den wieder los wird – oder ein Ungeheuer wie Robespierre mit seiner Schreckensherrschaft in Frankreich taucht auf, und anschließend kommt dann noch ein Napoleon. Ganz zum Schluss hat man dann doch wieder einen König auf dem Thron, zumindest eine Zeit lang. Lieber als all das möchte ich, dass die Dinge bei uns im Lande bleiben, wie sie sind, mit allen Mängeln.«

»Mir geht es ebenso«, stimmte Pitt zu. »Aber solange wir nicht wissen, wer diese Leute sind und wann und auf welche Weise sie losschlagen wollen, können wir der Sache nicht Einhalt gebieten. Ich fürchte, uns bleibt nicht viel Zeit.«

»Nein, Sir. Und wenn Sie gestatten, dass ich es offen sage, wir haben auch keine Verbündeten, jedenfalls nicht hier in Lisson Grove. Wer immer das war, der Mr Narraways Namen in den Schmutz gezogen hat, er hat gründliche Arbeit geleistet, und Ihnen traut hier im Hause niemand, weil Sie Narraways Mann sind.«

Pitt lächelte grimmig. »Ich bin sicher, dass noch viel mehr dahintersteckt, Stoker. Ich bin ganz neu in dieser Position und kenne die Hintergründe nicht. Keiner von den Männern wird mir mehr trauen als Austwick, was man ihnen kaum übelnehmen kann.«

»Ist Austwick Ihrer Ansicht nach ein Verräter, Sir?«

»Vermutlich. Aber möglicherweise nicht der einzige.«

»Ich weiß«, sagte Stoker kaum hörbar.

KAPITEL 11

Vom Deck der Fähre blickte Narraway nach Westen. Mit einem Gefühl von Dankbarkeit und Erleichterung sah er, wie die vertraute Küste Irlands am Horizont versank, ohne dass ein Boot der Polizei oder Küstenwache die Verfolgung aufnahm. Zumindest einige Stunden lang konnte er seine ungeteilte Aufmerksamkeit der Frage zuwenden, wie es nach dem Anlegen in Holyhead weitergehen sollte. Am nächstliegenden wäre es natürlich, den ersten Zug nach London zu nehmen, der von dort fuhr – doch was, wenn andere das voraussahen und ihn festnehmen ließen, kaum, dass er eingestiegen war? Wenn er sich hingegen länger am Ort aufhielte, gäbe das womöglich jenen, die vermutlich nach wie vor darauf brannten, ihn zu fassen, eine Gelegenheit, mit einem leichteren und schnelleren Boot die Irische See zu überqueren und ihn in ihre Gewalt zu bringen, bevor er Hilfe herbeiholen konnte.

Charlotte, die neben ihm stand, war erkennbar erschöpft. Obwohl nach wie vor der Ausdruck tiefer Besorgnis auf ihren Zügen lag, erschien sie ihm schön. Der allzu glatten Vollkommenheit schon lange überdrüssig, vertrat er die Ansicht, wer auf den Anblick einer vollkommenen Komposition von Farbe, Proportionen, glatter Haut und ebenmäßigen Gesichtszügen aus war, möge sich Kunstwerke ansehen, von denen es auf der ganzen Welt eine Überfülle gab. Noch der Ärmste konnte es sich leisten, sie in Form eines billigen Drucks zu erwerben.

Eine wirkliche Frau strahlte Wärme aus, war verletzlich, kannte Ängste und Sorgen. Natürlich hatte sie auch Schwächen – wie könnte sie sich sonst liebevoll mit denen eines Partners abfinden? Ein Mensch ohne Lebenserfahrung war ein Gefäß, das darauf wartete, gefüllt zu werden, denn es war leer, auf wie herrliche Weise auch immer es gefertigt sein mochte. Für einen Menschen voll Mut oder Leidenschaft ging Erfahrung mit einem gewissen Maß an Schmerz, begangenen Fehlern, gelegentlichen Fehleinschätzungen und dem Bewusstsein erlittener Verluste einher. Wie reizend junge Frauen eine Zeit lang auch sein mochten, sie langweilten ihn schon bald.

Zwar war er durchaus an Einsamkeit gewöhnt, doch mitunter schmerzte ihn ihre drückende Last so sehr, dass er sich ihrer stets bewusst war. So wie in Irland und auch jetzt, da er neben Charlotte an Deck stand und sah, wie ihr der Wind das Haar aus den Haarnadeln zerrte und ins Gesicht blies.

Sie hatte ihm bereits berichtet, was sie über Fiachra McDaid, Talulla Lawless, John Tyrone und das Geld in Erfahrung gebracht hatte. Die Dinge lagen äußerst kompliziert. Narraway hatte sich die Zusammenhänge zwar teilweise aus O'Caseys Erklärungen zusammengereimt, aber ohne zu verstehen, welche Rolle Talulla darin spielte. Sie hätte Cormac O'Neil wohl kaum Vorhaltungen gemacht, wenn ihr Fiachra McDaid nicht eingeredet hätte, ihre Eltern seien schuldlos gewesen. Natürlich hätte sie Narraway trotzdem noch mit Vorwürfen überschüttet, aber das war durchaus verständlich. Seine Schuld an Kates Tod war ebenso groß wie die irgendeines anderen, denn dieses Ende war vorhersehbar gewesen. Er hatte gewusst, was Sean für sie empfand.

Was hätte Cormac O'Neil Talullas Ansicht nach unternehmen können, um ihren Vater, Sean O'Neil, vor dem Galgen zu retten? Er war ein Aufrührer gewesen, den seine Frau Kate an die Engländer ausgeliefert hatte. Wie war Kates Handlungsweise einzuschätzen? Hatte es sich dabei um Verrat am Geiste Irlands gehandelt oder einfach um eine pragmatische Entscheidung, deren Ziel es gewesen war, weiteres sinnloses Blutvergießen zu vermeiden, das vielen Leuten das Herz abgedrückt hätte? Wie viele Menschen lebten noch, die damals aufgeopfert worden wären, wenn sie anders gehandelt hätte? Vermutlich die Hälfte derer, die zu Talullas Bekanntenkreis gehörten.

Aber selbstverständlich würde Talulla das nicht so sehen, weil sie es sich nicht leisten konnte. Sie brauchte ihre Wut, und die ließ sich nur rechtfertigen, wenn sie ihre Eltern als Opfer ansah.

Und Fiachra McDaid? Narraway hätte sich wegen seiner Blindheit ohrfeigen können. Wie falsch er den Mann doch eingeschätzt hatte, der seinen leidenschaftlichen irischen Nationalismus hinter seinem Eintreten für die Entrechteten aller Völker verborgen hatte. Je länger er darüber nachdachte, desto klarer wurde ihm alles. Wie sonderbar, dass hinter einer vorgeschobenen allumfassenden Liebe häufig die Bereitschaft stand, ungerührt einen, zehn oder zwei Dutzend Menschen zu opfern! Fiachra McDaid schien ausschließlich die Vorzüge zu sehen, die mit einer größeren gesellschaftlichen Gerechtigkeit und der Unabhängigkeit Irlands einhergingen – um welchen Preis das Land sie errang, interessierte ihn offenbar nicht. Er war ein Träumer, der offenen Auges über Leichen ging, ohne sie zu sehen. Hinter seinem charmanten Auftreten lag Eiseskälte. Narraway musste sich eingestehen, dass McDaid bemerkenswert raffiniert vorgegangen war. Dem Buchstaben des Gesetzes nach hatte er sich keine Straftat zuschulden kommen lassen, und sofern ihn der Arm der Justiz je erreichte, würde das aus einem anderen Grund geschehen.

Narraway sah erneut zu Charlotte hinüber. Als sie es merkte, wandte sie sich ihm zu.

»Weit und breit ist niemand zu sehen«, sagte sie mit einem traurigen Lächeln. »Ich glaube, wir sind in Sicherheit.«

Das Bewusstsein, dass sie sich in seine Flucht mit einschloss, erfüllte ihn mit einer inneren Wärme, von der ihm sogleich aufging, dass sie lächerlich war. Er führte sich auf wie ein Zwanzigjähriger.

»Jedenfalls bis jetzt«, stimmte er zu. »Aber wenn wir in Holyhead in den Zug steigen, wäre es besser für Sie, in einen anderen Waggon einzusteigen als ich. Auch wenn ich bezweifle, dass jemand nach mir Ausschau hält, aber unmöglich ist das nicht.«

»Wer denn?«, fragte sie, als verwerfe sie den Gedanken. »Niemand könnte vor uns dort ankommen.« Noch bevor er antworten konnte, fuhr sie fort: »Und sagen Sie mir nicht, dass die Leute Ihre Flucht vorausgesehen haben. In dem Fall hätten sie Mittel und Wege gefunden, sie zu verhindern. Sehen Sie den Tatsachen ins Gesicht: Man wollte Sie da an den Galgen bringen, denn das wäre die vollkommene Rache für Seans Hinrichtung gewesen.«

Er zuckte zusammen. »Sie nehmen wirklich kein Blatt vor den Mund.«

»Fällt Ihnen das erst jetzt auf?«, fragte sie mit einem feinen Lächeln.

»Natürlich nicht. Aber diese Äußerung war sogar für Sie bemerkenswert.«

»Es ist ja auch eine bemerkenswerte Situation«, sagte sie. »Jedenfalls für mich. Finden Sie es aufdringlich, wenn ich Sie frage, ob Sie so etwas oft machen?«

»Charlotte!« Er fuhr sich mit der Hand durch das dichte Haar und wandte sich ab, um ihr seine Rührung nicht zu zeigen. Ihm war klar, dass es sie in Verlegenheit bringen würde, wenn sie merkte, wie tief seine Empfindungen für sie reichten.

»Tut mir leid«, sagte sie rasch.

Verdammt, fluchte er innerlich. Er war nicht schnell genug gewesen.

»Ich weiß, dass die Sache ernst ist«, fuhr sie fort, womit sie offensichtlich etwas gänzlich anderes meinte.

Erleichterung überkam ihn und unsinnigerweise zugleich Enttäuschung. Wollte wirklich ein Teil seines Wesens, dass sie es erfuhr? Dann musste er es unbedingt unterdrücken, denn es würde zu einer schwierigen Situation zwischen ihnen führen, die keiner von beiden je würde vergessen können.

»Ja«, stimmte er zu.

»Werden Sie Ihr Büro in Lisson Grove aufsuchen?« Jetzt klang ihre Stimme besorgt.

»Nein. Es ist mir lieber, wenn die da nicht wissen, dass ich wieder in England bin, und erst recht nicht, wo.«

Er erkannte die Erleichterung auf ihrem Gesicht. »Es gibt nur einen Menschen, dem ich in jeder Hinsicht zu vertrauen wage, und das ist Vespasia Cumming-Gould. Ich werde eine oder zwei Stationen vor London aussteigen, um sie anzurufen. Wenn ich Glück habe, bekomme ich sie gleich an den Apparat. Andernfalls werde ich mich irgendwo einmieten und warten, bis ich mich mit ihr in Verbindung setzen kann.«

Seine Stimme wurde leise und eindringlich. »Und Sie sollten nach Hause gehen. Für Sie besteht keine Gefahr. Falls es Ihnen aber lieber ist, könnten Sie zu Vespasia gehen. Vielleicht ist es sogar besser, Sie hören sich erst einmal ihre Meinung an.« Während er das sagte, fiel ihm ein, dass er nicht das Geringste über Pitt wusste, nicht einmal, ob er in Sicherheit war. Möglicherweise war es grausam, Charlotte zurück in ein Haus zu schicken, in dem sich niemand außer einem ihr noch unvertrauten Hausmädchen befand. Er wusste, dass sowohl ihre Schwester Emily als auch ihre Mutter verreist waren. Großer Gott, was für ein Durcheinander. Für den Fall, dass Pitt etwas zugestoßen war, hätte sie niemanden, der sie trösten könnte. Dieser Gedanke war ihm unerträglich. Hoffentlich hielten die Drahtzieher hinter dieser ganzen Geschichte Pitt nicht für so gefährlich, dass sie ihm etwas angetan hatten.

»Wir steigen beide ein paar Stationen vor London aus«, sagte er, »und rufen Lady Vespasia an.«

»Ein guter Gedanke«, sagte Charlotte und drehte sich wieder um, weil sie den Möwen zusehen wollte, die über dem schäumenden Kielwasser des Schiffs kreisten. So standen sie beide schweigend nebeneinander, in die Betrachtung der endlosen rhythmischen Bewegung des Wassers und der weißen Schwingen der Vögel versunken.

Es war längst dunkel, als Narraway Vespasia endlich erreichte. Erst als er ihre Stimme hörte, die ein wenig verzerrt durch die Leitung kam, merkte er, wie groß seine Erleichterung war, mit ihr sprechen zu können.

»Victor! Wo um Himmels willen steckst du?«, wollte sie wissen, um sogleich hinzuzufügen: »Nein, sag es lieber nicht. Bist du in Sicherheit? Und Charlotte auch?«

»Ja, wir sind beide in Sicherheit«, antwortete er. Sie war seit seiner Kindheit die einzige Frau in seinem Leben, der gegenüber er sich je zur Rechenschaft verpflichtet gefühlt hatte. »Wir sind nicht weit von dir entfernt, aber es schien mir ratsam, erst mit dir zu sprechen, bevor wir den letzten Abschnitt der Reise zurücklegen.«

»Lasst das lieber sein«, gab sie zurück. »Es wäre weit besser, wenn ihr einen bestimmten Ort aufsuchtet, den wir nicht nennen wollen. Dort können wir uns treffen. Seit deiner Abreise ist viel geschehen, und es steht noch sehr viel mehr bevor.

Ich weiß nicht, worum es sich dabei handelt, wohl aber, dass es äußerst schwerwiegend ist und möglicherweise mit tragischer Gewalttat verbunden sein wird. Aber vermutlich hast du das bereits selbst herausbekommen. Ich nehme an, dass die ganze Irland-Geschichte keinem anderen Zweck dienen sollte, als dich von London wegzulocken.«

»Wer leitet jetzt die Abteilung?«, erkundigte er sich. Obwohl er in einer sehr behaglichen Halle eines Hotels in der Nähe des Bahnhofs stand und immer wieder nach links und rechts blickte, um sich zu vergewissern, dass niemand mithören konnte, kroch ihm die Kälte in die Glieder. »Charles Austwick?«

»Nein«, antwortete sie. »Das war nur eine Zwischenlösung. Thomas ist aus Frankreich zurück. Seine Reise dorthin war völlig ergebnislos. Man hat Austwick durch ihn ersetzt. Er arbeitet jetzt in deinem Büro und ist todunglücklich.«

Einen Augenblick lang war Narraway so verblüfft, dass er keine Worte fand, jedenfalls keine, die sich für Lady Vespasias Ohren oder die Charlottes, wenn sie in der Nähe gewesen wäre, geeignet hätten.

»Victor?«, kam Vespasias Stimme.

»Ja ... ich bin noch dran. Was ... was wird da gespielt?«

»Das weiß ich nicht«, gab sie zu. »Aber ich fürchte sehr, dass man ihn mit dieser Aufgabe betraut hat, weil er der Ungeheuerlichkeit, die da offenbar geplant wird, auf keinen Fall gewachsen wäre. Er hat mit dieser Art von Führungsposition nicht die geringste Erfahrung, besitzt weder die Hinterhältigkeit noch die scharfe Urteilskraft, die nötig wären, um unumgängliche harte Entscheidungen zu treffen. Außerdem gibt es dort niemanden, dem er vertrauen könnte. Das zumindest ist ihm bewusst. Ich habe Grund zu befürchten, dass er dort entsetzlich allein ist. Das dürfte der Absicht desjenigen entsprechen, der diese Situation geschaffen hat ...«

»Du willst damit sagen, dass man ihn als Verantwortlichen ausersehen hat, dem man die Schuld aufbürden kann, wenn der Sturm losbricht?«, sagte Narraway voll Bitterkeit.

»Ganz genau.« Ihre Stimme zitterte ein wenig. »Wir müssen dem unbedingt einen Riegel vorschieben, nur weiß ich nicht so recht, auf welche Weise. Mir ist nicht einmal bekannt, was die Leute planen, aber es muss etwas Unvorstellbares sein.«

Lady Vespasia war ein ganzes Stück älter als er und unbestreitbar tapfer. Niemand, den er kannte, hatte mehr Mut bewiesen als sie. Sie war klug und nach wie vor schön, doch allmählich wurde auch sie alt und war bisweilen sehr allein. Mit einem Mal begriff er ihre Verletzlichkeit, die darauf zurückging, dass sie neben zahlreichen Freunden auch jene Menschen verloren hatte, die sie einst leidenschaftlich geliebt hatte. Mit einem Mal sah er in ihr nicht mehr die Dame der Gesellschaft, die kraft ihrer Persönlichkeit in ihren Kreisen den Ton angab, sondern eine Frau, der die Einsamkeit ebenso wenig erspart geblieben war wie ihm.

»Erinnerst du dich noch an den Gasthof, wo wir vor etwa acht Jahren gemeinsam mit Somerset Carlisle einen köstlichen Hummer zu Mittag gegessen haben?«, fragte er.

»Ja«, kam ihre Antwort ohne das geringste Zögern.

»Dort sollten wir uns so bald wie möglich treffen«, sagte er. »Bring bitte Pitt mit ...«

»Ich werde spätestens um Mitternacht da sein.«

»Du willst mit ihm mitten in der Nacht herkommen?«, fragte er verblüfft.

»Was sonst!«, sagte sie scharf. »Willst du etwa bis zum Frühstück warten? Sei nicht albern. Reserviere lieber drei Zimmer für den Fall, dass uns noch Zeit zum Schlafen bleibt.«

Die letzten Worte hatte sie in zögerndem Ton gesagt.

»Vespasia?«

Sie stieß einen leichten Seufzer aus. »Ich möchte dich nicht kränken, aber da ich vermute, dass du von … nun ja, von dort, wo du warst, geflohen bist, wirst du wohl nicht viel Geld haben und möglicherweise auch nicht in der gewohnt eleganten Garderobe auftreten. Daher dürfte es sich empfehlen, den Leuten meinen Namen zu nennen, so, als wenn du die Reservierung für mich vornähmest. Sag ihnen auch, dass ich gleich bei der Ankunft zahlen werde. Das ist sicher besser, als wenn du einen anderen Namen angibst – auf keinen Fall deinen oder den von Thomas.«

»Charlotte war so vorausblickend, in Dublin meinen Koffer zu packen, so dass ich alles an Kleidung habe, was ich brauche«, sagte er und war zum ersten Mal seit längerer Zeit belustigt.

»Wieso das?«, fragte Vespasia kühl.

»Sie musste die Pension verlassen, in der wir Quartier genommen hatten«, erläuterte er, nach wie vor lächelnd. »Da sie mein Gepäck nicht einfach dalassen wollte, hat sie es mitgenommen. Wenn du mich schon nicht besonders gut kennst, solltest du zumindest sie kennen!«

»Da hast du Recht«, gab sie in etwas freundlicherem Ton zurück. »Bitte entschuldige. Aber dich kenne ich natürlich ebenfalls. Ich werde so nahe an Mitternacht da sein, wie ich kann. Ich bin sehr froh zu hören, dass du in Sicherheit bist, Victor.«

Diese Worte bedeuteten ihm mehr, als er angenommen hatte. Da er erstaunt merkte, dass ihm darauf keine Antwort einfiel, hängte er den Hörer schweigend an den Haken.

Pitt hatte sich gerade an den Küchentisch gesetzt, um zu Abend zu essen, als Minnie Maude hereinkam. Ihr Gesicht war gerötet, ihre Augen glänzten, und sie knetete die Hände.

»Was gibt es?«, fragte Pitt, der sich sogleich Sorgen machte.

Sie holte tief Luft und stieß sie wieder aus. »Da is Lady Vespasia Cumming-Gould für Sie, Sir. Was soll ich mit ihr mach'n, Sir?«

»Ach so«, sagte Pitt erleichtert. »Führen Sie sie herein, und setzen Sie den Wasserkessel noch einmal auf.«

Minnie Maude rührte sich nicht. »Nein, Sir, sie is' doch 'ne wirkliche Dame, nich' nur einfach 'ne nette Frau.«

»Selbstverständlich«, gab ihr Pitt Recht. »Aber sagen Sie ihr bitte, sie möchte in die Küche kommen. Sie war schon früher hier. Dann machen Sie ihr eine Tasse Tee. Wir haben Earl Grey im Haus, eigens für sie.«

Minnie Maude sah ihn an, als habe er den Verstand verloren.

»Bitte«, fügte er hinzu.

»Se entschuldig'n, Sir«, sagte Minnie Maude unsicher, »aber Se seh'n aus, wie wenn man Se durch 'ne Dorn'hecke gezog'n hätte.«

Pitt fuhr sich mit der Hand durch die Haare. »Sie würde mich gar nicht erkennen, wenn ich anders aussähe. Lassen Sie sie doch nicht länger in der Diele stehen, und bringen Sie sie her.«

»Se is' nich in der Diele, Sir, se is' im Wohnzimmer«, teilte ihm Minnie Maude mit, offensichtlich entsetzt von seiner Vorstellung, sie könne solch hohen Besuch einfach in der Diele stehenlassen.

»Entschuldigen Sie. Natürlich. Bringen Sie sie trotzdem her.«

Sie gab sich geschlagen und gehorchte.

Als Pitt den letzten Bissen heruntergeschluckt hatte und den Tisch abräumte, trat Lady Vespasia ein. »Mir hat es hier immer gefallen«, sagte sie. »Danke, Minnie Maude. Es tut mir leid, dich beim Abendessen zu stören, Thomas, aber es ließ sich nicht vermeiden.«

Hinter ihm eilte Minnie Maude zum Herd und setzte den Wasserkessel auf. Dann spülte sie die Kanne aus, in der sie den Tee für Pitt gemacht hatte, und bereitete alles für den Earl

Grey der vornehmen Besucherin vor. Sie hielt sich sehr gerade, und ihre Hände zitterten ganz leicht.

Ohne Lady Vespasia zu unterbrechen, schob ihr Pitt einen der Küchenstühle hin und wollte ihr den Umhang abnehmen, doch sie wehrte ab.

»Ich habe einen Anruf von Victor Narraway bekommen«, sagte sie. »Von einem Hotel etwas außerhalb der Stadt aus. Charlotte ist bei ihm, und es geht ihr gut. Du brauchst dir also ihretwegen keine Sorgen zu machen. Wohl aber gibt es andere Dinge, die deine sofortige und vollständige Aufmerksamkeit erfordern.«

»Narraway?« Seine Gedanken jagten sich. Sie hatte sich so diskret wie möglich ausgedrückt, zweifellos im Bewusstsein, dass Minnie Maude jedes Wort hören konnte. Es wäre unnötig grausam gewesen oder möglicherweise sogar gefährlich, sie grundlos zu ängstigen. Das hatte sie nicht verdient, ganz von der praktischen Erwägung abgesehen, dass Pitt darauf angewiesen war, dass sie sich mit ihrem Alltagsverstand um den Haushalt und vor allem um die Kinder kümmerte – zumindest bis zu Charlottes Rückkehr. Er musste sich eingestehen, dass er die junge Frau zu schätzen gelernt hatte. Sie war umgänglich, hatte einen wachen Geist und war voller Schwung, womit sie in gewisser Hinsicht Gracie ähnelte.

»Ja.« Lady Vespasia wandte sich Minnie Maude zu. »Wenn Sie den Tee gemacht haben, mein Kind, packen Sie bitte einen kleinen Koffer für den Hausherrn mit allem, was er für eine Übernachtung außer Haus braucht. Frische Wäsche, ein Hemd und Toilettenartikel. Wenn Sie fertig sind, bringen Sie ihn nach unten und stellen ihn in die Diele.«

Minnie Maudes Augen weiteten sich. Sie zwinkerte, als überlege sie, ob sie es wagen sollte, Pitt um eine Bestätigung zu bitten, oder einfach tun sollte, was die Dame gesagt hatte. Wer hatte in diesem Fall zu bestimmen?

Das arme Mädchen musste sich in so kurzer Zeit an so viel Neues gewöhnen. Er lächelte ihr beruhigend zu. »Tun Sie das bitte, Minnie Maude. Ich werde fort müssen, aber bald wiederkommen.«

»Es ist gut möglich, dass du eine ganze Zeit lang außerordentlich viel zu tun haben wirst«, berichtigte ihn Lady Vespasia. »Nur gut, dass du mit Minnie Maude eine so verantwortungsbewusste junge Frau im Hause hast. Du wirst sie brauchen. Jetzt wollen wir Tee trinken und dann aufbrechen.«

Sobald Minnie Maude den Tee eingegossen und den Raum verlassen hatte, wandte sich Pitt mit fragendem Blick an die Besucherin.

»Wir dürfen uns nicht länger der Erkenntnis verschließen, dass man sowohl dich als auch Victor aus einem ganz bestimmten Grund aus London fortgelockt hat«, sagte sie, nachdem sie einen ersten kleinen Schluck genommen hatte. »Victor hat man aus dem Amt gedrängt und den Versuch unternommen zu erreichen, dass er in Irland zumindest zeitweise im Gefängnis verschwindet, wenn man ihn nicht gar gehängt hätte. Dich hatte man schon vorher aus London fortgelockt, damit du, der Einzige in Lisson Grove, auf den er sich voll und ganz verlassen konnte und der den Mut aufgebracht hätte, für ihn einzutreten, nicht da warst, als man das Schurkenstück an ihm verübte. Auf diese Weise fehlte ihm jede Unterstützung.«

Seinen Vorgesetzten Narraway hätte Pitt in einer vergleichbaren Situation unterbrochen, um nach dem Grund für das alles zu fragen, doch Lady Vespasia wagte er nicht ins Wort zu fallen.

»Allem Anschein nach ist Charles Austwick mit in die Sache verwickelt«, fuhr sie fort, »wir wissen aber noch nicht, in welchem Umfang und aus welchem Grund. Wohl aber ist uns bekannt, dass es hier um ein groß angelegtes gefährliches Unternehmen geht, das möglicherweise mit Gewalttaten verbunden ist.«

»Ich weiß«, sagte er leise. »Ich denke, dass ich in Stoker einen Verbündeten habe, auf den ich mich verlassen kann. Allerdings dürfte er der Einzige sein, so weit ich das im Moment überblicken kann. Möglicherweise gibt es noch andere, aber ich habe keine Vorstellung, wer das sein könnte. Auf keinen Fall darf ich mir in dieser Hinsicht Fehler leisten, denn schon ein einziger würde sich vermutlich verhängnisvoll auswirken. Was ich nicht verstehe, ist, dass sich Austwick so gut wie gar nicht gegen seine Ablösung als Leiter der Abteilung aufgelehnt hat. Das gibt mir zu denken, denn es steht zu befürchten, dass eine ganze Reihe von Leuten jeden meiner Schritte kennt und ihm davon berichtet.«

Sie stellte ihre Tasse hin. »Das Ganze dürfte noch viel schändlicher sein, als du annimmst, mein Lieber«, sagte sie. »Meiner Vermutung nach wird das geplante Vorhaben äußerst weitreichende Folgen haben. Im Hinblick darauf hat man dich in Lisson Grove als Leiter eingesetzt – du bist als Sündenbock ausersehen, dem man die Schuld dafür aufbürden wird, dass der Sicherheitsdienst die Sache nicht verhindert hat. Danach kann man die Abteilung von Grund auf neu einrichten, ohne auf die erfahrenen Kräfte zurückzugreifen, die jetzt da sind. Auf diese Weise hätten die Hintermänner dieses Planes den Sicherheitsdienst vollständig in der Hand – wenn sie ihn nicht sogar mit der Begründung ganz auflösen, er habe zwar in der Vergangenheit seine Aufgabe erfüllt, sei aber jetzt offensichtlich nicht mehr nötig.«

Was Lady Vespasia ihm vortrug, war niederschmetternd. Nicht wegen seiner Verdienste hatte man ihn also befördert, sondern weil man ihn opfern wollte, wenn der Zeitpunkt gekommen war, dem Sicherheitsdienst vorzuwerfen, dass er versagt und die bevorstehende Katastrophe nicht verhindert hatte.

Diese Vorstellung hätte ihn mit maßlosem Zorn erfüllen müssen, und dazu würde es zweifellos auch noch kommen, wenn er erst einmal das vollständige Ausmaß der Situation erfasst und Zeit gehabt hatte, auch an sich selbst zu denken. Jetzt aber galt es festzustellen, was für eine Art von Anschlag geplant war und wer dahintersteckte. Doch wie sollten sie dabei vorgehen?

Auf Lady Vespasias Gesicht erkannte er tiefes Mitgefühl und freundschaftliches Verständnis.

Er zwang sich, ihr zuzulächeln. Er dachte nicht im Traum daran, in Selbstmitleid zu versinken, allein schon deshalb nicht, weil sie das in einer vergleichbaren Situation auch nicht getan hätte.

»Ich versuche zu überlegen, mit welcher Aufgabe ich mich beschäftigt hätte, wenn ich nicht nach Saint Malo gefahren wäre«, sagte er. »Ich weiß nicht, ob mir der arme West tatsächlich etwas Wichtiges mitteilen wollte, beispielsweise, dass Gower ein Verräter war, oder ob man ihn lediglich umgebracht hat, um zu erreichen, dass ich Wrexham bis nach Frankreich verfolgte. Ich nehme Ersteres an, aber vielleicht irre ich mich da auch.«

»Wenn du hier gewesen wärest, hättest du möglicherweise verhindert, dass man Victor von seinem Amt suspendiert«, erklärte sie. »Andererseits ist denkbar, dass man mit dir ebenso verfahren wäre ...« Sie verstummte.

Er zuckte die Achseln. »Wenn man mich nicht ganz aus dem Weg geräumt hätte.« Er sagte das, weil ihm klar war, dass sie das ebenfalls dachte. »Mich nach Frankreich zu locken war da eine deutlich bessere Lösung, die den zusätzlichen Vorteil hatte, kein Aufsehen zu erregen. Außerdem darf man nicht ausschließen, dass mich die Leute von Anfang an als denjenigen vorgesehen hatten, dem die Verantwortung für das Versagen der Abteilung in die Schuhe geschoben werden sollte. Ich habe schon die ganze Zeit hin und her überlegt, mit welchen Fällen wir uns überwiegend beschäftigt haben und was wir dabei in Erfahrung gebracht hätten, wenn die Zeit dafür gereicht hätte.«

»Darüber werden wir uns unterwegs Gedanken machen«, sagte sie und trank ihren Tee aus. »Sicherlich wird Minnie Maude gleich mit deinem Koffer herunterkommen, dann können wir aufbrechen.«

Er stand auf und ging nach oben, um noch einmal nach den Kindern zu sehen, erteilte Minnie Maude letzte Anweisungen und gab ihr genug Geld, damit sie während seiner Abwesenheit die nötigen Besorgungen machen konnte. Dann nahm er seinen Koffer und ging hinaus zu Lady Vespasias Kutsche, die vor dem Haus wartete. Wenige Augenblicke darauf waren sie in der Nacht verschwunden.

»Ich bin bereits gemeinsam mit Stoker gründlich alles durchgegangen, was vor meinem Aufbruch nach Frankreich geschehen ist, außerdem Austwicks Aufzeichnungen über die Vorfälle seither«, begann er, »sowie die Berichte anderer. Dabei ist uns etwas aufgefallen, was mich sehr beunruhigt, obwohl ich es noch nicht verstehe.«

»Was?«, fragte sie rasch.

Er berichtete ihr von dem Gewalttäter, der in verschiedenen Teilen des Landes gesehen worden war. Sie erbleichte, als er die seit Jahren miteinander verfeindeten Männer erwähnte, die mit einem Mal am selben Strang zu ziehen schienen.

»Ganz offensichtlich ist diese Sache überaus ernsthaft«, stimmte sie zu. »Ich habe übrigens auch verschiedene Gerüchte gehört, während du außer Landes warst. Anfangs habe ich das als leeres Gerede abgetan, wie man es immer wieder von idealistischen Träumern hört. Beispielsweise hieß es, gewisse Gesellschaftsreformer hätten erklärt, sie würden bestimmte Vorhaben mühelos durch das Unterhaus bringen. Manche der Reformen, um die es dabei ging, kamen mir ziemlich radikal vor, wenn ich auch einräumen muss, dass sie in gewissem Rahmen gerechtfertigt erscheinen. Damals habe ich diese Leute einfach für weltfremd gehalten, aber vielleicht steckt etwas Konkretes dahinter, was mir bisher entgangen ist.«

Schweigend fuhren sie über Woburn Place in Richtung Euston Road, dann bog die Kutsche mit dem Verkehr nach rechts ab und fuhr nordwärts über die Pentonville Road.

»Ich fürchte, ich weiß, was dir entgangen ist«, sagte Pitt schließlich.

»Was denn?«, fragte sie. »Ich kann mir weder einen einzelnen Menschen noch eine Gruppe vorstellen, die bereit wäre, das eine oder andere der geplanten Gesetzesvorhaben durchzubringen. Ein solcher Versuch wäre von vornherein zum Scheitern verurteilt, denn im Oberhaus würde man das Ganze unverzüglich in Bausch und Bogen ablehnen, und die Leute müssten wieder von vorn anfangen. Bis dahin hätte sich die Opposition gesammelt und würde ihre Gegenargumente vortragen. Das muss den Leuten auch bekannt sein.«

»Mit Sicherheit«, gab er ihr Recht. »Aber wenn es kein Oberhaus gäbe ...«

Das Licht der Straßenlaternen wirkte grell, das Rollen der Wagenräder unnatürlich laut. »Du meinst, wieder eine Pulververschwörung wie die im Jahre 1605?«, fragte sie. »So etwas würde das ganze Land empören. Damals hat man Guy Fawkes samt seinen katholischen Mittätern gehängt und geviertelt, weil sie das Parlament in die Luft jagen wollten. Heutzutage dürfte die Strafe wohl nicht ganz so barbarisch ausfallen, auch wenn ich ehrlich gesagt nicht darauf wetten würde.« Ihr Gesicht lag einen Augenblick im Schatten, als eine höhere und längere Kutsche zwischen ihnen und den Straßenlaternen vorüberfuhr.

Nach einer knappen Stunde erreichten sie müde, durchgefroren und voll innerer Anspannung das Gasthaus, das Narraway und Charlotte inzwischen aufgesucht hatten. Sie alle begrüßten einander so kurz wie herzlich, dann ließen sie sich vom Wirt die Zimmer zeigen, die sie für die Nacht beziehen wollten. Anschließend suchten sie einen kleinen Nebenraum auf, in dem man ihnen Erfrischungen servieren und sie im Übrigen ungestört lassen würde.

Tiefe Rührung erfasste Pitt bei Charlottes Anblick. Er freute sich, ihr Gesicht zu sehen, und war zugleich besorgt, weil sie so abgespannt wirkte. Er war erleichtert, sie in Sicherheit zu wissen, denn ihm war klar, in welcher Gefahr sie sich befunden hatte. Zugleich aber betrübte es ihn zutiefst, dass er nicht mit ihr allein sein konnte, und sei es nur für eine kurze Weile. Außerdem merkte er, dass er sich ärgerte, weil sie sich seiner Ansicht nach unbedacht in Gefahr begeben hatte. Er fühlte sich schmerzlich ausgeschlossen, hatte sie ihn doch zuvor weder nach seiner Meinung noch nach seinen Gefühlen befragt – allerdings, das musste er sich eingestehen, hatte es dazu auch keine Gelegenheit gegeben. Narraway war bei ihr gewesen, und er nicht. Ihm war klar, dass seine Empfindungen kindisch waren, doch obwohl er sich deswegen schämte, änderte das an ihrer Intensität nicht das Geringste.

Dann sah er zu Narraway hin, der sich mit seinen schmalen, starken Händen das schwarze Haar ungeduldig nach hinten strich, als sei es ihm im Weg, und unwillkürlich nahm sein Ärger ab. Die Linien im Gesicht seines Vorgesetzten schienen deutlich tiefer eingeschnitten als zuvor, und seine Augen waren gerötet.

Die beiden Männer sahen einander an, unsicher, wer in der Situation das Kommando hatte. Narraway hatte viele Jahre an der Spitze des Sicherheitsdienstes gestanden, doch jetzt hatte

Pitt diese Position inne – und keiner der beiden wollte Lady Vespasia ihre Vorrechte streitig machen.

Sie lächelte. »Sitz doch nicht wie ein Schuljunge da, Thomas, der darauf wartet, dass man ihm erlaubt zu sprechen. Du bist jetzt der Leiter des Sicherheitsdienstes. Wie schätzt du die Lage ein? Wir werden unsere Ansichten beitragen, sofern wir etwas wissen.«

Pitt räusperte sich. Er kam sich vor, als mache er Narraway sein Amt streitig, doch zugleich merkte er, dass der Mann mitgenommen war. Das konnte niemanden wundern, denn schließlich war er auf eine Weise ausgebootet worden, die er nicht hatte voraussehen können, war eines Verbrechens bezichtigt worden, ohne dass er eine Gelegenheit gehabt hätte, seine Schuldlosigkeit zu beweisen. Seine Lage war alles andere als beneidenswert, und es gehörte sich, ihn mit Nachsicht und Freundlichkeit zu behandeln.

Pitt legte in Einzelheiten dar, was in der Zeit zwischen der Ermordung Wests und dem Augenblick geschehen war, da er sich gemeinsam mit Stoker bemühte hatte, möglichst viele Puzzleteile zusammenzusetzen. Ihm war bewusst, dass er in Lady Vespasias und Charlottes Gegenwart wichtige Staatsgeheimnisse ansprach, was er bisher nie getan hatte. Doch der Ernst der Lage ließ nicht zu, dass man die beiden Frauen ausschloss. Wenn es nicht gelang, den geplanten Anschlag zu verhindern, würde ohnehin alles der Öffentlichkeit in kürzester Zeit bekannt werden. Wie bald das sein würde, konnte man nur raten.

Als er geendet hatte, sah er zu Narraway hin.

»Das lohnendste und auch naheliegendste Ziel für einen solchen Angriff dürfte das Oberhaus sein«, sagte dieser bedächtig. »Das wäre ein ungeheuer tiefer Eingriff in unsere Lebensumstände. Gott allein weiß, wie es dann weitergehen würde. Der französische Thron ist bereits gestürzt, der von Österreich-Ungarn wankt, vor allem nach der elenden Geschichte in Mayerling.« Er sah zu Charlotte hin, und als er den Ausdruck von Verwirrung auf ihrem Gesicht erkannte, fügte er hinzu: »Das war vor sechs Jahren. Kronprinz Rudolf hat 1889 sich und seine Geliebte, die Baronesse Mary Vetsera, in seinem dortigen Jagdschloss erschossen. Die genauen Hintergründe dieser Geschichte sind nie bekannt geworden.« Er beugte sich ein wenig vor und setzte seine Erläuterungen mit ernstem Gesicht fort: »Auch die übrigen Throne Europas stehen nicht so fest wie früher, und in Russland steht die Monarchie dicht vor dem Abgrund. Dort dürfte bald das Chaos ausbrechen, wenn man sich nicht umgehend zu tiefgreifenden Reformen bereit findet. Allerdings sind die ungefähr ebenso wahrscheinlich wie eine Narzissenblüte im November.«

»Bei uns sehen die Dinge aber doch anders aus«, hielt Pitt dagegen. »Zwar hatte Königin Viktoria vor einigen Jahren eine schwierige Zeit, aber ihre Beliebtheit nimmt wieder zu.«

»Sollten die Leute einen Anschlag auf unsere Erbmonarchie vorhaben, hätte das übrige Europa keine Möglichkeit, etwas dagegen zu unternehmen«, gab Narraway zu bedenken. »Überlegen Sie doch, Pitt. Wo würden Sie ansetzen, wenn Sie ein begeisterter Sozialist wären und die Absicht hätten, die Privilegien einer Schicht hinwegzufegen, die über alle anderen gebietet? In Frankreich hat der Adel alle Herrschaftsrechte eingebüßt, und in Spanien hat er jeglichen Einfluss verloren. Zu der Zeit, als dort die Habsburger regierten, war der Hof mit den Herrscherhäusern in halb Europa verwandt, aber davon kann jetzt keine Rede mehr sein. Österreich-Ungarn? Das zerbröselt allmählich. Deutschland? Da hat bis vor wenigen Jahren Bismarck alle Macht in Händen gehalten, und wie es unter Kaiser Wilhelm II. weitergeht, wird die Zukunft zeigen. Alle bedeutenden Herrscherhäuser in Europa sind auf die eine oder andere Weise mit Königin Viktoria verwandt. Wenn sie ihr Oberhaus verlöre, wäre das der Anfang vom Ende aller erblichen Privilegien.«

»Ehre und Moral lassen sich nicht vererben, Victor«, sagte Lady Vespasia leise. »Wohl aber kann man von der Wiege auf ein Verständnis für die Vergangenheit erlernen und Dankbarkeit für die damit verbundenen Gaben. Man kann lernen, Verantwortung für die Zukunft zu übernehmen, zu hüten und vielleicht zu mehren, was man bekommen hat, und es denen zu hinterlassen, die uns nachfolgen.«

Sein Gesicht wirkte erschöpft, als er sie ansah. »Mit dem eben Gesagten habe ich die Worte jener Leute wiederholt, Vespasia, es waren nicht meine eigenen.« Er biss sich auf die Lippe. »Wer sie besiegen will, muss wissen, woran sie glauben und was sie planen. Sofern es ihnen gelingt, an die Macht zu kommen, werden sie nicht nur das Schlechte beseitigen, sondern auch das Gute hinwegfegen, weil ihnen nicht klar ist, was es bedeutet, ausschließlich seinem Gewissen und nicht der Stimme des Volkes verantwortlich zu sein, das sich bei allem zu Wort meldet, ganz gleich, ob es etwas von der Sache versteht oder nicht.«

»Entschuldigung«, sagte sie. »Vielleicht bin ich ein wenig verängstigt. Hysterisches Verhalten ist mir in tiefster Seele zuwider.«

»Verständlich«, versicherte er ihr. »Sollte einst der Tag kommen, an dem niemand mehr so empfindet, sind wir alle verloren.« Er wandte sich an Pitt. »Haben Sie eine Vorstellung von irgendwelchen spezifischen Plänen?«

»Nur sehr ungenaue«, räumte dieser ein. »Aber ich kenne den Feind.«

Er teilte Narraway mit, was er Lady Vespasia bereits über die verschiedenen Gewalttäter gesagt hatte, die einander hassten, jetzt aber etwas gefunden zu haben schienen, was sie einte.

»Wo befindet sich Ihre Majestät zur Zeit?«, erkundigte sich Narraway.

»In ihrem Palast Osborne House auf der Isle of Wight«, gab Pitt zur Antwort. Er spürte, wie sich sein Puls beschleunigte. Unwillkürlich kamen ihm Anmerkungen und Beobachtungen in den Sinn, die andere gemacht hatten: betont unauffällig scheinende Ortsveränderungen von Männern, deren Namen jeden hätte alarmieren müssen, der diese Berichte las. Narraway wäre das sofort aufgefallen. »Ich vermute, dass sie dort zuschlagen wollen. Es ist die verwundbarste Stelle, an der ein Angriff zugleich den größten Erfolg verspricht.«

Narraway wirkte noch bleicher als zuvor. »Die Königin?« Er war so entsetzt, dass er nichts weiter sagte. Der bloße Gedanke an einen Angriff auf die Person Königin Viktorias war so erschütternd, dass es ihm die Sprache verschlug.

Pitt überlegte, wie viele Soldaten auf der Insel stationiert waren, kalkulierte, was der Sicherheitsdienst an Männern aufbieten konnte, wenn er sie von anderen Aufgaben abzog. Außerdem ließen sich Polizeikräfte mobilisieren. Dann kam ihm ein anderer Gedanke. Was, wenn die unsichtbaren Gegner wollten, dass er genau in diese Richtung dachte, damit er alle Kräfte auf den Schutz von Osborne House konzentrierte und der Angriff an einer gänzlich anderen Stelle erfolgen konnte?

»Seien Sie vorsichtig«, mahnte ihn Narraway. »Wenn Sie die Öffentlichkeit beunruhigen, würde allein das schon den Schaden anrichten, den die Leute erstreben.«

»Das ist mir bekannt.« Pitt merkte, dass ihn auch Charlotte und Lady Vespasia aufmerksam ansahen. »Das ist mir bekannt«, wiederholte er. »Ebenso ist mir bewusst, dass sie im Grunde beliebig viel Zeit haben. Sie können in aller Ruhe abwarten, bis wir in unserer Aufmerksamkeit nachlassen, und dann losschlagen.«

»Das bezweifle ich.« Narraway schüttelte den Kopf. »Die Leute wissen von meiner Flucht und auch, dass Sie aus Frankreich zurück sind. Ich denke, wir müssen rasch handeln, genau genommen sofort. Die von Ihnen genannten Männer, die in England zusammengekommen sind, werden nicht warten. Ich schlage vor, Sie kehren nach Lisson Grove zurück und ...«

»Ich fahre nach Osborne House«, fiel ihm Pitt ins Wort. »Ich habe niemanden, den ich schicken kann, und falls Sie Recht haben, könnte es sogar schon zu spät sein.«

»Sie fahren nach Lisson Grove«, wiederholte Narraway. »Sie sind Leiter des Sicherheitsdienstes und kein Infanterist, der in den Krieg zieht. Was wird aus der Operation, wenn man Sie erschießt, gefangen nimmt oder Sie einfach nicht zu erreichen sind? Hören Sie auf, wie ein Abenteurer zu handeln, und versuchen Sie wie ein Mann zu denken, der eine Führungsposition innehat. Ihre Aufgabe ist es, genau festzustellen, wem Sie vertrauen können, und das müssen Sie bis morgen Abend wissen.« Er sah zu der Messinguhr auf dem Kaminsims. »Bis heute Abend«, verbesserte er sich. »Ich fahre nach Osborne House. Da kann ich die Menschen zumindest warnen und vielleicht auch einen Angriff, wie auch immer der aussieht, aufhalten, bis Sie eine Möglichkeit finden, Verstärkung zu schicken.«

»Du musst damit rechnen, dass man dir dort den Zutritt verweigert«, gab Lady Vespasia zu bedenken. »Immerhin hast du keinen offiziellen Status mehr.«

Narraway zuckte zusammen. Ganz offensichtlich hatte er das nicht bedacht.

»Ich komme mit«, fuhr sie fort. Sie sagte das nicht als Angebot, sondern stellte es als unverrückbare Tatsache hin. »Man kennt mich dort. Es müsste schon sehr sonderbar zugehen, wenn man auch mich nicht auf das Anwesen ließe. Wenn ich dann die Umstände und die damit verbundene Gefahr erkläre, wird mir der Haushofmeister sicherlich eine Audienz bei der Königin verschaffen. Ich muss mir nur noch überlegen, was ich ihr dann sagen werde.«

Pitt erhob keine Einwände gegen diese erkennbar sinnvolle Lösung. Er stand auf. »Dann sollten wir uns besser gleich aufmachen.« Zu Charlotte gewandt, sagte er: »Wir fahren nach Hause, während sich Mr Narraway und Tante Vespasia auf den Weg nach Southampton machen, um von dort zur Isle of Wight überzusetzen.«

Lady Vespasia sah erst ihn und dann Narraway an. »Ich denke, es wäre vernünftig, erst einmal einige Stunden zu schlafen«, sagte sie mit einer Stimme, die keinen Widerspruch duldete. »Danach frühstücken wir. Uns stehen einige schwere Entscheidungen und vielleicht auch harte Auseinandersetzungen bevor. Nur wer seelisch und körperlich bei Kräften ist, kann sein Bestes geben.«

Pitt wollte aufbegehren, doch er war zu erschöpft. Sofern es sich moralisch vertreten ließ, würde er sich gern einige Stunden hinlegen und alles vergessen. Er wusste nicht, wann er sich zum letzten Mal so richtig entspannt hatte, ganz von dem inneren Frieden zu schweigen, den das Bewusstsein mit sich brachte, Charlotte an seiner Seite zu haben, und zu wissen, dass sie in Sicherheit war.

Er sah zu Narraway hin.

Dieser sagte mit trübseligem Lächeln: »Ein guter Rat. Wir stehen um vier Uhr auf und fahren um fünf Uhr ab.« Er richtete den Blick auf Vespasia, um zu sehen, ob sie damit einverstanden war.

Sie nickte.

»Ich komme mit«, sagte Charlotte. In ihrer Stimme lag kein fragender Ton, offensichtlich war sie bereit, sich durchzusetzen. Zu Pitt gewandt, erläuterte sie: »Es geht nicht darum, dass ich mich für unentbehrlich halte, aber ich kann Tante

Vespasia unmöglich allein mit einem Mann reisen lassen. Erstens würde das Aufsehen erregen, und zweitens würde man das in Osborne House für außerordentlich sonderbar halten. Bitte entschuldige.«

Natürlich hatte sie Recht. Pitt hätte selbst daran denken sollen. Wie konnte er nur! »Selbstverständlich«, stimmte er zu. »Und jetzt sollten wir uns eine Weile hinlegen.«

Als sie oben in ihrem Zimmer waren und die Tür geschlossen hatten, sah ihn Charlotte liebevoll und bittend an. »Es tut mir wirklich leid«, begann sie.

»Sag nichts«, unterbrach er sie. »Wir wollen einfach beieinander sein, solange wir die Möglichkeit dazu haben.«

Er streckte die Arme aus, sie trat auf ihn zu und umschlang ihn. Er war so müde, dass er fast im Stehen eingeschlafen wäre. Als sie sich einige Augenblicke später hinlegten, war ihm undeutlich bewusst, dass sie ihn nach wie vor umarmt hielt.

Am frühen Morgen brach Pitt auf, um in sein Amt zurückzukehren, während Charlotte, Lady Vespasia und Narraway mit der Kutsche über die Hauptstraße nach Süden zum nächstgelegenen Bahnhof fuhren, wo sie einen Zug nach Southampton nehmen und von dort mit der Fähre zur Isle of Wight übersetzen wollten.

»Sofern sich noch nichts Verdächtiges geregt haben sollte, könnte es schwierig werden, eine Audienz bei der Königin zu erwirken«, sagte Narraway, nachdem sie im Zug Platz genommen hatten. Das Rattern der Räder wirkte beruhigend auf alle drei. »Für den Fall aber, dass der Feind bereits sozusagen vor den Toren steht, müssen wir uns eine Lösung ausdenken, wie wir trotzdem hineingelangen.«

»Wie wäre es, wenn wir in Southampton eine Arzttasche kauften und sie mit einigen Fläschchen und Pülverchen aus einer Apotheke bestückten?«, schlug Charlotte vor. »Dann könnte sich Victor als Arzt ausgeben und ich als Krankenschwester.« Mit einem Blick auf Lady Vespasia fügte sie hinzu: »Oder als deine Zofe. Ich habe zwar auf beiden Gebieten keine Erfahrung, trage aber einen hinreichend schlichten Mantel, um als die eine wie auch die andere durchzugehen.«

Nach kurzem Überlegen befand Lady Vespasia: »Glänzender Gedanke. Dann sollten wir aber für dich noch ein schlichteres Kleid und eine weiße Schürze ohne Verzierungen kaufen, die für beide Zwecke dienen kann. Ich denke, du gehst besser als Schwester, die den Arzt begleitet. Mit Zofen werden sich die Leute dort auskennen, über Krankenschwestern hingegen wissen sie vielleicht weniger. Bist du damit einverstanden, Victor?«

Belustigung blitzte in seinen Augen auf. »Selbstverständlich. Wir werden das alles erledigen, sobald wir in Southampton angekommen sind.«

»Befürchten Sie, wir könnten bereits zu spät kommen?«, fragte Charlotte.

Er versuchte gar nicht erst, ihr etwas vorzutäuschen, und sagte ja. »Ich an deren Stelle hätte inzwischen gehandelt.«

Wenige Stunden später erreichten sie das große und mit allen Bequemlichkeiten ausgestattete Anwesen, auf dem sich Königin Viktoria schon viele Jahre ihres Lebens aufgehalten hatte, ganz besonders nach dem Tod ihres Prinzgemahls Albert, weil sie dort wohl den Trost fand, den ihr keins ihrer zahlreichen prächtigen Schlösser bot.

Alles schien in der Frühlingssonne friedlich dazuliegen. Das Gras war leuchtend grün, und die meisten Bäume prangten in frischem Laub. Während der Schwarzdorn in voller Blüte stand, zeigten sich beim Weißdorn erste Knospen.

Den Palast hatte man in einer leicht gewellten Parklandschaft errichtet, wie sie so viele Anwesen außerordentlich wohlhabender Familien des Landes umgab. Neben einem großen Baumbestand gab es ausgedehnte gepflegte Rasenflächen, die den Eindruck von Weiträumigkeit und Helle vermittelten. Prinz Albert, dem offensichtlich die Eleganz italienischer Landsitze ans Herz gewachsen war, hatte das Gebäude im Renaissancestil selbst entworfen. Es verfügte über zwei oben glatt abschließende herrliche viereckige Belvedere-Türme. Der Baukörper, in dessen hohen Fenstern sich das Sonnenlicht zu spiegeln schien, folgte den gleichen rechtwinkligen Linien wie diese Türme. Man konnte sich gut vorstellen, welche Pracht im Inneren herrschte.

Die Mietkutsche hielt an, sie stiegen aus und entlohnten den Kutscher.

»Bestimmt woll'n Se, dass ich warte«, sagte dieser mit freundlichem Nicken. »Se könn'n sich hier drauß'n umseh'n, das is' alles. Wenn Ihre Majestät da is', komm'n Se nich näher ran.«

Lady Vespasia gab ihm ein großzügiges Trinkgeld. »Vielen Dank, guter Mann, Sie können umkehren.«

Er gehorchte achselzuckend, wendete sein Fahrzeug und brummelte etwas über die Ahnungslosigkeit von Touristen vor sich hin.

»Wir dürfen uns hier nicht länger aufhalten«, sagte Narraway. In seiner Stimme lag Bedauern. »Noch kann ich nichts Verdächtiges erkennen. Alles sieht so aus, wie es meiner Vermutung nach sein müsste. Sogar ein Gärtner arbeitet da hinten.« Statt mit der Hand zu zeigen, nickte er in die Richtung.

Charlotte sah hin und erkannte einen über eine Hacke gebeugten Mann, der den Boden zu bearbeiten schien. Bei dieser heimelig wirkenden ländlichen Szene wich ein Teil ihrer Besorgnis von ihr. Vielleicht hatten sie sich unnötig geängstigt. Sie waren rechtzeitig gekommen. Jetzt mussten sie sich bemühen, nicht töricht zu wirken, nicht nur um ihrer Selbstachtung willen, sondern auch, damit das Hofgesinde sie ernst nahm, wenn sie ihre Warnung vortrugen. Und dann würde Pitt bald Verstärkung schicken, Männer, die für diese Aufgabe geschult und ausgebildet waren, und die Gefahr würde vorüber sein.

Es sei denn, sie hatten sich geirrt, und der Schlag würde anderswo geführt. War auch das hier nichts als ein glänzend geplantes Ablenkungsmanöver?

Narraway zwang sich im Sonnenlicht zu einem Lächeln. »Ich komme mir mit dieser Tasche jetzt ein wenig lächerlich vor.«

»Halte sie bitte so, als sei sie dir sehr wichtig«, sagte Vespasia ganz leise. »Du wirst sie brauchen. Der Mann dahinten ist ebenso wenig Gärtner, wie du Arzt bist. Er kann ganz offensichtlich kein Unkraut von einer Blume unterscheiden. Seht nicht hin, damit er nicht gewarnt wird. Ein Arzt, der zur Königin gerufen wird, kümmert sich nicht um Männer, die Petunien die Triebe abhacken.« Während Lady Vespasia das sagte, stand sie gerade aufgerichtet und trug den Kopf mit ihrem modischen Hut so stolz und hoch erhoben, als stehe sie im Begriff, als Ehrengast ein Gartenfest zu besuchen.

Charlotte spürte, wie ihr die Sonne in die Augen stach. Der riesige Bau schien vor ihren Blicken zu verschwimmen.

Am Eingang trafen sie auf einen Haushofmeister, dessen weiße Haare so straff nach hinten gekämmt waren, als habe er sie ausreißen wollen. Er erkannte Lady Vespasia sogleich.

»Guten Tag«, begrüßte er sie mit zittriger Stimme. »Bedauerlicherweise fühlt sich Ihre Majestät heute ein wenig unwohl und empfängt keine Besucher. Wie schade, Lady Vespasia, dass wir von Ihrem Kommen nicht rechtzeitig unterrichtet waren, um Ihnen das mitzuteilen. Ich würde Sie gern wenigstens ins Haus lassen, aber wie das Unglück es will, hat eins unserer Mädchen eine fiebrige Entzündung, und wir befürchten, dass sich Besucher anstecken könnten. Ich bedaure aufrichtig ...«

»Wie betrüblich für die Arme«, sagte Lady Vespasia in mitleidvollem Ton. »Und natürlich auch für Sie alle. Sie tun selbstverständlich gut daran, die Sache ernst zu nehmen. Zum Glück werde ich von Dr. Narraway begleitet, der sicher gern bereit ist, sich das Mädchen einmal anzusehen, um für sie zu tun, was er kann. Mitunter hilft bei einer solchen fiebrigen Entzündung ein wenig Chinin-Tinktur. Vielleicht könnte das Ihrer Majestät ebenfalls von Nutzen sein. Es wäre nicht auszudenken, wenn sie sich anstecken würde.«

Der Haushofmeister wand sich und wusste ganz offensichtlich nicht, was er sagen sollte. Er holte Luft, setzte zum Sprechen an, brachte aber kein Wort heraus. Schweiß trat ihm auf die Stirn, und er zwinkerte heftig.

»Ich sehe, dass Sie sich große Sorgen um sie machen«, sagte Lady Vespasia in ruhigem Ton, wobei ihre Stimme trotz aller Mühe, sie zu beherrschen, leicht zitterte. »Vielleicht sollten wir Dr. Narraway nach ihr sehen lassen. Es ist nicht nur ein Gebot der Menschlichkeit, sondern auch der Klugheit. Falls die ganze Dienerschaft angesteckt würde, kämen Sie in eine schwierige und äußerst unangenehme Lage.«

»Lady Vespasia, ich kann unmöglich ...«

Bevor er den Satz beenden konnte, trat ein stämmig gebauter dunkelhaariger Mann um die Mitte dreißig an die Tür, der ebenfalls die Livree des königlichen Haushalts trug.

»Sir«, sagte er zu dem Haushofmeister, »vielleicht hat die Dame ja Recht. Ich hab grade gehört, dass es der arm'n Molly schlechter geht. Nehm'n Se also das Angebot ruhig an un' lass'n Se die Leute rein.«

Der Haushofmeister sah den Jüngeren voller Hass und Abscheu an, gab aber nach einem verzweifelten Blick zu Lady Vespasia nach.

Mit einem höflichen »Danke« trat sie über die Schwelle, gefolgt von Charlotte und Narraway.

Kaum war die Tür hinter ihnen geschlossen, als ihnen aufging, dass sie gefangen waren. Weitere Männer standen am Fuß der geschwungenen Treppe und einer am Eingang zum Küchen- und Dienstbotentrakt.

»Das hätten Sie nicht tun sollen«, warf der Haushofmeister dem anderen vor.

»Wenn wir die weggeschickt hätt'n«, hielt dieser dagegen, »wär den'n klar geword'n, dass hier was faul is'. Am best'n redet niemand darüber. Wir woll'n die alte Dame ja nich' aufreg'n.«

»Damit haben Sie Recht«, stimmte ihm Lady Vespasia in scharfem Ton zu. »Falls Ihre Majestät einen Schlaganfall bekommt und stirbt, werden Sie nicht einfachen Mordes, sondern des Königsmordes schuldig sein. Können Sie sich vorstellen, wo auf der Welt Sie eine Möglichkeit hätten, sich vor dieser Anklage zu verstecken? Ohnehin würden Sie nicht entkommen. So sehr sich unsere Vorstellungen von Freiheit oder der Gleichheit, die wir anstreben oder für die wir sogar kämpfen, unterscheiden mögen, wird sich niemand mit dem Mord an einer Königin abfinden, die schon länger regiert, als die Lebensdauer der meisten ihrer Untertanen auf der ganzen Welt beträgt. In einem solchen Fall würde die Öffentlichkeit Sie in Stücke reißen wollen – doch ich nehme an, das würde Ihnen weniger ausmachen, als dass Sie damit all Ihre großartigen Ideen in Verruf bringen.«

»Halt'n Se 'n Mund, sonst stopf' ich 'n Ihn'n. Kann ja sein, dass de Leute für ihre Königin was übrig ham, aber ob so jemand wie Sie hinterher noch lebt oder nich', is' den'n garantiert egal«, sagte der Mann in aggressivem Ton. »Se ham sich hier reingedrängt, da dürf'n Se sich nich' wundern, wenn Se das Kopf un' Krag'n kostet.«

»Die Dame ist ...«, setzte der Haushofmeister an, doch fiel ihm gerade noch rechtzeitig ein, dass er den Leuten, die das Anwesen besetzt hielten, damit noch eine Geisel gleichsam frei Haus liefern würde, und so schluckte er seine Erwiderung herunter.

»Ist jemand krank?«, fragte Vespasia in die Runde.

»Nein«, gab der Haushofmeister zu. »Man hat uns angewiesen, das zu sagen.«

»Gut. Dann führen Sie uns bitte zu Ihrer Majestät. Sofern Sie die Königin mit der gleichen ausgesuchten Höflichkeit behandeln wie uns, könnte es ganz nützlich sein, wenn sich Dr. Narraway in ihrer Nähe aufhält. Sicher wollen Sie nicht, dass ihr etwas zustößt. Als Geisel nützt sie Ihnen vermutlich nur, solange sie lebt und bei guter Gesundheit ist.«

»Wer sagt mir, ob das wirklich 'n Arzt is'?«, fragte der Mann misstrauisch und sah Narraway an.

»Niemand«, gab dieser zurück. »Aber was haben Sie denn zu verlieren? Glauben Sie etwa, dass ich ihr etwas antun würde?«

»Was?«

»Glauben Sie etwa, dass ich ihr etwas antun würde?«, wiederholte Narraway geduldig.

»Dumme Frage, 'türlich nich'.«

»Sofern Sie überzeugt sind, dass ich nicht die Absicht habe, der Königin etwas anzutun, würde es für Sie doch weit weniger Aufwand bedeuten, uns alle im selben Raum zu versammeln, als uns getrennt voneinander bewachen zu müssen. Das Gebäude ist ja doch recht unübersichtlich. Zumindest wird sie Ihnen dann keinen Ärger bereiten. Liegt das nicht in Ihrem Interesse?«

»Was ham Se da in der Tasche? Da könnt'n Messer un' sogar Gas drin sein.«

»Ich bin Allgemeinarzt, kein Chirurg«, gab Narraway scharf zurück.

»Un' wer is' die da?«, fragte der Mann mit einem Blick auf Charlotte.

»Meine Mitarbeiterin. Glauben Sie etwa, dass ich weibliche Patienten behandeln würde, ohne dass eine Krankenschwester in der Nähe ist?«

Der Mann nahm Narraways Tasche, öffnete sie und musterte die in der Apotheke von Southampton gekauften Pulver und Tinkturen in ihren sauber beschrifteten Gefäßen. Ganz bewusst hatten sie, um keine Schwierigkeiten zu bekommen, nichts erworben, was auch nur von fern einer Waffe ähnlich sehen könnte, nicht einmal eine kleine Schere zum Durchschneiden von Mullbinden. Alles war genau das, was es zu sein schien.

Der Mann schloss die Tasche und wandte sich dem anderen am Fuß der Treppe zu. »Bring se rauf. Die alte Dame soll uns ja nich' unter 'n Händ'n wegsterb'n.«

»Jed'nfalls nich' gleich«, stimmte der andere zu. Er wies mit der Hand auf die Treppe. »Also vorwärts. Ihr wollt zur Königin – heute is' euer Glückstag.«

Der Haushofmeister führte die drei Besucher nach oben und klopfte an eine Tür. Nach einer Weile öffnete er sie und ging hinein. Bald darauf kam er wieder heraus und sagte: »Ihre Majestät ist bereit, Sie zu empfangen, Lady Vespasia.«

Sie dankte ihm und ging hinein, mit wenigen Schritten Abstand von Narraway und Charlotte gefolgt.

Die Königin saß in einem bequemen Sessel in ihrem gemütlich eingerichteten Salon, eine kleine ältere Dame mit Hakennase und rundem Gesicht, deren Haar in wenig schmeichelhafter Weise straff zurückgekämmt war. Sie trug von Kopf bis Fuß Schwarz, was die Blässe ihrer Haut noch unterstrich.

Der Raum war nicht besonders aufwendig eingerichtet, lediglich seine Höhe und die prächtige Verzierung der Decke wiesen die Besucher darauf hin, dass sie sich im Wohnsitz ihrer

Königin befanden. Als sie Lady Vespasia sah, zwinkerte sie einen Augenblick und lächelte dann.

»Lady Vespasia, wie angenehm, Sie zu sehen. Treten Sie näher.«

Die Angesprochene trat einen Schritt vor und versank in einem tiefen Hofknicks, wobei sie den Kopf leicht neigte und den Rücken vollkommen gerade hielt. »Majestät.«

»Wer sind jene?«, erkundigte sich die Königin mit kaum gesenkter Stimme und sah dabei auf Charlotte und Narraway, die hinter Vespasia standen. »Vermutlich Ihre Zofe. Der Mann sieht wie ein Arzt aus. Ich habe aber nach keinem Arzt geschickt. Mir fehlt nichts. Jeder hier im Hause behandelt mich wie eine Kranke. Ich möchte im Park spazieren gehen, und man hindert mich daran. Ich herrsche als Kaiserin über ein Viertel der Menschheit, und meine eigene Dienerschaft lässt mich nicht in meinen Park!« Ihre Stimme klang verdrießlich. »Lady Vespasia, kommen Sie und begleiten Sie mich hinaus.« Sie traf Anstalten aufzustehen, saß aber so tief in ihrem Sessel, dass ihr das wegen ihrer Körperfülle nicht ohne fremde Hilfe möglich war.

»Ich denke, es ist besser, wenn Sie sitzenbleiben, Ma'am«, sagte Vespasia mit freundlicher Stimme. »Ich bedaure, Ihnen unangenehme Dinge mitteilen zu müssen ...«

»Vespasia!«, sagte Narraway mit mahnendem Unterton.

»Still, Victor«, gab sie zurück, ohne den Blick von der Königin zu nehmen. »Ihre Majestät hat einen Anspruch darauf, die Wahrheit zu erfahren.«

»Ich verlange das!«, fuhr Königin Viktoria auf. »Was geht hier vor sich?«

Narraway trat zurück und ergab sich mit so viel Würde, wie er aufbringen konnte, in sein Schicksal.

»Ich bedaure, Ihnen sagen zu müssen, Ma'am«, erklärte Lady Vespasia offen heraus, »dass Bewaffnete Ihr Anwesen umstellt und besetzt haben. Ich weiß nicht, wie viele es sind, aber jedenfalls hat man Ihre Dienerschaft hier im Hause eingesperrt.«

Die Königin sah sie fassungslos an und richtete dann den Blick an ihr vorüber auf Narraway. »Und wer sind Sie? Etwa einer dieser ... Verräter?«

»Nein, Ma'am. Bis vor wenigen Tagen war ich der Leiter Ihres Sicherheitsdienstes«, gab er zurück.

»Und warum sind Sie es nicht mehr? Wieso haben Sie Ihren Posten verlassen?«

»Man hat mich meines Amtes enthoben, Ma'am. Es ist das Werk von Verrätern innerhalb des Sicherheitsdienstes. Ich bin gekommen, um Ihnen zur Seite zu stehen, soweit mir das möglich ist, bis Hilfe kommt. Wir haben dafür gesorgt, dass das nicht lange dauert.«

»Wann wird sie kommen?«

»Ich hoffe, noch vor Einbruch der Dunkelheit, spätestens kurz danach«, erläuterte Narraway. »Der neue Leiter des Sicherheitsdienstes muss sich erst Gewissheit verschaffen, wem er trauen kann.«

Sie blieb einige Augenblicke reglos sitzen. Das Ticken der Standuhr erfüllte den Raum.

»Dann dürfte es das Beste sein, Haltung zu bewahren und abzuwarten«, sagte die Königin schließlich. »Notfalls werden wir kämpfen.«

»Vielleicht gibt es eine Möglichkeit zu fliehen, bevor es zum Äußersten kommt ...«, setzte Narraway an.

Königin Viktoria warf ihm einen aufgebrachten Blick zu. »Junger Mann, ich bin Königin von England und Herrscherin über das britische Weltreich. Wir sind, solange meine Herrschaft dauert, stets auf unserem Posten geblieben und haben in allen Winkeln der Erde Kriege gewonnen. Soll ich etwa in meinem eigenen Hause vor einer Handvoll Rüpel davonlaufen? Ausgerechnet hier in Osborne House?«

Narraway richtete sich ein wenig mehr auf.

Lady Vespasia hielt den Kopf hoch.

Charlotte merkte, dass auch sie sich unwillkürlich streckte.

»Schön, schön!«, sagte die Königin und sah alle drei mit einem Anflug von Billigung in den Augen an. »Getreu dem Wort eines meiner bedeutendsten militärischen Anführer, Sir Colin Campbell, der im Krimkrieg beim sogenannten Totenritt von Balaklawa vor der Schlacht gesagt hat: ›Hier stehen wir und hier sterben wir.‹« Mit kaum wahrnehmbarem Lächeln fügte sie hinzu: »Aber da es bis dahin noch eine Weile dauern kann, dürfen Sie sich gern setzen.«

KAPITEL 12

Pitt kehrte in dem Bewusstsein nach Lisson Grove zurück, dass er dort, von Stoker abgesehen, mit keinen Verbündeten rechnen konnte und die Sicherheit der Königin, wenn nicht des gesamten Königshauses, gleichsam allein von ihm abhing. Während er die Stufen emporging und ins Haus trat, spürte er überrascht, wie nahe ihm das ging. Er empfand eine tiefe innere Bindung an die Monarchie. Sie galt nicht der alten Frau, die in einsamer Witwenschaft in einem als »Haus« bezeichneten Palast auf der Isle of Wight die Erinnerungen an den Gatten pflegte, den sie bewundert hatte. Millionen Menschen waren einsam, und viele von ihnen ein Leben lang, außerdem waren die meisten von ihnen arm, oft auch krank, und dennoch ertrugen sie beides tapfer und voll Würde. Sondern sie galt der Verkörperung dessen, was Großbritannien für sein Leben bedeutete.

Für ihn verkörperte die Monarchin außer Großbritanniens Führungsanspruch in der Welt den Gedanken der Einheit, die ein Viertel des Erdballs zusammenhielt und die wichtiger war als alle Unterschiede von Rasse, Religion und äußeren Umständen. Gewiss, in der Gesellschaft gab es unübersehbar Habgier, Überheblichkeit und Eigennutz, aber auch viel Gutes, nämlich Tapferkeit, Großzügigkeit und vor allem Treue. Was war ein Mensch wert, der keine Werte kannte, die über sein Ich hinauswiesen?

All das hatte mit der Person der Königin so gut wie nichts zu tun, und erst recht nichts mit dem Prinzen von Wales. Der noch nicht lange zurückliegende Mordfall im Buckingham Palast beschäftigte Pitt nach wie vor. Er konnte die rücksichtslose Selbstsucht des Prinzen ebenso wenig vergessen wie dessen Dünkel, der ihn veranlasste, andere Menschen nicht zur Kenntnis zu nehmen, oder den hassvollen Blick, mit dem er ihn nach der Aufklärung des Falles bedacht hatte – und er durfte das auch nicht vergessen. Möglicherweise würde der Prinz schon bald als König Edward VII. herrschen und damit zumindest teilweise Einfluss auf Pitts weitere Laufbahn als Diener der Krone nehmen. Pitt hätte lieber einen Besseren auf dem Thron gesehen, doch hielt er der Krone unabhängig von persönlichen Enttäuschungen die Treue.

Jetzt konzentrierte er all seine Bemühungen darauf, Austwick in Schach zu halten. Wem sollte er trauen? Unmöglich würde er die Aufgabe allein bewältigen können. Gewiss, er hatte mit Lady Vespasia, Narraway und Charlotte Verbündete in diesem Kampf, doch musste er sich zwingen, nicht an sie zu denken. Auf keinen Fall durfte er an die Gefahr denken, der sie ausgesetzt waren. Zu den Belastungen, die Führerschaft mit sich brachte, gehörte, dass man alles Persönliche ausblenden und sein Handeln ganz und gar auf das allgemeine Wohl ausrichten musste.

Auf seinem Weg durch die vertrauten Gänge hätte er fast unwillkürlich sein früheres Büro aufgesucht, in dem jetzt ein anderer arbeitete, und nicht jenes, das Narraway gehört hatte und in das dieser zurückkehren würde, wenn die Krise bewältigt war.

Nachdem er die Tür geschlossen und sich an den Schreibtisch gesetzt hatte, war er froh, Narraways persönliche Gegenstände wieder dorthin gebracht zu haben. Er verhielt sich keine Sekunde lang wie jemand, der dieses Amt auf Dauer auszuüben gedachte. Die Zeichnungen mit den Bäumen hingen ebenso wieder an den Wänden wie die mit dem Turm am Meer. Sogar das Foto von Narraways Mutter befand sich wieder an Ort und Stelle. Sie war ebenso schlank und dunkelhaarig wie er, aber zierlicher, eine Frau, der die Klugheit aus den Augen blitzte.

Einen Augenblick lang lächelte Pitt, dann wandte er seine Aufmerksamkeit den frisch eingetroffenen Berichten auf seinem Schreibtisch zu. Es waren nur wenige, und sie enthielten unerhebliche Aussagen über Dinge, die ihm zum größten Teil bereits bekannt waren – nichts befand sich darunter, was in irgendeiner Weise etwas an der bedrohlichen Situation geändert hätte.

Er erhob sich und suchte Stoker in dessen Büro auf. Wenn er ihn zu sich riefe, würden die anderen misstrauisch werden. Er brauchte unbedingt jemanden, auf den er sich verlassen konnte, sonst wäre sein Plan von vornherein zum Scheitern verurteilt. Selbst wenn Stoker ihm half, waren die Erfolgsaussichten verzweifelt gering.

»Ja, Sir?«, sagte Stoker, der sich bei Pitts Eintreten erhoben hatte, in fragendem Ton. Er sah ihm ins Gesicht, als wolle er dort ablesen, was er dachte.

Pitt hoffte, dass das nicht so einfach sein würde. Er musste daran denken, wie er mit seinen Versuchen, Narraways Gedanken zu erraten, meist Schiffbruch erlitten hatte.

»Wir wissen, worum es geht«, sagte er ruhig. Geheimniskrämerei hatte keinen Sinn. Während er das sagte, kam er sich vor wie jemand, der auf einer Klippe stand, um von dort in die unbekannte Tiefe zu springen.

»Ja, Sir ...« Stoker blieb starr stehen, sein Gesicht war bleich. Er hielt noch das Schriftstück in den Händen, in dem er bei Pitts Eintreten gelesen hatte.

Pitt holte Luft. »Mr Narraway ist aus Irland zurück.« Er erkannte die Erleichterung in Stokers Augen, die zu groß war, als dass dieser sie hätte verbergen können, und fuhr daraufhin mit einer gewissen Beruhigung fort: »Wie es aussieht, haben wir Grund zu der Annahme, dass man bereits begonnen hat, einen umfangreichen gewalttätigen Plan ins Werk zu setzen. Es steht zu befürchten, dass die Leute, deren gemeinsames Auftreten beobachtet wurde, wie beispielsweise Willie Portman, Fenner, Guzman und so weiter, die Absicht haben, in Osborne House gegen Ihre Majestät vorzugehen ...«

»Großer Gott im Himmel!«, stieß Stoker hervor. »Die planen doch wohl keinen Königsmord?«

Pitt verzog das Gesicht.

»Dazu dürfte es höchstens unabsichtlich kommen. Wir vermuten, dass die Leute Ihre Majestät als Geisel festhalten, um den Erlass eines Gesetzes zur Abschaffung der Vorrechte des Erbadels im Oberhaus zu erzwingen. Vermutlich würde sie ein solches Gesetz eher unterzeichnen als ihre eigene Abdankungsurkunde ...«

Stokers Gesicht war aschfahl. Er sah Pitt an wie eine Erscheinung aus einem Alptraum. Er schluckte zweimal. »Und dann? Wird man sie danach umbringen?«

Pitt hatte ganz bewusst nicht so weit gedacht. Möglicherweise wäre das in der Tat folgerichtig. Die Menschen in Großbritannien wie auch im größten Teil der Welt würden Viktoria als Königin ansehen, solange sie lebte, ganz gleich, was diese oder jene sagen oder tun mochten. Pitt hatte nicht angenommen, dass sich die Situation verschlimmern könnte, aber mit einem Schlag stand diese Möglichkeit vor ihm.

»Ja, es ist denkbar«, stimmte er zu. »Mr Narraway hat mit Lady Vespasia Cumming-Gould Osborne House aufgesucht, wo sie versuchen wollen zu retten, was zu retten ist, bis wir die

Möglichkeit haben, Verstärkung hinzuschicken, um die Situation in den Griff zu bekommen.«

Stoker rang sichtlich um Fassung.

»Das aber ist uns erst möglich, wenn wir wissen, auf wen wir uns verlassen können«, fügte Pitt hinzu. »Die Gruppe muss klein bleiben, damit die Sache nicht auffällt. Falls wir mit einem halben Armeekorps da aufkreuzten, würde das die Leute höchstwahrscheinlich zu sofortiger Gewalttat provozieren. Oder sie werden, wenn sie merken, dass sie in die Ecke getrieben sind und nicht entkommen können, danach trachten, sich ihre Freiheit mit dem Leben der Königin zu erkaufen.« Er spürte, wie ihm bei diesen Worten ein Kloß in die Kehle stieg. Er stand im Begriff, den Kampf mit einem Gegner aufzunehmen, über den er so gut wie nichts wusste. Hinzu kam, dass – im Unterschied zu ihm – einige seiner eigenen Leute dessen Geheimnisse kannten. Einen Augenblick lang erfasste ihn Verzweiflung. Er wusste nicht, wo er anfangen sollte. Jede Möglichkeit zu handeln schien von vornherein den Keim des Scheiterns in sich zu tragen.

»Wir müssen versuchen, sie mit einer Handvoll gut ausgebildeter Bewaffneter zu überraschen«, sagte Stoker ruhig.

»Ja, das dürfte unsere einzige Hoffnung sein«, gab ihm Pitt Recht. »Aber vorher müssen wir den Verräter hier in Lisson Grove ermitteln und feststellen, wer seine Verbündeten sind, da sonst die Gefahr besteht, dass jede unserer Bemühungen von vornherein sabotiert wird.«

Stokers Hand ballte sich zur Faust. »Wollen Sie damit sagen, dass es mehr als einen gibt?«

»Sie etwa nicht?«

»Ich weiß nicht recht.« Stoker fuhr sich mit der Hand durchs Haar. »Ich weiß es tatsächlich nicht, und wir haben auch keine Zeit, es herauszubekommen. Das könnte Wochen in Anspruch nehmen.«

»Es muss aber sehr viel schneller gehen«, gab Pitt zurück, zog einen Stuhl heran und setzte sich. »Wir müssen bis heute Abend eine Entscheidung treffen.«

»Und wenn wir uns dabei irren?«, fragte Stoker.

»Das dürfen wir nicht«, erwiderte ihm Pitt. »Es sei denn, Sie wollen, dass es erneut durch einen Mord zur Gründung einer Republik kommt und die Menschen künftig in Angst leben müssen. Als Erstes wollen wir feststellen, wer für die Intrige verantwortlich ist, mit deren Hilfe man Narraway aus dem Amt gedrängt und dafür gesorgt hat, dass eine Beziehung zu Irland hergestellt wurde, damit er in einem irischen Gefängnis festsaß, während hier der Plan ausgeführt wurde.«

Stoker holte tief Luft. »Ja, Sir. Dann sollten wir besser gleich anfangen. Ich sage das nicht gern, aber wir müssen jeden, mit dem Gower zusammengearbeitet hat, genau unter die Lupe nehmen. Bestimmt hängt mit der Sache auch zusammen, dass man Sie von hier weggelockt hat.«

»Natürlich«, stimmte Pitt zu. »Aber Gower hat mit mir zusammengearbeitet, und ich habe Mr Narraway unterstanden.«

»Jedenfalls hat es für uns alle so ausgesehen, als hätte er mit Ihnen zusammengearbeitet«, sagte Stoker nachdenklich »In Wahrheit muss es sich aber anders verhalten haben. Ich werde mir Gowers Unterlagen aus der Personalabteilung beschaffen. Wir müssen unbedingt wissen, mit wem er zusammen war, bevor man ihn Ihnen zugeteilt hat. Oder wissen Sie das zufällig?«

»Ich weiß nur, was er gesagt hat«, gab Pitt mit schiefem Lächeln zurück. »Ich würde gern mehr darüber erfahren. Es dürfte das Beste sein, sich jeden Einzelnen der hier Beschäftigten einmal genauestens anzusehen.«

Sie verbrachten den Rest des Tages damit, alle Personalunterlagen des vergangenen Jahres durchzugehen, wobei sie darauf achten mussten, dass niemand ihren Beweggrund dafür durchschaute.

»Was suchen Sie genau, Sir?«, erkundigte sich ein Mitarbeiter der Personalabteilung hilfsbereit. »Vielleicht kann ich es finden. Ich kenne mich mit den Unterlagen ziemlich gut aus.«

Pitt hatte sich seine Antwort gut überlegt. »Eine üble Sache, die sich Narraway da geleistet hat«, sagte er mit finsterer Miene. »Ich möchte absolut sicher sein, dass es nicht noch mehr in der Art gibt, aber auch wirklich gar nichts, damit wir nicht noch einmal in eine solche Situation geraten.«

Mit weit geöffneten Augen schluckte der Mann. »Dazu kommt es bestimmt nicht noch einmal, Sir.«

»Das haben wir ursprünglich auch angenommen«, teilte ihm Pitt mit. »Ich möchte mich aber nicht auf Vermutungen stützen, sondern es wissen.«

»Ja, Sir. Selbstverständlich, Sir. Kann ich etwas tun ... oder ...« Er biss sich auf die Lippe. »Ich verstehe, Sir. Natürlich können Sie keinem von uns hier trauen.«

Pitt lächelte trübselig. »Es ist mir durchaus recht, wenn Sie mir helfen, Wilson. Ich muss Ihnen allen trauen, und ebenso müssen Sie mir vertrauen. Schließlich hat Narraway, und nicht einer der ihm unterstellten Mitarbeiter, das Geld unterschlagen. Aber ich muss wissen, ob ihm jemand dabei zur Hand gegangen ist und, falls ja, wer das war und ob es möglicherweise noch andere mit ähnlichen Vorstellungen gibt.«

Wilson straffte sich. »Ja, Sir. Dürfen das auch andere erfahren?«

»Einstweilen besser nicht.« Es war Pitt bewusst, dass er damit ein Risiko einging, aber die Zeit wurde knapp, und falls er den Mann bei einer Unwahrheit ertappte, würde ihm das zumindest zeigen, wo er stand. Möglicherweise war Angst ein verlässlicherer Verbündeter als Zurückhaltung, zumindest, solange sie im Geheimen wirkte.

Ihm war die ganze Situation zutiefst zuwider. Bei der Polizei hatte er zumindest immer gewusst, dass alle seine Mitarbeiter auf seiner Seite standen. Damals hatte er das für selbstverständlich gehalten und nicht gewusst, wie unendlich wertvoll es war, sich darauf stützen zu können.

Am späteren Nachmittag war klar, wie die Verbindung zwischen Gower und Austwick ausgesehen hatte. Sie stießen mehr durch Zufall als durch Nachdenken darauf.

»Hier.« Stoker hielt ihm ein Blatt Papier mit einer darauf gekritzelten Anmerkung hin.

Pitt las sie. Es war offenbar eine Notiz, die ein Mann für sich selbst geschrieben hatte und in der es hieß, dass er Austwick in einem Herrenklub aufsuchen und ihm etwas berichten müsse.

»Ist das von Bedeutung?«, fragte er unsicher. »Es hat nichts mit Sozialisten oder irgendeiner Art von Gewalttat oder Umsturz zu tun.«

»Schon«, sagte Stoker, »aber sehen Sie sich das mal an.« Er gab ihm ein weiteres Blatt, auf dessen unterem Rand in der gleichen Handschrift etwas vermerkt war.

Habe Gower die Mitteilung über Hibbert gegeben,
damit dieser sie im Hyde Club an Austwick weiterleitet.
Der Fall ist erledigt.

Pitt wusste, dass es sich bei dem Hyde Club um einen äußerst exklusiven Herrenklub im Londoner West End handelte. Er hob den Blick und sah Stoker an. »Wie zum Teufel konnte jemand wie Gower Zutritt zum Hyde Club bekommen?«

»Das habe ich schon erkundet, Sir. Austwick hat ihn empfohlen und für ihn gebürgt. Das kann nur heißen, dass die beiden sehr gut miteinander bekannt waren.«

»Dann wollen wir uns einmal alle Fälle, die Gower und Austwick bearbeitet haben, gründlich ansehen«, schloss Pitt.

»Wir wissen doch schon, auf welche Weise sie in Verbindung gestanden haben.«

»Aber nicht, wer noch mit in der Sache steckt«, gab Pitt zurück. »Es müssen mehr als zwei sein. Das hier gibt uns einen guten Ansatzpunkt. Machen Sie weiter. Wir dürfen auf keinen Fall etwas übersehen.«

Stoker gehorchte schweigend. Er konzentrierte sich auf Gower, während sich Pitt mit allen Unterlagen beschäftigte, die er über Austwick finden konnte.

Gegen elf Uhr abends waren beide völlig erschöpft. Pitt hatte Kopfschmerzen, seine Augen brannten. Ihm war klar, dass es Stoker nicht anders ging.

Er legte das Blatt Papier auf den Tisch, das er gelesen hatte, bis ihm die Schrift vor den Augen verschwamm.

»Irgendwelche Ergebnisse?«, fragte er.

»Ein paar von diesen Briefen hier lassen mich vermuten, dass ihm Sir Gerald Croxdale dicht auf den Fersen war, Sir. Er hat offenbar kurz davor gestanden, ihm auf die Schliche zu kommen«, gab Stoker zurück. »Ich könnte mir denken, dass Austwick deswegen früher zugeschlagen hat, als ursprünglich geplant. Es war für alle ein ziemlicher Schock, dass er Narraway ausmanövriert hat – damit konnte er die Aufmerksamkeit von sich selbst ablenken.«

»Außerdem hat er dadurch die ganze Abteilung in die Hand bekommen«, fügte Pitt hinzu. »Zwar nicht lange, aber vielleicht hat die Zeit gereicht.« Das letzte Blatt, das er gelesen hatte, war ein Bericht von Austwick an Croxdale, doch er dachte an etwas völlig anderes.

Stoker wartete.

»Glauben Sie, dass Austwick der Mann an der Spitze ist?«, fragte er. »Ist er wirklich so viel klüger, als wir angenommen haben? Oder zumindest klüger, als ich angenommen habe?«

Stoker sah unglücklich drein. »Das glaube ich nicht, Sir. Ich habe nicht den Eindruck, dass er die Entscheidungen trifft. Ich habe viele von Mr Narraways Berichten gelesen – die sind ganz anders als seine. Mr Narraway gibt da keine Anregungen, sondern sagt klipp und klar, was gemacht werden soll. Er weiß, dass er das Sagen hat, und setzt voraus, dass andere das auch wissen. Vielleicht hat er so nicht mit Ihnen gesprochen, aber mit uns schon. Bei ihm hat es nie das kleinste Zögern gegeben. Wenn man ihn gefragt hat, gab er einem eine Antwort. Ich vermute, dass sich Austwick erst woanders Anweisungen holt, bevor er sagt, was getan werden soll.«

Genau diesen Eindruck hatte Pitt gehabt: Der Mann schien bei jeder Entscheidung zu zögern, als müsse er zuvor alles mit jemandem abstimmen, der die Fäden in der Hand hielt.

Aber wenn ihm Croxdale fast auf die Schliche gekommen wäre, wieso dann Narraway nicht?

»Wem können wir vertrauen?«, fragte Pitt erneut. »Wir müssen eine kleine Streitmacht auf die Beine stellen, aber auf keinen Fall mehr als zwei Dutzend Männer. Wenn es mehr wären, würden die Leute Lunte wittern. Bestimmt achten die genau auf jede Bewegung in der Umgebung des Palasts auf der Insel.«

Stoker schrieb einige Namen auf ein Blatt Papier und schob es Pitt hin.

»Die sind in Ordnung«, sagte er ruhig.

Pitt ging die Liste durch, strich drei Namen durch und fügte zwei weitere hinzu. »Jetzt müssen wir Croxdale informieren und Austwick festnehmen lassen.« Er erhob sich und spürte, wie sich seine Muskeln verkrampften. Er hatte ganz vergessen, wie lange er vorgebeugt dagesessen und Dokument um Dokument gelesen hatte.

»Ja, Sir. Es bleibt uns wohl nichts anderes übrig.«

»Wir brauchen zwar einen bewaffneten Trupp, können aber den Landsitz der Königin auf keinen Fall ohne Rückendeckung durch den Minister stürmen, ganz gleich, wie gut die Gründe sind, die dafür sprechen. Aber keine Sorge, was wir hier haben, genügt.« Er nahm eine dünne lederne Aktentasche zur Hand und steckte die Papiere hinein, mit deren Hilfe er die Schlussfolgerung, zu der sie gelangt waren, belegen konnte. »Kommen Sie mit.«

Die Geiselnehmer, die auch Charlotte, Lady Vespasia und Narraway im behaglichen Salon der Königin festhielten, gestatteten von Zeit zu Zeit einer verängstigten Hofdame den Zutritt, damit sie der Königin zur Hand gehen konnte. Einer der Wächter, der etwas zu essen brachte, ließ die Geiseln nicht einmal aus den Augen, wenn sie ihre Notdurft verrichten mussten.

Die Unterhaltung im großen Salon von Osborne House war gestelzt, denn in Gegenwart der Königin fühlte sich niemand imstande, unbefangen und natürlich zu sprechen. Charlotte sah zu der alten Dame hin. Auf diese geringe Entfernung und ohne die durch eine förmliche Situation erzeugte Distanz kam sie ihr vor wie ihre eigene Großmutter, eine alte Dame, die sie über die Jahre hinweg geliebt, gehasst, gefürchtet und später vor allem bemitleidet hatte. Als Kind hatte sie nie gewagt, etwas zu sagen, was sich als ungezogen auslegen ließ, doch im Laufe der Jahre hatte ihre Wut sowohl die Angst als auch den Respekt hinweggefegt, und sie hatte offen gesagt, was sie dachte. In jüngster Zeit hatte sie schreckliche Geheimnisse über ihre Großmutter erfahren, woraufhin sich ihr Abscheu in Mitgefühl verwandelt hatte.

Jetzt sah sie zu der kleinen, fülligen Dame von Mitte siebzig hinüber, deren Haut deutlich ihr Alter zeigte und deren dünne Haare unter ihrem Spitzenhäubchen kaum zu sehen waren. Über ein halbes Jahrhundert lang saß sie jetzt schon auf Englands Thron, doch niedergedrückt hatte sie nicht die damit verbundene Verantwortung, sondern die bittere Last der Einsamkeit, die ihre Witwenschaft mit sich gebracht hatte. In den Augen der Welt hingegen war sie die glanzvolle Königin, Kaiserin und Verteidigerin des Glaubens, deren zahlreiche Töchter durch Heirat mit der Hälfte der europäischen Herrscherhäuser verbunden waren.

Während sie aus den Fenstern eines der Obergeschosse von Osborne House im langsam abnehmenden Licht des hereinbrechenden Abends den Blick über Felder und Bäume schweifen ließ, war sie nichts als eine müde alte Frau, die über Dienstpersonal und Untertanen verfügte, aber niemanden hatte, mit dem sie von Gleich zu Gleich verkehren konnte. Wahrscheinlich würde sie nie erfahren, ob irgendjemand sie auch nur angesehen hätte, wenn sie eine gewöhnliche Sterbliche gewesen wäre. Die Einsamkeit, in der sie lebte, war unvorstellbar.

Würden die Männer sie töten, die im Vestibül mit ihren Schusswaffen gewalttätigen Träumen von Gerechtigkeit für Menschen nachhingen, die nie und nimmer gewollt hätten, dass man sie um diesen Preis erkaufte? Falls ja, würde sie das sonderlich beunruhigen? Eine Kugel ins Herz, und sie könnte endlich zu ihrem geliebten Albert heimkehren.

Würde man auch die übrigen umbringen: Narraway, Lady Vespasia und sie selbst, Charlotte? Und was war mit der Dienerschaft? Oder sahen die Geiselnehmer in ihnen gewöhnliche Menschen wie andere auch? Charlotte war überzeugt, dass die Diener sich selbst ganz anders sahen.

Sie hatte eine ganze Weile ruhig in einem Sessel am anderen Ende des großen Raums gesessen. Einem plötzlichen Impuls folgend, stand sie auf und trat ans Fenster. Sie hielt sich zwei Schritte von der Königin entfernt, denn neben sie zu treten wäre ungehörig gewesen. Vielleicht galt es sogar als ungehörig, überhaupt dort zu stehen, aber nun war sie einmal da.

Der Blick, der sich ihr bot, war herrlich. Sie konnte sogar sehen, wie sich in der Ferne das Sonnenlicht im Wasser des Ärmelkanals brach.

Das grelle Licht zeigte unbarmherzig jede Linie im Gesicht der Königin: die Spuren, die Müdigkeit, Kummer und Übellaunigkeit dort hinterlassen hatten, vielleicht auch die mit dem Gefühl der Einsamkeit verbundene Seelenqual. Ob sie Angst hatte?

»Es ist herrlich, Ma'am«, sagte sie leise.

»Wo wohnen Sie?«, fragte die Königin.

»In London, in der Keppel Street, Ma'am.«

»Gefällt es Ihnen da?«

»Ich habe mein Leben lang in London gewohnt, aber ich denke, dass es mir weniger gut gefallen würde, wenn ich die Möglichkeit gehabt hätte, mir als Wohnort eine Stelle auszusuchen, wo ich so etwas wie das hier sehen und statt des Verkehrslärms nur den Wind in den Baumkronen hören könnte.«

»Können Sie als Krankenschwester denn nicht auf dem Lande arbeiten?«, fragte die Königin, nach wie vor den Blick geradeaus vor sich gerichtet.

Charlotte zögerte. Das war doch sicher der richtige Augenblick, ihr die Wahrheit zu sagen? Aber nein, es war nur Geplauder. Die Königin machte sich nicht das Geringste daraus, wo Charlotte wohnte. Es war völlig unerheblich, was sie zur Antwort gab. Wenn sie ohnehin alle erschossen werden sollten, auf welche Art von Antwort kam es da noch an? Eine aufrichtige? Nein, eine gütige.

Sie wandte sich um und warf rasch einen Blick zu Lady Vespasia hinüber.

Diese nickte.

Charlotte trat einen halben Schritt näher auf die Königin zu. »Nein, Ma'am. Ich muss Ihnen gestehen, dass ich keine Krankenschwester bin. Ich habe das dem Mann an der Tür nur gesagt, damit man mich einließ.«

Die Königin wandte ihr das Gesicht zu und sah sie mit kalten Augen an. »Und warum?«

Charlotte merkte, dass ihr Mund ausgedörrt war. Sie musste sich die Lippen mit der Zunge befeuchten, bevor sie sprechen konnte. »Mein Mann arbeitet für den Sicherheitsdienst, Ma'am. Gestern ist er dahintergekommen, was die Männer hier im Hause vorhaben. Er ist nach London zurückgekehrt, um Hilfe unter denen zu suchen, denen wir vertrauen können. Lady Vespasia, Mr Narraway und ich sind gekommen, um Sie, wie wir hofften, rechtzeitig zu warnen. Offensichtlich sind wir zu spät gekommen, aber jetzt, da wir hier sind, werden wir alles tun, was in unseren Kräften steht, um Ihnen zu helfen.«

Die Königin zwinkerte. »Sie haben gewusst, dass die ... Kreaturen hier sind?«, fragte sie ungläubig.

»Ja, Ma'am. Als wir ankamen, ist Lady Vespasia aufgefallen, dass ein Mann, der so tat, als sei er Gärtner, den Petunien die Triebe abgehackt hat – das würde kein richtiger Gärtner tun.«

Die Königin sah an Charlotte vorüber zu Lady Vespasia hin, die nach wie vor auf der anderen Seite des Raumes saß.

»Das stimmt, Ma'am«, beantwortete diese die unausgesprochene Frage der Königin.

Jetzt griff Narraway ein. Er trat vor, machte eine angedeutete Verbeugung, die nichts weiter war als ein leichtes Neigen des Kopfes. »Die Männer sind gewalttätig, Ma'am, und wir sind überzeugt, dass sie alle erblichen Vorrechte des Adels in ganz Europa abschaffen wollen ...«

»Alle erblichen Vorrechte«, unterbrach sie ihn. »Wollen Sie damit etwa sagen ...«, sie stockte, »... wie in Frankreich?« Sie war erbleicht, was vermuten ließ, dass sie an die Guillotine und die Hinrichtung des französischen Königs und seiner Familie dachte.

»Nicht auf diese gewaltsame Weise, Ma'am«, erklärte Narraway. »Wir nehmen an, dass sie von Ihnen die Unterzeichnung eines Gesetzes zur Abschaffung des Oberhauses verlangen werden, sobald sie den richtigen Augenblick für gekommen halten ...«

»Nie und nimmer!«, sagte sie mit Nachdruck. Dann schluckte sie. »Es macht mir nichts aus zu sterben, falls die Leute es darauf abgesehen haben. Aber sie sollen meinen Hofstaat verschonen. Sie waren mir alle treu und haben es nicht verdient, dass man ihnen ihren Dienst auf diese Weise vergilt. Manche von ihnen sind noch jung ... Können Sie erreichen ... dass man sie ... in Frieden lässt?«

»Wenn Sie gestatten, Ma'am, werde ich versuchen, die Sache so lange hinauszuzögern, bis Hilfe kommt«, gab er zurück.

»Warum schickt der Sicherheitsdienst nicht das Militär oder zumindest die Polizei?«, fragte sie.

»Es besteht die Gefahr, dass die Leute zur Gewalttat greifen, wenn sie merken, dass man Ihnen mit einem großen Aufgebot zu Hilfe kommt«, erläuterte er. »Sie sind schrecklich nervös und fürchten ein Scheitern ihres Vorhabens, weil sie wissen, dass dann der Galgen auf sie wartet. Wir dürfen sie auf keinen Fall in Panik versetzen, sondern müssen unbedingt so unauffällig vorgehen, dass sie nichts davon merken. Alles muss ganz normal aussehen, bis es für die Leute zu spät ist, Gewalt anzuwenden.«

»Ich verstehe«, sagte sie gefasst. »Ich hatte mich für mutig gehalten, als ich vorhin sagte: ›Hier sterben wir.‹ Es sieht ganz so aus, als hätte ich damit mehr Recht gehabt, als mir bewusst war. Auf jeden Fall werde ich hier in diesem Raum bleiben, in dem ich früher so glücklich war.« Sie sah aus dem Fenster. »Was meinen Sie, ist es im Himmel so, Mr ... wie war Ihr Name noch?«

»Narraway, Ma'am. Ja, das ist gut möglich. Jedenfalls hoffe ich das.«

»Reden Sie mir nicht nach dem Mund!«, fuhr sie ihn an.

»Falls Gott Engländer ist, Ma'am, ist es sicher so«, gab er trocken zurück.

Sie wandte sich ihm zu, sah ihn aufmerksam eine Weile an und lächelte dann.

Er verneigte sich erneut, wandte sich dann ab und ging zur Tür.

Von dort aus sah er einen der beiden Bewaffneten auf halber Treppe.

Der Mann musste die Bewegung aus dem Augenwinkel wahrgenommen haben, denn er fuhr herum und riss sein Gewehr hoch.

Narraway blieb stehen. Von Fotos des Sicherheitsdienstes her wusste er, dass es sich bei dem Mann um Gallagher handelte, schwieg aber. Falls jemand merkte, wer er war, bestand die Möglichkeit, dass man ihn gleich an Ort und Stelle erschoss.

»Gehen Sie wieder da rein!«, befahl Gallagher.

Narraway blieb stehen. »Was wollen Sie?«, fragte er. »Worauf warten Sie? Geht es um Geld?«

Gallagher schnaubte verächtlich. »Wofür halten Sie uns – für gemeine Diebe? Reicht Ihre Vorstellungskraft nicht weiter? Leute wie Sie können immer nur an das eine denken, Geld, Besitz, immer mehr Geld. Sie glauben, dass es auf nichts anderes als Besitz und Macht ankommt.«

»Und was glauben Sie?«, fragte Narraway mit betont gleichmütiger Stimme.

»Gehen Sie wieder da rein!« Gallagher wies mit dem Gewehrlauf auf die Tür des Salons.

Wieder reagierte Narraway nicht. »Sie halten Ihre Majestät als Geisel, also wollen Sie etwas. Was?«

»Das sagen wir, wenn es so weit ist. Und jetzt rein da mit Ihnen, wenn Sie nicht umgelegt werden wollen.«

Narraway gehorchte zögernd. Er hatte in Gallaghers Stimme einen Anflug von Furcht erkannt, und seine nervösen Bewegungen zeigten, dass er innerlich so unter Spannung stand wie eine straff aufgezogene Stahlfeder. Er spielte um den höchsten Einsatz, den er sich vorstellen konnte, und das hier war die einzige Gelegenheit, die er und die anderen Männer hatten. Wenn sie diese Partie nicht gewannen, würden sie alles verlieren.

Als Narraway in den großen Salon zurückgekehrt war und die Tür geschlossen hatte, sah ihn Lady Vespasia an. »Die Leute hier sind nur Ausführende. Sie warten auf eine Entscheidung von weiter oben«, sagte er rasch. »Vermutlich wird irgendjemand eine Proklamation oder dergleichen bringen und verlangen, dass Ihre Majestät sie unterzeichnet.« Er biss die Zähne zusammen. »Es kann sein, dass wir eine ganze Weile hierbleiben müssen. Wahrscheinlich hat man die Sache dem Premierminister unterbreitet, und sie verhandeln gerade im Kabinett darüber. Wir müssen einen kühlen Kopf bewahren, dafür sorgen, dass die Leute nichts Unbedachtes tun, und sie nach Möglichkeit sogar in ihrer Ansicht bestärken, dass sie Aussicht auf Erfolg haben. Falls sie etwas anderes annehmen, müssen wir damit rechnen, dass sie uns alle umbringen, denn sie haben nichts zu verlieren.« Er sah, dass Lady Vespasia bleich wurde. »Es tut mir leid. Es wäre mir lieber gewesen, das nicht sagen zu müssen, aber ich allein habe keine Möglichkeit, etwas zu unternehmen. Jeder von uns muss die Ruhe bewahren – auch die Dienerschaft. Ich wünschte, ich könnte hinausgehen und ihnen das klarmachen. Unter Umständen geraten alle in Panik, wenn nur ein Einziger die Nerven verliert.«

Lady Vespasia stand auf. Sie schien ein wenig zu schwanken. »Dann werde ich mir den Verrückten auf der Treppe einmal vornehmen und ihn bitten, dass er mir erlaubt, mit der Dienerschaft zu reden. Vielleicht bist du so freundlich, mir bei dem Versuch zu helfen, ihn von dieser Notwendigkeit zu überzeugen. Charlotte kommt hier sicher gut allein zurecht.«

Narraway nahm ihren Arm und wandte sich der Königin zu: »Ma'am, Lady Vespasia wird mit Ihrer Dienerschaft sprechen. Es ist äußerst wichtig, dass niemand die Nerven verliert oder übereilt handelt. Ich werde versuchen, die Männer, die uns hier festhalten, dazu zu bringen, dass man ihr das in unser aller Interesse erlaubt. Ich fürchte, dass wir es hier noch eine Weile aushalten müssen.«

»Danke.« Auch wenn die Königin das in erster Linie zu Lady Vespasia sagte, galt der Dank auch Narraway.

»Vielleicht könnte die Dienerschaft alle Anwesenden mit Essen versorgen?«, regte Charlotte an. »Es ist einfacher, wenn man etwas zu tun hat.«

»Glänzender Gedanke«, stimmte ihr Lady Vespasia zu. »Komm, Victor. Wenn die Leute auch nur einen Funken Verstand haben, werden sie einsehen, dass das ein ausgesprochen kluger Einfall ist.«

Sie gingen zur Tür, und er hielt sie ihr auf.

Charlotte sah den beiden mit klopfendem Herzen nach. Sie spürte, wie sich in ihr alles verkrampfte. Sie wandte sich der Königin zu, die sie mit furchtsamen Augen ansah.

Von draußen hörte man keinen Laut … Kein Schuss fiel.

Kurz vor Mitternacht fuhren Pitt und Stoker in einer Droschke zum Haus Sir Gerald Croxdales, um ihm die wichtigsten Beweise für Austwicks Beteiligung an der Manipulation des Geldtransfers vorzulegen, die zu Mulhares Tod geführt hatte und mit deren Hilfe man erreicht hatte, dass Narraway der Veruntreuung von Geldern bezichtigt wurde. Außerdem befanden sich unter den Papieren Berichte über die führenden sozialistischen Revolutionäre, die auf gewaltsame Weise Regierungen, die sie als Unterdrücker-Regimes betrachteten, zu stürzen beabsichtigten und jetzt in England zusammengekommen waren, um von Osborne House aus, dem Landsitz der Königin, ihr Vorhaben zu verwirklichen.

Selbstverständlich enthielt Pitts Aktentasche auch die Liste mit den Namen der ihm inzwischen bekannten Verräter innerhalb des Sicherheitsdienstes.

Sie mussten nahezu fünf Minuten klingeln und klopfen, bis sie hörten, dass an der Haustür die Riegel zurückgeschoben wurden. Ein verschlafener Lakai, der einen Mantel über dem Nachthemd trug, öffnete.

»Sie wünschen, Sir?«, fragte er zurückhaltend.

Pitt wies sich und Stoker aus. »Es handelt sich um einen außerordentlich dringenden Notfall«, sagte er mit Nachdruck. »Das Land ist in Gefahr. Würden Sie bitte den Minister umgehend wecken?«

Der Ton, in dem er das sagte, ließ keinen Zweifel daran, dass es sich um eine Anweisung und keinesfalls um eine Bitte handelte.

Der Lakai führte die Besucher ins Empfangszimmer. Gut zehn Minuten später tauchte Croxdale notdürftig angekleidet auf. Sein Gesicht war von tiefer Besorgnis erfüllt. Sobald er die Tür geschlossen hatte, fragte er, wobei er den Blick zwischen Pitt und Stoker hin und her wandern ließ: »Was gibt es, meine Herren?«

Angesichts der knappen Zeit beschränkte sich Pitt auf die allernötigsten Erklärungen. »Wir sind den Bewegungen des Geldes, das auf Narraways Konto gelandet ist, auf die Spur gekommen«, sagte er knapp. »Charles Austwick steckt dahinter, und damit trägt er letztlich nicht nur die Verantwortung für den Mord an Mulhare, sondern auch dafür, dass Gower unseren Informanten West getötet hat. Noch weit wichtiger aber ist, dass wir auch hinter die Motive der beiden gekommen sind. Austwick ist ausschließlich deshalb an die Spitze des Sicherheitsdienstes getreten, um es gewaltbereiten radikalen Sozialisten zu ermöglichen, unbemerkt ins Land zu kommen. Es handelt sich dabei um aus ideologischen Gründen miteinander verfeindete Männer, die auf einmal Hand in Hand arbeiten und sich alle auf die Isle of Wight begeben haben.«

Verblüfft fragte Croxdale: »Was wollen die denn in drei Teufels Namen da?«

»Osborne House«, gab Pitt knapp zurück.

»Großer Gott im Himmel! Die Königin!« Croxdales Stimme klang erstickt. »Sind Sie Ihrer Sache sicher? Niemand würde doch ... aber warum? Das ergibt keinerlei Sinn. Eine solche Tat würde die ganze Welt gegen diese Leute aufbringen.« Er winkte ab und schüttelte den Kopf, als wolle er die Vorstellung als absurd abtun.

»Man hat nicht die Absicht, sie zu töten«, teilte ihm Pitt mit. »Jedenfalls nicht gleich, unter Umständen auch gar nicht.«

»Was dann?« Croxdale musterte ihn, als habe er ihn noch nie richtig gesehen. »Sind Sie sicher, dass Sie wissen, wovon Sie da reden?«

»Ja, Sir«, gab Pitt fest zurück. Es überraschte ihn nicht, dass Croxdale seine Worte anzweifelte. Wenn er nicht selbst die Beweise gesehen hätte, hätte er das ebenso wenig geglaubt wie der Minister. »Wir haben den Weg des für Mulhare bestimmten Geldes verfolgt. Seine Informationen waren äußerst wertvoll. Er hatte uns mitgeteilt, wo wir Nathaniel Byrne finden konnten, eine der treibenden Kräfte hinter mehreren Bombenanschlägen in Irland und London. Selbst im Sicherheitsdienst wusste das so gut wie niemand. Einer der wenigen, die davon Kenntnis hatten, war Austwick. Narraway hatte das Geld angewiesen, damit sich Mulhare der Rache seiner Landsleute entziehen konnte. Diese Gegenleistung für die Information hatte er zur Bedingung gemacht.«

»Von der ganzen Sache habe ich nichts gewusst!«, sagte Croxdale scharf. »Aber warum sollte Austwick so etwas tun? Hat er etwas für sich selbst abgezweigt?«

»Nein. Er wollte Narraway aus dem Sicherheitsdienst hinausdrängen und auch mich, für den Fall, dass ich hinreichend über Narraways Aktionen informiert war, um mir die Geschichte zusammenzureimen.«

»Was gibt es da zusammenzureimen?«, fuhr ihn Croxdale an. »Sie haben noch gar nichts richtig erklärt, Mann. Und was soll das Ganze mit dem Vorgehen von Sozialisten gegen die Königin zu tun haben?«

»Wir haben es hier mit wahnsinnig gewordenen Idealisten zu tun«, gab Pitt zurück. »Sie wollen die Königin als Geisel nehmen, um zu erreichen, dass das Oberhaus abgeschafft wird, und vermutlich auch, dass sie anschließend abdankt. Dem auf diese Weise erreichten Ende der Herrschaft durch erbliche Privilegien soll wohl eine Republik folgen, die ausschließlich durch gewählte Volksvertreter regiert wird.«

»Großer Gott.« Croxdale ließ sich in den nächsten Sessel sinken. Sein Gesicht war aschfahl, seine Hände zitterten. »Sind Sie wirklich ganz sicher? Ohne hieb- und stichfeste Beweise kann ich nicht tätig werden. Wenn ich Militär nach Osborne House in Marsch setzen soll, muss ich mich hundertprozentig darauf verlassen können, dass das gerechtfertigt ist – besser gesagt, ich muss genau wissen, dass es das Einzige ist, was ich tun kann. Falls Sie sich irren, lande ich im Tower und schließlich auf dem Richtblock.«

»Narraway befindet sich bereits in Osborne House, Sir«, teilte ihm Pitt mit.

»Was?« Croxdale fuhr überrascht hoch. »Narraway in ...« Er hielt inne und fuhr sich mit der Hand über das Gesicht. »Können Sie beweisen, was Sie mir hier vortragen, Pitt – ja oder nein? Ich muss das dem Premierminister erklären, bevor ich handele: sofort, noch heute Nacht. Ich kann Austwick festnehmen lassen – das werde ich als Erstes tun, bevor er auf den Gedanken kommt, dass Sie sein Spiel durchschaut haben. Das veranlasse ich sofort. Aber um den Premierminister zu überzeugen, brauche ich mehr als Ihr Wort.«

»Gewiss, Sir.« Pitt wies auf die Aktentasche. »Hier habe ich alles Nötige: Berichte, Anweisungen, Briefe. Man muss ein wenig kombinieren, aber es ist alles da.«

»Und Sie haben nicht die geringsten Zweifel? Gott im Himmel, Mann, wenn Sie sich irren, sorge ich dafür, dass Sie mit mir zusammen untergehen!« Croxdale stand auf. »Ich leite alles Erforderliche in die Wege. Ganz offensichtlich gibt es keine Zeit zu vergeuden.« Er ging langsam hinaus und schloss die Tür hinter sich.

Stoker, der sich während der ganzen Unterhaltung nicht von der Stelle gerührt hatte, runzelte die Brauen.

»Was gibt es?«, fragte Pitt.

Stoker schüttelte den Kopf. »Ich weiß nicht recht, Sir.«

Pitt hielt nach wie vor die Tasche mit den Dokumenten in der Hand. Warum hatte Croxdale sie nicht zu sehen verlangt, warum war er sie nicht zumindest flüchtig durchgegangen? Wieso hatte er die Beweise nicht sehen wollen, wo es doch immerhin um die Möglichkeit von Hochverrat innerhalb des Sicherheitsdienstes ging und er zuvor selbst von Narraways Schuld überzeugt gewesen war? Es war allgemein bekannt, dass Pitt unverrückbar auf Narraways Seite stand. Pitt hätte an Croxdales Stelle mehr Misstrauen an den Tag gelegt.

»Glauben Sie, dass er Austwick von vornherein verdächtigt hat?«, fragte Stoker.

»Wessen? Wenn Austwick in die Manipulation der Überweisung verwickelt war, die man Narraway in die Schuhe geschoben hat, ist er auch am Anschlag auf die Königin beteiligt. Falls Croxdale davon wusste, steckt er auch mit den Leuten unter einer Decke.« Noch während er das sagte, wurden ihm schlagartig die Zusammenhänge klar. Austwick führte die Anweisungen eines Höhergestellten aus, davon waren er und Stoker überzeugt. Ob das Croxdale selbst war?

Dann fiel ihm etwas ein: Croxdale hatte gesagt, er habe nicht gewusst, dass Austwick das Geld für Mulhare auf den Weg gebracht habe – dabei hatte er diese Anweisung gegenzeichnen müssen. Bei einem so hohen Betrag genügte eine einzige Unterschrift nicht.

Pitt wandte sich an Stoker. »Er schafft sich jetzt Austwick vom Hals und schiebt ihm die ganze Schuld zu«, sagte er. »Und dann geht es gegen die Königin.«

Im Lampenlicht erkannte er das Entsetzen in Stokers Augen. Ihm war klar, dass er ebenso aussehen musste. Konnte das stimmen? Falls sie sich irrten, würde das ihrer beider Ende bedeuten – falls sie aber Recht hatten und nichts unternahmen, würde es das Ende des Landes bedeuten.

Pitt nickte.

Stoker ging zur Tür und öffnete sie, wobei er den Knauf nur millimeterweise drehte, damit das Schnappschloss kein Geräusch verursachte. Pitt folgte ihm lautlos. Am anderen Ende des Vestibüls war die Tür zum Arbeitszimmer des Ministers angelehnt, und ein Lichtstrahl fiel durch den Spalt auf den dunklen Boden.

»Warten Sie, bis er herauskommt«, flüsterte Stoker. »Ich gehe auf die andere Seite und stelle mich neben die Tür. Sie lenken seine Aufmerksamkeit auf sich, und dann packe ich ihn von hinten. Stellen Sie sich darauf ein, dass er sich wehren wird.«

Pitts Herz schlug so heftig, dass er überzeugt war, diese Bewegung teile sich seinem ganzen Körper mit. War ihm seine Beförderung auf den Posten des Dienststellenleiters zu Kopf gestiegen, und stand er jetzt im Begriff, das Unüberlegteste zu tun, was er je getan hatte? Warf er mit einer Handlungsweise, die im Licht des Tages wie das Tun eines Wahnsinnigen oder eines Verräters aussehen würde, alles von sich? Gewiss war es besser zu warten, sich zurückzuhalten, einen anderen um Rat zu fragen.

Und wenn nun Stoker der Verräter war und Pitt mit voller Absicht in diese Falle lockte? Wenn er in Austwicks Auftrag arbeitete und jetzt den einzigen Mann festnahm, der ihnen noch im Weg stand?

War das Ganze womöglich ein abgekartetes Spiel mit dem Ziel, den Sicherheitsdienst zugrunde zu richten, ihn jeglicher Glaubwürdigkeit zu berauben, so dass man ihn abschaffen konnte?

Er erstarrte.

Stoker schlich auf Zehenspitzen durch das Vestibül und blieb, kaum als Schatten wahrnehmbar, im Rahmen der Tür neben dem Arbeitszimmer stehen, so dass ihm Croxdale den Rücken zukehren würde, wenn er herauskam, um mit Pitt zu sprechen.

Die Sekunden schlichen dahin.

Telefonierte Croxdale da drin mit dem Premierminister? Was konnte er ihm dabei sagen? Würde er ihn persönlich aufsuchen müssen, um die Erlaubnis zu erwirken, Osborne House mit einem Trupp Bewaffneter zu entsetzen? Nein – hier handelte es sich um einen Notfall. Es gab keine Zeit für langes Hin und Her oder große Erklärungen. Stand er im Begriff, Austwicks Festnahme zu veranlassen?

Die Tür zum Arbeitszimmer bewegte sich, und Croxdale trat heraus. Jetzt musste Pitt handeln, während der Minister durch das unbeleuchtete Vestibül auf das Empfangszimmer zuging.

Er trat vor. »Sir Gerald, Austwick ist nicht der Anführer des geplanten Anschlags.«

Croxdale blieb stehen. »Was zum Teufel soll das? Falls jemand anders dahintersteckt, warum haben Sie mir das nicht gleich gesagt?«

»Weil ich es da noch nicht wusste«, gab Pitt unumwunden zurück.

Croxdales Gesicht war wegen der Dunkelheit nicht zu erkennen. »Und jetzt wissen Sie es?«, fragte er leise. War das Ungläubigkeit, oder hatte er endlich begriffen?

»Ja.«

Lautlos schlich sich Stoker bis auf einen Schritt an Croxdale heran, wobei er darauf bedacht war, keinen Schatten zu werfen.

»So, so. Und wer soll das sein?«, fragte Croxdale.

»Sie.«

Völliges Schweigen trat ein.

Croxdale war ein breitschultriger, schwerer Mann. Pitt fragte sich, ob er und Stoker imstande sein würden, ihn zu überwältigen, falls er sich wehrte und nach dem Lakaien rief, der sich sicher irgendwo in der Nähe bereithielt – hoffentlich in der Küche, denn um ihn dort zu erreichen, würde man nach ihm läuten müssen.

»Sie haben einen Fehler begangen«, teilte ihm Pitt mit, allein schon, damit Croxdale es nicht hörte, falls Stoker doch irgendein Geräusch verursachte.

»Tatsächlich? Und welchen?« Croxdales Stimme klang nicht beunruhigt. Binnen Sekunden hatte er seine Haltung wiedergefunden.

»Der Betrag, den Sie an Mulhare gezahlt haben.«

»Das war er wert. Er hat uns Byrne ausgeliefert«, gab Croxdale zurück. In seiner Stimme lag unverhohlene Verachtung. »Falls Sie Ihr Aufgabengebiet kennen würden, wäre Ihnen das bewusst.«

»Das kenne ich gut«, gab Pitt zurück und sah Croxdale unverwandt an, damit sich dieser auf keinen Fall umdrehte und merkte, dass Stoker hinter ihm stand. »Es geht nicht darum, ob das, was wir von Mulhare erfahren haben, das wert war oder nicht, sondern darum, dass die Anweisung von einer zweiten Person genehmigt werden musste. Aus diesem Grund trägt sie auch Ihre Unterschrift.«

»Ja, und?«, fragte Croxdale. »Dagegen ist nichts einzuwenden, denn sie war rechtmäßig.«

»Sie hat dazu gedient, Narraway auszubooten – und Sie hatten gesagt, dass Sie nichts davon wüssten«, erinnerte ihn Pitt.

Croxdale nahm die Hände aus den Taschen. In der Linken hielt er eine kleine Pistole. Während er sie hob und in Anschlag brachte, brach sich ein schmaler Lichtstrahl darin, der hinter Pitts Rücken aus dem Empfangszimmer ins Vestibül fiel.

Pitt drehte sich rasch um, als stehe Stoker hinter ihm. Im selben Augenblick hob dieser ein Bein und trat Croxdale gezielt gegen den linken Ellbogen.

Die Waffe flog durch die Luft. Pitt streckte sich, und es gelang ihm, sie zu fangen. Blitzschnell fuhr Croxdale zu Stoker herum, verdrehte ihm den Arm, so dass er zu Boden sank, und nahm ihn in den Würgegriff.

»Geben Sie mir die Pistole zurück, wenn Sie nicht wollen, dass ich ihm das Genick breche«, stieß Croxdale mit sich beinahe überschlagender Stimme hervor.

Pitt zweifelte keine Sekunde daran, dass er diese Drohung wahrmachen würde. Die Maske war gefallen: Croxdale hatte nichts mehr zu verlieren. Mit Sicherheit würde Stoker den Würgegriff nicht lange durchhalten, und so blieb Pitt keine Wahl. Noch befand sich Stoker halb seitlich von Croxdale, wurde aber von ihm immer mehr herübergezogen. Es würde nur noch wenige Augenblicke dauern, bis Stoker bewusstlos war, dann konnte Croxdale ihn nach Belieben als lebenden Schutzschild benutzen.

Pitt zielte auf Croxdales Kopf und traf. Das überraschte ihn selbst, nicht wegen der Entfernung, denn die war gering, wohl aber, weil er noch nie zuvor auf einen Menschen geschossen hatte.

Croxdale stürzte rücklings zu Boden. Von Blutspritzern bedeckt, sank Stoker taumelnd neben ihn. Pitt ließ die Waffe fallen, ergriff seine Hand und zog ihn auf die Füße.

Stoker sah zu der Pistole hin.

»Lassen Sie sie liegen!«, sagte Pitt, der verblüfft feststellte, dass seine Stimme fast völlig normal klang. »Der Minister hat sich erschossen, als er gemerkt hat, dass wir Beweise für seinen Hochverrat besitzen. Wir wussten nicht, dass er eine Waffe hatte, und konnten ihn daher nicht daran hindern.« Jetzt zitterte er doch, und es kostete ihn seine ganze Selbstbeherrschung, sich auf den Beinen zu halten. »Was haben Sie sich eigentlich dabei gedacht?«, fuhr er mit einem Mal Stoker an. »Er hätte Sie glatt umgebracht!«

Keuchend rieb sich Stoker den Hals. »Ich weiß«, gab er mit rauer Stimme zurück. »Nur gut, dass Sie geschossen haben, sonst läge jetzt ich dort tot am Boden. Danke, Sir.«

Gerade als ihm Pitt mitteilen wollte, dass es ausgesprochen dumm von ihm gewesen sei, sich von Croxdale auf diese Weise packen zu lassen, kam ihm die plötzliche Erkenntnis, dass er das mit voller Absicht getan hatte. Er hatte das eigene Leben ganz bewusst aufs Spiel gesetzt, um zu erreichen, dass Pitt auf Croxdale schoss. Er musterte Stoker mit einem Blick, als sehe er ihn zum ersten Mal.

»Was hätten wir sonst gegen ihn ausrichten können, Sir?«, fragte Stoker pragmatisch. »Hätten wir ihn etwa fesseln sollen? Dann hätten ihn seine Dienstboten gefunden und befreit. Hätten wir ihn in einer Droschke mitnehmen oder einer von uns hierbleiben und ihn bewachen sollen?«

»Sie haben Recht!«, schnitt ihm Pitt das Wort ab. »Jetzt aber müssen wir so schnell wie möglich zur Isle of Wight, um die Königin zu retten, von Narraway, Lady Vespasia und meiner Frau ganz abgesehen.« Seine Gedanken jagten sich, während er sich die Männer vorstellte, von denen er wusste, dass sie sich dort aufhielten: Fanatiker wie Portman, Gallagher, Haddon, Fenner und andere, die vor keiner Gewalttat zurückschreckten und einer wie der andere demselben fehlgeleiteten Idealismus anhingen. Jeder von ihnen war bereit, um der Veränderung willen, die ihrer Ansicht nach ein neues Zeitalter gesellschaftlicher Gerechtigkeit einläuten würde, zu töten und, wenn es nötig war, auch zu sterben.

Dann kam ihm ein weiterer Gedanke. »Für den Fall, dass er Austwicks Festnahme veranlasst hat – wohin hat er ihn da wohl in der Eile bringen lassen?«

»Austwick?« Stoker begriff nicht.

»Ja. Wo mag der jetzt sein? Wie lässt sich feststellen, wo er wohnt? Oder wissen Sie es?«

»In Kensington, Sir, nicht weit von hier«, gab Stoker zur Antwort. »Falls Croxdale überhaupt jemanden angerufen hat, dann die Polizei von Kensington.«

»Sofern er es nicht getan hat, werden wir das jetzt tun«, sagte Pitt, der inzwischen eine genaue Vorstellung davon hatte, wie er weiter vorgehen musste. »Vorwärts, es eilt. Wir wissen nicht, wen Croxdale angerufen hat – auf keinen Fall war es der Premierminister.« Er ging auf das Arbeitszimmer zu.

»Sir!«, sagte Stoker verwirrt.

Pitt wandte sich zu ihm um. »Falls einer der Dienstboten herunterkommt, sagen Sie ihm, dass sich Sir Gerald erschossen hat. Tun Sie alles, was Sie können, um dafür zu sorgen, dass es glaubhaft aussieht. Ich rufe die Polizeiwache von Kensington an.« Da er keine Zeit hatte, lange nach der Nummer zu suchen, nahm er den Hörer ab und teilte der Vermittlung mit, dass er dringend eine Nummer brauche. Vielleicht hatte Croxdale es ja ebenso getan. Als sich die Polizei meldete, stellte er sich vor und erklärte, jemand habe sich in Bezug auf Mr Austwick einen schlechten Scherz erlaubt, indem er unter falschem Namen die Anweisung erteilt habe, den Mann festzunehmen. Er bat darum, die Sache fallen zu lassen.

»Sind Sie sicher, dass Sie die richtige Nummer gewählt haben, Sir?«, sagte der Polizeibeamte in zweifelndem Ton. »Hier hat niemand angerufen.«

»Aber Mr Austwick wohnt doch in Ihrem Bezirk?«, fragte Pitt mit einem plötzlichen flauen Gefühl im Magen.

»Ja, Sir.«

»Dann wollen wir uns vergewissern, dass ihm keine Gefahr droht. Wie lautet seine Adresse?«

Der Mann zögerte einen Augenblick und nannte sie dann. »Wir können gern selbst Leute hinschicken, Sir. Sie verstehen, wir wissen ja nicht wirklich, wer Sie sind.«

»Gut. Tun Sie das«, stimmte Pitt zu. »Wir kommen, sobald wir eine Droschke aufgetrieben haben.« Er hängte den Hörer wieder auf und ging zu Stoker ins Vestibül, der unruhig von einem Fuß auf den anderen trat.

»Wir brauchen eine Droschke«, sagte Pitt.

»Da werden wir bis zur Hauptstraße gehen müssen«, gab Stoker zur Antwort, öffnete die Tür und verließ das Haus, unübersehbar erleichtert. Sie schritten so rasch aus, wie sie konnten, ohne zu rennen.

Es dauerte einige Minuten, bis sie eine Droschke fanden. Dem Kutscher nannten sie Austwicks Anschrift und forderten ihn auf, so schnell wie möglich zu fahren. »Was haben Sie mit Austwick vor, Sir?«, erkundigte sich Stoker. Er musste die Stimme heben, um sich über dem Hufgetrappel und dem Rattern der Räder auf dem Kopfsteinpflaster verständlich zu machen.

»Er soll uns helfen«, gab Pitt zurück. »Da er die Leute nach Osborne House in Marsch gesetzt hat, ist er auch der Einzige, der sie zurückpfeifen kann, ohne dass es zu einer wilden Schießerei kommt. Wir würden uns nicht mit Ruhm bedecken, wenn wir sie festnehmen und die Königin dabei umkommt.« Er unterließ es bewusst, Narraway, Lady Vespasia und vor allem Charlotte zu erwähnen.

»Meinen Sie denn, dass er das tut?«, fragte Stoker.

»Es ist unsere Aufgabe, ihn dazu zu überreden«, stieß Pitt grimmig hervor. »Croxdale ist tot, aber Narraway lebt. Ich bezweifle, dass die Königin selbst unter Lebensgefahr etwas unterschreiben würde, was die Macht oder die Würde der Krone einschränken könnte.«

Stoker gab keine Antwort, doch Pitt sah im Licht der nächsten Straßenlaterne, an der sie vorüberkamen, dass er lächelte.

Vor Austwicks Haus standen mehrere Polizeibeamte, die sich unauffällig im Schatten hielten.

Pitt und Stoker zeigten ihre Dienstmarken.

»Wie können wir Ihnen behilflich sein, Sir?«, erkundigte sich ein Wachtmeister diensteifrig.

Pitt traf seine Entscheidung umgehend. »Wir holen uns Mr Austwick und fahren alle miteinander, so schnell es geht, nach Portsmouth.«

Der Wachtmeister sah verwirrt drein.

»Rufen Sie von Austwicks Apparat aus am Bahnhof an, dass man den Nachtzug warten lässt«, teilte ihm Pitt mit. »Wir müssen unbedingt vor morgen früh auf der Isle of Wight sein.«

Zackig gab der Beamte zurück: »Verstanden, Sir. Ich ... ich kümmere mich sofort darum.«

Mit einem Lächeln dankte ihm Pitt. Dann nickte er Stoker zu. Sie klopften so lange an Austwicks Haustür, bis ein schlaftrunkener Lakai im Nachthemd öffnete. Bevor er etwas sagen konnte, forderte Pitt ihn auf, beiseitezutreten. Der Mann sah die Polizeibeamten hinter Pitt und Stoker und befolgte die

Anweisung. Zehn Minuten später trat Austwick unrasiert und notdürftig angekleidet ins Vestibül. Er war unübersehbar wütend.

»Was zum Teufel wird hier gespielt?«, erkundigte er sich aufgebracht. »Wissen Sie eigentlich, wie spät es ist, Mann?«

Pitt warf einen Blick auf die Standuhr ihm gegenüber. »Gleich Viertel vor zwei«, sagte er. »Und wir müssen vor Tagesanbruch in Portsmouth sein.«

Austwick erbleichte, was selbst im schlecht beleuchteten Vestibül deutlich zu sehen war. Sofern Pitt noch einen Beweis dafür gebraucht hätte, dass der Mann Croxdales Plan kannte, hätte die unübersehbare Angst auf Austwicks Gesicht diesen geliefert.

»Das Spiel ist aus«, sagte Pitt. »Croxdale hat sich erschossen, als wir ihm eröffnet haben, dass wir seinen Plan kennen. Narraway ist aus Irland zurück und befindet sich bei der Königin in Osborne House. Sie haben die Wahl, Austwick: Wir können Sie an Ort und Stelle festnehmen, dann werden Sie wegen Hochverrats vor Gericht gestellt. In dem Fall wird man Sie hängen, und Ihre Angehörigen werden ihres Lebens nicht mehr froh. Noch Ihre Enkel, falls Sie welche haben, müssten sich Ihres Namens schämen.« Er erkannte das Entsetzen auf Austwicks Zügen, konnte sich aber kein Mitgefühl leisten. »Die andere Möglichkeit besteht darin, dass Sie mit uns kommen und Ihre Leute aus Osborne House zurückrufen«, fuhr er fort. »Sie haben zwei Minuten Zeit, sich zu entscheiden. Wollen Sie als geächteter Verräter am Galgen enden – oder uns begleiten und als Held leben oder sterben?«

Austwick brachte kein Wort heraus. Er war sichtlich vor Angst wie gelähmt.

»Schön«, sagte Pitt entschlossen. »Sie kommen also mit. Das habe ich mir gleich gedacht. Wir nehmen den Nachtzug nach Portsmouth. Beeilen Sie sich.«

Stoker fasste Austwick mit festem Griff am Arm, und sie traten in die Nacht hinaus.

Sie mussten ihn halb in die wartende Droschke heben, dann nahmen sie links und rechts von ihm Platz. Der Polizeiwachtmeister und ein weiterer uniformierter Beamter folgten in einer zweiten Droschke, bereit, erforderlichenfalls die Straße freizumachen.

Schweigend ging es im gestreckten Galopp der Themse und dem an ihrem Südufer gelegenen Bahnhof entgegen, wo sie den Postzug nach Portsmouth nehmen wollten. Pitt merkte, dass er unwillkürlich die Hände zu Fäusten geballt hatte. Sein ganzer Körper schmerzte vor Anspannung, weil er nicht wusste, ob der Zug wirklich warten würde. Der Beamte hatte von Austwicks Haus aus auf der eigenen Wache angerufen, damit die Kollegen die Leute bei der Bahn instruierten. Wenn nun der Bahnhofsvorsteher der Nachtschicht ihm nicht geglaubt oder nicht begriffen hatte, wie dringend die Sache war? Was, wenn der Mann einer solchen Krisensituation nicht gewachsen war?

Weiter ging es durch nahezu verlassene Straßen, über die Themsebrücke von Battersea, dann scharf nach Westen durch die High Street. In einem Augenblick fürchtete er, dass sie zu langsam fuhren, und im nächsten, wenn die Droschke in rasender Fahrt eine Kurve nahm, dass sie zu schnell fuhr und umstürzen würde.

Am Bahnhof sprangen sie hinaus, und Pitt bezahlte dem Kutscher viel zu viel, weil er es sich nicht leisten konnte, auf das Wechselgeld zu warten. Sie stürmten im Laufschritt in die Halle und zerrten Austwick mit. Der Polizeiwachtmeister wies seine Dienstmarke vor und rief dem Bahnhofsvorsteher zu, er solle ihnen den Weg zum Zug nach Portsmouth zeigen.

Der Mann gehorchte bereitwillig, doch mit unübersehbarem Unbehagen. Als er voller Mitleid Austwicks aschfahles Gesicht musterte, fürchtete Pitt einen Augenblick lang, er werde sich einmischen.

Die Lokomotive stand schon unter Dampf. Ein sichtlich ungeduldiger Schaffner wartete neben der offenen Tür seines Dienstabteils, die Trillerpfeife an den Lippen.

Pitt dankte dem Polizeiwachtmeister und dessen Männern von ganzem Herzen. Er nahm sich vor, ihn zur Beförderung vorzuschlagen, immer vorausgesetzt, er überlebte die Nacht und sein Ruf war danach so, dass sich seine Empfehlung positiv auswirken konnte.

Kaum waren sie eingestiegen, als der Schaffner abpfiff. Die Lokomotive ruckte an wie ein Pferd, das sein Reiter nur mühsam hatte zurückhalten können.

Der Schaffner, ein kleiner Mann mit leuchtend blauen Augen, sah zweifelnd zu Pitt hin und sagte: »Ich hoffe nur, dass der Aufwand die Mühe wert ist. Sie werden Erklärungen abgeben müssen, junger Mann. Ist Ihnen klar, dass Sie uns volle zehn Minuten haben warten lassen?« Er warf einen Blick auf seine Taschenuhr und steckte sie wieder ein. »Elf«, korrigierte er sich. »Dieser Zug befördert die königliche Post. Nichts und niemand hält ihn auf, kein Regen, keine Überschwemmung und auch kein Gewitter. Und dann stehen wir für Leute wie Sie däumchendrehend auf dem Bahnhof herum.«

»Danke«, sagte Pitt ein wenig außer Atem.

Der Schaffner sah ihn an. »Nun ... wenn sich einer zu benehmen weiß, ist das gut und schön, aber trotzdem kann man die königliche Post nicht so mir nichts, dir nichts warten lassen. Solange ich dafür zuständig bin, gehört sie der Königin.«

Pitt holte Luft, um ihm zu antworten, doch dann ging ihm auf, wie paradox die Situation war. Er lächelte und schwieg.

Er ging mit Stoker und Austwick nach hinten, wo sie sich setzten. Stoker ließ Austwick keine Sekunde aus den Augen, als fürchte er, der Mann werde versuchen davonzulaufen, obwohl er nirgendwohin gekonnt hätte.

Pitt überlegte schweigend, wie sie nach ihrer Ankunft in Portsmouth am besten vorgehen konnten. Auf jeden Fall würden sie ein Boot requirieren müssen, ganz gleich, was für eins, um auf die Insel übersetzen zu können.

Er war nach wie vor tief in Gedanken versunken, als der Zug nach etwa einer Viertelstunde die Fahrt verlangsamte und schließlich mit einem mächtigen Dampfstoß stehen blieb. Pitt fuhr hoch und suchte den Schaffner in seinem Dienstabteil auf.

»Was ist los?«, fragte er. »Warum halten wir an? Wo sind wir?«

»Wir laden Post aus, was sonst?«, sagte der Schaffner mit ausgesuchter Geduld. »Das ist unsere Aufgabe. Gehen Sie wieder an Ihren Platz und verhalten Sie sich ruhig, Sir. Wir fahren weiter, wenn es so weit ist.«

»Wo halten Sie denn noch an?«, fragte Pitt mit einer Stimme, die lauter und herrischer war, als er beabsichtigt hatte. Die Situation zerrte unverkennbar an seinen Nerven.

Der Schaffner stand stocksteif vor ihm und sagte mit finsterer Miene: »Überall da, wo wir Post aufnehmen oder ausladen müssen, Sir. Wie ich schon gesagt habe, das ist unsere Aufgabe. Gehen Sie einfach wieder an Ihren Platz, Sir.«

Pitt nahm seine Dienstmarke heraus und hielt sie dem Mann unter die Nase. »Wir sind in einem äußerst dringenden Notfall unterwegs. Ich handele im Auftrag der Königin und muss vor Sonnenaufgang auf der Isle of Wight sein. Laden Sie die Post auf dem Rückweg aus, oder lassen Sie sie vom nächsten Zug aufnehmen, der durchkommt.«

Der Mann sah Pitt mit einer Mischung aus Stolz und Abscheu an. »Auch ich handele im Auftrag der Königin, Sir, denn ich befördere die königliche Post. Sie kommen nach Portsmouth, wenn wir mit unserer Arbeit fertig sind. Wie ich schon gesagt habe: Gehen Sie wieder an Ihren Platz und lassen uns unsere Arbeit tun. Sie halten uns nur auf, und das kann ich nicht dulden, Sir. Sie haben uns schon genug Ärger gemacht.«

Pitt spürte, wie unbeherrschter Zorn in ihm aufstieg und er Lust bekam, den Mann zu ohrfeigen. Das aber wäre ungerecht gewesen, denn er tat nur seine Pflicht. Er hatte keine Vorstellung, wer Pitt war, außer irgendeine Art Polizeibeamter.

Durfte er ihm auch nur einen Teil der Wahrheit enthüllen? Nein. Man würde ihn für geistesgestört halten. Er konnte nichts beweisen und würde das Ganze mit einem solchen Vorgehen nur noch mehr verzögern. Voll Entsetzen kam ihm die Erinnerung an seine letzte Bahnfahrt und deren schauerliches Ende. Unwillkürlich trat ihm das Bild eines zerschmetterten Körpers am Bahndamm vor Augen. Gott sei Dank hatte er Gower wenigstens nicht in diesem Zustand gesehen.

Er kehrte an seinen Platz zurück und setzte sich wieder.

»Sir«, sagte Stoker.

»Wir halten an jedem Bahnhof an«, sagte Pitt, bemüht, seine Stimme gleichmütig klingen zu lassen. »Ohne ihm die Wahrheit zu sagen, kann ich ihn nicht dazu bringen, das nicht zu tun.« Mit schiefem Lächeln fügte er hinzu: »Der Zug befördert die königliche Post, und der darf nichts im Wege stehen.«

Stoker setzte an, als wolle er etwas sagen, überlegte es sich dann aber anders. Es kostete Pitt nicht die geringste Mühe, alles, was er empfand, auf seinem Gesicht abzulesen.

Die Fahrt ging quälend langsam voran. Keiner sprach mehr ein Wort, bis der Zug schließlich im Bahnhof von Portsmouth anhielt. Inzwischen begann der Himmel sich im Osten hell zu färben. Austwick machte ihnen keine Schwierigkeiten, während sie durch die noch nahezu verlassen daliegenden Straßen zum Hafen gingen, wo sie ein großes Ruderboot fanden, mit dem sie übersetzen konnten.

Die See war kabbelig, und eine kräftige Brise wehte. Unter diesen Bedingungen zu rudern war Schwerarbeit, und sie mussten sich mächtig in die Riemen legen, um voranzukommen.

Schließlich erreichten sie einen Landesteg, machten das Boot fest und eilten dann sogleich Osborne House entgegen, das von ferne über die Wipfel der noch kahlen Bäume hinweg zu erkennen war. Sie schritten so rasch aus, wie sie konnten, denn weit und breit sahen sie niemanden, von dem sie ein Transportmittel hätten mieten oder sich leihen können.

Die Sonne stand schon über dem Horizont, als sie die Grenze des Anwesens erreichten. Die wellige Parklandschaft und der grandiose Palast lagen schlafend vor ihnen. Nichts außer Vogelgezwitscher unterbrach die Stille um sie herum.

Einen Augenblick lang beschlichen Pitt entsetzliche Zweifel. War das Ganze nichts als ein ganz und gar unwirklicher ungeheuerlicher Alptraum? Hatten sie womöglich alles falsch verstanden? Stand er im Begriff, bei der Königin hereinzuplatzen und sich endgültig zum Narren zu machen?

Stoker schritt weiterhin kräftig aus, wobei er Austwick nach wie vor fest am Arm hielt.

In dem ganzen Gebäude rührte sich nichts. Sicherlich aber gab es dort doch selbst dann irgendeine Art Wache, wenn sich Pitt die ganze Verschwörung nur eingebildet haben sollte?

Als sie das Tor erreichten, trat ein Mann vor. Er trug eine Livree, die ihm mehr um die Glieder schlotterte, als dass sie ordentlich saß. Zwar nahm er eine Art Habachtstellung ein, doch merkte man, dass er kein Soldat war. In seinen Augen blitzte Überheblichkeit.

»Se könn'n hier nich' rein«, teilte er ihnen kurz angebunden mit. »Das gehört der Königin. Se dürf'n es sich gerne von auß'n anseh'n, aber kein'n Schritt weiter, verstand'n?«

Pitt kannte das Gesicht des Mannes. Er versuchte sich an den Namen zu erinnern, doch er fiel ihm nicht ein. Er war so müde, dass ihm alles vor den Augen zu verschwimmen begann. Er musste wach bleiben, seinen Verstand beisammen halten, dafür sorgen, dass seine Urteilskraft ungetrübt blieb. Er stand unmittelbar hinter Austwick und stieß ihn an.

»Das geht in Ordnung, McLeish«, sagte dieser mit leicht zitternder und ein wenig belegter Stimme. »Die Herren gehören zu mir. Wir müssen hinein.«

Der Mann zögerte.

»Und zwar so schnell wie möglich«, fügte Pitt hinzu. »Hinter uns kommen noch mehr. In einer oder zwei Stunden ist alles vorbei.«

»Na schön«, sagte McLeish, wandte sich auf dem Absatz um und ging ihnen voraus.

»Fragen Sie ihn nach der Königin«, zischte Pitt Austwick zu. »Machen Sie jetzt bloß nicht schlapp. Gehängt zu werden ist kein schöner Tod.«

Da Austwick strauchelte, riss Stoker ihn hoch.

Austwick räusperte sich. »Geht es der Königin gut? Ich meine … ist sie in der Lage, Schriftstücke zu unterzeichnen?«

»Selbstverständlich«, gab McLeish munter zur Antwort. »Übrig'ns sin' da gestern drei Leute aufgetaucht, 'n Mann un' zwei Frauen. Uns is' nix andres übriggeblieb'n, wie se reinzulass'n, weil se sonst imstande gewes'n wär'n, Alarm zu schlag'n. Aber die mach'n kein'n Ärger. Alles läuft best'ns.«

Jetzt hatten sie fast den Eingang zum Palast erreicht.

Austwick zögerte.

Die Sonne schickte ihre Strahlen durch eine Lücke zwischen den Bäumen. Aus dem Gebäude hörte man kein Lebenszeichen, keinen Laut, aber vermutlich dämpften die mächtigen Flügel des Portals alle Geräusche.

Jemand musste sie beobachtet haben, denn das Portal öffnete sich, und ein breitschultriger Mann mit einer Schrotflinte über der Schulter stellte sich ihnen in den Weg.

Mit hoch erhobenem Kopf trat Austwick vor. Anfangs wirkte seine Stimme ein wenig brüchig, wurde aber immer fester.

»Guten Morgen, Portman. Ich heiße Charles Austwick und vertrete Sir Gerald Croxdale sowie alle Sozialisten unseres Landes.«

»Höchste Zeit, dass Sie kommen!«, sagte Portman, und es klang wie ein Verweis. »Haben Sie die Dokumente?«

»Wir bringen sie der Königin«, sagte Pitt rasch. »Lassen Sie uns ein. Es ist fast vorbei.« Er bemühte sich, eine gewisse Erregung in seine Stimme zu legen.

Portman lächelte. »In Ordnung.« Er hob den Arm, über dem die Flinte hing, zu einem Siegesgruß.

Stoker trat vor und versetzte ihm einen Schlag, in den er sein ganzes Gewicht legte. Er traf ihn in den Solarplexus, so dass der Mann rückwärts ins Innere des Gebäudes taumelte. Dort krümmte er sich vor Schmerzen, wobei seine Flinte zu Boden fiel. Sofort griff Stoker danach und hob sie auf.

Austwick stand wie gelähmt.

Als sich Pitt daranmachte, die Treppe emporzusteigen, kam ein weiterer Mann mit schussbereiter Waffe aus dem Dienstbotentrakt. In diesem Augenblick tauchte Narraway auf dem Treppenabsatz auf und versetzte ihm einen so heftigen Hieb, dass er mit dem Gesicht voran die Treppe hinabstürzte, wobei er seine Waffe losließ. Mit gebrochenem Genick blieb er am Fuß der Treppe liegen.

Der Mann im Vestibül hob die Waffe auf und richtete sie auf Pitt. Austwick, der das wohl nicht gesehen hatte, trat vor ihn, und im selben Augenblick hallte ein Schuss, woraufhin Austwick langsam zu Boden sank, wo sich eine riesige Blutlache bildete.

Stoker feuerte auf den Mann, der geschossen hatte.

Jetzt kam Narraway nach unten und nahm dem am Boden liegenden Mann die Waffe ab.

»Es sind noch fünf weitere da«, sagte er gelassen. »Wir wollen zusehen, ob wir sie ohne weiteres Blutvergießen festnehmen können.«

Pitt sah Narraway an. Zwar schien dieser vollständig Herr der Lage zu sein, doch sah er elend aus, und seine Augen lagen tief in ihren Höhlen. Seine Stimme klang, als müsse er sie mit aller ihm zu Gebote stehenden Willenskraft beherrschen.

Pitt wandte den Blick zu Stoker und nickte ihm zu.

»Ja, Sir«, sagte dieser gehorsam und machte sich auf den Weg zum Dienstbotentrakt.

Narraway sah Pitt an. Auf seine Züge trat ein leichtes Lächeln, doch in seinen Augen lag eine Wärme, die Pitt dort noch nie gesehen hatte, nicht einmal bei ihren größten Triumphen. »Wollen Sie nach oben gehen und Ihrer Majestät mitteilen, dass die Ordnung wiederhergestellt ist?«, fragte er. »Sie braucht keine Papiere zu unterzeichnen.«

»Geht es Ihnen … gut?«, fragte Pitt. Er merkte überrascht, wie sehr ihm daran lag.

»Ja, vielen Dank«, gab Narraway zurück. »Aber noch ist die ganze Sache nicht ausgestanden. Ist der da am Boden etwa Charles Austwick?«

»Ja. Ich denke, es dürfte für alle das Beste sein, wenn wir sagen, dass er sein Leben für unser Land gegeben hat.«

»Er hat also an der Spitze dieser verdammten Verschwörung gestanden«, stieß Narraway zwischen den Zähnen hervor.

»Eigentlich nicht«, teilte ihm Pitt mit. »Der wirkliche Verräter saß in Westminster. Die treibende Kraft war Croxdale.«

Verblüfft sah ihn Narraway an. »Sind Sie sicher?«

»Ganz und gar. Er hat es mehr oder weniger selbst zugegeben.«

»Und wo ist er jetzt?«

»Tot. Ich denke, wir sagen, dass er sich das Leben genommen hat.« Pitt merkte, dass er am ganzen Leibe zitterte. Er versuchte es zu unterdrücken, doch gelang es ihm nicht.

»Es stimmt also nicht?«

»Ich habe ihn erschossen. Er stand im Begriff, Stoker das Genick zu brechen.« Pitt ging weiter nach oben, an Narraway vorüber.

»Ich verstehe«, sagte dieser langsam. Er lächelte zufrieden. »Da hat Croxdale Sie wohl unterschätzt, was?«

Pitt merkte, dass er errötete. Peinlich berührt, wandte er sich ab und ging weiter nach oben. Dort klopfte er an die Tür zum großen Salon.

»Herein«, gebot eine leise Stimme.

Er drehte den Knauf und trat ein. Die Königin stand mitten im Raum zwischen Charlotte und Lady Vespasia. Beim Anblick der Gruppe übermannte Pitt die Rührung so sehr, dass ihm die Tränen in die Augen traten. Seine Kehle war wie zugeschnürt, so dass er kaum herausbrachte, was er sagen wollte.

»Eure Majestät.« Er räusperte sich. »Es freut mich, Ihnen mitteilen zu können, dass sich Osborne House aufs Neue in den Händen derer befindet, denen es gehört. Es wird keine weiteren Schwierigkeiten geben. Trotzdem würde ich empfehlen, sich einstweilen weiter in diesem Raum aufzuhalten, weil noch dies und jenes aufgeräumt werden muss.«

Lady Vespasias Gesicht strahlte vor Erleichterung. Alle Mattigkeit war von ihr abgefallen.

Charlotte lächelte ihm zu, zu glücklich und zu stolz, als dass sie auch nur ein Wort hätte sagen können.

»Danke, Mr Pitt«, sagte Königin Viktoria mit leicht heiser klingender Stimme. »Wir sind Ihnen zu großem Dank verpflichtet und werden das nicht vergessen.«